Dix petits nègres

L'Homme au complet marron

Agatha Christie

Dix petits nègres

L'Homme
au complet marron

EDITIONS FRANCE LOISIRS

Dix petits nègres a paru sous le titre original :
Ten little Niggers.
© Agatha Christie, 1939, 1940.
© Librairie des Champs-Elysées, 1993, pour la nouvelle traduction.
Nouvelle traduction de l'anglais par Gérard de Chergé.

L'Homme au complet marron a paru sous le titre original :
The Man in the brown Suit.
© Dood Mead & Company Inc., 1924.
© Librairie des Champs-Elysées, 1930, 1992 pour la nouvelle
traduction.
Nouvelle traduction de l'anglais par Sylvie Durastanti.

Edition du Club France Loisirs,
avec l'autorisation de la Librairie des Champs-Elysées.

Editions France Loisirs
123, boulevard de Grenelle, Paris.
www.franceloisirs.com

© Editions France Loisirs, pour la présente édition.

ISBN : 2-7441-6430-5

Dix petits nègres

1

Dans le coin fenêtre d'un compartiment fumeurs de première classe, le juge Wargrave, retraité depuis peu, tirait sur son cigare en parcourant avec intérêt les pages politiques du *Times*.

Posant son journal, il regarda par la vitre. Ils traversaient maintenant le Somerset. Il jeta un coup d'œil à sa montre : encore deux heures de voyage.

Mentalement, il passa en revue tout ce qui avait paru dans la presse au sujet de l'île du Nègre.

Il y avait d'abord eu la nouvelle de son achat par un milliardaire américain fanatique de yachting — assortie de la description de la luxueuse demeure ultra-moderne qu'il faisait construire sur cet îlot au large du Devon. Le fait malencontreux que la toute récente et néanmoins troisième épouse dudit milliardaire n'eût pas le pied marin avait entraîné la mise en vente de l'île et de la maison. Des publicités dithyrambiques avaient alors été placardées un peu partout. Jusqu'au jour où on avait sobrement annoncé qu'elle avait été rachetée par un certain Mr O'Nyme. Les échotiers s'étaient tout aussitôt déchaînés. Selon eux, l'île du Nègre avait été acquise en réalité par miss Gabrielle Turl, la star hollywoodienne ! Elle rêvait d'y passer quelques mois à l'abri de toute publicité ! *La Commère* laissait entendre à mots couverts que la famille royale comptait y établir ses quartiers d'été ! *Mr Merryweather* avouait s'être laissé dire en confidence que l'île avait été achetée en vue d'une lune de miel : le jeune lord L. avait enfin succombé à Cupidon ! *Jonas* savait de source sûre que l'Amirauté l'avait acquise en vue d'y procéder à des expériences *secrétissimes* !

Pas de doute, l'île du Nègre faisait vendre de la copie !

Le juge Wargrave sortit une lettre de sa poche. L'écriture en était indéchiffrable, mais quelques mots ressortaient çà et là avec une clarté inattendue : *Lawrence, très cher,... sans nouvelles de vous depuis tant d'années... absolument venir à l'île du Nègre... un cadre enchanteur... tant de choses à nous raconter... le bon vieux temps... communion avec la Nature... rôtir au soleil... départ de Paddington à 12 h 40... vous ferai prendre à Oakbridge...* Et sa correspondante concluait : *Bien à vous*, suivi d'un élégant *Constance Culmington* adorné d'un paraphe.

Le juge Wargrave s'efforça de se rappeler depuis combien de temps il n'avait pas vu lady Constance Culmington. Cela devait faire sept... non, huit ans. A l'époque, elle partait pour l'Italie afin de rôtir au soleil et de communier avec la Nature et les *contadini*. Plus tard, il avait entendu dire qu'elle avait continué sa route jusqu'en Syrie, afin de rôtir sous un soleil plus ardent encore et de vivre en symbiose avec la Nature... et cette fois les bédouins.

Constance Culmington, se dit-il, était tout à fait le genre de femme à acheter une île et à s'entourer de mystère ! Approuvant d'un léger hochement de tête la logique de sa réflexion, le juge Wargrave se mit à dodeliner du chef...

Et s'endormit.

Dans le compartiment de troisième classe où s'entassaient cinq autres voyageurs, Vera Claythorne appuya la tête contre le dossier et ferma les yeux. Ce qu'il pouvait faire chaud, dans ce train ! Se retrouver au bord de la mer ne serait pas du luxe ! Quelle aubaine que d'avoir décroché ce job ! Quand on se cherche un gagne-pain pour l'été, on se retrouve neuf fois sur dix à surveiller une ribambelle de gosses ; dénicher un poste de secrétaire temporaire, c'était une autre paire de manches. Même à l'agence, on ne l'avait guère bercée d'espoir.

Et puis la lettre était arrivée.

L'Agence de la Professionnelle Qualifiée m'a communiqué votre nom et vous a recommandée à moi. Si j'ai bien compris, ils vous connaissent personnellement. Je suis disposée à vous verser le salaire auquel vous prétendez, étant entendu que vous entrerez en fonction le 8 août. Le train part de Paddington à 12 h 40 et on vous attendra à la gare d'Oakbridge. Ci-joint cinq billets d'une livre pour vos frais.

Meilleurs sentiments,
Alvina Nancy O'Nyme

L'adresse figurait en haut : *île du Nègre, Sticklehaven, Devon...*

L'île du Nègre ! Mais on ne parlait plus que de ça dans tous les journaux ! Il courait dessus toutes sortes de bruits et de ragots fascinants. Sans doute faux, d'ailleurs, pour la plupart. Ce qu'il y avait de sûr, c'est que la maison avait bel et bien été construite par un milliardaire et que c'était, paraît-il, le fin du fin en matière de luxe.

Ereintée par un dernier trimestre scolaire éprouvant, Vera Claythorne pensa : « Prof de gym dans une école de troisième zone, ce n'est pas une vie... Si seulement je pouvais me faire embaucher dans une boîte pas trop *moche* ! »

Puis, avec un petit froid au cœur : « Mais j'ai déjà de la chance d'avoir trouvé ça. Après tout, une enquête judiciaire, ça fait toujours mauvais effet, même si pour moi ça s'est terminé par un non-lieu ! »

Le coroner l'avait même félicitée pour sa présence d'esprit et son courage. Ça n'aurait pas pu se passer mieux. Et Mrs Hamilton avait été la bonté même. Il n'y avait que Hugo qui... *mais elle n'allait pas se mettre à penser à Hugo !*

Soudain, malgré la chaleur qui régnait dans le compartiment, elle frissonna et regretta d'aller à la mer. Une image hantait son esprit : *la tête de Cyril qui jouait les ludions alors qu'il nageait vers le rocher, sa tête qui dansait comme un bouchon* — de haut en bas, de haut en bas... Et elle qui nageait à la rescousse à larges brasses maîtrisées, qui fendait l'eau dans le sillage du gamin tout

12

en sachant pertinemment qu'elle ne le rattraperait que trop tard...

La mer... son bleu chaud et profond... les matinées passées à lézarder sur la plage... Hugo... Hugo qui lui avait dit qu'il l'aimait...

Il ne fallait pas qu'elle pense à Hugo...

Elle rouvrit les yeux et, sourcils froncés, regarda l'homme qui était assis en face d'elle. Un grand type au visage boucané, aux yeux clairs assez rapprochés, à la bouche arrogante, presque cruelle.

« Je parie qu'il a roulé sa bosse dans des régions peu banales, et qu'il y a vu des choses pas banales non plus... »

Jaugeant d'un coup d'œil oblique la fille qui lui faisait face, Philip Lombard pensa :

« Plutôt gironde... un rien maîtresse d'école, peut-être bien. »

Une fille à qui on ne la faisait pas — une fille capable de jouer le jeu, en amour comme à la guerre. Ça ne lui aurait pas déplu de lui faire un brin de rentre-dedans...

Il se renfrogna. Non, pas question ! Pas touche ! Il n'était pas là pour rigoler. Ce qu'il fallait, c'était qu'il se concentre sur son boulot.

De quoi est-ce qu'il retournait, au juste ? Ce petit youpin s'était montré bougrement mystérieux.

– A prendre ou à laisser, capitaine Lombard.

– Cent guinées, OK ? avait-il rétorqué à tout hasard.

Il avait dit ça sur un ton dégagé, comme si cent guinées ne représentaient pour lui qu'une broutille. *Cent*

13

guinées, quand il n'avait littéralement plus de quoi manger à tous les repas ! Malgré tout, il avait bien senti que le petit Juif n'était pas dupe ; c'était ça le chiendent avec ces Juifs, pas moyen de les rouler quand il s'agit de fric : ils connaissent la musique !

Du même ton dégagé, il avait demandé :

– Vous ne pouvez pas m'en dire plus ?

Mr Isaac Morris avait secoué sa petite tête chauve avec une belle détermination :

– Non, capitaine Lombard, nous en resterons là. Mon client sait que vous avez la réputation d'être l'homme des situations hasardeuses. Il m'a chargé de vous remettre cent guinées, en échange de quoi vous partirez pour Sticklehaven, dans le Devon. La gare la plus proche est Oakbridge, on viendra vous y chercher et on vous conduira à Sticklehaven, où un canot à moteur vous transportera sur l'île du Nègre. Là, vous vous tiendrez à la disposition de mon client.

– Et ça va durer combien de temps ? avait encore demandé Lombard, sans prendre de gants.

– Une semaine au grand maximum.

Tout en lissant sa petite moustache, le capitaine Lombard s'était alors enquis :

– Il est bien entendu que je n'entreprendrai rien d'illégal ?

Ce disant, il avait jeté un regard aigu à son interlocuteur. L'ombre d'un sourire avait effleuré la lippe sémite de Mr Morris tandis qu'il répondait gravement :

– Si on vous proposait quoi que ce soit d'illégal, il va de soi que vous seriez libre de vous retirer.

14

Sale vermine hypocrite ! Il avait souri ! Comme s'il savait très bien que, dans les activités passées de Lombard, la légalité n'avait pas toujours été une condition *sine qua non*...

Lombard se fendit d'un sourire carnassier.

Bon Dieu, il avait navigué près du vent plus souvent qu'à son tour ! Et il avait toujours réussi à s'en tirer ! Il n'était pas du genre à laisser les scrupules l'étouffer...

Non, il n'était vraiment pas du genre à laisser les scrupules l'étouffer. Il eut le sentiment qu'il allait bien s'amuser sur l'île du Nègre...

Raide comme un piquet selon son habitude, miss· Emily Brent était installée dans un compartiment non-fumeurs. Elle avait soixante-cinq ans et désapprouvait le laisser-aller. Son père, colonel de la vieille école, avait toujours été très strict sur le chapitre du maintien.

La jeune génération était scandaleusement laxiste — dans sa façon de se tenir *comme dans bien d'autres domaines d'ailleurs*...

Auréolée de rigorisme et de principes inébranlables, miss Brent endurait stoïquement l'inconfort et la chaleur de son compartiment de troisième classe surpeuplé. Les gens faisaient tellement d'histoires pour des riens, de nos jours ! Ils exigeaient une piqûre avant qu'on leur arrache une dent... ils prenaient des somnifères quand ils n'arrivaient pas à dormir... il leur fallait des fauteuils rembourrés par-ci, des coussins par-là

— et les jeunes filles se tenaient n'importe comment et s'exhibaient à moitié nues sur les plages en été.

Miss Brent pinça les lèvres. Elle aurait volontiers procédé à quelques exécutions pour l'exemple.

Elle ne se remémorait pas sans frémir ses vacances de l'année précédente. Mais cet été, ce serait bien différent. L'île du Nègre...

En pensée, elle relut la lettre qu'elle avait déjà lue tant de fois.

Chère miss Brent,

Vous vous souvenez de moi, j'espère ? Nous avons séjourné tout le mois d'août ensemble à la pension Belhaven il y a quelques années et nous avions beaucoup sympathisé.

J'ouvre à mon tour une pension de famille sur une île, au large de la côte du Devon. J'estime qu'il y a vraiment de l'avenir pour un établissement où l'on propose de la bonne cuisine toute simple et où l'on reçoit une clientèle triée sur le volet et respectueuse de nos vieux codes de civilité puérile et honnête. Foin de cet exhibitionnisme éhonté et de ces horribles gramophones les trois quarts de la nuit ! Je serais très heureuse si vous pouviez envisager de venir passer vos vacances d'été sur l'île du Nègre — à titre gratuit : vous seriez mon invitée. Le début août vous conviendrait-il ? Pourquoi pas le 8, si vous le voulez bien.

Avec mon meilleur souvenir,
Alvina Nancy O'N...

16

Quel était donc ce nom ? La signature était bien difficile à déchiffrer. « Tous ces gens qui signent de manière illisible… ! » pensa Emily Brent, agacée.

Elle passa mentalement en revue les habitués du Belhaven. Elle y était allée deux étés de suite. Elle se rappelait une femme charmante, entre deux âges… miss… miss… comment s'appelait-elle, déjà ? Son père était chanoine. Elle se souvenait également d'une Mrs O'Neary… O'Norry… non, *Oliver* ! Oui, c'était bien cela : Oliver.

L'île du Nègre ! Elle avait lu quelque chose dans le journal au sujet de l'île du Nègre — il avait été question d'une star de cinéma — ou d'un milliardaire américain, elle ne savait plus au juste.

Bien sûr, ces endroits-là se vendent souvent pour une bouchée de pain : une île, cela ne plaît pas à tout le monde. On trouve l'idée romanesque au début, mais quand il s'agit d'y vivre, on en mesure les inconvénients et on n'est que trop heureux de parvenir à vendre.

« Quoi qu'il en soit, cela me fera toujours des vacances gratuites », pensa Emily Brent.

Avec ses revenus qui diminuaient et tous les dividendes qu'on ne lui payait pas, ce n'était pas à dédaigner. Si seulement elle arrivait à s'en rappeler un peu plus long sur cette Mrs — ou miss ? — Oliver !

Le général Macarthur regarda par la vitre de son compartiment. Le train entrait en gare d'Exeter, où il devait changer. Quelle plaie, ces tortillards des lignes secondaires ! A vol d'oiseau, l'île du Nègre n'était pourtant pas loin.

Cet O'Nyme, il n'avait pas très bien saisi qui c'était. Un ami de Spoof Leggard, apparemment — et de Johnnie Dyer.

« *Quelques-uns de vos anciens camarades seront là... auraient plaisir à bavarder du bon vieux temps.* »

Lui aussi, il aurait plaisir à bavarder du bon vieux temps. Depuis un moment, il avait l'impression que ses copains lui battaient froid. Tout ça à cause de cette fichue rumeur ! Crénom, c'était un peu fort de café... presque trente ans après ! C'était Armitage qui avait craché le morceau, sans doute. Foutu blanc-bec ! Qu'est-ce qu'il en savait, *lui* ? Oh, et puis inutile de ressasser tout ça ! On se fait parfois des idées — on s'imagine qu'on vous regarde de travers...

Cela dit, cette île du Nègre, ça l'intéresserait de la voir. Un tas de bruits circulaient à son sujet. Il y avait peut-être du vrai dans ce qu'on disait, à savoir que l'Amirauté, le ministère de la Guerre ou l'armée de l'Air auraient mis le grappin dessus...

En tout cas, c'était ce jeunot d'Elmer Robson — le milliardaire américain — qui avait fait construire la maison. Ça lui avait coûté des mille et des cents, d'après ce qu'on disait. Le fin du fin en matière de luxe...

Exeter ! Et une heure d'attente, une ! Et il enrageait de devoir attendre. Il n'avait qu'une hâte, c'était d'arriver...

18

Le Dr Armstrong traversait la plaine de Salisbury au volant de sa Morris. Il était vanné... La rançon du succès ! Il avait connu un temps où, vissé dans son cabinet de consultation de Harley Street, impeccablement vêtu, entouré des appareils les plus sophistiqués et du mobilier le plus luxueux, il attendait sans relâche — au fil de journées passées sans voir un chat — que son entreprise réussisse ou échoue...

Eh bien, ça avait marché ! La chance avait joué en sa faveur. La chance et sa compétence, bien sûr. Il était très fort dans sa partie — mais ça, ça ne suffisait pas à assurer le succès. Il fallait de la chance par-dessus le marché. Et il en avait eu ! Un diagnostic exact, deux ou trois patientes reconnaissantes — des femmes à grosse galette et à position en vue — et le bouche à oreille avait fonctionné. « Vous devriez essayer le Dr Armstrong... il est *très* jeune, mais *tellement* doué... Ça faisait des années que Pam courait de spécialistes en charlatans — et lui, il a tout de suite mis le doigt sur ce qui n'allait pas ! » La machine était lancée.

Aujourd'hui, le Dr Armstrong était un médecin arrivé. Ses journées étaient surchargées. Il avait peu de loisirs. Ce qui fait qu'il était heureux, en cette matinée d'août, de quitter Londres pour aller passer quelques jours sur une île, au large de la côte du Devon. Des vacances ? Pas exactement. Car si la lettre qu'il avait reçue était formulée en termes assez vagues, le chèque qui l'accompagnait n'avait, lui, rien de vague. Des honoraires époustouflants ! Ces O'Nyme devaient rouler sur l'or. Apparemment, il y avait un petit problème : le mari se faisait du souci pour la santé de sa femme et souhaitait un avis médical sans la paniquer pour autant. Elle ne voulait pas entendre parler de médecin. Les nerfs...

Les nerfs ! Le Dr Armstrong leva les yeux au ciel. Les femmes et leurs nerfs ! Bof ! après tout, c'était bon pour le commerce. La moitié des patientes qui le consultaient n'étaient malades que d'ennui, mais qu'elles apprécient ce genre de diagnostic, c'était une autre paire de manches ! En règle générale, il arrivait bien à leur trouver quelque chose.

« Un léger dysfonctionnement du — un long terme technique —... Rien de bien méchant, mais il faut corriger ça. Un traitement anodin devrait faire l'affaire. »

A tout prendre, la médecine, c'est essentiellement une question de foi. Et le Dr Armstrong avait la manière : il savait inspirer la confiance et faire naître l'espoir.

Heureusement qu'il s'était ressaisi à temps, après cette histoire d'il y a dix... non, quinze ans. Là, il s'en était fallu de peu ! Il avait bien failli plonger. Le choc l'avait fait réagir. Il avait complètement cessé de boire. N'empêche, il avait frôlé la catastrophe...

Avec un coup de klaxon assourdissant, une énorme Dalmain grand-sport le doubla à cent trente à l'heure. Le Dr Armstrong faillit se retrouver dans le décor. Encore un de ces jeunes abrutis qui roulent à tombeau ouvert ! Il ne pouvait pas les encaisser. Il s'en était fallu de peu, là aussi. Fichu crétin !

Tout en faisant une entrée fracassante dans le village de Mere, Tony Marston pensait : « C'est dingue le nombre de voitures qui lambinent sur les routes. Toujours un traînard pour vous bloquer le passage. Et pour ne rien arranger, ils roulent au milieu de la chaussée ! Conduire en Angleterre, c'est à désespérer — pas comme en France où on peut vraiment lâcher les gaz à fond... »

Est-ce qu'il allait prendre un verre ici ou bien pousser plus loin ? Du temps, il en avait à revendre ! Plus que cent cinquante kilomètres et des poussières. Il allait s'envoyer un gin tonic derrière la cravate. Il faisait une chaleur à crever !

Cette île, on devrait pouvoir s'y amuser — à condition que le temps se maintienne au beau fixe. Mais c'était qui au juste, ces O'Nyme ? Sans doute de gros richards puants. Badger[1] avait le chic pour dégoter ce genre de gens. Bien obligé, le pauvre vieux : quand on n'a pas un rond...

Pourvu qu'ils ne mégotent pas sur la boisson. On ne sait jamais, avec ces nouveaux riches. Dommage que ce ne soit pas Gabrielle Turl qui ait acheté l'île du Nègre, comme le bruit en avait couru. Il aurait bien aimé se frotter à l'entourage d'une star.

Bah ! il y aurait quand même bien quelques filles...

En sortant de l'auberge, il s'étira, bâilla, regarda le ciel bleu et remonta dans sa Dalmain.

Deux ou trois jeunes femmes bayèrent d'admiration devant ce beau gosse d'un mètre quatre-vingts, aux cheveux bouclés, au visage bronzé et aux yeux d'un bleu éclatant.

1. La Fouine pour ses intimes.

Il embraya dans un vrombissement et fonça en caho-tant dans la rue étroite. Les passants sautèrent sur les trottoirs. Les gamins, émerveillés, suivirent sa voiture des yeux.

Anthony Marston poursuivait sa marche triomphale.

Mr Blore avait pris l'omnibus en provenance de Ply-mouth. Il n'y avait qu'un autre individu dans son com-partiment — un vieux loup de mer aux yeux chassieux. Pour l'instant, l'ex-marin somnolait.

Mr Blore prenait soigneusement des notes sur son calepin.

– Le compte est bon, marmonna-t-il enfin. Emily Brent, Vera Claythorne, le Dr Armstrong, Anthony Marston, le vieux juge Wargrave, Philip Lombard, le général Macarthur — compagnon de l'Ordre de Saint Michel et Saint George, croix de guerre —, le major-dome et sa femme : Mr et Mrs Rogers.

Il ferma son calepin, le remit dans sa poche et jeta un coup d'œil à l'homme assoupi dans son coin.

– Il a du vent dans les voiles, diagnostiqua-t-il avec à-propos.

Mr Blore récapitula consciencieusement les données du problème.

« Le boulot devrait être plutôt peinard, rumina-t-il. Je ne vois pas comment je pourrais cafouiller. J'espère que je n'ai pas la tête de l'emploi, comme dit l'autre. »

Il se leva pour s'examiner avec anxiété dans la glace. Avec sa moustache, il avait quelque chose de vaguement militaire. Le visage était peu expressif, les yeux gris et assez rapprochés.

« Je pourrais me faire passer pour un chef de bataillon, se dit Mr Blore. Non, j'oubliais... Il y a la vieille culotte de peau. Il me repérerait tout de suite.

« L'Afrique du Sud, voilà ce qu'il me faut ! Les autres n'ont jamais fichu les pieds en Afrique du Sud ; tandis que moi, je viens de lire une brochure sur ce bled, ce qui fait que je peux en parler savamment. »

Heureusement, il y a des colons en tous genres et de toutes les catégories sociales. En se présentant comme un riche propriétaire originaire d'Afrique du Sud, Mr Blore se faisait fort de s'introduire sans difficulté dans n'importe quel milieu.

L'île du Nègre. Il se souvenait d'y être allé, tout gosse... Un rocher puant, couvert de mouettes et qui se dressait à environ un mille de la côte. L'île devait son nom à sa ressemblance avec une tête d'homme... un homme aux lèvres négroïdes.

Drôle d'idée d'aller construire une baraque dans un endroit pareil ! Atroce par gros temps ! Mais les milliardaires ont de ces caprices.

Le vieux se réveilla dans son coin du compartiment.

– En mer, gémit-il, on ne peut jamais prévoir. Jamais !

– C'est bien vrai, acquiesça Mr Blore d'un ton apaisant. Il n'y a pas moyen.

Le vieux hoqueta et reprit d'une voix plaintive :

– Il va y avoir un grain.

– Mais non, mon pote, riposta Mr Blore. Il fait un temps superbe.

Irrité, le vieil homme insista :

– Il va y avoir un grain. Je le *sens*.

– Peut-être bien que vous avez raison, fit Mr Blore, conciliant.

Le train s'arrêta. Le vieux marin se leva en titubant :

– C'est là que j'descends.

Il tâtonna pour ouvrir la portière. Mr Blore vint à son secours.

Debout sur le marchepied, le vieux leva solennellement la main et cligna de ses yeux chassieux.

– Veillez et priez, exhorta-t-il. Veillez et priez. Le jour du jugement est proche.

Il dégringola du marchepied et s'effondra sur le quai. Etendu de tout son long, il leva la tête vers Mr Blore et déclara avec une incommensurable dignité :

– C'est à *vous* que je parle, jeune homme. Le jour du jugement est proche... tout proche.

« Le jour du jugement est plus proche pour lui que pour moi ! » pensa Mr Blore en se laissant retomber sur son siège.

En quoi il se trompait...

2

Un petit groupe de voyageurs quelque peu perdus attendait devant la gare d'Oakbridge. Des porteurs chargés de valises les escortaient.

– Jim ! cria l'un d'eux.

Un taxi approcha.

– Z'allez à l'île du Nègre ? s'enquit-il avec l'accent chantant du Devon.

Quatre voix répondirent par l'affirmative — et aussitôt les intéressés échangèrent entre eux des coups d'œil furtifs.

S'adressant au juge Wargrave en sa qualité de membre le plus âgé du groupe, le chauffeur expliqua :

– Y a deux taxis, m'sieur. Y en a un qui doit rester là jusqu'à l'arrivée de l'omnibus d'Exeter — c'est l'affaire de cinq minutes — parce qu'il y a un autre monsieur qui est prévu par ce train-là. Peut-être bien qu'il y en a un de vous que ça ne gênerait pas d'attendre la seconde fournée ? Comme ça, tout le monde serait plus à son aise.

Consciente de ses devoirs de secrétaire, Vera Claythorne se proposa aussitôt.

– Allez-y si vous voulez bien, dit-elle. J'attendrai.

Elle avait, dans le regard et dans la voix, ce quelque chose d'autoritaire propre à ceux qui ont occupé un poste de commandement. On aurait dit qu'elle constituait des équipes de tennis avec ses élèves.

– Merci, dit sèchement miss Brent qui baissa la tête et monta dans le taxi dont le chauffeur tenait la portière ouverte.

Le juge Wargrave l'imita.

Le capitaine Lombard dit :

– J'attendrai avec miss...

– Claythorne, dit Vera.

– Je m'appelle Lombard. Philip Lombard.

Les porteurs empilaient les bagages sur le toit du taxi. A l'intérieur, le juge Wargrave déclara à sa voisine, avec toute la prudence inhérente à son ancienne fonction :

– C'est un bien beau temps que nous avons là.

– Oui, en effet, acquiesça miss Brent.

« Très distingué, ce vieux monsieur, se dit-elle. Bien différent du genre d'hommes qu'on rencontre habituellement dans les pensions de famille du bord de mer. De toute évidence, Mrs — ou miss — Oliver a d'excellentes relations... »

– Vous connaissez bien la région ? demanda le juge Wargrave.

– Je suis déjà allée en Cornouailles et à Torquay, mais c'est la première fois que je viens dans cette partie du Devon.

– Moi non plus, je ne suis pas familier avec la région, confia le juge.

Le taxi démarra.

– Vous n'avez pas envie de vous asseoir dans la voiture en attendant ? proposa le chauffeur du second taxi.

– Absolument pas, répondit Vera, catégorique.

Le capitaine Lombard sourit :

– Ce mur ensoleillé est plus séduisant. A moins que vous ne préfériez l'intérieur de la gare ?

– Surtout pas. C'est tellement bon d'avoir échappé à ce compartiment suffocant !

– Oui, reconnut-il, c'est assez éprouvant de voyager en train par ce temps.

– J'espère quand même que ça va durer — le beau temps, je veux dire, déclara Vera sur le mode conventionnel. Nos étés anglais sont si traîtres !

– Vous connaissez bien la région ? s'enquit Lombard non sans un certain manque d'originalité.

– Non, c'est la première fois que j'y viens.

Et, bien résolue à ne pas laisser planer d'équivoque sur sa situation, elle ajouta vivement :

– Je n'ai même pas encore vu ma patronne.

– Votre patronne ?

– Oui, je suis la secrétaire de Mrs O'Nyme.

– Ah ! je vois.

Un changement à peine perceptible s'opéra chez Lombard. Son attitude devint plus assurée, son ton plus dégagé :

– Ce n'est pas un peu inhabituel, comme situation ?

Vera se mit à rire :

– Oh ! non, je n'en ai pas l'impression. Sa secrétaire est subitement tombée malade, elle a télégraphié à une agence pour réclamer une remplaçante... et on m'a envoyée.

– Ah, c'est comme ça que ça se passe ? Et si, une fois arrivée, la place ne vous plaisait pas ?

Vera se remit à rire :

– Bah ! c'est un emploi temporaire — juste pour les vacances. Pendant l'année, je travaille dans un collège de filles. En fait, je suis follement curieuse de voir l'île du Nègre. On en a tellement parlé dans les journaux... Elle est aussi fascinante qu'on le dit ?

– Je n'en sais rien, répondit Lombard. Je n'y ai jamais mis les pieds.

– Vraiment ? Les O'Nyme en sont entichés, j'imagine. Racontez-moi, comment sont-ils ?

« Un peu embêtant, cette question, pensa Lombard. Est-ce que je suis censé les avoir rencontrés ou pas ? »

– Vous avez une guêpe sur le bras ! s'exclama-t-il. Non... ne bougez pas.

Il fondit sur sa proie de façon convaincante :

– Voilà, elle est partie !

– Oh, merci. Il y a beaucoup de guêpes cet été.

– Oui. La chaleur, sans doute. Qui attendons-nous, vous êtes au courant ?

– Je n'en ai pas la moindre idée.

Le long sifflement strident d'un train entrant en gare se fit entendre.

– Ça doit être le train, fit Lombard avec originalité.

Un vieil homme, grand et d'allure militaire, apparut à la sortie. Ses cheveux gris étaient coupés ras et sa moustache blanche taillée avec soin.

Son porteur, qui chancelait un tantinet sous le poids d'une volumineuse valise de cuir, lui indiqua Vera et Lombard.

Vera marcha à sa rencontre, la compétence faite femme :

– Je suis la secrétaire de Mrs O'Nyme. Un taxi nous attend. Je vous présente Mr Lombard, ajouta-t-elle.

Les yeux d'un bleu délavé, perçants malgré leur âge, jaugèrent Lombard. L'espace d'un instant, ils exprimèrent un jugement — mais bien malin qui aurait pu le lire.

« Beau garçon. Mais avec un je ne sais trop quoi de pas net... »

Ils montèrent tous les trois dans le taxi. Ils parcoururent les rues assoupies du petit bourg d'Oakbridge et

28

empruntèrent sur un bon kilomètre et demi la grand-route de Plymouth. Puis ils s'enfoncèrent dans la campagne, à travers un labyrinthe de chemins tortueux et verdoyants.

– Je ne connais absolument pas cette partie du Devon, déclara le général Macarthur. Moi, mon bled, c'est dans l'est du comté, à la lisière du Dorset.

– C'est ravissant, par ici, dit Vera. Ces collines, cette terre rouge — tout est si vert et luxuriant...

Philip Lombard émit une réserve :

– C'est un peu encaissé... Personnellement, je préfère les espaces découverts. Les endroits d'où on peut voir ce qui se passe...

– Vous avez pas mal bourlingué, j'imagine ? remarqua le général Macarthur.

Lombard eut un haussement d'épaules un peu dédaigneux.

– J'ai roulé ma bosse, répondit-il tout en pensant à part lui :

« Et maintenant, il va me demander si j'étais en âge de faire la guerre. Avec ces anciens combattants, ça ne rate jamais. »

Mais le général Macarthur ne parla pas de la guerre.

Parvenus au sommet d'une colline escarpée, ils en redescendirent par un chemin en lacet menant à Sticklehaven — minuscule agglomération de cottages avec deux ou trois bateaux de pêche tirés à sec sur la plage.

Ce fut alors qu'ils eurent leur premier aperçu de l'île du Nègre : illuminée par le soleil couchant, elle émergeait des flots au sud.

– Elle est bien loin, fit observer Vera, surprise.

Elle se l'était représentée différemment : proche du rivage et couronnée d'une somptueuse maison blanche. Hélas, il n'y avait aucune maison en vue, rien qu'une masse rocheuse plus ou moins à pic qui se profilait sur le ciel en évoquant vaguement une gigantesque tête de Nègre. Le spectacle avait quelque chose de sinistre. Vera réprima un frisson.

A la terrasse d'une petite auberge, le *Seven Stars*, trois personnes étaient installées. Il y avait là le vieux juge, silhouette voûtée, miss Brent, guindée, le buste raide, et un troisième individu — un costaud, du genre esbroufeur, qui vint vers eux et se présenta :

– On s'est dit qu'on ferait aussi bien de vous attendre. Histoire de se trouver tous dans le même bateau, ha, ha ! Permettez-moi de me présenter. Davis, je m'appelle. Ma ville natale, c'est Natal, en Afrique du Sud, ha, ha, ha !

Il partit d'un grand rire aussi cordial que tapageur.

Le juge Wargrave le fixa avec une malveillance quasi palpable. Il semblait avoir très envie d'ordonner qu'on évacue la salle d'audience. Quant à miss Emily Brent, elle était manifestement en train de se demander si elle n'exécrait pas, au fond, les coloniaux dans leur ensemble.

– Quelqu'un veut un petit verre avant d'embarquer ? demanda Mr Davis histoire de mettre tout le monde à l'aise.

Comme personne ne sautait sur sa proposition, Mr Davis se retourna, l'index levé :

– Dans ce cas, ne tardons pas. Notre bon hôte et notre aimable hôtesse doivent nous attendre.

Il aurait pu déceler un étrange malaise chez les autres membres du groupe. Comme si le simple fait de mentionner leurs hôtes avait sur eux un effet paralysant.

En réponse au doigt levé de Davis, un homme se détacha du mur contre lequel il était adossé et vint vers eux. Sa démarche chaloupée trahissait le marin. Il avait le visage hâlé par le grand large et l'œil noir et quelque peu fuyant.

– Vous êtes prêts à partir pour l'île, m'sieurs-dames ? demanda-t-il de sa voix teintée du doux accent du Devon. Le bateau est paré. Il y a encore deux autres messieurs qui doivent arriver en voiture, mais on ne sait pas à quelle heure au juste, alors Mr O'Nyme a décidé comme ça qu'on les attendrait pas.

Les invités se levèrent. Leur guide les conduisit sur une petite jetée de pierre. Un canot à moteur y était amarré.

– Il est bien petit, ce bateau, grinça Emily Brent.

– C'est un bon bateau, m'dame. Il vous emmènerait à Plymouth en un rien de temps, riposta son propriétaire d'un ton persuasif.

– Nous sommes nombreux, fit observer sèchement le juge Wargrave.

– Je pourrais en embarquer deux fois autant, m'sieur.

De sa voix plaisante, Philip Lombard intervint :

– Ça ira très bien. Grand beau temps... pas de houle.

Guère convaincue, miss Brent se laissa néanmoins aider et monta à bord. Les autres suivirent le mouvement. Les invités ne fraternisaient pas encore. Ils avaient tous l'air intrigués les uns par les autres.

Ils s'apprêtaient à larguer les amarres quand leur guide interrompit sa manœuvre, gaffe en main.

Une voiture dévalait le raidillon menant au village. Une voiture d'une si incroyable puissance, d'une si phénoménale beauté qu'elle avait tout d'une apparition. Un jeune homme était au volant, cheveux flottant dans le vent. Dans l'éclatante lumière de l'après-midi, il avait l'air non pas d'un homme mais d'un jeune dieu, un dieu héroïque issu de quelque légende nordique.

Il donna un coup de klaxon — rugissement formidable que les rochers de la baie renvoyèrent en écho.

Ce fut un instant inouï. Un instant pendant lequel Anthony Marston parut transcender le simple mortel. Par la suite, plus d'une des personnes présentes devait se remémorer ce moment-là.

Assis près du moteur, Fred Narracott se disait qu'il s'agissait d'une drôle d'équipe. Ce n'était pas ça l'idée qu'il s'était faite des invités de Mr O'Nyme. Il s'attendait à un peu plus de classe. A des femmes sur leur trente et un, et à des hommes en tenue de yachting — tous pleins aux as et l'air important.

Rien à voir avec les relations de Mr Elmer Robson. Un léger sourire effleura les lèvres de Fred Narracott au souvenir des amis du milliardaire. Ça, c'était des réceptions, si vous voulez que je vous dise... et qu'est-ce que ça picolait !

Ce Mr O'Nyme, ça ne devait pas être le même genre de bonhomme. Bizarre, d'ailleurs, se dit Fred, qu'il ne l'ait encore jamais aperçu... ni lui ni sa bourgeoise. N'avait pas encore mis les pieds ici, parole. Tout ce qui était commandes et factures, c'était ce Mr Morris qui s'en chargeait. Les instructions étaient toujours très claires, le paiement ne traînait pas, mais c'était quand même bizarre. D'après les journaux, il y avait comme un mystère au sujet de O'Nyme. Fred Narracott était d'accord avec eux.

Peut-être qu'après tout c'était bien miss Gabrielle Turl qui avait acheté l'île. Mais il écarta cette hypothèse en observant ses passagers. Pas ce ramassis — il n'y en avait pas un dans le lot qui ait quelque chose à voir avec une star de cinéma.

Il les passa en revue d'un œil impartial.

Une vieille fille — le style revêche... il en connaissait un tas, des comme ça. C'était une harpie, à tous les coups. Un vieux militaire — ça se voyait à son allure rantanplan. Une jeune femme pas vilaine — mais plutôt quelconque, pas un morceau de roi... rien de la magie hollywoodienne. Le joyeux drille qui faisait de l'esbroufe — *lui*, en tout cas, ça n'était pas un gars de la haute. Un commerçant retiré des affaires, voilà ce que c'est, estima Fred Narracott. L'autre bonhomme, le grand maigre à la mine famélique et au regard en coin, c'était un drôle d'oiseau. Lui, ça n'était pas impossible qu'il ait quelque chose à faire avec le cinéma.

Non, il n'y avait qu'un seul passager potable dans le canot. Le dernier type, celui qui était arrivé en voiture (et quelle voiture ! Une bagnole comme on n'en avait encore jamais vu à Sticklehaven. Ça avait dû coûter des mille et des cents, un engin pareil.) Celui-là, il était bien dans la note. Né dans le fric, le beau gosse. Si tous les autres avaient été comme lui... là, d'accord, il aurait compris.

Drôle d'histoire, quand on réfléchissait deux secondes. Tout ça, c'était bizarre — très bizarre...

Traçant un long sillon d'écume, le canot contourna le rocher. Alors, enfin, la maison apparut. Le côté sud de l'île présentait un aspect tout différent. Il descendait en pente douce vers la mer. La maison était là, face au sud : basse, carrée, moderne, avec des fenêtres cintrées qui laissaient entrer toute la lumière.

Une maison sensationnelle — une maison à la mesure de leur attente !

Fred Narracott coupa le moteur, et le canot se faufila en douceur dans un petit goulet naturel entre les rochers.

– Ça ne doit pas être commode d'accoster ici par gros temps, fit observer Philip Lombard.

– Par vent de sud-est, il n'y a pas moyen d'aborder l'île du Nègre, répondit gaiement Fred Narracott. Il y a des fois, elle est coupée de tout pendant une semaine et plus.

« L'approvisionnement ne doit pas être facile, pensa Vera Claythorne. C'est ça le pire, sur une île. Les problèmes domestiques prennent des proportions effarantes. »

La coque du bateau grinça contre les rochers. Fred Narracott sauta à terre et, secondé par Lombard, aida les autres à descendre. Narracott amarra le canot à un anneau scellé dans le roc. Puis il leur fit gravir un escalier taillé dans la falaise.

– Ah ! Quel coin charmant ! s'exclama le général Macarthur.

Mais il se sentait mal à l'aise. Sacrément bizarre, cet endroit.

Lorsque les invités débouchèrent sur une terrasse, en haut des marches, leur moral remonta. Sur le pas de la porte les attendait un majordome impeccable dont la solennité les rassura. De plus, la maison était splendide, et superbe la vue de la terrasse...

Le majordome s'inclina légèrement. Grand, maigre, grisonnant, c'était un homme d'allure éminemment respectable.

– Si vous voulez bien me suivre... leur dit-il.

Dans le vaste hall, des boissons les attendaient. Des kyrielles de bouteilles. Anthony Marston se rasséréna un brin. Il commençait justement à la trouver saumâtre. Personne de *son monde* ! Qu'est-ce qui avait pris à ce brave vieux Badger de l'entraîner là-dedans ? Quoi qu'il en soit, question boisson, rien à redire. Côté glaçons non plus.

Qu'est-ce qu'il racontait, le larbin ?

Mr O'Nyme... fâcheux contretemps... ne pourrait pas arriver avant demain. Instructions... leurs moindres désirs... souhaitaient-ils monter dans leurs chambres ?... le dîner serait servi à 8 heures...

Vera avait suivi Mrs Rogers à l'étage. La domestique avait ouvert tout grand une porte, au bout d'un couloir, et Vera était entrée dans une chambre ravissante, avec une grande fenêtre donnant sur la mer et une autre orientée à l'est. Elle poussa une exclamation de plaisir.

– J'espère que vous avez tout ce qu'il vous faut, mademoiselle ? dit Mrs Rogers.

Vera embrassa la pièce du regard. On avait monté et défait ses bagages. Sur le côté, une porte ouverte donnait sur une salle de bains au carrelage bleu pâle.

– Oui, tout, je crois, répondit-elle.

– Vous sonnerez si vous avez besoin de quelque chose, mademoiselle ?

Mrs Rogers parlait d'une voix blanche, monocorde. Vera la dévisagea avec curiosité. Quel spectre exsangue et blafard, cette femme ! A part ça, l'air tout ce qu'il y a de respectable, avec ses cheveux tirés en arrière et sa robe noire. Bizarres quand même, ces yeux clairs qui ne semblaient jamais en repos.

« On dirait qu'elle a peur de son ombre », pensa Vera.

Oui, c'était ça : elle avait peur !

Elle avait tout de la femme en proie à une frayeur mortelle...

Vera eut un léger frisson. De quoi diable cette femme pouvait-elle bien avoir peur ?

– Je suis la nouvelle secrétaire de Mrs O'Nyme, lui confia-t-elle, aimable. Vous devez être au courant.

– Non, mademoiselle, je ne suis au courant de rien, répondit Mrs Rogers. J'ai juste la liste de ces messieurs dames avec les chambres qui leur sont destinées.

– Mrs O'Nyme ne vous a pas parlé de moi ?

Mrs Rogers battit des cils :

– Je n'ai pas vu Mrs O'Nyme — pas encore. Nous ne sommes arrivés qu'avant-hier.

« Drôles de gens, ces O'Nyme », pensa Vera.

– Combien y a-t-il de domestiques ? demanda-t-elle tout haut.

– Rien que Rogers et moi, mademoiselle.

Vera fronça les sourcils. Huit personnes à demeure — dix avec l'hôte et l'hôtesse — et seulement un couple de domestiques pour s'occuper d'eux ?

– Je suis bonne cuisinière, dit Mrs Rogers, et Rogers se débrouille avec la maison. Evidemment, je ne me doutais pas que vous seriez si nombreux.

– Vous arriverez quand même à vous en sortir ?

– Oh ! oui, mademoiselle, j'y arriverai. Et s'il doit y avoir souvent autant de monde, Mrs O'Nyme fera sans doute appel à des extra.

– Oui, sans doute, acquiesça Vera.

Mrs Rogers tourna les talons. Ses pieds glissèrent sans bruit sur le parquet. Et elle sortit de la pièce, silencieuse comme une ombre.

Vera alla s'asseoir sur la banquette, devant la fenêtre. Elle était vaguement troublée. Tout cela était... comment dire ?... un peu bizarre. L'absence des O'Nyme, la pâle et spectrale Mrs Rogers... Et les invités ! Oui, les invités étaient bizarres, eux aussi. Et curieusement mal assortis.

« J'aurais bien voulu voir les O'Nyme, se dit Vera. Je voudrais quand même savoir à quoi ils ressemblent. »

Incapable de tenir en place, elle se leva et se mit à arpenter la pièce.

Une chambre parfaite, à la décoration entièrement moderne. Tapis écrus sur un parquet comme un miroir, murs de couleur claire, long miroir encadré d'ampoules. Sur la cheminée, aucun ornement à part un énorme bloc de marbre blanc en forme d'ours, sculpture moderne dans laquelle était encastrée une pendule. Au-dessus, dans un étincelant cadre chromé, il y avait une grande feuille de parchemin. Un poème.

Vera s'approcha de la cheminée pour le lire. C'était une des vieilles comptines qui avaient bercé son enfance :

Dix petits nègres s'en furent dîner,
L'un d'eux but à s'en étrangler
– n'en resta plus que neuf.
Neuf petits nègres se couchèrent à minuit,
L'un d'eux à jamais s'endormit
– n'en resta plus que huit.
Huit petits nègres dans le Devon étaient allés,
L'un d'eux voulut y demeurer
– n'en resta plus que sept.
Sept petits nègres fendirent du petit bois,
En deux l'un se coupa ma foi
– n'en resta plus que six.
Six petits nègres rêvassaient au rucher,
Une abeille l'un d'eux a piqué
– n'en resta plus que cinq.
Cinq petits nègres étaient avocats à la cour,
L'un d'eux finit en haute cour
– n'en resta plus que quatre.
Quatre petits nègres se baignèrent au matin,

Poisson d'avril goba l'un
– n'en resta plus que trois.
Trois petits nègres s'en allèrent au zoo,
Un ours de l'un fit la peau
– n'en resta plus que deux.
Deux petits nègres se dorèrent au soleil,
L'un d'eux devint vermeil
– n'en resta donc plus qu'un.
Un petit nègre se retrouva tout esseulé,
Se pendre il s'en est allé
– n'en resta plus... du tout.

Vera sourit. Bien sûr ! On était sur l'île du Nègre !

Elle retourna s'asseoir devant la fenêtre et contempla la mer.

Qu'elle était immense, la mer ! D'ici, pas la moindre terre à l'horizon — juste une vaste étendue d'eau bleue qui ondulait au soleil vespéral.

La mer... si paisible aujourd'hui... parfois si cruelle... La mer qui vous entraînait dans ses profondeurs. Noyé... retrouvé noyé... noyé en mer... noyé, noyé, noyé...

Non, elle ne voulait pas se souvenir... elle n'y penserait *pas* !

Tout ça, c'était du passé...

Le Dr Armstrong arriva à l'île du Nègre au moment précis où le soleil s'enfonçait dans la mer. Pendant la traversée, il avait bavardé avec le passeur, un homme du cru. Il mourait d'envie d'obtenir quelques renseignements sur les propriétaires de l'île, mais le dénommé

Narracott semblait curieusement mal informé — ou tout au moins peu enclin aux confidences.

Le Dr Armstrong se contenta donc de parler du temps et de la pêche.

Il était fatigué après son long trajet en voiture. Il avait mal aux yeux. Quand on roulait vers l'ouest, on avait le soleil dans la figure.

Oui, il était très fatigué. La mer, le calme absolu : voilà ce qu'il lui fallait. En fait, il aurait aimé prendre de longues vacances. Mais ça, il ne pouvait pas se le permettre. Financièrement, il n'y avait bien sûr pas de problème, mais pas question de laisser tomber ses clients. De nos jours, on est vite oublié. Non, maintenant qu'il avait réussi, il ne pouvait plus dételer.

« Malgré tout, ce soir, je vais faire comme si j'étais parti pour de bon, comme si j'en avais fini avec Londres, Harley Street et le reste. »

Une île, ça avait quelque chose de magique ; le mot seul frappait l'imagination. On perdait contact avec son univers quotidien — une île, c'était un monde en soi. Un monde dont on risquait parfois — qui sait ? — de ne jamais revenir.

« Je laisse derrière moi ma vie de tous les jours », pensa-t-il.

Souriant à part lui, il entreprit de faire des projets, de grandioses projets d'avenir. Il souriait encore lorsqu'il gravit l'escalier taillé dans le roc.

Sur la terrasse, un vieux monsieur auquel le Dr Armstrong trouva un air vaguement familier était assis dans un fauteuil. Où donc avait-il déjà vu cette face de crapaud, ce cou de tortue, ces épaules voûtées — oui, et

40

ces petits yeux pâles au regard rusé ? Ah ! oui : le vieux Wargrave. Il avait un jour témoigné devant lui. Sous son air à moitié endormi, il était retors comme ce n'est pas permis dès qu'il s'agissait d'un point de droit. Avec les jurés, il avait la manière : on le disait capable de les manipuler à sa guise et de les retourner comme un gant. Il leur avait ainsi arraché quelques condamnations douteuses. Le pourvoyeur de la potence, comme l'appelaient certains.

Drôle d'endroit pour le rencontrer... ici — loin du monde et du bruit.

« Armstrong ? se dit le juge Wargrave. Je me rappelle l'avoir vu à la barre des témoins. Courtois et cauteleux. Tous les médecins sont des imbéciles. Ceux de Harley Street sont les pires de tous. » Et son esprit s'attarda sans bienveillance sur une récente consultation, dans cette rue huppée, chez un de ces mielleux personnages.

A voix haute, il grogna :

– Les boissons sont dans le hall.

– Il faut d'abord que j'aille présenter mes respects au maître et à la maîtresse de maison ! se récria le Dr Armstrong.

Plus reptilien que jamais, le juge Wargrave referma les paupières.

– Vous n'y parviendrez pas, dit-il.

– Pourquoi ça ? s'étonna le Dr Armstrong.

– Parce qu'il n'y a ni maître ni maîtresse de maison, répondit le juge. La situation est pour le moins bizarre. Je ne comprends rien à cet endroit.

L'œil écarquillé, le Dr Armstrong le dévisagea une bonne minute. Alors qu'il pensait le vieillard endormi pour de bon, Wargrave reprit soudain :

– Vous connaissez Constance Culmington ?

– Euh... non, je ne pense pas.

– C'est sans importance, commenta le juge. C'est une femme très imprécise, à l'écriture pratiquement illisible. Je me demandais seulement si je ne m'étais pas trompé d'adresse.

Le Dr Armstrong secoua la tête et se dirigea vers la maison.

Le juge Wargrave songea à Constance Culmington. Ecervelée, comme toutes les femmes.

Ses pensées s'orientèrent alors vers les deux femmes présentes sur les lieux, la vieille fille aux lèvres pincées et la jeune. Celle-là, il ne l'aimait pas : une petite garce sans scrupules. En fait, il y avait trois femmes si on comptait l'épouse de Rogers. Etrange créature... elle semblait morte de peur. Un couple convenable, qui connaissait son affaire.

Rogers sortant précisément sur la terrasse, le juge lui demanda :

– Savez-vous si lady Constance Culmington est attendue ?

Rogers le regarda, étonné.

– Non, monsieur, pas à ma connaissance.

Le juge haussa les sourcils. Mais il se contenta d'émettre un grognement.

« L'île du Nègre, hein ? se dit-il. En effet, on est dans le noir le plus complet. »

Anthony Marston était dans son bain. Il se prélassait dans l'eau fumante. Sa longue randonnée en voiture lui avait donné des crampes. Il ne pensait pas à grand-chose. Anthony était un être de sensations — et d'action.

« Trop tard pour prendre la tangente », se dit-il — après quoi il fit le vide dans son esprit.

Un bon bain chaud... membres courbatus... tout à l'heure, un coup de rasoir... un cocktail... le dîner.

Et après ça... ?

Mr Blore nouait sa cravate. Il n'était pas très doué pour ce genre de chose.

Est-ce qu'il présentait bien ? Il le supposait.

Personne ne s'était montré précisément cordial avec lui... curieux la façon dont ils s'épiaient les uns les autres — comme s'ils *savaient*.

A lui de jouer, maintenant.

Il n'entendait pas bâcler son travail.

Il jeta un coup d'œil à la comptine encadrée au-dessus de la cheminée.

Futé, d'avoir mis ça là !

« Je me souviens de cette île quand j'étais gosse, se dit-il. Je n'aurais jamais cru que je viendrais faire ce genre de boulot ici. Bonne chose, tout compte fait, qu'on ne puisse pas prévoir l'avenir. »

Sourcils froncés, le général Macarthur réfléchissait.

Crénom de nom, la situation était bougrement bizarre ! Pas du tout ce qu'on lui avait laissé espérer...

En moins de deux, il trouverait un prétexte pour filer... il enverrait tout promener...

Mais le canot à moteur avait regagné la côte.

Il serait obligé de rester.

Drôle de type, ce Lombard. Pas régulier. Non, pas régulier, le bonhomme, il en aurait juré.

Au coup de gong, Philip Lombard sortit de sa chambre et se dirigea vers l'escalier. Il se déplaçait comme une panthère, sans bruit, avec souplesse. D'ailleurs, il avait quelque chose de la panthère. Une bête fauve... belle à regarder.

Il souriait dans sa moustache.

Une semaine, hein ?

Il allait en profiter, de cette semaine-là.

Vêtue d'une robe de faille noire, Emily Brent lisait sa Bible dans sa chambre en attendant le dîner.

Elle remuait les lèvres tout en suivant son texte :

« *Les païens sont précipités dans la fosse qu'ils ont eux-mêmes creusée ; au filet qu'ils ont eux-mêmes tendu ils se prennent le pied. Yahvé s'est fait connaître. Il a rendu le jugement. Il a lié l'impie dans l'ouvrage de ses mains. L'impie sera livré à la géhenne éternelle.* »

Ses lèvres se pincèrent. Elle ferma la Bible.

Se levant, elle agrafa à son col une broche ornée d'un quartz jaune et descendit dans la salle à manger.

3

Le dîner touchait à sa fin.

La nourriture avait été bonne, le vin parfait, le service bien fait par Rogers.

Chacun se sentait meilleur moral. On commençait à se parler avec davantage de liberté et de familiarité.

Emoustillé par un porto somptueux, le juge Wargrave les amusait par son esprit caustique. Le Dr Armstrong et Tony Marston l'écoutaient. Miss Brent bavardait avec le général Macarthur : ils s'étaient découvert des amis communs. Vera Claythorne posait à Mr Davis des questions pas sottes du tout sur l'Afrique du Sud. Mr Davis était intarissable sur le sujet. Lombard écoutait leur conversation. Il levait parfois la tête, l'œil en éveil. Et de temps à autre, son regard faisait le tour de la table, observant les autres.

Soudain, Anthony Marston s'exclama :

– Marrants, ces machins, vous ne trouvez pas ?

Au centre de la table ronde, de petites statuettes en porcelaine étaient disposées sur un socle circulaire en verre.

– Des nègres, poursuivit Tony. L'île du Nègre... C'est ça l'idée, je suppose.

Vera se pencha en avant :

– Je me le demande. Combien y en a-t-il ? Dix ?... Ce que c'est drôle ! s'écria-t-elle. Ce sont sans doute les dix petits nègres de la comptine. Dans ma chambre, elle est accrochée dans un cadre au-dessus de la cheminée.

– Dans la mienne aussi, dit Lombard.

– Et dans la mienne !

– Et dans la mienne !

Tout le monde fit chorus.

– C'est une idée amusante, non ? dit Vera.

– Remarquablement puérile, grommela le juge Wargrave en se resservant de porto.

Emily Brent regarda Vera Claythorne. Vera Claythorne regarda Emily Brent. Les deux femmes se levèrent.

Dans le salon, par les portes-fenêtres ouvertes sur la terrasse, le clapotis des vagues venues mourir sur les brisants parvenait jusqu'à elles.

– Tellement reposant, ce bruit, murmura Emily Brent.

– Moi, je l'ai en horreur ! riposta Vera d'un ton cassant.

Surprise, miss Brent la dévisagea. Vera rougit. D'un ton plus posé, elle reprit :

– Cette île ne doit pas être très agréable les jours de tempête.

Emily Brent en convint.

– La maison est sûrement fermée en hiver, dit-elle. Ne serait-ce que parce qu'aucun domestique n'accepterait d'y rester.

– De toute façon, maugréa Vera, des domestiques, ça ne doit pas être facile d'en trouver.

– Mrs Oliver a eu la main heureuse avec ce couple, dit Emily Brent. La femme cuisine très bien.

« C'est drôle comme les personnes d'un certain âge sont incapables de se rappeler les noms », pensa Vera.

– Oui, dit-elle, Mrs O'Nyme a eu beaucoup de chance, en effet.

Emily Brent avait sorti de son sac un petit ouvrage de broderie. Elle allait enfiler son aiguille quand elle demanda vivement :

– O'Nyme ? Vous avez bien dit O'Nyme ?

– Oui.

– C'est la première fois de ma vie que j'entends ce nom-là, déclara Emily Brent, catégorique.

Vera ouvrit de grands yeux :

– Mais pourtant...

Elle n'acheva pas sa phrase. La porte s'ouvrait : les hommes venaient les rejoindre. Rogers fermait la marche avec le plateau du café.

Le juge vint s'asseoir à côté d'Emily Brent. Armstrong s'approcha de Vera. Tony Marston se dirigea vers la fenêtre ouverte. Blore examina avec une naïve perplexité une statuette en bronze, se demandant sans doute si ces étranges formes angulaires étaient vraiment censées représenter un corps féminin. Le général Macarthur s'adossa à la cheminée. Il tiraillait sa petite moustache blanche. Le dîner avait été sacrément bon. Son moral était au beau fixe. Lombard feuilletait un numéro de *Punch* qui traînait sur la table, avec d'autres journaux.

Rogers servit le café à la ronde. Il était bon : très noir et bien chaud.

Ils avaient tous bien dîné. Ils étaient satisfaits d'eux-mêmes et de la vie. Les aiguilles de la pendule indiquaient 9 h 20. Il se fit un silence — un silence béat, comblé.

Et c'est dans ce silence que s'éleva la Voix. Sans avertissement. Inhumaine. Pénétrante...

– *Mesdames et messieurs ! Silence, je vous prie !*

Tout le monde sursauta. Ils regardèrent autour d'eux... se regardèrent... regardèrent les murs. Qui parlait ?

Haute et claire, la Voix poursuivit :

– *Vous êtes accusés des crimes suivants :*

» *Edward George Armstrong, d'avoir causé la mort, le 14 mars 1925, de Louisa Mary Clees.*

» *Emily Caroline Brent, d'être responsable de la mort, le 5 novembre 1931, de Beatrice Taylor.*

» *William Henry Blore, d'avoir entraîné la mort de James Stephen Landor, le 10 octobre 1928.*

» *Vera Elizabeth Claythorne, d'avoir assassiné, le 11 août 1935, Cyril Ogilvie Hamilton.*

» *Philip Lombard, d'avoir entraîné la mort, en février 1932, de vingt et un hommes appartenant à une tribu d'Afrique orientale.*

» *John Gordon Macarthur, d'avoir délibérément envoyé à la mort, le 14 janvier 1917, l'amant de votre femme, Arthur Richmond.*

» *Anthony James Marston, d'avoir tué, le 14 novembre dernier, John et Lucy Combes.*

» *Thomas Rogers et Ethel Rogers, d'avoir provoqué la mort, le 6 mai 1929, de Jennifer Brady.*

» *Lawrence John Wargrave, d'avoir, le 10 juin 1930, perpétré le meurtre d'Edward Seton.*

» *Accusés, avez-vous quelque chose à dire pour votre défense ?*

La voix s'était tue.

Il y eut un moment de silence pétrifié, suivi d'un fracas épouvantable. Rogers avait laissé choir le plateau du café.

Au même instant, à l'extérieur de la pièce, un cri retentit, suivi d'un bruit sourd.

Lombard fut le premier à réagir. Il bondit jusqu'à la porte et l'ouvrit à la volée. Dans le hall, recroquevillée par terre, gisait Mrs Rogers.

Lombard appela :

– Marston !

Anthony se précipita lui prêter main-forte. A eux deux, ils soulevèrent la domestique et la transportèrent dans le salon.

Le Dr Armstrong se joignit à eux. Il les aida à l'allonger sur le divan et se pencha sur elle.

– Ce n'est rien, dit-il. Elle s'est évanouie, c'est tout. Elle va revenir à elle dans deux secondes.

– Allez chercher du cognac, dit Lombard à Rogers.

Pâle, les mains tremblantes, Rogers sortit aussitôt en murmurant :

– Oui, monsieur.

– *Qui est-ce qui parlait ?* s'écria Vera. Où était-il ? On aurait dit... on aurait dit...

– Qu'est-ce qui se passe ? bredouilla le général Macarthur. Qu'est-ce que c'est que ce canular ?

Ses mains tremblaient. Ses épaules étaient affaissées. Il avait soudain vieilli de dix ans.

Blore se tamponnait la figure avec un mouchoir.

Seuls, le juge Wargrave et miss Brent paraissaient relativement calmes. Emily Brent était piquée, très

49

droite, sur son siège. Elle gardait la tête haute. Une tache de couleur empourprait ses joues. Le juge était assis dans sa posture habituelle, la tête enfoncée dans le cou. D'une main, il se grattait délicatement l'oreille. Seul son regard était en alerte. Ses yeux pétillants d'intelligence se portaient de droite et de gauche avec perplexité.

Cette fois encore, ce fut Lombard qui passa à l'action. Armstrong étant occupé avec la domestique évanouie, Lombard pouvait une fois de plus prendre l'initiative.

– Cette voix ? dit-il. On aurait juré qu'elle était dans la pièce.

– Qui était-ce ? s'écria encore Vera. Qui était-ce ? Ce n'était aucun d'entre nous.

Tout comme le juge, Lombard parcourut lentement la pièce du regard. Ses yeux s'arrêtèrent un instant sur la fenêtre ouverte, mais il secoua la tête. Soudain, une lueur s'alluma dans ses prunelles. Il se précipita vers une porte qui se trouvait près de la cheminée.

D'un geste vif, il en saisit la poignée et l'ouvrit toute grande. Il passa dans la pièce voisine et poussa aussitôt une exclamation satisfaite :

– Ah ! c'était donc ça !

Les autres se massèrent derrière lui. Seule miss Brent resta dans son fauteuil, droite comme un *i*.

Dans la seconde pièce, une table avait été disposée contre le mur mitoyen au salon. Sur la table se trouvait un gramophone — un modèle ancien, doté d'un large pavillon dont l'ouverture était appliquée contre le mur. Ecartant l'appareil, Lombard montra du doigt deux ou trois petits trous presque invisibles percés dans la cloison.

Remettant le gramophone en place, il posa l'aiguille sur le disque. Aussitôt, ils entendirent de nouveau : « *Vous êtes accusés des crimes suivants... »*

– Arrêtez ça ! Arrêtez ça ! C'est horrible ! s'écria Vera.

Lombard obéit.

– Une farce cruelle et d'un goût douteux, voilà ce que c'était, murmura le Dr Armstrong avec un soupir de soulagement.

– Ainsi, vous pensez qu'il s'agit d'une plaisanterie ? susurra le juge Wargrave de sa petite voix flûtée.

Le médecin le foudroya du regard :

– Que voulez-vous que ce soit ?

Le juge se tapota la lèvre supérieure :

– Pour le moment, je ne suis pas en mesure d'émettre une opinion.

– Dites donc, intervint Anthony Marston, vous oubliez un truc. Qui diable a mis cet engin en marche ?

– C'est vrai, murmura Wargrave, il faut que nous tirions ça au clair.

Suivi des autres, il regagna le salon.

Rogers venait d'apporter un verre de cognac. Miss Brent était penchée sur Mrs Rogers qui gémissait.

Adroitement, Rogers se faufila entre les deux femmes.

– Si vous le permettez, madame, je vais lui parler. Ethel... Ethel... tout va bien. Tout va bien, tu m'entends ? Reprends-toi.

Mrs Rogers avait la respiration précipitée, saccadée. Ses yeux — des yeux épouvantés, au regard fixe —

faisaient le tour des visages qui l'entouraient. La voix de Rogers se fit pressante :

– Reprends-toi, Ethel.

Le Dr Armstrong s'adressa à elle d'un ton apaisant :

– C'est fini, Mrs Rogers. Un simple malaise.

– Je me suis évanouie, monsieur ? demanda-t-elle.

– Oui.

– C'est cette voix... cette voix abominable... *comme une sentence..*

De nouveau, son visage verdit, ses paupières battirent.

– Où est le cognac ? s'empressa le Dr Armstrong.

Rogers avait posé le verre sur une petite table. Quelqu'un le tendit au médecin, qui se pencha sur la femme haletante :

– Buvez ça, Mrs Rogers.

Elle s'étrangla un peu, hoqueta. L'alcool lui fit du bien. Elle reprit des couleurs :

– Je me sens mieux, maintenant. Sur le moment, ça... ça m'avait toute retournée.

– Il y avait de quoi, dit précipitamment Rogers. Moi aussi, ça m'a retourné. Même que j'en ai lâché mon plateau. Rien que des mensonges, voilà ce que c'était ! Je voudrais bien savoir...

Un bruit l'interrompit. Ce n'était qu'un toussotement, un petit toussotement discret mais qui eut pour effet de le stopper en plein élan. Il dévisagea le juge Wargrave, qui se racla de nouveau la gorge.

– Qui a posé ce disque sur le gramophone ? demanda le magistrat. C'est vous, Rogers ?

– Je ne savais pas ce que c'était ! s'écria le domestique. Parole d'honneur, je ne savais pas ce que c'était, monsieur. Sinon, je ne l'aurais jamais fait.

– C'est sans doute vrai, admit sèchement le juge. Mais vous feriez quand même bien de vous expliquer, Rogers.

Le majordome s'épongea le visage avec son mouchoir :

– J'ai juste obéi aux ordres, monsieur, c'est tout.

– Aux ordres de qui ?

– De Mr O'Nyme.

– Soyons clairs, décréta le juge Wargrave. Quels étaient exactement les ordres de Mr O'Nyme ?

– Je devais poser un disque sur le gramophone. Le disque se trouverait dans le tiroir de la table et ma femme devait mettre l'appareil en marche au moment où j'entrerais dans le salon avec le plateau du café.

– Voilà une histoire bien extraordinaire, marmonna le juge.

– C'est la vérité, monsieur, s'écria Rogers. Je jure devant Dieu que c'est la vérité ! Je ne savais pas de quoi il retournait — absolument pas. Il y avait un nom sur le disque... J'ai cru que c'était un simple morceau de musique.

Wargrave interrogea Lombard du regard :

– Il y avait un titre sur le disque ?

Lombard acquiesça. Il eut un sourire subit qui découvrit ses dents blanches de carnassier :

– En effet, monsieur. Il s'intitulait *Le Chant du Cygne*...

– Toute cette histoire est absurde ! s'emporta brusquement le général Macarthur. Absurde ! Balancer des accusations pareilles ! Il faut faire quelque chose. Qui que soit cet O'Nyme...

Emily Brent l'interrompit d'un ton bref :

– C'est précisément là toute la question. Qui est-ce ?

Le juge intervint. Il prit la parole avec l'autorité que confère une existence entière passée à rendre la justice :

– C'est ce que nous devons nous employer à découvrir. Je vous suggère d'aller d'abord mettre votre femme au lit, Rogers. Ensuite, vous viendrez nous rejoindre ici.

– Bien, monsieur.

– Je vais vous donner un coup de main, Rogers, dit le Dr Armstrong.

Soutenue par les deux hommes, Mrs Rogers partit en chancelant.

– Je ne sais ce que vous en pensez, déclara Tony Marston une fois la porte refermée, mais je prendrais bien un verre.

– Moi aussi, approuva Lombard.

– Je vais voir ce que je peux dénicher, dit Tony.

Il s'éclipsa et revint quelques secondes plus tard, croulant sous le poids d'un plateau garni de bouteilles et de verres :

– J'ai trouvé le tout qui m'attendait, dans le hall, comme par hasard.

Il posa son fardeau avec précaution. Les minutes qui suivirent furent consacrées à servir à boire. Le général Macarthur prit un whisky bien tassé, le juge en fit autant. Ils avaient tous besoin d'un remontant. Seule Emily Brent réclama et obtint un verre d'eau.

Le Dr Armstrong ne tarda pas à revenir :

– Elle va bien. Je lui ai donné un sédatif. Qu'est-ce que c'est que ça ? On prend un verre ? Eh bien je ne dis pas non.

Les hommes se resservirent pour la plupart.

Quelques instants plus tard, Rogers réapparut.

Le juge Wargrave prit les opérations en main. Le salon se transforma en salle d'audience improvisée.

– A présent, Rogers, décréta le juge, il s'agit d'aller au fond des choses. Qui est Mr O'Nyme ?

Rogers le regarda, interloqué :

– Mais... le propriétaire de cette maison, monsieur.

– J'entends bien. Ce que je vous demande, c'est ce que vous savez de lui.

Rogers secoua la tête :

– Je ne sais pas trop quoi vous dire, monsieur. Je ne l'ai jamais vu.

Un léger frémissement parcourut l'assistance.

– Comment ça, vous ne l'avez jamais vu ? tonna le général Macarthur. Qu'est-ce que vous nous chantez là ?

– Nous ne sommes même pas en fonction ici depuis une semaine, ma femme et moi, monsieur. Nous avons été embauchés par courrier, par l'intermédiaire d'une agence. L'Agence *Regina*, à Plymouth.

Blore acquiesça :

– Une firme qui a pignon sur rue depuis belle lurette, je connais.

– Ce courrier, vous l'avez gardé ? s'enquit Wargrave.

– La lettre de notre employeur ? Non, monsieur. Je ne l'ai pas conservée.

– Poursuivez votre histoire. Vous avez donc été engagés, dites-vous, par courrier...

– Oui, monsieur. On devait arriver à une date bien précise. On a fait comme on nous disait. On a trouvé tout bien en ordre. Des provisions en veux-tu en voilà, rien à redire à rien. Il y avait juste besoin d'un coup de balai.

– Et ensuite ?

– Rien, monsieur. On a reçu des ordres — toujours par correspondance — comme quoi il fallait préparer les chambres pour tout un groupe d'invités. Et puis hier, par le courrier de l'après-midi, nouvelle lettre de Mr O'Nyme : sa femme et lui étaient retenus, à nous de faire au mieux — et il nous donnait des instructions pour le dîner et le café, et nous demandait de mettre le disque sur le gramophone.

– Cette lettre, vous l'avez encore ? bondit le juge.

– Oui, monsieur, je l'ai sur moi.

Il la sortit de sa poche. Le juge s'en empara.

– Hum ! fit-il. A l'en-tête du Ritz et tapée à la machine.

– Vous permettez ? dit Blore en la lui prenant des mains.

Après l'avoir parcourue, il murmura :

– Machine *Coronation*. Neuve... aucun défaut dans les caractères. Papier de la marque la plus répandue. Vous ne tirerez rien de cette lettre. Possible qu'il y ait des empreintes, mais ça m'étonnerait.

Wargrave le dévisagea avec une attention subite.

– Il a des prénoms très sophistiqués, vous ne trouvez pas ? fit remarquer Anthony Marston qui regardait par-

56

dessus l'épaule de Blore. Algernon Norman O'Nyme...
On en a plein la bouche.

Le vieux juge tressaillit.

– Je vous suis très reconnaissant, Mr Marston, dit-il.
Vous venez d'attirer mon attention sur un détail curieux
et révélateur.

Il regarda les autres tour à tour, allongea le cou
comme une tortue en colère et reprit :

– Le moment me semble venu de mettre en commun
nos informations. Il serait bon que chacun fournisse les
renseignements dont il dispose sur les propriétaires de
cette maison... Nous sommes tous leurs invités. Il serait
intéressant de savoir au juste, pour chacun d'entre nous,
à quel titre.

Un silence s'ensuivit. Puis Emily Brent prit la parole
d'un ton résolu :

– Il y a quelque chose de très insolite dans tout ceci.
J'ai reçu une lettre dont la signature n'était pas très
lisible. Elle émanait apparemment d'une femme que
j'avais rencontrée dans une station estivale voici deux ou
trois ans. J'ai pensé que le nom en question était
O'Neary ou Oliver. Je connais en effet une Mrs Oliver
ainsi qu'une miss O'Neary. Je suis bien certaine, en
revanche, de n'avoir jamais rencontré une quelconque
Mrs O'Nyme et encore moins d'avoir pu sympathiser
avec elle.

– Vous avez cette lettre, miss Brent ? demanda le
juge Wargrave.

– Oui, je monte vous la chercher.

Elle revint une minute plus tard avec la lettre.

– Je commence à comprendre... déclara le juge après l'avoir lue. Miss Claythorne ?

Vera expliqua dans quelles conditions elle avait obtenu son poste de secrétaire.

– Marston ? demanda ensuite le juge.

– J'ai reçu un télégramme, répondit Anthony. Ça venait d'un copain. Badger Berkeley. Ça m'a étonné sur le moment, car j'avais dans l'idée que cette vieille cloche glandouillait en Norvège. Il me disait de me pointer ici.

Wargrave hocha la tête et poursuivit :

– Dr Armstrong ?

– J'ai été appelé à titre professionnel.

– Je vois. Vous ne connaissiez pas la famille auparavant ?

– Non. Mais la lettre faisait allusion à un de mes confrères.

– Oui, pour la vraisemblance... conjectura le juge. Et je présume que le confrère en question était provisoirement impossible à joindre ?

– Eh bien... euh... oui.

Lombard, qui observait Blore depuis un moment, intervint brusquement :

– Dites donc, je pense à quelque chose...

Le juge leva la main :

– Tout à l'heure.

– Mais je...

– Chaque chose en son temps, Mr Lombard. Pour l'instant, nous déterminons les causes qui nous ont réunis ici ce soir. Général Macarthur ?

Tiraillant sa moustache, le général marmonna :

– J'ai reçu une lettre... de cet O'Nyme... disant que

d'anciens camarades à moi seraient là... s'excusant de cette invitation au pied levé. Je n'ai hélas pas gardé la lettre.

– Mr Lombard ? reprit Wargrave.

Le cerveau de Lombard avait fonctionné à plein régime. Devait-il ou non jouer cartes sur table ? Il se décida :

– Même chose pour moi, dit-il. Invitation, allusion à des amis communs... je suis bel et bien tombé dans le panneau. La lettre, je l'ai déchirée.

Le juge Wargrave passa à Mr Blore. De l'index, il se tapotait la lèvre supérieure et, lorsqu'il parla, ce fut avec une politesse qui ne présageait rien de bon :

– Nous venons de vivre une expérience assez troublante. Une voix apparemment désincarnée nous a tous appelés par nos noms et a porté contre nous des accusations précises. Nous reviendrons sur ces accusations dans un instant. Pour le moment, ce qui m'intéresse, c'est un point de moindre importance. Parmi les noms cités, il y avait celui de William Henry Blore. Or, à notre connaissance, il n'y a pas de Blore parmi nous. En revanche, le nom de Davis n'a pas été mentionné. Comment expliquez-vous cela, Mr Davis ?

– Le pot aux roses est comme qui dirait découvert, grommela Blore d'un ton maussade. Autant vous avouer que je ne m'appelle pas Davis.

– Vous êtes William Henry Blore ?

– Exact.

– J'ai quelque chose à ajouter, intervint Lombard. Non seulement vous êtes ici sous un faux nom, Mr Blore, mais j'ai constaté ce soir que vous étiez par-dessus le marché un menteur de première. Vous prétendez débarquer de Natal, Afrique du Sud. Or je connais l'Afrique du Sud, je connais Natal, et je suis prêt à parier que jamais au grand jamais vous n'y avez mis les pieds.

Tous les regards étaient braqués sur Blore. Des regards furieux, soupçonneux. Anthony Marston fit un pas vers lui, les poings noués.

– Alors, espèce de salopard ? gronda-t-il. Vous avez quelque chose à répondre à ça ?

Blore rejeta la tête en arrière, mâchoires serrées :

– Vous vous trompez sur mon compte, messieurs. Regardez, voici mes papiers. Je suis un ancien policier du C.I.D. Je dirige une agence de détectives privés à Plymouth. J'ai été engagé pour ce job.

– Par qui ? demanda le juge Wargrave.

– Par le dénommé O'Nyme. Il m'a envoyé une somme rondelette pour mes frais en m'expliquant ce qu'il attendait de moi. Je devais me joindre à vous en me faisant passer pour un invité. Il me donnait le nom de chacun d'entre vous. J'étais chargé de vous surveiller.

– La raison invoquée ?

– Les bijoux de Mrs O'Nyme, ricana Blore. Mrs O'Nyme, mon œil ! Je ne crois pas qu'elle existe, cette souris-là.

Le juge se tapota de nouveau la lèvre — d'un air songeur, cette fois.

– Votre conclusion me paraît juste, dit-il. Algernon Norman O'Nyme ! Dans la lettre de miss Brent, bien que la signature soit un gribouillis, les prénoms sont relativement lisibles : Alvina Nancy... Dans les deux cas, les mêmes initiales. Algernon Norman O'Nyme... Alvina

Nancy O'Nyme... autrement dit, à chaque fois : A.N. O'Nyme. Autrement dit encore : ANONYME !

– Mais c'est inimaginable ! s'écria Vera. C'est... c'est complètement fou !

Le juge hocha doucement la tête :

– Eh oui ! Il ne fait pour moi aucun doute que nous avons été invités ici par un fou — probablement un dangereux maniaque homicide.

4

Il y eut un silence. Un silence stupéfait, consterné. Puis, de sa petite voix nette, le juge reprit le fil de son discours :

– Nous allons maintenant passer à l'étape suivante de notre enquête. Mais auparavant, je vais ajouter mon propre tribut à la liste.

Il sortit une enveloppe de sa poche et la jeta sur la table :

– Cette lettre est censée m'avoir été envoyée par une de mes vieilles amies, lady Constance Culmington. Je ne l'ai pas revue depuis des années. Elle est partie pour l'Orient. C'est une lettre confuse et incohérente, tout à fait dans son style ; elle me presse de la rejoindre ici et parle de ses hôtes dans les termes les plus vagues. Toujours la même technique, vous le voyez. Si je souligne cette concordance, c'est parce qu'il en ressort un point extrêmement intéressant. *Quel qu'il soit, l'individu qui*

nous a attirés ici en sait long — ou s'est donné du mal
pour en savoir long — sur notre compte à tous. Il est au
courant de mon amitié pour lady Constance et n'ignore
rien de son style épistolaire. Il connaît de nom certains
confrères du Dr Armstrong et il est au courant de leurs
allées et venues. Il connaît le sobriquet de l'ami de
Mr Marston et sait quel genre de télégramme il envoie.
Il sait précisément où miss Brent a passé ses vacances
il y a deux ans et quel genre de gens elle y a rencontré.
Enfin, il sait tout des vieux camarades du général Macarthur.

Il marqua un temps avant de poursuivre :

– *Comme vous le voyez, il en sait long*. Et à partir de
ce qu'il sait sur notre compte, il a formulé des accusations précises.

Ce fut aussitôt un tollé général.

– Un tissu de mensonges ! Des calomnies ! tonna
Macarthur.

– C'est inique ! s'étrangla Vera. Odieux !

– C'est un mensonge ! fit Rogers d'une voix âpre. Un
sale mensonge... Nous n'avons jamais — ni l'un ni
l'autre...

– Je me demande où ce taré veut en venir ! gronda
Anthony Marston.

Le juge Wargrave leva la main pour apaiser le
tumulte.

– Je tiens à vous dire ceci, déclara-t-il en choisissant
ses mots avec soin. Notre ami anonyme m'accuse du
meurtre d'un certain Edward Seton. Je me souviens parfaitement de Seton. Il a comparu devant moi en juin
1930. Il était accusé d'avoir tué une vieille dame. Il avait

62

été très bien défendu et avait fait bonne impression sur le jury. Néanmoins, nous avions toutes les preuves de sa culpabilité. J'ai donc conclu en ce sens, et le jury l'a déclaré coupable. En prononçant sa condamnation à mort, je n'ai fait qu'entériner le verdict. On a fait appel du jugement, au prétexte que le jury avait été induit en erreur. L'appel a été rejeté et l'homme dûment exécuté. Je tiens à vous dire que j'ai la conscience parfaitement tranquille en la matière. Je n'ai fait que mon devoir. J'ai fait condamner un homme justement convaincu de meurtre.

Armstrong s'en souvenait, maintenant. L'affaire Seton ! Le verdict était tombé à la stupeur générale. Un soir, pendant le procès, il avait rencontré Matthews, l'avocat de la défense, au restaurant. Matthews s'était montré confiant : « Le verdict ne fait aucun doute. L'acquittement est pratiquement acquis. » Par la suite, Armstrong avait entendu quelques commentaires : « Le juge était à fond contre Seton. Il a retourné le jury comme une crêpe, et ils l'ont déclaré coupable. En toute légalité, notez bien. Ce n'est pas au vieux Wargrave qu'on va donner des leçons de procédure pénale. On aurait dit qu'il lui en voulait personnellement. »

Ces souvenirs avaient défilé à toute allure dans l'esprit du médecin. Impulsivement, sans se préoccuper de savoir s'il était bien sage de poser cette question, il demanda :

– Connaissiez-vous un tant soit peu Seton ? Avant le procès, j'entends ?

Les yeux aux lourdes paupières de reptile croisèrent les siens.

63

– Avant le procès, répondit le juge d'une voix froide comme un couperet, je n'avais jamais entendu parler de Seton.

« Le bonhomme ment, songea Armstrong à part lui. Je suis sûr qu'il ment. »

Vera Claythorne prit la parole d'une voix tremblante :
– Je voudrais vous dire... à propos de cet enfant... Cyril Hamilton. J'étais sa gouvernante. On lui avait interdit de nager loin. Un jour, il a profité d'un moment où j'étais distraite pour s'aventurer au large. Je l'ai poursuivi à la nage aussi vite que j'ai pu... je n'ai pas réussi à le rattraper à temps... Ç'a été horrible... mais ce n'était pas ma faute. A l'enquête, le coroner m'a disculpée. Et sa mère... elle a été si bonne avec moi. Puisque même *elle*, elle ne m'a pas condamnée, pourquoi... pourquoi faut-il qu'on raconte des choses aussi abominables ? Ce n'est pas juste... pas juste...

Elle s'effondra en sanglotant.

Le général Macarthur lui tapota l'épaule :
– Là, là, mon petit. Bien sûr que ce n'est pas vrai. Ce type est un fou. Un véritable fou ! Il a une araignée au plafond ! Il raconte n'importe quoi.

Il redressa le buste et carra les épaules.

– Dans des cas pareils, aboya-t-il, mieux vaut ne pas répondre ! N'empêche que je tiens à décréter qu'il n'y a rien de vrai dans ce qu'on a raconté au sujet de... euh... de ce jeunot d'Arthur Richmond. Richmond était un de mes officiers. Je l'ai envoyé en reconnaissance. Il s'est fait tuer. Rien de plus banal en temps de guerre. Et je

64

suis outré de... de l'affront fait à ma femme. La plus fidèle des épouses. Insoupçonnable !

Le général Macarthur s'assit. Il se mit à tripoter sa moustache d'une main tremblante. Parler lui avait coûté un gros effort.

Lombard prit la suite, une lueur amusée dans le regard :

– A propos de ces indigènes...

– Eh bien quoi ? s'impatienta Marston.

Philip Lombard eut un grand sourire :

– C'est tout ce qu'il y a d'exact ! Je les ai abandonnés ! Question de survie. Nous étions perdus dans la brousse. Avec deux autres gars, nous avons pris ce qui restait de nourriture et nous avons filé.

– Vous avez abandonné vos hommes... quitte à les laisser mourir de faim ? fit le général Macarthur avec sévérité.

– Ce n'est pas digne d'un *pukka sahib*, j'en conviens, répliqua Lombard. Mais le premier devoir d'un homme, c'est sa propre survie. Et puis, vous savez, les indigènes ne craignent pas la mort. Ils ne la voient pas comme les Européens.

Vera ôta les mains de son visage. Les yeux rivés sur Lombard, elle répéta :

– Vous les avez laissés... *mourir* ?

– Je les ai laissés mourir, répondit Lombard en plongeant son regard amusé dans les yeux horrifiés de la jeune femme.

– J'y pense tout d'un coup... murmura lentement Anthony Marston, perplexe. John et Lucy Combes... Ça doit être ces deux gosses que j'ai renversés près de Cambridge. Vous parlez d'une déveine !

– Pour eux ou pour vous ? glissa le juge Wargrave, acide.

– Ma foi, j'étais en train de me dire que ça n'était pas de veine pour moi... mais vous avez peut-être raison, ils n'ont pas vraiment eu de pot non plus. Remarquez, ce n'était qu'un simple accident. Ils sont sortis brusquement d'une maison ou de je ne sais où. Ça m'a valu un an de suspension de permis. Vous parlez d'une poisse !

– La vitesse, c'est un fléau... un véritable fléau ! s'emporta le Dr Armstrong. Les gens comme vous sont un danger public !

Anthony haussa les épaules :

– La vitesse est dans les mœurs. Ce qui cloche, ce sont les routes anglaises. Rien à faire pour y tenir une moyenne raisonnable.

Il chercha son verre d'un œil vague, le prit et alla se servir un autre whisky-soda.

– En tout cas, ce n'était pas ma faute, lança-t-il par-dessus son épaule. Ce n'était rien qu'un accident !

Depuis un moment, Rogers, le majordome, se passait la langue sur les lèvres et se tordait les mains. D'un ton plein de déférence, il murmura :

– Pourrais-je dire un mot, monsieur ?

– Allez-y, Rogers, répondit Lombard.

Le majordome s'éclaircit la gorge et humecta à nouveau ses lèvres sèches.

– On a parlé de moi et de Mrs Rogers, monsieur. Et

de miss Brady. Il n'y a pas un mot de vrai là-dedans, monsieur. Ma femme et moi, on est restés avec miss Brady jusqu'à sa mort. Elle avait toujours été mal portante, monsieur, déjà au tout début que nous sommes entrés à son service. Il y avait un orage, cette nuit-là, monsieur... la nuit où elle a eu son malaise. Le téléphone était en dérangement. On ne pouvait pas appeler le médecin, alors je suis parti le chercher à pied, monsieur. Mais quand il est arrivé, il était trop tard. Nous avons fait l'impossible pour elle, monsieur. Nous lui étions dévoués, ça oui. Tout le monde vous dira la même chose. Personne n'a jamais dit un mot contre nous. Personne.

Pensif, Lombard regardait le majordome, son visage ravagé de tics, ses lèvres sèches, ses yeux remplis d'effroi. Il se remémorait la chute du plateau de café. « Ah ouais ? » ricana-t-il intérieurement — mais il ne souffla mot.

Blore prit la parole à sa place. Il le fit d'une voix de flic, à la fois insinuante et brutale :

– Vous avez quand même touché un petit quelque chose à sa mort, pas vrai ?

Rogers se redressa.

– Miss Brady nous avait fait un legs en reconnaissance de nos bons et loyaux services, répondit-il avec raideur. Où était le mal, je vous demande un peu ?

– Au fait, et vous-même, Mr Blore ? persifla Lombard.

– Comment ça, moi-même ?

– Votre nom figurait sur la liste.

Blore vira au cramoisi :

– Vous voulez parler de Landor ? Il s'agissait du hold-up de la banque... *London & Commercial*.

Le juge Wargrave s'agita dans son fauteuil :

– Je m'en souviens. L'affaire n'est pas venue devant moi, mais je me rappelle les faits. Landor a été condamné sur votre témoignage. Vous étiez l'officier de police chargé de l'enquête ?

– En effet, répondit Blore.

– Landor a été condamné à trois ans fermes ; il est mort à Dartmoor l'année suivante. C'était un homme de santé fragile.

– C'était un truand, gronda Blore. C'était lui qui avait assommé le veilleur de nuit. Ça ne faisait pas un pli.

– On vous a félicité, me semble-t-il, pour la compétence dont vous aviez fait preuve en cette affaire, dit Wargrave d'une voix lente.

– J'ai eu de l'avancement, reconnut Blore, maussade.

Il ajouta d'une voix rauque :

– Je n'avais fait que mon devoir.

Lombard éclata de rire — un rire tonitruant :

– Quels amoureux du devoir et quels fanatiques de la loi nous faisons tous ! Moi excepté... Et vous, docteur ? Votre petite faute professionnelle — un avortement, c'est ça ?

Emily Brent lui lança un regard chargé de dégoût et écarta un peu son siège.

Très maître de lui, le Dr Armstrong secoua la tête avec bonne humeur :

– Je nage en plein brouillard. Le nom qui a été prononcé ne me dit absolument rien. C'était quoi, déjà — Clees ? Close ? Je ne me rappelle vraiment pas avoir eu un patient de ce nom ni avoir causé — directement ou indirectement — la mort de quelqu'un. Cette histoire est pour moi un mystère total. Il est vrai que ça ne date pas d'hier. Il pourrait s'agir d'un des malades que j'ai opérés à l'hôpital. Ils viennent toujours trop tard, ces gens-là. Et quand le patient meurt, on colle ça neuf fois sur dix sur le dos du chirurgien.

Il secoua la tête en soupirant.

« Ivre, voilà la vérité : j'étais ivre, se dit-il. Et j'ai opéré quand même ! Mes nerfs avaient lâché... j'avais la tremblote. Je l'ai bel et bien tuée. Pauvre malheureuse... une femme d'un certain âge... une intervention toute bête, si j'avais été à jeun. Encore heureux qu'on se tienne les coudes dans notre profession. L'infirmière savait, évidemment... mais elle a tenu sa langue. Seigneur, le choc que ça m'a fait ! Un choc salutaire. Mais qui peut bien être au courant de cette histoire... après tant d'années ?

Le silence s'était fait dans la pièce. Ouvertement ou à la dérobée, tout le monde regardait Emily Brent. Il lui fallut un certain temps pour s'en rendre compte. Ses sourcils se haussèrent sur son front étroit :

– Vous attendez-vous à ce que je dise quelque chose ? Je n'ai rien à dire.

– Rien, miss Brent ? insista le juge.

– Rien.

Elle serra étroitement les lèvres.

Le juge se passa la main sur le visage.

– Vous réservez votre défense ? s'enquit-il d'un ton engageant.

– Il n'est pas question de défense, répliqua miss Brent avec froideur. J'ai toujours agi en accord avec ma conscience. Je n'ai rien à me reprocher.

Le sentiment d'insatisfaction qu'éprouvait son auditoire était tangible. Mais Emily Brent n'était pas femme à se laisser fléchir par l'opinion d'autrui. Elle demeura inébranlable.

Le juge se racla la gorge à une ou deux reprises.

– Notre enquête en restera donc là, dit-il enfin. Voyons, Rogers, qui d'autre y a-t-il sur cette île en dehors de nous, de vous et de votre femme ?

– Personne, monsieur. Rigoureusement personne.

– Vous en êtes sûr ?

– Sûr et certain, monsieur.

– Je ne saisis pas encore très bien pourquoi notre hôte anonyme nous a rassemblés ici, reprit Wargrave. Mais à mon sens, cet individu — quel qu'il soit — n'est pas sain d'esprit au sens habituel du terme... Il est peut-être même dangereux. Selon moi, nous avons tout intérêt à quitter cet endroit le plus tôt possible. Je suggère que nous partions ce soir même.

– Je vous demande pardon, monsieur, intervint Rogers, mais il n'y a pas de bateau sur l'île.

– Pas la moindre embarcation ?

– Non, monsieur.

– Comment communiquez-vous avec la côte ?

– Fred Narracott vient tous les matins, monsieur. Il apporte le pain, le lait, le courrier, et il prend les commandes.

– Dans ce cas, répliqua le juge Wargrave, je propose

que nous partions tous demain matin, dès que Narracott arrivera avec son bateau.

Un chœur d'approbation accueillit cette suggestion — à l'exception d'une voix discordante. Celle d'Anthony Marston, en désaccord avec la majorité :

– Pas très sport, non ? On devrait élucider le mystère avant de mettre les voiles. On se croirait dans un roman policier... C'est palpitant !

– Je suis arrivé à un âge, grinça le juge, où on n'a plus guère envie de « palpiter », comme vous dites.

– La vie de magistrat, ça vous racornit un bonhomme ! railla Anthony avec un grand sourire. Moi, je suis pour le crime ! A la sienne !

Il leva son verre et le vida d'un trait.

Trop vite, peut-être. Il s'étrangla, s'étouffa. Son visage se convulsa, devint violacé. Il chercha désespérément son souffle... puis il glissa de son siège et lâcha le verre qu'il tenait à la main.

5

Ce fut si brutal, si inattendu, qu'ils en eurent tous le souffle coupé. Médusés, ils restèrent là à regarder stupidement la forme recroquevillée sur le tapis.

Enfin, le Dr Armstrong se leva d'un bond et alla s'agenouiller près du corps. Lorsqu'il releva la tête, ses yeux étaient remplis d'incrédulité.

Comme frappé de stupeur, il murmura :

71

– Nom de Dieu ! Il est mort.

Ils ne comprirent pas. Pas tout de suite.

Mort ? Mort ? Ce jeune dieu nordique éclatant de santé et de vigueur ? Terrassé en une seconde ? Les jeunes gens robustes ne meurent pas comme ça, en s'étranglant avec un whisky...

Non, ils ne comprenaient pas.

Le Dr Armstrong examinait le visage du mort. Il renifla les lèvres bleues, distordues. Puis il ramassa le verre dans lequel Anthony Marston avait bu.

– Mort ? s'insurgea le général Macarthur. Vous voulez dire que ce garçon s'est étranglé... et qu'il en est mort ?

– Vous pouvez appeler ça « étranglé » si ça vous chante, répondit le médecin. Ce qu'il y a de sûr, c'est qu'il est bel et bien mort d'asphyxie.

Il renifla le verre. Il trempa son doigt dans le fond de whisky et, très prudemment, le porta à sa langue.

Son expression changea du tout au tout.

– Je n'aurais jamais cru qu'on pouvait mourir comme ça, marmonna le général Macarthur. Rien qu'en avalant de travers !

– Au printemps de la vie, nous sommes déjà dans la mort ! proféra Emily Brent d'un ton vibrant.

Le Dr Armstrong se releva.

– Non, on ne meurt pas d'avoir avalé de travers, dit-il avec brusquerie. Marston n'est pas mort de ce qu'il est convenu d'appeler une mort naturelle.

La voix de Vera n'était plus qu'un souffle :

– Il y avait... quelque chose... dans le whisky ?

Armstrong inclina la tête :

72

– Oui. Quoi au juste, je n'en sais rien. Tout paraît désigner la gamme des cyanures. Pas d'odeur d'acide prussique, donc sans doute du cyanure de potassium. Son action est pratiquement foudroyante.

– Le poison était dans le verre ? s'enquit le juge d'un ton âpre.

– Oui.

Le médecin se dirigea vers la table sur laquelle se trouvaient les alcools. Il déboucha la bouteille de whisky, la renifla, la goûta. Puis il goûta l'eau de Seltz. Il secoua la tête :

– Normal — l'un comme l'autre.

– Ce qui reviendrait à dire qu'il... qu'il aurait mis *lui-même* le poison dans son verre ? intervint Lombard.

Armstrong acquiesça. Mais son visage exprimait une curieuse insatisfaction :

– Apparemment, oui.

– Un suicide, hmm ? fit Blore. Drôle de méthode.

– Qu'un homme comme *lui* se suicide, c'est inimaginable, murmura Vera d'une voix lente. Il était si débordant de vitalité. Il était... oh !... si heureux de mordre dans la vie à pleines dents ! Quand il a dévalé la colline au volant de sa voiture, tout à l'heure, il avait l'air... il avait l'air... oh, je n'arrive pas à *m'expliquer* !

Mais ils savaient ce qu'elle voulait dire. Anthony Marston, dans la plénitude de la jeunesse et de la virilité, leur avait paru immortel. Et voilà qu'il gisait maintenant sur le tapis, misérable pantin désarticulé.

– Voyez-vous une autre hypothèse que le suicide ? demanda le Dr Armstrong.

73

Lentement, ils secouèrent tous la tête. Il ne pouvait pas y avoir d'autre explication. Les bouteilles n'avaient pas été touchées. Ils avaient tous vu Anthony Marston se servir lui-même. Il s'ensuivait donc forcément que le cyanure contenu dans son verre ne pouvait y avoir été mis que par lui.

Seulement voilà : pourquoi Anthony Marston se serait-il suicidé ?

– Vous savez, docteur, ça ne me paraît pas net, tout ça, fit Blore d'un air songeur. Si vous voulez mon avis, Marston n'était pas le gars à se suicider.

– Je suis bien d'accord avec vous, répondit Armstrong.

Ils en étaient restés là. Qu'auraient-ils pu ajouter ?

Armstrong et Lombard avaient transporté le corps inerte d'Anthony Marston dans sa chambre et l'y avaient allongé sur le lit en le recouvrant d'un drap.

Lorsqu'ils redescendirent, ils trouvèrent les autres debout, en groupe compact — et, bien que la nuit ne fût pas fraîche, ils frissonnaient un peu.

– Nous ferions bien d'aller nous coucher, décréta Emily Brent. Il est tard.

Il était minuit passé. La proposition était sage... et pourtant, ils hésitèrent. Comme si chacun se raccrochait à son voisin pour se rassurer.

– Oui, nous devrions dormir un peu, approuva le juge.

– Je n'ai pas encore débarrassé la table de la salle à manger, dit Rogers.

74

– Vous ferez ça demain matin, trancha Lombard.

– Comment va votre femme ? lui demanda Armstrong.

– Je vais monter voir, monsieur.

Il revint au bout de deux minutes.

– Elle dort à poings fermés, monsieur.

– Bien, dit le médecin. Ne la dérangez pas.

– Non, monsieur. Je vais juste ranger un peu dans la salle à manger et m'assurer que tout est bien fermé comme il faut. Après ça, j'irai me mettre au lit.

Il traversa le hall et entra dans la salle à manger.

Les autres montèrent l'escalier en une lente et réticente procession.

Si la maison avait été une vieille demeure aux parquets qui craquent, aux ombres menaçantes et aux épais murs lambrissés, elle aurait pu avoir quelque chose d'inquiétant. Mais cette maison-là était l'essence même de la modernité. Pas de recoins sombres... pas d'éventuelles portes dérobées... La lumière électrique inondait tout — tout était neuf, net et brillant. Rien de caché, rien de secret. Un lieu dépourvu de mystère.

Et, paradoxalement, c'était ça le plus effrayant...

Sur le palier, ils se souhaitèrent une bonne nuit. Chacun entra dans sa chambre — et chacun, presque sans en avoir conscience, ferma sa porte à double tour...

Dans sa jolie chambre aux tons pastel, le juge Wargrave se déshabillait et se préparait à se mettre au lit.

Il pensait à Edward Seton.

Il se souvenait très bien de Seton. Ses cheveux, ses yeux bleus, sa façon de vous regarder droit dans les yeux avec un air qui respirait la franchise. C'était ça qui avait fait si bonne impression sur le jury.

Llewellyn, l'avocat de la Couronne, s'y était mal pris. Il s'était montré trop véhément, il avait voulu trop prouver.

Matthews en revanche — le défenseur — avait été remarquable. Ses arguments avaient porté. Ses contre-interrogatoires avaient été meurtriers. Lorsque son client était venu témoigner à la barre, il l'avait manœuvré de main de maître.

Et Seton s'était bien sorti de l'épreuve du contre-interrogatoire. Il n'avait manifesté ni agitation ni impétuosité excessive. Le jury en avait été impressionné. Sans doute Matthews, à ce moment-là, avait-il eu le sentiment que le plus dur était fait.

Le juge remonta soigneusement sa montre et la posa sur la table de chevet.

Il se rappelait avec une parfaite netteté ce qu'il avait éprouvé à siéger là, à écouter, à prendre des notes, à soupeser les témoignages, à répertorier les moindres indices qui plaidaient contre l'accusé.

Passionnant, ce procès ! La plaidoirie de Matthews avait été de tout premier ordre. Llewellyn, venant après, n'était pas parvenu à effacer la bonne impression produite par l'avocat de la défense.

Ensuite, ç'avait été à lui de prendre la parole pour formuler ses conclusions...

Avec précaution, le juge Wargrave ôta son dentier et le mit dans un verre d'eau. Ses lèvres ridées s'affaissèrent. Sa bouche prit un pli cruel — cruel et avide.

Fermant à demi les paupières, le juge sourit intérieurement.

Il lui avait bien réglé son compte, à Seton !

Avec un grognement de rhumatisant, il se mit au lit et éteignit la lampe de chevet.

En bas, dans la salle à manger, Rogers était perplexe.

Sourcils froncés, il regardait les figurines de porcelaine, au centre de la table.

– Ça, c'est un peu fort ! marmonna-t-il à part lui. J'aurais pourtant juré qu'il y en avait dix.

Le général Macarthur se tournait et se retournait dans son lit.

Il n'arrivait pas à trouver le sommeil.

Dans le noir, il voyait sans arrêt le visage d'Arthur Richmond.

Il l'aimait bien, Arthur — il l'aimait rudement bien. Et il avait été content de voir que Leslie l'aimait bien aussi.

Leslie était si capricieuse... Le nombre de braves garçons qu'elle avait pu toiser avec dédain et décréter assommants. « Il est assommant ! » Point final.

Mais Arthur Richmond, elle ne l'avait pas trouvé assommant. Dès le début, ils s'étaient bien entendus. Ils discutaient ensemble théâtre, musique, cinéma. Elle le taquinait, se moquait de lui, le mettait en boîte. Et lui,

Macarthur, était ravi que Leslie porte à ce grand gosse un intérêt maternel.

Maternel, tu parles ! Quel imbécile d'oublier que Richmond avait vingt-huit ans et Leslie vingt-neuf.

Il l'avait aimée, Leslie. Il la revoyait, avec son visage en forme de cœur, ses yeux gris profonds et changeants, la masse brune de ses cheveux bouclés. Il l'avait aimée, Leslie, et il avait alors en elle une confiance absolue.

Là-bas, en France, dans l'enfer de la guerre, il pensait sans cesse à elle, sortait sa photo de la poche-poitrine de sa vareuse.

Et puis... il avait découvert le pot aux roses !

Ça s'était passé exactement comme dans les romans. Une erreur d'enveloppe. Elle leur avait écrit à tous les deux, et elle avait mis la lettre destinée à Richmond dans l'enveloppe adressée à son mari. Aujourd'hui encore, après tant d'années, il ressentait le choc... la douleur...

Bon Dieu, que ça avait fait mal !

Et leur liaison durait depuis un certain temps déjà. La lettre ne laissait aucun doute sur ce point. Des week-ends ensemble ! La dernière permission de Richmond...

Leslie... Leslie et Arthur !

Le salopard ! Avec sa bouille souriante, ses « Oui, mon général » empressés ! Un menteur, voilà ce que c'était, et un hypocrite ! Un type qui volait la femme des autres !

Ça avait mûri lentement... une rage froide, meurtrière.

Il avait réussi à se comporter comme d'habitude... à ne rien laisser paraître. Il s'était efforcé de ne rien changer à son attitude envers Richmond.

Y était-il parvenu ? Il le pensait. Richmond n'avait rien soupçonné. Les sautes d'humeur étaient monnaie courante à la guerre, quand on était continuellement sous pression.

Seul Armitage l'avait regardé une ou deux fois d'un air bizarre. C'était un gamin, mais il avait de l'intuition.

Peut-être Armitage avait-il deviné... quand l'heure avait sonné.

Il avait délibérément envoyé Richmond à la mort. Seul un miracle lui aurait permis de revenir indemne. Le miracle ne s'était pas produit. Oui, il avait envoyé Richmond à la mort et il ne regrettait rien. Ça n'avait pas été bien difficile. Des erreurs de ce genre, des officiers qu'on envoyait au casse-pipe sans nécessité, ça arrivait tout le temps. On vivait dans la confusion, la panique. Plus tard, il se trouverait peut-être des gens pour dire : « Le vieux Macarthur a un peu perdu les pédales, il a commis quelques bourdes colossales et sacrifié quelques-uns de ses meilleurs hommes. » Mais ça n'irait pas plus loin.

Seulement pour le jeune Armitage, c'était différent. Il avait regardé son supérieur d'un drôle d'air. Peut-être avait-il compris qu'on envoyait froidement Richmond se faire tuer.

(Est-ce qu'à la fin de la guerre, Armitage avait parlé ?)

Leslie n'avait rien su. Leslie avait pleuré son amant — du moins le supposait-il —, mais, au retour de son mari en Angleterre, elle avait déjà cessé de pleurer. Il ne lui avait jamais dit qu'il avait découvert son infidélité. Ils avaient repris la vie commune — mais, Dieu sait pourquoi, elle ne lui avait plus semblé très réelle.

79

Et puis, trois ou quatre ans plus tard, une double pneumonie l'avait emportée.

Cela remontait à bien longtemps. Quinze ans... seize ans ?

Il avait alors quitté l'armée pour venir s'installer dans le Devon. Il y avait acheté le genre de petite bicoque dont il avait toujours eu envie. Des voisins sympathiques — un joli coin. On pouvait y chasser et y pêcher. Le dimanche, il allait au temple. (Sauf le jour où on lisait le texte où David ordonne qu'on envoie Urie au plus fort de la bataille. Celui-là, il n'avait pas le courage de l'écouter. Ça lui donnait un sentiment de malaise.)

Tout le monde l'avait accueilli à bras ouverts. Du moins, au début. Par la suite, il avait eu l'impression pénible qu'on chuchotait dans son dos. On le regardait d'un œil différent. Comme si on avait entendu des racontars... une rumeur mensongère...

(Armitage ? Et si Armitage avait parlé ?)

A partir de ce moment-là, il s'était mis à éviter les gens, il s'était replié sur lui-même. Désagréable de sentir qu'on déblatère sur votre compte.

C'était si vieux, tout ça. Si... si vain, aujourd'hui. Le souvenir de Leslie s'était estompé, celui d'Arthur Richmond aussi. Rien de ce qui s'était passé n'avait plus guère d'importance.

N'empêche que ça lui rendait la vie bien solitaire. Il en était arrivé à fuir ses vieux camarades de régiment.

(Si Armitage avait parlé, ils devaient être au courant.)

Et voilà que, ce soir, une voix avait claironné cette vieille histoire.

Avait-il bien réagi ? Gardé son flegme ? Manifesté les sentiments qui convenaient : indignation, dégoût... sans prendre l'air coupable ni embarrassé ? Difficile à dire.

Personne n'avait pu prendre cette accusation au sérieux. La voix avait débité un tas d'autres inepties tout aussi abracadabrantes. Cette jeune femme charmante... accusée d'avoir noyé un enfant ! Grotesque ! Lubie de déséquilibré lançant des accusations à tort et à travers !

Et Emily Brent... une nièce du vieux Tom Brent, son copain de régiment. La voix l'avait accusée de meurtre. *Elle* ! Alors qu'un aveugle se serait rendu compte que cette vieille fille était confite en dévotion... que c'était le type même de la grenouille de bénitier.

Fichtrement bizarre, cette affaire-là ! Cinglée, pour ne pas dire plus.

Depuis leur arrivée sur cette île... quand était-ce, déjà ? Nom d'un pétard, cet après-midi seulement ! Ça semblait faire drôlement plus longtemps.

« Je me demande quand nous réussirons à repartir », pensa-t-il.

Demain, bien sûr, quand le canot à moteur arriverait.

Curieux. Tout d'un coup, il n'avait plus très envie de quitter l'île... de retrouver la côte, sa petite bicoque, ses ennuis et ses soucis. Par la fenêtre ouverte, il entendait les vagues se briser sur les rochers — un peu plus fort maintenant qu'en début de soirée. Voilà que le vent se levait.

« Quel bruit paisible... pensa-t-il. Quel havre de paix... »

Il se dit encore :

« Ce qu'il y a de bien, avec une île, c'est qu'une fois qu'on y est, on ne peut pas aller plus loin... on est arrivé à son terme, au bout de tout... »

Il comprit soudain qu'il ne voulait plus quitter l'île.

Allongée dans son lit, les yeux grands ouverts, Vera Claythorne contemplait le plafond.

Sa lampe de chevet était allumée. Elle avait peur de l'obscurité.

« Hugo... Hugo... pensait-elle, comment se fait-il que je te sente si près de moi ce soir ?... Tout près, là, tellement près...

» Où est-il, en réalité ? Je n'en sais rien. Je ne le saurai jamais. Il est sorti de ma vie sans se retourner. »

Inutile d'essayer de ne pas penser à Hugo. Il était près d'elle. Vera ne pouvait pas ne pas penser à lui — se souvenir...

Les Cornouailles...

Les rochers noirs, le sable doré, si doux au toucher. Mrs Hamilton, toute rondeurs et fous rires. Cyril, toujours un peu geignard, qui la tirait par la main :

– *Je veux nager jusqu'au rocher, miss Claythorn ! Pourquoi je peux pas nager jusqu'au rocher ?*

Elle levait la tête, croisait le regard de Hugo fixé sur elle.

Les soirées, quand Cyril était couché...

– *Venez faire un tour, miss Claythorne.*

– *Je ne dis pas non.*

La promenade en tout bien tout honneur jusqu'à la plage. Le clair de lune... la brise de l'Atlantique.

Et soudain, les bras de Hugo autour d'elle.

– *Je vous aime. Je vous aime. Vous savez que je vous aime, Vera ?*

Oui, elle le savait.

Ou, du moins, croyait le savoir.

– *Je ne peux pas vous demander de m'épouser. Je n'ai pas le sou. Tout juste de quoi subvenir à mes besoins. C'est bizarre, vous savez : pendant trois mois de ma vie, j'ai bien cru que j'avais des chances de devenir riche. Cyril est né seulement trois mois après la mort de Maurice. Si ç'avait été une fille...*

Si l'enfant avait été une fille, Hugo héritait de tout. Il avait été déçu, il le reconnaissait bien volontiers.

– *J'avais beau ne pas avoir misé là-dessus, ça m'a quand même fichu un coup. Enfin, c'est la vie ! Cyril est un brave gosse. J'ai une grosse tendresse pour lui.*

Et c'était vrai. Il était toujours prêt à jouer avec son neveu, à le distraire. Hugo n'était pas d'un naturel rancunier.

Cyril n'était pas très robuste. C'était un enfant malingre... dépourvu de tonus. Le genre d'enfant qui n'était pas destiné à faire de vieux os...

Auquel cas...

– *Miss Claythorne, pourquoi je peux pas nager jusqu'au rocher ?*

Refrain geignard, exaspérant.

– *C'est trop loin, Cyril.*

– *Oh, miss Claythorne...*

Vera se leva. Elle prit le tube d'aspirine sur la coiffeuse et avala trois comprimés.

« Qu'est-ce que je ne donnerais pas pour un véritable somnifère ! » se dit-elle.

Elle rumina ses pensées :

« Moi, si je devais mettre fin à mes jours, je me bourrerais de véronal — un truc dans ce genre-là —, mais je n'irais pas ingurgiter du cyanure ! »

Elle frissonna au souvenir du visage violacé, convulsé, d'Anthony Marston.

En passant devant la cheminée, elle leva les yeux vers la comptine accrochée au mur.

Dix petits nègres s'en furent dîner,
L'un d'eux but à s'en étrangler
— n'en resta plus que neuf.

« C'est horrible. *Exactement comme ce soir* », songea-t-elle.

Pourquoi Anthony Marston avait-il voulu mourir ?

Elle, en tout cas, elle ne voulait pas mourir.

Elle n'imaginait pas qu'elle puisse jamais avoir envie de mourir...

La mort, c'était... pour les autres.

6

Le Dr Armstrong rêvait...

Il faisait une chaleur, dans cette salle d'opération !

Pas possible, ils avaient mal réglé le thermostat ! La sueur dégoulinait sur son visage. Ses paumes étaient moites. Pas commode de tenir convenablement le bistouri...

Ce que la lame était bien aiguisée !

Facile de commettre un meurtre avec un instrument pareil. D'ailleurs, il *était en train* de commettre un meurtre...

Le corps de la femme paraissait différent. A l'époque, ç'avait été un corps obèse, difficile à manier. Celui-ci était squelettique. Et le visage était caché.

Qui donc devait-il tuer ?

Il n'arrivait pas à s'en souvenir. Pourtant, il *fallait* qu'il le sache ! S'il demandait à l'infirmière ?

L'infirmière l'observait. Non, il ne pouvait pas le lui demander. Elle était soupçonneuse, ça se voyait.

Mais qui était sur le billard ?

On n'aurait pas dû lui couvrir ainsi le visage...

Si seulement il pouvait le voir, ce visage...

Ah ! ça allait mieux. Une jeune interne venait d'ôter le mouchoir.

Emily Brent. Bien sûr ! C'était Emily Brent qu'il devait tuer. Quel regard malveillant elle avait ! Ses lèvres remuaient. Que disait-elle ?

« *Au printemps de la vie nous sommes déjà dans la mort...* »

Elle riait, à présent. Non, mademoiselle, ne remettez pas le mouchoir ! Il faut que j'y voie. Il faut que je fasse l'anesthésie. Où est l'éther ? J'ai dû l'apporter avec moi. Qu'avez-vous fait de l'éther, mademoiselle... ? Du châteauneuf-du-pape ? Oui, cela fera aussi bien l'affaire.

Retirez le mouchoir, mademoiselle.

Evidemment ! Je le savais depuis le début ! *C'est Anthony Marston !* Il a le visage violacé, convulsé. Mais il n'est pas mort... il rit. Je vous dis qu'il rit ! Il en fait trembler la table d'opération.

Du calme, mon vieux, du calme. Mademoiselle, calez la table... calez-la...

Le Dr Armstrong se réveilla en sursaut. Il faisait jour. Le soleil inondait sa chambre.

Et quelqu'un était penché sur lui... le secouait. C'était Rogers. Rogers, blême, qui disait :

– Docteur... docteur !

Le Dr Armstrong se réveilla tout à fait.

Il se mit sur son séant :

– Qu'y a-t-il ?

– C'est ma femme, docteur. *Je n'arrive pas à la réveiller.* Seigneur ! Je n'arrive pas à la réveiller. Et elle... elle ne m'a pas l'air... dans son état normal.

Le Dr Armstrong se montra rapide et efficace. Il se drapa dans sa robe de chambre et suivit Rogers.

Il se pencha sur le lit où la domestique était couchée sur le côté, apparemment en paix. Il toucha une main froide, souleva une paupière. Au bout d'un instant, il se redressa et se détourna du lit.

Rogers humecta ses lèvres sèches :

– Est-ce que... est-ce qu'elle est... ?

Armstrong inclina la tête :

– Oui, c'est fini.

Pensif, il regarda l'homme debout devant lui. Puis il posa tour à tour les yeux sur la table de chevet, sur le lavabo et sur la femme qui dormait de son dernier sommeil.

– Est-ce que... est-ce que... c'est son cœur, docteur ? balbutia Rogers.

Le Dr Armstrong tarda une minute ou deux à répondre.

– Elle était en bonne santé, en temps normal ? demanda-t-il enfin.

– Il y avait ses rhumatismes qui la faisaient bien un peu souffrir, mais...

– Elle était suivie par un médecin, ces derniers temps ?

– Un médecin ? répéta Rogers, interloqué. Ça fait des années qu'on n'a pas vu de médecin... ni elle ni moi.

– Vous n'avez aucune raison de croire qu'elle souffrait de troubles cardiaques ?

– Non, docteur, je n'ai jamais été au courant d'une chose pareille.

– Son sommeil était bon ?

Cette fois, Rogers évita le regard du médecin. Il joignit les mains et les tordit nerveusement.

– Elle ne dormait pas tellement bien, non, bredouilla-t-il.

– Elle prenait quelque chose pour dormir ? gronda le médecin.

Rogers le regarda, surpris :

– Quelque chose ? Pour dormir ? Pas que je sache. Et puis non, je suis sûr que non.

Armstrong s'approcha du lavabo.

Un certain nombre de flacons étaient alignés sur la tablette : lotion capillaire, eau de lavande, pommade astringente, crème de concombre pour les mains, bain de bouche, pâte dentifrice et pastilles digestives.

87

Rogers l'aida en ouvrant les tiroirs de la coiffeuse. De là, ils passèrent tous deux à la commode. Ils ne trouvèrent pas trace de somnifères, que ce fût en gouttes ou en comprimés.

– Elle n'a rien pris hier soir, docteur, dit Rogers, à part bien sûr ce que vous lui avez donné...

Quand, à 9 heures, le gong annonça le petit déjeuner, tout le monde était levé et attendait déjà depuis longtemps.

Le général Macarthur et le juge faisaient les cent pas sur la terrasse en échangeant des propos décousus sur la situation politique.

Vera Claythorne et Philip Lombard étaient montés au sommet de l'île, derrière la maison. Ils y avaient trouvé William Henry Blore, occupé à scruter la côte.

– Toujours pas de canot à moteur en vue, leur signala Blore. Ça fait pourtant un bon bout de temps que je le guette.

– Le Devon est une région en sommeil, dit Vera en souriant. Il ne faut pas s'attendre à ce que les gens s'y agitent de bonne heure.

Philip Lombard regardait de l'autre côté, en direction du large.

– Que pensez-vous du temps ? demanda-t-il brusquement.

Blore jeta un coup d'œil vers le ciel :

– Il m'a l'air au beau fixe.

Lombard émit un petit sifflement :

– Le vent va se lever avant la fin de la journée.

– Une tempête, hmm ? fit Blore.

D'en bas leur parvint un coup de gong.

– Le petit déjeuner ? se réjouit Philip Lombard. Ma foi, je n'ai rien contre.

Tandis qu'ils descendaient le raidillon, Blore s'adressa à Lombard d'une voix soucieuse :

– Vous savez, ça me dépasse... Pourquoi ce garçon aurait-il voulu se supprimer ? Ça m'a turlupiné toute la nuit.

Vera marchait en tête. Lombard ralentit un peu le pas :

– Vous avez une autre théorie ?

– Il me faudrait une preuve. Et un mobile, pour commencer. A mon avis, c'est un type qui était plein aux as.

Emily Brent sortit par la porte-fenêtre du salon et vint à leur rencontre.

– Le bateau arrive ? demanda-t-elle, un peu tendue.

– Pas encore, répondit Vera.

Ils entrèrent dans la salle à manger. Du thé, du café et un grand plat d'œufs au bacon les attendaient sur la desserte.

Rogers s'effaça pour les laisser passer, puis sortit en fermant la porte.

– Cet homme n'a pas l'air dans son assiette, ce matin, décréta Emily Brent.

Le Dr Armstrong, qui se tenait près de la fenêtre, se racla la gorge :

– Il va falloir excuser... euh... les éventuelles imperfections du service. Rogers a fait de son mieux pour préparer tout seul le petit déjeuner. Mrs Rogers... euh... n'a pas été en mesure de s'en charger ce matin.

– Qu'a-t-elle donc encore ? s'enquit Emily Brent d'un ton acide.

– Mettons-nous à table, les œufs vont refroidir, éluda le Dr Armstrong. Après le petit déjeuner, il y a plusieurs questions dont je voudrais vous entretenir.

Ils ne se le firent pas dire deux fois. On remplit les assiettes, on servit le thé et le café. Le repas commença.

D'un commun accord, toute allusion à l'île fut proscrite. Ils discutèrent à bâtons rompus de l'actualité : nouvelles de l'étranger, exploits sportifs, dernière apparition en date du monstre du Loch Ness.

Puis, une fois la table desservie, le Dr Armstrong recula un peu sa chaise, toussota d'un air solennel et prit la parole :

– J'ai préféré attendre la fin du petit déjeuner pour vous annoncer la triste nouvelle. Mrs Rogers est morte dans son sommeil.

Des exclamations effarées, stupéfaites, fusèrent de toutes parts.

– Quelle horreur ! s'exclama Vera. Deux morts sur cette île depuis notre arrivée !

Les yeux mi-clos, le juge Wargrave intervint de sa petite voix précise :

– Hum... très extraordinaire... De quoi est-elle morte ?

Armstrong haussa les épaules :

– Impossible à dire comme ça.

– Il faudra une autopsie ?

– Je ne m'aviserais certes pas de délivrer un permis d'inhumer. J'ignore ce qu'était l'état de santé de cette femme.

– Elle avait l'air très nerveuse, dit Vera. Et elle a subi un choc, hier soir. Il s'agit d'un arrêt du cœur, j'imagine ?

– Son cœur s'est évidemment arrêté de battre, répliqua le Dr Armstrong, très sec. Mais pour quelle raison, c'est là toute la question.

Deux mots tombèrent des lèvres d'Emily Brent. Ils tombèrent, tel un couperet, au milieu du groupe attentif :

– Le Remords !

Armstrong se tourna vers elle :

– Qu'entendez-vous au juste par là, miss Brent ?

– Vous avez tous entendu, répondit Emily Brent, la bouche dure et pincée. Elle a été accusée, avec son mari, d'avoir délibérément empoisonné sa précédente patronne — une personne âgée.

– Et vous pensez... ?

– J'estime que l'accusation était fondée. Vous l'avez tous vue, hier soir. Ses nerfs ont lâché et elle s'est évanouie. Confrontée à son crime, elle n'a pas supporté le choc. Elle est littéralement morte de peur.

Le Dr Armstrong secoua la tête, sceptique :

– C'est une hypothèse, dit-il. On ne peut cependant l'adopter avant d'en savoir davantage sur son état de santé. Si elle souffrait d'une insuffisance cardiaque...

– Appelez cela le doigt de Dieu, si vous préférez, déclara posément Emily Brent.

Ils eurent tous l'air choqué. Gêné, Mr Blore protesta :

– Là, miss Brent, vous poussez un peu loin le bouchon.

Elle les toisa, l'œil brillant, et leva le menton :

– Vous estimez donc impossible qu'un pécheur soit foudroyé par le courroux divin ? Pas moi !

Le juge se caressa la joue. D'une voix teintée d'ironie, il murmura :

– Chère mademoiselle, si j'en crois mon expérience, c'est à nous autres mortels que la Providence laisse le soin de condamner et de châtier les coupables — et c'est une tâche ingrate, un long cheminement semé d'embûches. Il n'y a pas de raccourcis.

Emily Brent haussa les épaules.

– Qu'a-t-elle mangé et bu hier soir après être montée se coucher ? demanda soudain Blore.

– Rien, répondit Armstrong.

– Rien du tout ? Même pas une tasse de thé ? Un verre d'eau ? Je vous parie qu'elle a pris une tasse de thé. C'est une manie, chez ces gens-là.

– Rogers affirme qu'elle n'a rigoureusement rien avalé.

– Ça, fit Blore, c'est *lui* qui le dit !

Son ton était si lourd de sens que le médecin lui lança un regard acéré.

– Alors, c'est ça votre idée ? ricana Philip Lombard.

– Et pourquoi pas ? répliqua Blore, agressif. Nous avons tous entendu l'accusation portée contre eux hier soir. Ce ne sont peut-être que des bobards — de la loufoquerie pure et simple ? D'accord, mais, après tout, peut-être pas. Admettons pour l'instant que ce soit vrai. Rogers et sa bourgeoise ont liquidé la vieille. Qu'est-ce que ça nous donne ? Nos deux lascars se sentaient tranquilles comme Baptiste, ravis de leur coup...

Vera l'interrompit.

– Non, dit-elle à voix basse, je ne pense pas que Mrs Rogers se soit jamais sentie tranquille.

Blore parut un peu contrarié par cette interruption.

« Ça, c'est bien les femmes ! » disait son regard.

– C'est une simple supposition, reprit-il. Quoi qu'il en soit, à leur connaissance, rien au monde ne pouvait les menacer. Et puis voilà que, hier soir, une espèce de cinglé anonyme vend la mèche. Que se passe-t-il ? La femme craque... elle tombe dans les pommes. Rappelez-vous comme son mari était aux petits soins quand elle a repris connaissance. Ce n'était pas uniquement de la sollicitude conjugale ! Jamais de la vie ! Il était sur les charbons ardents. Vert de peur à l'idée de ce qu'elle pourrait lâcher.

» Et voilà le topo, braves gens ! Ils ont commis un meurtre et s'en sont bien tirés. Mais si l'affaire est déterrée, que va-t-il se passer ? Dix contre un que la femme se mettra à table. Elle n'aura pas le cran de nier jusqu'au bout. Vous parlez d'un danger pour son mari ! Lui, de son côté, pas de problème. *Lui*, il mentira jusqu'à plus soif — mais il ne peut pas être sûr d'*elle* ! Et si *elle* passe aux aveux, il risque la corde ! Alors il verse une saloperie quelconque dans son thé, histoire de la faire taire une bonne fois pour toutes.

– Il n'y avait pas de tasse vide sur la table de chevet, objecta Armstrong. Il n'y avait rien du tout. J'ai regardé.

– Evidemment qu'il n'y avait rien ! ricana Blore. Vous pensez bien que son premier soin, après qu'elle a bu, ç'a été de laver la tasse et la soucoupe.

Il y eut un silence. Puis le général Macarthur déclara, sceptique :

– C'est une possibilité. Mais j'ai peine à croire qu'un homme puisse faire ça... à sa femme.

Blore eut un rire bref :

– Quand un homme tremble pour sa peau, ce ne sont pas les sentiments qui l'arrêtent.

Il y eut un silence. Avant que quelqu'un n'ait pu prendre la parole, la porte s'ouvrit et Rogers entra.

Les regardant tour à tour, il s'enquit :

– Désirez-vous autre chose ?

Le juge Wargrave s'agita un peu dans son fauteuil :

– A quelle heure le bateau arrive-t-il, d'habitude ?

– Entre 7 et 8 heures, monsieur. Parfois un peu plus tard. Je ne sais pas ce que fabrique Fred Narracott ce matin. S'il était malade, il aurait envoyé son frère.

– Quelle heure est-il ? demanda Philip Lombard.

– 10 heures moins 10, monsieur.

Lombard haussa les sourcils. Lentement, il hocha la tête.

Rogers attendit un instant, sans bouger.

– Navré pour votre femme, Rogers ! lança soudain le général Macarthur d'une voix tonitruante. Le docteur vient de nous annoncer la nouvelle.

Rogers courba la tête :

– Oui, monsieur. Je vous remercie, monsieur.

Il sortit, emportant le plat de bacon vide.

Le silence retomba.

– A propos de ce canot... dit Philip Lombard.

Blore le fixa. Les deux hommes étaient dehors, sur la terrasse.

94

– Je sais ce que vous pensez, Mr Lombard, fit Blore en hochant la tête. Je me suis posé la même question. Le canot devrait être ici depuis près de deux heures. Il n'est pas venu. Pourquoi ?

– Vous avez trouvé la réponse ? demanda Lombard.

– *Ce n'est pas un hasard*, la voilà, ma réponse. Ça fait partie du plan d'ensemble. Tout est lié.

– Il ne viendra pas, vous pensez ?

Derrière Philip Lombard, une voix s'éleva — une voix irritée, impatiente :

– Ce canot n'est pas près d'arriver !

Tournant légèrement ses épaules carrées, Blore observa d'un air songeur celui qui venait de parler :

– Vous pensez vous aussi qu'il ne viendra pas, mon général ?

– Evidemment, qu'il ne viendra pas ! répliqua le général Macarthur. Nous comptons sur ce bateau pour quitter l'île. Tout est là, justement. *Nous n'allons pas quitter l'île...* Aucun de nous ne partira d'ici... C'est la fin, vous comprenez ? La fin de tout...

Après avoir hésité, il ajouta d'une voix grave, étrange :

– C'est ça la paix... la vraie paix. Arriver au bout de sa route... ne pas avoir à continuer... Oui, la paix...

Il tourna brusquement les talons. Quittant la terrasse, il s'engagea dans la pente qui descendait doucement vers la mer et se dirigea en diagonale vers l'extrémité de l'île, où un chapelet de rochers émergeait de l'eau.

Il marchait d'un pas incertain, comme un homme qui dormirait éveillé.

– En voilà encore un qui déraille ! commenta Blore.

Ça m'a l'air bien parti pour qu'on prenne tous le même chemin.

– Pas *vous*, Blore, dit Philip Lombard. Parce que, ça, ça m'en boucherait un coin.

L'ex-inspecteur éclata de rire :

– Il en faudrait beaucoup pour me faire perdre la boule.

Il ajouta, pince-sans-rire :

– Je ne vous vois pas non plus prendre ce chemin, Mr Lombard.

– Je me sens tout ce qu'il y a de plus sain d'esprit pour l'instant, je vous remercie, répliqua Philip Lombard.

Arrivé sur la terrasse, le Dr Armstrong hésita. A sa gauche se tenaient Blore et Lombard. A sa droite, Wargrave, tête baissée, faisait lentement les cent pas.

Après un instant d'indécision, Armstrong se dirigea vers ce dernier.

Mais à cet instant précis, Rogers jaillit de la maison :

– Pourrais-je vous dire un mot, monsieur, je vous prie ?

Armstrong se retourna.

Ce qu'il vit le fit tressaillir.

Le visage de Rogers était ravagé de tics. Son teint plombé tirait sur le verdâtre. Ses mains tremblaient.

Cela faisait un tel contraste avec son attitude réservée de tout à l'heure que le Dr Armstrong en fut stupéfait.

– S'il vous plaît, monsieur, je voudrais vous dire un mot. A l'intérieur, monsieur.

Faisant demi-tour, le médecin regagna la maison avec le domestique affolé.

– Que se passe-t-il, mon vieux ? lui dit-il. Remettez-vous.

– Par ici, monsieur, venez par ici.

Il ouvrit la porte de la salle à manger. Le médecin y entra, suivi de Rogers qui referma la porte derrière lui.

– Eh bien, s'enquit Armstrong, qu'est-ce qui vous arrive ?

Rogers avait la gorge contractée. Il déglutit avec peine et bredouilla :

– Il se passe des choses que je ne comprends pas, monsieur.

– Des choses ? Quelles choses ? grinça Armstrong.

– Vous allez croire que je suis devenu fou, monsieur. Vous allez me dire que ce n'est rien. Mais il faut y trouver une explication, monsieur. Il faut bien y trouver une explication. Parce que ça n'a pas de sens.

– Si vous me disiez de quoi il s'agit, mon vieux ? Cessez de parler par énigmes.

Rogers avala de nouveau sa salive :

– Il s'agit des petits personnages, monsieur. Au milieu de la table. Les petits personnages en porcelaine. Dix, il y en avait. Dix, je suis prêt à le jurer.

– En effet, dix, confirma Armstrong. Nous les avons comptés hier soir au dîner.

Rogers se rapprocha de lui :

– C'est justement ça, monsieur. Hier soir, quand j'ai débarrassé la table, il n'y en avait plus que neuf. Sur le moment, j'ai trouvé ça bizarre, sans plus. Et puis, ce matin, monsieur... Je ne m'en suis pas aperçu quand j'ai mis le couvert du petit déjeuner. J'étais bouleversé, j'avais la tête ailleurs, vous comprenez. Mais à l'instant, monsieur, quand je suis venu desservir... regardez par vous-même si vous ne me croyez pas. *Il n'y en a plus que huit, monsieur !* Plus que huit ! Ça n'a pas de sens, n'est-ce pas ? *Plus que huit...*

7

Après le petit déjeuner, Emily Brent avait proposé à Vera Claythorne de retourner sur le promontoire pour guetter le bateau. Vera avait accepté.

Le vent avait fraîchi. De petites crêtes blanches apparaissaient sur la mer. Aucun bateau de pêche en vue — et pas trace de canot à moteur.

On ne voyait pas Sticklehaven, mais seulement la colline qui dominait le village — éperon de roche rouge qui dissimulait la petite baie.

– L'homme qui nous a amenés hier avait l'air d'un individu de confiance, commenta Emily Brent. Je ne comprends pas qu'il ait tellement de retard ce matin.

Vera ne répondit pas. Elle luttait contre un sentiment de panique grandissant.

« Garde ton sang-froid, se morigéna-t-elle. Cela ne te ressemble pas. Tu as toujours eu les nerfs solides. »

Au bout d'une minute, elle dit tout haut :

– Je donnerais cher pour qu'il arrive. Je... j'ai envie de partir d'ici.

– Si vous croyez que vous êtes la seule ! répliqua Emily Brent d'un ton sec.

– Tout cela est tellement étrange... murmura Vera, et tellement... tellement incompréhensible...

– Je m'en veux beaucoup de m'être laissé berner si facilement, tempêta la vieille demoiselle. Cette lettre est absurde, quand on y regarde à deux fois. Mais sur le moment, le doute ne m'a pas effleurée — pas un instant.

– Non, bien sûr, murmura machinalement Vera.

– On a trop tendance à estimer que les choses vont de soi, dit Emily Brent.

Vera émit un long soupir tremblé :

– Vous pensez vraiment... ce que vous avez dit au petit déjeuner ?

– Soyez un peu plus précise, ma chère. A quoi au juste faites-vous allusion ?

– Vous pensez vraiment que Rogers et sa femme se sont débarrassés de la vieille dame ? fit Vera à voix basse.

Pensive, Emily Brent semblait s'abîmer dans la contemplation de la mer.

– Personnellement, j'en suis convaincue, répondit-elle enfin. Et vous ? Qu'en pensez-vous ?

– Je ne sais qu'en penser.

– Tout concourt à étayer cette hypothèse, insista Emily Brent, péremptoire. L'évanouissement de Mrs Rogers... Son mari qui laisse tomber le plateau du café, rappelez-vous. Et la façon dont il a plaidé leur cause... ça ne semblait pas sincère. Oh ! oui, je suis persuadée qu'ils ont fait le coup.

– Cet air qu'elle avait — l'air d'avoir peur de son

ombre ! frémit Vera. Je n'ai jamais vu quelqu'un d'aussi effrayé... elle devait être hantée par... par le remords...

– Je me souviens d'une phrase de la Bible qui était encadrée dans ma chambre, quand j'étais petite, murmura miss Brent. « *Sache que ton péché te rattrapera.* » C'est très vrai, cela. « *Sache que ton péché te rattrapera.* »

Vera se releva avec peine.

– Mais alors, miss Brent, dit-elle, mais alors, dans ce cas...

– Oui, ma chère ?

– Les autres ? Et les autres, alors ?

– Je ne vous suis pas bien.

– Toutes les autres accusations... elles n'étaient pas fondées, elles ? Pourtant, si c'est vrai pour les Rogers...

Elle s'interrompit, incapable d'exprimer clairement ses pensées chaotiques.

Emily Brent, qui avait froncé les sourcils, perdit soudain son air perplexe.

– Ah ! maintenant, je vous comprends, dit-elle. Eh bien... prenons ce Mr Lombard. Il reconnaît avoir abandonné vingt hommes à une mort certaine.

– Ce n'étaient que des indigènes...

– Noirs ou blancs, nous sommes tous frères ! répliqua Emily Brent d'un ton cassant.

« Nos frères noirs... nos frères noirs..., pensa Vera. Bon sang, je vais me mettre à hurler de rire. Je suis hystérique. Je ne suis pas dans mon état normal... »

Doctorale, Emily Brent poursuivait :

– Remarquez, certaines des accusations étaient extravagantes, voire ridicules. C'est le cas pour le juge, qui faisait simplement son devoir dans l'exercice de ses fonctions. Même chose pour l'ancien policier de Scotland Yard. Et pour moi.

Elle marqua un temps avant d'enchaîner :

– Naturellement, compte tenu des circonstances, je n'ai pas voulu m'expliquer hier soir. Ce n'était pas un sujet à débattre en présence de ces messieurs.

– Non ?

Vera l'écoutait avec intérêt. Sereine, miss Brent poursuivit :

– Beatrice Taylor était à mon service. Ce n'était pas *une fille comme il faut* — mais ça, je ne m'en suis avisée que trop tard. Je m'étais laissé abuser par son apparence. Elle avait de bonnes manières, elle était très propre et pleine de bonne volonté. J'étais très contente d'elle. En réalité, tout cela n'était que pure hypocrisie ! C'était une fille perdue, sans aucune moralité. Ecœurant ! Au bout de quelque temps, j'ai découvert qu'elle était « dans une situation intéressante », comme on dit. (Elle s'interrompit, fronçant avec dégoût son nez délicat.) Ce fut pour moi un choc. D'autant que ses parents étaient des gens bien, qui lui avaient donné une éducation très stricte. Je suis heureuse de pouvoir dire qu'ils ne lui ont pas pardonné sa conduite.

Sans la quitter des yeux, Vera lui demanda :

– Comment cela s'est-il terminé ?

– Vous pensez bien que je ne l'ai pas gardée une heure de plus sous mon toit. Jamais on ne pourra me taxer d'indulgence pour ce qui contrevient à la morale.

Baissant la voix, Vera interrogea :

101

– Oui, mais comment cela s'est-il terminé... pour elle ?

– Non contente d'avoir un péché sur la conscience, répondit miss Brent, cette créature débauchée en a commis un autre, plus grave encore. Elle a mis fin à ses jours.

– Elle s'est suicidée ? chuchota Vera, frappée d'horreur.

– Oui. Elle s'est jetée dans la rivière.

Bouche bée, Vera contempla le profil calme et délicat de miss Brent. Et elle frissonna.

– Qu'avez-vous ressenti quand vous avez appris qu'elle avait fait ça ? demanda-t-elle. Vous n'avez pas eu de regrets ? Vous ne vous êtes pas sentie responsable ?

Emily Brent redressa le buste :

– Moi ? Je n'avais rien à me reprocher.

– Mais si c'est votre... dureté... qui l'a poussée à faire ça ?

Emily Brent répliqua d'un ton sec :

– C'est son inconduite, c'est le péché qu'elle avait commis qui l'y ont poussée. Si elle avait agi en fille convenable et réservée, rien de tout cela ne serait arrivé.

Elle regarda Vera bien en face. Ses yeux n'exprimaient aucune gêne, aucun remords. Ils étaient durs, pleins de sûreté de soi. Emily Brent trônait au sommet de l'île du Nègre, engoncée dans son armure de vertu.

La vieille demoiselle ne semblait soudain plus du tout passablement ridicule à Vera.

Maintenant, elle lui paraissait monstrueuse.

Le Dr Armstrong sortit de la salle à manger et retourna sur la terrasse.

Assis dans un fauteuil, le juge contemplait la mer avec placidité.

Un peu à l'écart, sur la gauche, Lombard et Blore fumaient en silence.

Comme précédemment, le médecin hésita un instant. Il jaugea le juge Wargrave du regard. Il voulait avoir l'avis de quelqu'un.

Il n'ignorait pas que le juge possédait un esprit aiguisé et logique. Néanmoins, il balançait. Même si c'était un cerveau, le juge Wargrave était vieux. Aux yeux d'Armstrong, la situation exigeait un homme d'action.

Il se décida :

– Lombard, je peux vous parler une minute ?

Philip tressaillit.

– Bien sûr, fit-il.

Les deux hommes quittèrent la terrasse et s'acheminèrent vers la mer.

– J'ai besoin d'une consultation, dit Armstrong lorsqu'il fut certain qu'on ne risquait plus de les entendre.

Lombard haussa les sourcils :

– Je n'ai aucune connaissance médicale, mon cher.

– Non, non, je vous parle de la situation générale.

– Alors là, c'est autre chose.

– Franchement, qu'en pensez-vous, de cette situation ? demanda Armstrong.

Lombard réfléchit une minute.

– Elle parle d'elle-même, non ? répondit-il enfin.

– Quelle est votre opinion sur la mort de cette femme ? Vous êtes d'accord avec la théorie de Blore ?

Philip souffla une bouffée de fumée :

– Elle est tout à fait plausible... prise isolément.

– Très juste.

Armstrong parut soulagé. Philip Lombard n'était pas un imbécile.

Ce dernier poursuivit :

– C'est-à-dire, si on part du principe que Mr et Mrs Rogers ont un beau jour commis un meurtre en toute impunité. Et je ne vois rien d'impossible là-dedans. Qu'est-ce qu'ils ont fait au juste, selon vous ? Ils ont empoisonné la vieille ?

– C'est peut-être plus simple que ça, répondit Armstrong d'une voix lente. Ce matin, j'ai demandé à Rogers de quoi souffrait cette miss Brady. Sa réponse m'a ouvert des horizons. Inutile d'entrer dans des détails techniques, mais on soigne certains cas de troubles cardiaques au nitrite d'amyle. En cas de crise, on casse une ampoule de nitrite qu'on fait inhaler au malade. Si on n'administre pas le nitrite d'amyle... ma foi, les conséquences risquent fort d'être fatales.

– Pas plus difficile que ça... murmura Philip Lombard, pensif. Ça devait être... assez tentant.

Le médecin acquiesça :

– Oui, pas de geste criminel à proprement parler. Pas d'arsenic à obtenir et à administrer... rien de concret — une simple passivité ! Rogers a couru chercher un médecin en pleine nuit, et le couple avait ainsi la quasi-assurance que personne ne découvrirait jamais le pot aux roses.

– Et même si quelqu'un le découvrait, on ne pourrait jamais rien prouver contre eux, ajouta Philip Lombard.

Soudain, il fronça les sourcils :

– Mais j'y pense... voilà qui explique bien des choses.

– Je vous demande pardon ? fit Armstrong, intrigué.

– Je veux dire... que ça explique l'île du Nègre. Il y a des crimes dont on ne peut pas épingler les auteurs. Exemple : celui des Rogers. Autre exemple : celui du vieux Wargrave, qui a commis son meurtre dans les strictes limites de la loi.

– Vous croyez donc à cette histoire ? dit vivement Armstrong.

Philip Lombard sourit :

– Oh ! oui, j'y crois. Wargrave a bel et bien assassiné Edward Seton, aussi sûrement que s'il lui avait planté un stylet en plein cœur ! Mais il a eu l'intelligence de le faire en robe et perruque, du haut de sa chaire de juge. On ne peut donc pas l'épingler par les voies habituelles.

Un flash fulgurant traversa l'esprit d'Armstrong :

Meurtre à l'hôpital. Meurtre sur la table d'opération. Aucun risque... non, pas l'ombre d'un risque !

– D'où Mr O'Nyme..., était en train de dire Philip Lombard. D'où l'île du Nègre !

Armstrong prit une profonde inspiration :

– Nous arrivons là au cœur du problème. Dans quel but nous a-t-on attirés ici ?

– A *votre* avis ? riposta Philip Lombard.

– Revenons un instant sur la mort de cette femme, dit Armstrong avec brusquerie. Quelles sont les hypothèses possibles ? Primo : Rogers l'a tuée parce qu'il craignait qu'elle ne vende la mèche. Secundo : dans un moment d'égarement, elle a choisi l'issue la plus simple.

– Le suicide, hein ?

– Qu'est-ce que vous en dites ? demanda Armstrong.

– J'en dis que ce serait possible, oui... *s'il n'y avait pas la mort de Marston*, répliqua Lombard. Deux suicides en l'espace de douze heures, c'est un peu gros à avaler ! Et si vous voulez me faire croire qu'Anthony Marston, jeune chien fou sans états d'âme et pratiquement sans cervelle, a été si bouleversé d'avoir fauché deux gosses qu'il a décidé de se supprimer... eh bien, laissez-moi rire un bon coup ! D'ailleurs, comment se serait-il procuré le poison ? Pour autant que je sache, le cyanure de potassium n'est pas le genre de produit qu'on trimbale dans la poche de son veston. Mais ça, c'est votre rayon.

– Aucun individu sensé ne transporte du cyanure de potassium. Sauf s'il s'agit de quelqu'un qui veut détruire un nid de guêpes...

– Un jardinier plein d'ardeur ou un propriétaire terrien, c'est ça ? Là encore, pas Anthony Marston. A mon avis, ce cyanure mérite quelques éclaircissements. Ou bien Anthony Marston était venu ici avec l'intention de se suicider, auquel cas il avait pris ses dispositions... ou alors...

– Ou alors ?

Philip Lombard sourit de toutes ses dents :

– Pourquoi m'obliger à le dire ? Vous l'avez sur le bout de la langue ! *Anthony Marston a été assassiné, évidemment.*

Le Dr Armstrong respira à fond :

– Et Mrs Rogers ?

– Je pourrais arriver à croire — difficilement — au suicide d'Anthony s'il n'y avait pas Mrs Rogers, dit Lombard d'une voix lente. Je pourrais aussi croire — facilement — au suicide de Mrs Rogers s'il n'y avait pas Anthony Marston. Je pourrais encore croire que Rogers s'est débarrassé de sa femme... s'il n'y avait pas la mort inattendue d'Anthony Marston. En fait, ce qu'il nous faut, c'est une théorie qui explique ces deux décès si rapprochés.

– Je peux peut-être vous mettre sur la voie, dit Armstrong.

Et il expliqua comment Rogers lui avait signalé la disparition des deux figurines de porcelaine.

– Oui, les petits nègres en porcelaine... murmura Lombard. Il y en avait dix hier soir au dîner, c'est un fait. Et vous dites qu'il n'en reste plus que huit ?

Le Dr Armstrong récita :

– Dix petits nègres s'en furent dîner,
L'un d'eux but à s'en étrangler
– n'en resta plus que neuf.
Neuf petits nègres se couchèrent à minuit,
L'un d'eux à jamais s'endormit
– n'en resta plus que huit.

Les deux hommes se regardèrent. Philip Lombard sourit et jeta sa cigarette au loin :

– Ça colle bougrement trop bien pour être une coïncidence ! Anthony Marston est mort par asphyxie — ou par étranglement — hier soir après le dîner, et la mère

Rogers s'est si bien endormie... qu'elle ne s'est jamais réveillée.

– Conclusion ? demanda Armstrong.

– Conclusion, il y a une autre sorte de nègre parmi nous. Le mouton noir ! X ! Mr O'Nyme ! A.N. O'Nyme ! Le Cinglé Anonyme en Liberté !

– Ah ! fit Armstrong avec un soupir de soulagement. Nous sommes donc bien d'accord. Mais vous voyez ce qui en découle ? Rogers nous a juré qu'il n'y avait personne d'autre que nous, sa femme et lui sur cette île.

– Rogers se trompe ! Ou peut-être qu'il ment !

Armstrong secoua la tête :

– Je ne pense pas qu'il mente. Cet homme a peur. Il est aux trois quarts mort de peur.

Philip Lombard acquiesça :

– Pas de canot à moteur ce matin. Ça colle avec le reste. A l'évidence, cela fait encore partie des petites dispositions de Mr O'Nyme. L'île du Nègre doit rester isolée jusqu'à ce que Mr O'Nyme ait terminé son boulot.

Armstrong avait pâli :

– Vous vous rendez compte... que cet homme doit être fou à lier !

– Mais il y a une chose à laquelle Mr O'Nyme n'a pas pensé, décréta Philip Lombard d'un ton changé.

– Quoi donc ?

– Cette île n'est qu'un rocher plus ou moins dénudé. Nous aurons vite fait de la fouiller. Et nous ne tarderons pas à débusquer le sieur A.N. O'Nyme.

– Il doit être dangereux ! se récria le Dr Armstrong.

Philip Lombard éclata de rire :

– Dangereux ? Qui a peur du grand méchant loup ?

C'est *moi* qui serai dangereux quand je lui mettrai la main dessus !

Après un silence, il ajouta :

– Nous avons intérêt à mettre Blore dans le coup. Il nous sera utile pour l'épingler. Pas question d'en parler aux femmes. Quant aux autres, le général est gâteux et le seul talent du vieux Wargrave, c'est l'inertie sentencieuse. A nous trois, nous serons bien assez grands garçons pour nous en tirer.

8

Blore se rendit aussitôt à leurs arguments. Et se laissa enrôler sans difficulté :

– Ça change tout, ce que vous venez de me raconter à propos des figurines de porcelaine. C'est de la folie furieuse, voilà ce que c'est ! Il n'y a qu'une chose... Vous ne pensez pas que l'idée de ce O'Nyme, ç'ait été de sous-traiter le boulot, si on peut dire ?

– Expliquez-vous, mon vieux.

– Voilà comment je vois les choses. Hier soir, après le coup du gramophone, ce jeunot de Marston panique et s'empoisonne. Rogers, *lui*, panique aussi et... zigouille sa femme ! Tout ça conformément au plan de A.N. O'N.

Armstrong secoua la tête. Il souleva le problème du cyanure. Blore admit l'objection :

– C'est vrai, j'avais oublié ce détail. Ça n'est pas un

truc qu'on balade couramment sur soi. Mais alors, comment est-ce qu'il a atterri dans son verre ?

– J'ai réfléchi au problème, répondit Lombard. Hier soir, Marston a bu plusieurs whiskies. Entre l'avant-dernier et le dernier, il y a eu un laps de temps pendant lequel son verre a traîné sur une table. Je crois — sans en être sûr à cent pour cent — que c'était sur la petite table, près de la fenêtre. Celle-ci était ouverte. Quelqu'un a très bien pu verser une dose de cyanure dans le verre.

– Sans qu'aucun de nous l'ait vu ? s'exclama Blore, sceptique.

– Nous étions tous... assez pris par ailleurs, répliqua Lombard d'un ton ironique.

– C'est vrai, approuva lentement Armstrong. Nous venions tous d'être accusés de crimes variés. Nous arpentions la pièce, incapables de tenir en place. Nous discutions, indignés, uniquement préoccupés par nos affaires. Je pense que c'était *faisable*...

Blore haussa les épaules :

– Apparemment, ça a même été fait ! Bon, mettons-nous au boulot. Personne n'a un revolver, par hasard ? Non, ce serait trop beau.

– J'en ai un, dit Lombard en tapotant sa poche.

Blore écarquilla les yeux.

– Vous trimbalez toujours votre artillerie avec vous ? s'enquit-il, l'air de ne pas y toucher.

– L'habitude... répondit Lombard. J'ai roulé ma bosse dans des endroits plutôt malsains, vous savez.

– Ah ! fit Blore. En tout cas, vous ne l'avez probablement jamais roulée dans un endroit aussi malsain que celui où vous vous trouvez à l'heure qu'il est ! Si un dés-équilibré se cache sur cette île, il doit avoir sur lui tout un arsenal d'armes à feu — sans compter un poignard ou deux pour faire bonne mesure.

– Vous n'êtes pas forcément dans le vrai, Blore, tous-sota Armstrong. Les fous homicides sont souvent des gens tout ce qu'il y a de paisibles et effacés. Des types charmants.

– Je n'ai pas l'impression que ce soit le genre de celui-ci, Dr Armstrong, grommela Blore.

Les trois hommes entreprirent de prospecter l'île.

L'opération s'avéra encore plus simple que prévu. Du côté nord-ouest, face à la côte, les falaises s'enfonçaient à pic dans la mer, sans aucune anfractuosité.

Pour le reste, il n'y avait pas d'arbres et très peu d'abris naturels. Les trois hommes procédèrent avec méthode et application, passant le sol au peigne fin depuis le sommet de l'île jusqu'au bord de l'eau, scru-tant les rochers en quête de la moindre irrégularité pou-vant indiquer l'entrée d'une grotte. Mais il n'y avait pas de grottes.

Longeant le rivage, ils arrivèrent finalement à l'endroit où le général Macarthur, assis, contemplait la mer. C'était un coin très paisible, où l'on était bercé par le clapotis des vagues qui léchaient les rochers. Le vieil homme se tenait très droit, les yeux fixés sur l'horizon.

Il ignora les nouveaux arrivants. Ce manque total de réaction mit l'un d'eux — au moins — un peu mal à l'aise.

« C'est pas naturel, ça, songea Blore à part lui. On dirait qu'il est en transe. »

Il se racla la gorge et tenta d'engager la conversation :

– Un joli petit coin tranquille que vous avez trouvé là.

Le général fronça les sourcils. Il lança un bref coup d'œil par-dessus son épaule :

– Il reste si peu de temps... si peu de temps. J'insiste vraiment pour qu'on ne me dérange pas.

– Nous n'avons pas l'intention de vous déranger, fit Blore d'un ton jovial. Nous faisons juste le tour de l'île, comme qui dirait. Pour le cas où quelqu'un s'y cacherait, vous comprenez.

Le général plissa le front.

– Vous ne comprenez pas... marmonna-t-il. Vous ne comprenez rien du tout. Eloignez-vous, je vous en prie.

Blore battit en retraite.

– Il est timbré, dit-il aux deux autres quand il les eut rejoints. Inutile de perdre son temps à lui parler.

– Qu'est-ce qu'il a dit ? questionna Lombard avec une pointe de curiosité.

Blore haussa les épaules :

– Quelque chose comme quoi il n'y avait plus beaucoup de temps et qu'il ne voulait pas être dérangé.

Le Dr Armstrong fronça les sourcils.

– Je me demande, murmura-t-il. Je me demande ce qu'il...

La fouille de l'île était pratiquement terminée. Juchés sur le point culminant, les trois hommes observaient la côte. Il n'y avait pas d'embarcations en vue. Le vent fraîchissait.

– Aucun bateau de pêche n'est sorti, maugréa Lombard. Une tempête se prépare. C'est diablement embêtant qu'on ne soit pas en vue du village. On aurait pu envoyer des signaux, faire quelque chose...

– On pourrait peut-être quand même allumer un feu cette nuit ? proposa Blore.

– La vacherie, c'est que Mr O'Nyme a dû parer à toute éventualité, répondit Lombard, le front soucieux.

– Comment ça ?

– Est-ce que je sais ? En faisant croire à une bonne blague, par exemple. On doit nous laisser mariner ici, ne pas tenir compte de nos signaux, etc. On a peut-être même raconté au village qu'il y avait un pari à la clef. Bref, un bobard quelconque.

– Vous pensez qu'ils auraient gobé ça ? fit Blore, dubitatif.

– C'est plus facile à croire que la vérité ! grinça Lombard. Si on avait dit aux villageois que l'île devait rester isolée jusqu'à ce que Mr Anonyme O'Nyme ait tranquillement assassiné tous ses invités, vous pensez qu'ils y auraient cru ?

– Il y a des moments où je n'arrive pas à y croire moi-même, marmonna le Dr Armstrong. Et pourtant...

– *Et pourtant...* c'est exactement le cas ! ricana Philip Lombard. Vous l'avez dit, docteur !

Blore contemplait les flots, au pied de la falaise :

– Personne ne pourrait grimper par là, j'imagine ?

Armstrong secoua la tête :

– Ça m'étonnerait. C'est à pic. D'ailleurs, où le type qui ferait ça pourrait-il se cacher ?

– Il y a peut-être une cavité au pied de la falaise, hasarda Blore. Si nous avions une barque, nous pourrions faire le tour de l'île à la rame.

– Si nous avions une barque, nous serions déjà à mi-chemin de la côte ! riposta Lombard.

– Très juste !

– Nous ferions quand même aussi bien d'ausculter cette falaise, décréta soudain Lombard. Il n'y a qu'un seul endroit où il *pourrait* y avoir un renfoncement, et c'est juste en dessous, un peu à droite. Si vous pouvez trouver une corde, vous me ferez descendre et j'en aurai le cœur net.

– Autant savoir à quoi s'en tenir, c'est vrai, acquiesça Blore. Même si ça paraît absurde à première vue ! Je vais voir ce que je peux dénicher.

D'un pas vif, il redescendit vers la maison.

Lombard contempla le ciel. Les nuages commençaient à s'amonceler. Le vent soufflait avec plus de force.

Il lança à Armstrong un regard oblique :

– Vous êtes bien silencieux, docteur. A quoi pensez-vous ?

– Je me demandais... répondit Armstrong d'une voix lente. Je me demandais jusqu'à quel point le vieux Macarthur est timbré...

114

Vera n'avait pas tenu en place de toute la matinée. Elle avait évité Emily Brent, pour qui elle éprouvait désormais une aversion qui lui donnait la chair de poule.

Miss Brent, de son côté, s'était installée dans un fauteuil à l'angle de la maison afin d'être à l'abri du vent. Elle tricotait.

Chaque fois que Vera pensait à elle, il lui semblait voir un pâle visage de noyée aux cheveux emmêlés d'algues — un visage qui avait été beau, d'une beauté provocante, peut-être — et qui était maintenant inaccessible à la pitié ou à la terreur.

Et Emily Brent, placide et la conscience en repos, tricotait.

Sur la terrasse principale, le juge Wargrave était tassé dans un fauteuil à haut dossier. Il avait la tête rentrée dans les épaules.

Quand elle le regardait, Vera voyait un homme debout dans le box des accusés — un jeune homme aux cheveux blonds, aux yeux bleus, à l'air égaré. Edward Seton. Et, en imagination, elle voyait le juge poser de ses vieilles mains ridées la toque noire sur sa tête et commencer à prononcer la sentence...

Au bout d'un moment, Vera descendit lentement vers la mer. Longeant le rivage, elle se dirigea vers la pointe de l'île, là où était assis un vieil homme qui fixait l'horizon.

Comme elle approchait, le général Macarthur s'ébroua. Il tourna la tête... il y avait dans son regard un curieux mélange d'incertitude et d'appréhension. Elle en fut saisie. Il la dévisagea un moment avec insistance.

« Comme c'est bizarre ! pensa-t-elle. On dirait presque qu'il *sait*... »

– Ah, c'est vous ! dit-il. Vous êtes venue...

Vera s'assit à côté de lui.

– Ça vous plaît de rester là à contempler la mer ? demanda-t-elle.

Il hocha doucement la tête.

– Oui, répondit-il. C'est agréable. C'est un endroit idéal pour attendre.

– Pour attendre ? s'étonna Vera. Vous attendez quoi ?

– La fin, dit-il avec douceur. D'ailleurs, vous le savez bien, n'est-ce pas ? Je ne me trompe pas ? Nous attendons tous la fin.

– Que voulez-vous dire ? balbutia-t-elle.

– *Aucun de nous ne quittera cette île*, répondit le général Macarthur avec gravité. C'est cela, le plan. Et vous le savez parfaitement. Mais ce que vous n'arrivez peut-être pas à comprendre, c'est le soulagement que ça procure !

– Le soulagement ? répéta Vera, interdite.

– Oui. Bien sûr, vous êtes très jeune... vous n'avez pas encore atteint ce stade. Mais ça viendra ! Le merveilleux soulagement de savoir qu'on en a fini avec tout... qu'on n'a pas à porter plus longtemps son fardeau. Vous éprouverez ça, vous aussi, un jour...

– Je ne vous comprends pas, répliqua Vera d'une voix rauque.

Ses doigts étaient agités d'un tressaillement spasmodique. Elle eut soudain peur, peur de ce vieux militaire taciturne.

116

– Voyez-vous, j'aimais Leslie, reprit-il d'une voix rêveuse. Je l'aimais infiniment...

– Leslie, c'était votre femme ? l'interrogea Vera.

– Oui, ma femme... Je l'aimais. J'étais fier d'elle. Elle était si jolie... si gaie.

Il resta silencieux une bonne minute, puis il reprit :

– Oui, j'aimais Leslie. C'est pour ça que j'ai fait ce que j'ai fait.

– Vous voulez dire... ? murmura Vera.

Elle s'interrompit.

Le général Macarthur acquiesça lentement :

– Ça ne sert plus à rien de le nier... maintenant que nous allons tous mourir. *J'ai envoyé Richmond à la mort.* Dans un sens, c'était un meurtre. Curieux. Un *meurtre*... moi qui ai toujours été si respectueux de la loi ! Oh, je n'avais pas vu les choses comme ça, à l'époque. Je n'avais aucun remords. « Rudement bien fait pour lui ! », voilà ce que je me disais. Mais après...

– Après ? insista Vera d'une voix dure.

Il secoua la tête d'un air vague. Il semblait perplexe, un peu désemparé :

– Je ne sais pas. Je... je ne sais pas. Tout a changé. Je ne sais pas si Leslie a jamais deviné... je ne crois pas. Mais voyez-vous, je n'arrivais plus à savoir ce qu'elle pensait. Elle était loin, très loin — si loin de moi qu'elle en était devenue inaccessible. Et puis elle est morte... et je me suis retrouvé seul...

– Seule... seule... répéta Vera — et les rochers lui renvoyèrent sa voix en écho.

– Vous serez heureuse, vous aussi, quand viendra la fin, reprit le général Macarthur.

Vera se leva.

– Je ne vois pas ce que vous voulez dire ! fit-elle d'un ton cassant.

– Je *sais*, mon enfant. Je sais...

– Non, vous ne savez rien. Vous n'y comprenez rien du tout...

Le général Macarthur se remit à contempler la mer. Il paraissait avoir oublié Vera et sa présence.

D'une voix très douce, presque dans un souffle, il murmura :

– Leslie... ?

Lorsque Blore revint de la maison avec un rouleau de corde sous le bras, il retrouva Armstrong au même endroit, perdu dans la contemplation des profondeurs.

– Où est Mr Lombard ? s'enquit-il, essoufflé.

– Parti vérifier je ne sais quelle théorie, répondit négligemment Armstrong. Il sera de retour dans une minute. Dites-moi, Blore, je suis préoccupé.

– Préoccupé, on l'est tous, non ?

Le médecin eut un geste impatient de la main.

– Bien sûr... bien sûr. Ce n'est pas ce que je veux dire. Je pense au vieux Macarthur.

– Pourquoi ? Qu'est-ce qu'il a ?

– Ce que nous cherchons, c'est un déséquilibré. *Alors, Macarthur, qu'est-ce que vous en dites ?*

– C'est un fou homicide, d'après vous ? s'exclama Blore, incrédule.

– Je n'irai pas jusque-là, répondit Armstrong avec embarras. En aucun cas. Mais, après tout, je ne suis pas

118

spécialiste des maladies mentales. Je n'ai pas vraiment eu de conversation avec lui... je ne l'ai pas observé sous cet angle-là.

– Gâteux, je veux bien ! marmonna Blore. Mais de là à affirmer...

Avec un léger effort, comme un homme qui reprend ses esprits, Armstrong l'interrompit :

– Vous avez sans doute raison ! Bon sang, il *doit bien y avoir* quelqu'un qui se cache sur cette île ! Ah, voilà Lombard.

Ils l'encordèrent avec soin.

– Je vais m'aider au maximum, dit Lombard. Veillez au grain pour si jamais la corde se tendait subitement.

Ils observaient depuis un moment la progression de Lombard, quand Blore fit remarquer :

– Il est agile comme un singe, non ?

Sa voix avait une intonation bizarre.

– Il a dû faire de l'escalade dans sa jeunesse, diagnostiqua le médecin.

– Possible.

Après un silence, l'ex-inspecteur reprit :

– Drôle de type, quand même. Savez pas ce que je pense ?

– Non, quoi donc ?

– Il n'est pas franc du collier !

– Comment ça ? dit Armstrong, sceptique.

Blore émit un grognement :

– Je ne sais pas... pas au juste. Mais ce qu'il y a de sûr, c'est que je ne lui confierais pas mes sous.

– Que voulez-vous, je suppose qu'il a mené une existence plutôt aventureuse.

119

– Et moi, je vous parie que certaines de ses aventures doivent être du genre dont il vaut mieux pas se vanter, répliqua Blore.

Il se tut, puis ajouta :

– Est-ce que, par hasard, vous avez apporté un revolver dans vos bagages, docteur ?

Armstrong ouvrit des yeux ronds :

– Moi ? Seigneur, non ! Pourquoi diable est-ce que j'aurais fait ça ?

– *Et Mr Lombard, alors ?*

– L'habitude, j'imagine... répondit Armstrong avec hésitation.

Blore ricana.

Brusquement, la corde se raidit. Pendant quelques instants, les deux hommes eurent trop à faire pour discuter.

– Il y a habitudes *et* habitudes ! reprit Blore une fois la tension relâchée. Que Mr Lombard emporte un revolver dans des contrées reculées, d'accord... *plus* un réchaud à pétrole, un sac de couchage et une provision d'insecticide, ça va de soi ! Mais l'habitude ne le pousserait pas pour autant à venir ici avec tout son barda ! Il n'y a que dans les romans que les gens promènent un revolver à tout bout de champ.

Perplexe, le Dr Armstrong secoua la tête.

Ils se penchèrent pour observer la progression de Lombard. Son exploration de la paroi était minutieuse, mais ils virent tout de suite qu'elle était vaine. Il ne tarda pas à remonter et se hissa par-dessus le bord de la falaise. Il essuya son front en sueur :

– Eh bien, il ne reste plus trente-six solutions, dit-il. C'est la maison ou rien.

La perquisition de la maison ne présenta pas de difficultés. Ils commencèrent par les dépendances, puis passèrent à l'habitation principale. Le mètre-ruban de Mrs Rogers, trouvé dans un placard de la cuisine, leur fut d'un précieux secours. Mais ils ne découvrirent aucun recoin, aucune double cloison douteuse. Tout était strict et net dans cette maison moderne où rien ne pouvait être dissimulé. Ils avaient d'abord fouillé le rez-de-chaussée. En montant dans les chambres, ils aperçurent, par la fenêtre du palier, Rogers qui apportait un plateau de cocktails sur la terrasse.

– Etonnante créature, ce brave domestique, dit Philip Lombard d'un ton badin. Il continue son service comme si de rien n'était.

– Rogers est un majordome de premier ordre, déclara Armstrong, il faut lui rendre cette justice !

– Et sa femme était un véritable cordon-bleu, renchérit Blore. Ce dîner, hier soir...

Ils entrèrent dans la première chambre.

Cinq minutes plus tard, ils se retrouvaient sur le palier. Personne n'était caché là... aucune cachette n'y était d'ailleurs possible.

– Il y a un petit escalier, là, fit observer Blore.

– Il mène chez les domestiques, expliqua le Dr Armstrong.

– Il doit y avoir des combles — pour les réservoirs

121

d'eau et tout ce qui s'ensuit, dit Blore. On a encore une chance là-haut... mais c'est la seule qui nous reste !

C'est alors qu'ils entendirent du bruit au-dessus de leurs têtes. Des pas légers, furtifs.

Ils l'entendirent tous les trois. Armstrong saisit le bras de Blore. Lombard mit un doigt sur ses lèvres :

– Chut ! Ecoutez...

Le bruit recommença : quelqu'un se déplaçait là-haut — furtivement, à pas feutrés.

– Il est dans la chambre, chuchota Armstrong. Dans la pièce où se trouve le corps de Mrs Rogers.

– Evidemment ! répondit Blore sur le même ton. C'est la meilleure cachette qu'il pouvait choisir ! Personne ne risquait de venir le déranger. Attention... faites le moins de bruit possible.

Ils montèrent l'escalier à pas de loup.

Ils s'arrêtèrent sur le petit palier, devant la porte de la chambre. Oui, il y avait bien quelqu'un à l'intérieur. Un léger grincement leur parvint.

– Allons-y ! chuchota Blore.

Il ouvrit la porte à la volée et se rua dans la pièce, les deux autres sur ses talons.

Tous trois s'arrêtèrent net.

Rogers était là, les bras chargés de vêtements.

Blore fut le premier à se ressaisir :

– Désolé, euh... Rogers. Nous avons entendu quelqu'un bouger là-dedans et nous nous sommes dit que... euh...

Il se tut.

122

– Je vous prie de m'excuser, messieurs, dit Rogers. Je déménageais mes affaires. Je pense que vous ne verrez pas d'objection à ce que je prenne une des chambres libres à l'étage au-dessous ? La plus petite.

Comme c'était à lui que le domestique s'adressait, Armstrong répondit :

– Bien sûr. Bien sûr. Ne vous interrompez pas pour nous.

Il évita de regarder la silhouette, recouverte d'un drap, qui gisait sur le lit.

– Je vous remercie, monsieur, dit Rogers.

Les bras chargés de ses affaires, il sortit de la pièce et descendit l'escalier.

Armstrong s'approcha du lit et, soulevant le drap, regarda le visage paisible de la morte. Ses traits n'exprimaient plus la peur. Simplement le néant.

– Dommage que je n'aie pas mon matériel ici, commenta Armstrong. J'aurais bien voulu savoir de quelle drogue il s'agissait.

Il se tourna vers les deux autres :

– Finissons-en. Je donnerais ma tête à couper que nous ne trouverons rien.

Blore se débattait avec les verrous d'un « trou d'homme ».

– Ce gars-là se déplace quand même de façon bougrement silencieuse, grommela-t-il. Il y a deux minutes, nous l'avons vu sur la terrasse. Et personne ne l'a entendu monter.

– C'est sans doute pour ça que nous avons cru qu'il y avait un intrus qui s'agitait ici, déclara Lombard.

Blore disparut dans un caverneux trou noir. Lombard sortit une lampe-torche de sa poche et le suivit.

Cinq minutes plus tard, trois hommes émergeaient sous les combles. Ils étaient sales, couverts de toiles d'araignées, lugubres.

A part eux huit, il n'y avait personne sur l'île.

9

– Ainsi, nous nous sommes fourré le doigt dans l'œil, dit Lombard d'une voix lente. Fourré le doigt dans l'œil sur toute la ligne ! Nous avons bâti de toutes pièces un cauchemar, échafaudé une théorie délirante — et tout ça à cause de la banale coïncidence de deux décès !

– N'empêche que l'argument de base tient toujours, déclara gravement Armstrong. Je suis médecin, et je m'y connais en suicides. Anthony Marston n'était pas du genre à se tuer.

– Ça ne pourrait pas avoir été un accident, par hasard ? lâcha Lombard sans trop y croire.

Blore émit un grognement peu convaincu :

– Fichtrement bizarre, comme accident.

Un silence suivit.

– Pour ce qui est de la femme... reprit Blore qui s'interrompit aussitôt.

– Mrs Rogers ?

– Oui. Dans son cas, il est possible qu'il se soit agi d'un accident, non ?

– Un accident ? répéta Philip Lombard. Comment ça ?

Blore parut un peu embarrassé. Son visage rouge brique prit une teinte plus soutenue.

– Ecoutez, docteur, bredouilla-t-il, vous lui avez bien donné une drogue... ?

Armstrong le regarda avec étonnement :

– Une drogue ? Qu'est-ce que vous entendez par là ?

– Hier soir. Vous avez dit vous-même que vous lui aviez donné quelque chose pour la faire dormir.

– Ah ! oui... Un calmant inoffensif.

– Quoi, exactement ?

– Une légère dose de trional. Un produit parfaitement bénin.

Blore devint encore plus rouge :

– Ecoutez... je n'irai pas par quatre chemins... Vous ne lui en auriez pas administré une trop forte dose, des fois ?

– Je ne vois pas où vous voulez en venir ! s'emporta le Dr Armstrong.

– Ce n'est pas envisageable, que vous ayez commis une erreur ? insista Blore. Ce sont pourtant des choses qui arrivent, pas vrai ?

– Jamais de la vie ! répliqua Armstrong, acerbe. C'est une supposition absurde.

Il s'interrompit un instant avant d'ajouter, d'un ton mordant :

– Ou peut-être insinuez-vous que je lui en aurais donné trop... exprès ?

Philip Lombard s'interposa :

– Dites donc, vous deux, gardons la tête froide. Ne

commençons pas à lancer des accusations à tort et à travers.

– Je suggérais seulement que le docteur avait pu commettre une erreur.

Le Dr Armstrong se força à sourire et découvrit ses dents en un rictus dépourvu de gaieté :

– Les médecins ne peuvent pas se permettre ce genre d'erreur, mon ami.

– A en croire le disque d'hier soir, ce ne serait pas la première que vous auriez commise ! dit Blore en détachant ses mots.

Armstrong blêmit.

– A quoi rime cette agressivité ? riposta Philip Lombard, exaspéré. Nous sommes tous dans le même bateau. Nous devons nous serrer les coudes. D'ailleurs, et votre histoire de faux serment, qu'est-ce que vous en faites ?

Blore fit un pas en avant, les poings serrés.

– Faux serment, tu parles ! gronda-t-il d'une voix sourde. C'est un mensonge dégueulasse ! Vous pouvez toujours essayer de me faire taire, Mr Lombard, mais il y a certaines choses que j'aimerais bien savoir... et l'une d'elles vous concerne !

Lombard haussa les sourcils :

– Me concerne, moi ?

– Je veux, oui ! J'aimerais bien savoir pourquoi vous avez apporté un revolver ici, où vous étiez censé être en villégiature chez des amis.

– Vous tenez vraiment à le savoir ?

– Oui, Mr Lombard, j'y tiens.

– Vous voulez que je vous dise un truc, Blore ? repar-

126

tit Lombard de façon inattendue. Eh bien, vous êtes loin d'être aussi bête que vous en avez l'air.

– Ça n'est pas impossible. Alors, ce revolver ?

Lombard sourit :

– Je l'ai apporté parce que je m'attendais à tomber dans un panier de crabes.

– Vous ne nous avez pas raconté ça hier soir, dit Blore d'un ton soupçonneux.

Lombard secoua la tête.

– Vous nous avez caché quelque chose ? insista Blore.

– D'une certaine manière, oui, dit Lombard.

– Eh bien, allez-y ! Videz votre sac.

– Je vous ai laissé croire que j'avais été invité ici dans les mêmes conditions que la plupart d'entre vous, répondit Lombard d'une voix lente. Ce n'est pas tout à fait exact. En fait, j'ai été contacté par un petit Juif... un dénommé Morris. Il m'a proposé cent guinées pour venir ici et ouvrir l'œil — j'avais soi-disant la réputation d'être l'homme des situations... hasardeuses.

– Et alors ? le talonna Blore avec impatience.

Lombard eut un large sourire :

– C'est tout.

– Il a quand même bien dû vous en dire plus que ça ! intervint le Dr Armstrong.

– Oh ! non, rien du tout. Fermé comme une huître, le gars. C'était à prendre ou à laisser, texto. J'étais fauché. J'ai accepté.

Blore n'avait pas l'air convaincu.

– Pourquoi ne pas nous avoir dit ça hier soir ?

Lombard eut un haussement d'épaules éloquent :

– Comment savoir, très cher, si ce n'était pas précisément en vue de cette soirée que je me trouvais ici ? Dans le doute, j'ai adopté un profil bas et raconté une histoire passe-partout.

– Mais maintenant... vous voyez les choses autrement ? susurra le Dr Armstrong, finaud.

L'expression de Lombard se modifia. Son visage s'assombrit, se durcit.

– Oui, dit-il. Je crois maintenant que je suis logé à la même enseigne que vous. Ces cent guinées n'étaient que le croûton de fromage que me tendait Mr O'Nyme pour m'attirer dans le piège comme les copains.

Il articula :

– *Car nous sommes pris au piège...* J'en mettrais ma main au feu ! La mort de Mrs Rogers... celle de Tony Marston... les petits nègres qui disparaissent de la table de la salle à manger ! Oh oui, la main de Mr O'Nyme est bien visible... *mais où diable se cache Mr O'Nyme lui-même ?*

En bas, un coup de gong solennel annonça le déjeuner.

Rogers se tenait près de la porte de la salle à manger. Voyant les trois hommes descendre l'escalier, il s'avança vers eux.

– J'espère que le déjeuner ne vous décevra pas trop, dit-il d'une voix sourde et anxieuse. Il y a du jambon et de la langue en gelée, et j'ai fait des pommes de terre à l'eau. Il y a aussi du fromage, des gâteaux secs et des fruits en conserve.

128

– Ça m'a l'air parfait, approuva Lombard. Il reste donc des provisions ?

– Il y en a des quantités, monsieur... des boîtes de conserve. Le garde-manger est remarquablement garni. Il faut bien, monsieur, parce que, sur une île, on peut être coupé de la côte un bon bout de temps.

Lombard acquiesça sans mot dire.

Tout en suivant les trois hommes dans la salle à manger, Rogers murmura :

– Ça me soucie que Fred Narracott ne soit pas venu aujourd'hui. C'est particulièrement fâcheux.

– Oui, dit Lombard. « Particulièrement fâcheux » est le mot de la situation.

Miss Brent arriva. Elle avait laissé tomber une pelote de laine qu'elle rembobinait avec soin.

– Le temps change, fit-elle remarquer en s'asseyant à table. Il y a beaucoup de vent et la mer moutonne de manière inquiétante.

Le juge Wargrave fit son entrée. Il marchait d'un pas lent et mesuré. Sous ses sourcils broussailleux, il lançait de brefs coups d'œil aux autres convives :

– Vous avez eu une matinée très active, ce me semble.

Il y avait dans sa voix un soupçon de plaisir malin.

Vera Claythorne arriva en courant, légèrement hors d'haleine.

– J'espère que je ne vous ai pas fait attendre, dit-elle vivement. Est-ce que je suis en retard ?

– Vous n'êtes pas la dernière, répondit Emily Brent sur un ton pincé. Le général n'est pas encore là.

Ils s'assirent autour de la table.

Rogers s'adressa à miss Brent :

– Voulez-vous commencer, mademoiselle, ou préférez-vous attendre ?

– Le général Macarthur est en bas, sur le rivage, dit Vera. De toute façon, il n'a sans doute pas entendu le gong. Il... il a un peu la tête ailleurs, aujourd'hui.

– Je vais aller le prévenir que le déjeuner est servi, s'empressa Rogers.

Le Dr Armstrong bondit sur ses pieds.

– J'y vais, dit-il. Commencez sans nous.

Il sortit. Sur le seuil, il entendit encore la voix de Rogers :

– Prendrez-vous du jambon ou de la langue, mademoiselle ?

Les cinq personnes assises autour de la table semblaient avoir du mal à trouver un sujet de conversation. Dehors, le vent soufflait en brusques rafales, puis s'apaisait.

– Il va y avoir de la tempête, dit Vera en réprimant un frisson.

Blore apporta sa contribution à la conversation :

– Il y avait un vieux bonhomme, hier, dans le train de Plymouth. Il n'arrêtait pas de dire qu'il allait y avoir un grain. C'est incroyable comme ils connaissent le temps, ces vieux loups de mer.

Rogers fit le tour de la table pour ramasser les assiettes.

Soudain, la vaisselle dans les mains, il se figea.

– Il y a quelqu'un qui court... dit-il d'une voix étrange, effrayée.

Ils l'entendaient tous : un bruit de pas précipités sur la terrasse.

Ils comprirent aussitôt — ils comprirent avant même qu'on le leur dise...

Mus par un même réflexe, ils se levèrent et regardèrent en direction de la porte.

Le Dr Armstrong apparut, hors d'haleine :

– Le général Macarthur...

– Mort !

Le mot, tel un cri, avait jailli de la poitrine de Vera.

– Oui, il est mort... dit Armstrong.

Un silence suivit. Un long silence.

Sept personnes se regardaient sans trouver quoi dire.

La tempête éclata à l'instant où l'on faisait franchir au corps du vieillard le seuil de la maison.

Les autres se tenaient dans le hall.

Soudain, le vent se mit à mugir, et la pluie s'abattit en crépitant.

Tandis que Blore et Armstrong montaient l'escalier avec leur fardeau, Vera Claythorne se détourna brusquement et entra dans la salle à manger déserte.

La pièce était telle qu'ils l'avaient laissée. Le dessert, qu'on n'avait pas touché, attendait sur le buffet.

Vera s'approcha de la table. Deux minutes plus tard, elle était toujours là, figée dans son immobilité, quand Rogers entra sans bruit.

Il tressaillit en la voyant. Ses yeux posaient une question muette.

– Oh ! mademoiselle, balbutia-t-il, je... je venais juste voir...

D'une voix forte, âpre, qui la surprit elle-même, Vera l'interrompit :

– Vous avez raison, Rogers. Regardez par vous-même. *N'en reste plus que sept...*

On avait allongé le général Macarthur sur son lit.

Après un dernier examen, Armstrong sortit de la chambre et descendit. Il trouva les autres rassemblés dans le salon.

Miss Brent tricotait. Vera Claythorne, postée devant la fenêtre, contemplait la pluie qui fouettait les carreaux. Blore était carré dans un fauteuil, les mains sur les genoux. Lombard tournait en rond comme un ours en cage. A l'autre bout de la pièce, le juge Wargrave, les yeux mi-clos, trônait dans une bergère à oreilles.

Ses paupières se soulevèrent à l'entrée du médecin.

– Alors, docteur ? s'enquit-il d'une voix mordante.

Armstrong était blafard :

– Pas question de crise cardiaque ni de quoi que ce soit du même genre. Macarthur a été frappé à la nuque avec une matraque ou un objet similaire.

Un léger murmure courut à la ronde, et on entendit de nouveau la petite voix précise du juge :

– Avez-vous retrouvé l'arme en question ?

– Non.

– Vous êtes néanmoins certain de ce que vous avancez ?

– Absolument certain.

– Nous savons donc désormais à quoi nous en tenir, déclara posément le juge Wargrave.

Pour ce qui était de savoir qui prenait la situation en mains, il ne subsistait guère non plus de doute. Toute la matinée, Wargrave était resté blotti dans son fauteuil, sur la terrasse, étranger à toute activité apparente. A présent, il assumait la direction des opérations avec l'aisance née d'une longue pratique de l'autorité. Incontestablement, c'était lui qui présidait le tribunal.

Il s'éclaircit la gorge et reprit la parole :

– Ce matin, messieurs, pendant que je me reposais sur la terrasse, j'ai été témoin de votre déploiement d'activité. Le but que vous poursuiviez allait de soi. Vous exploriez l'île à la recherche d'un meurtrier inconnu. C'est bien cela ?

– En effet, monsieur, répondit Philip Lombard.

Le juge poursuivit :

– Sans doute êtes-vous parvenu à la même conclusion que moi... à savoir que la mort d'Anthony Marston et celle de Mrs Rogers ne sont ni des accidents ni des suicides. De même, vous avez certainement abouti à une seconde conclusion, qui concerne le but poursuivi par Mr O'Nyme en nous attirant sur cette île ?

– C'est un fou ! Un maboul ! s'écria Blore d'une voix âpre.

Le juge toussota :

– Cela, c'est une quasi-certitude. Mais qui ne change

133

rien au problème. Notre principal souci doit être de...
d'assurer notre sauvegarde.

– Il n'y a personne sur l'île, je vous dis, fit Armstrong
d'une voix tremblante. *Personne !*

Le juge se caressa la mâchoire.

– Au sens où vous l'entendez, en effet, dit-il doucement. Je suis moi-même parvenu à cette conclusion ce
matin de bonne heure. J'aurais pu vous dire que vos
recherches seraient vaines. Néanmoins, je suis absolument persuadé que « Mr O'Nyme » — pour reprendre
le nom qu'il s'est choisi — *est bel et bien* sur l'île. Cela
ne fait pas l'ombre d'un doute. Etant donné la nature
de son projet, qui consiste ni plus ni moins à punir certains individus pour des délits où la justice est impuissante, il n'avait qu'*un seul moyen de mettre ce projet à
exécution*. Mr O'Nyme ne pouvait venir sur l'île du
Nègre que d'une seule manière.

» C'est clair comme le jour. *Mr O'Nyme est l'un
d'entre nous...*

– Oh ! non, non, non...

C'était Vera qui avait laissé échapper cette plainte —
presque un sanglot.

Le juge braqua sur elle un regard acéré :

– Ma chère mademoiselle, il est grand temps de
regarder la réalité en face. Nous courons tous un grave
danger. L'un de nous est A.N. O'Nyme. Et nous ne
savons pas qui. Sur les dix personnes qui sont venues
ici, trois sont définitivement hors de cause. Anthony
Marston, Mrs Rogers et le général Macarthur ne

peuvent plus être soupçonnés. Nous ne sommes plus que sept. L'un de ces sept-là est — si j'ose m'exprimer ainsi — un petit nègre bidon.

Il s'interrompit et regarda à la ronde :

– Puis-je considérer que vous partagez tous mon analyse ?

– C'est inouï... murmura Armstrong, mais vous avez probablement raison.

– Ça ne fait aucun doute, renchérit Blore. Et si vous voulez mon avis, j'ai dans l'idée que...

D'un geste vif, le juge Wargrave l'interrompit :

– Nous allons y venir. Pour le moment, tout ce que je souhaite, c'est établir que nous sommes bien d'accord sur ces bases.

– Votre raisonnement paraît logique, décréta Emily Brent sans cesser de tricoter. Je pense en effet que l'un d'entre nous est possédé du démon.

– Je n'arrive pas à y croire... murmura Vera. Je n'y arrive pas...

– Lombard ? questionna Wargrave.

– Je suis d'accord, monsieur. A cent pour cent.

Le juge inclina la tête d'un air satisfait :

– A présent, examinons les indices. Tout d'abord, avons-nous des raisons de soupçonner quelqu'un en particulier ? Je crois, Mr Blore, que vous avez quelque chose à dire.

Blore respirait avec difficulté.

– Lombard a un revolver, déclara-t-il. Il nous a raconté des histoires, hier soir. Il l'a reconnu lui-même.

Philip Lombard eut un sourire méprisant :

– J'ai l'impression que je ferais aussi bien de m'expliquer encore une fois.

Ce qu'il fit, de manière brève et concise.

– Où sont vos preuves ? tonna Blore. Il n'y a rien pour corroborer votre histoire.

Le juge toussota.

– Malheureusement, dit-il, nous sommes tous dans le même cas. Nous n'avons que notre parole à offrir.

Il se pencha en avant :

– Aucun d'entre vous n'a encore saisi le côté très particulier de notre situation. A mon sens, il n'y a qu'une seule manière de procéder. Sur la base des éléments dont nous disposons, y a-t-il quelqu'un qui puisse être mis hors de cause ?

– Je suis un médecin réputé, intervint vivement le Dr Armstrong. La seule idée qu'on puisse me soupçonner de...

D'un geste, le juge coupa encore une fois la parole à son interlocuteur pour dire de sa petite voix froide et précise :

– Je suis, moi aussi, un magistrat réputé ! Hélas, cher monsieur, cela ne prouve rigoureusement rien ! On a déjà vu des médecins devenir fous. Des juges aussi... Ainsi que des policiers ! ajouta-t-il en regardant Blore.

– En tout cas, dit Lombard, j'imagine que vous laissez les femmes de côté ?

Le juge haussa les sourcils.

– Dois-je comprendre que, pour vous, les femmes ne sauraient être atteintes de folie homicide ? dit-il du fameux ton « acide » que les avocats de la défense connaissaient si bien.

– Bien sûr que non, maugréa Lombard. Mais ça paraît tout de même invraisemblable que...

Il s'interrompit. De sa même voix ténue et aigrelette, le juge Wargrave s'adressa à Armstrong :

– Je présume, docteur Armstrong, qu'une femme aurait été physiquement capable de porter le coup qui a tué ce pauvre Macarthur ?

– Tout à fait capable, répondit le médecin sans s'émouvoir. A condition de disposer de l'instrument adéquat : une matraque en caoutchouc, par exemple, ou un gourdin.

– Cela n'aurait pas exigé un effort excessif ?

– Pas du tout.

Le juge Wargrave tortilla son cou de tortue :

– Les deux autres morts sont dues à l'administration d'un poison. Ce qui, vous en conviendrez, ne requiert qu'un minimum de force physique.

– Vous êtes fou, ma parole ! s'écria Vera, furieuse.

Lentement, le juge tourna la tête. Il posa sur elle le regard détaché de l'homme habitué à soupeser ses semblables.

« Il ne voit en moi qu'un... qu'un vulgaire spécimen, songea Vera. Et... (Cette découverte lui causa une réelle surprise.) Et il ne m'aime pas beaucoup ! »

– Ma chère mademoiselle, était en train de dire le juge d'une voix mesurée, tâchez de maîtriser vos réactions. Je ne vous accuse pas.

Il s'inclina devant miss Brent :

– J'espère, mademoiselle, que je ne vous ai pas offensée en insistant sur le fait que nous sommes *tous* également suspects ?

Emily Brent tricotait. Elle ne leva pas la tête.

– L'idée qu'on puisse m'accuser d'avoir tué l'un de mes semblables — et à plus forte raison *trois* de mes semblables — est parfaitement absurde pour quiconque me connaît un tant soit peu de réputation, dit-elle d'un ton glacial. Mais je me rends fort bien compte que nous sommes des étrangers les uns pour les autres et que, dans ces conditions, aucun d'entre nous ne peut être disculpé sans preuve formelle. Comme je l'ai déjà dit, il y a un démon parmi nous.

– Nous sommes donc d'accord, déclara le juge. Le critère de la réputation ou de la situation sociale ne peut être un motif d'absolution.

– Eh bien, et Rogers ? demanda Lombard.

Le juge le regarda sans ciller :

– Eh bien quoi, Rogers ?

– A mon avis, il semble à exclure d'emblée.

– Vraiment ? répliqua le juge Wargrave. Et pour quels motifs ?

– Primo, il n'a pas assez de plomb dans la tête, répondit Lombard. Secundo, sa femme est une des victimes.

De nouveau, le juge haussa les sourcils :

– Au cours de ma carrière, jeune homme, des maris ont comparu devant moi, accusés du meurtre de leur femme... *et* ont été reconnus coupables.

– Oh ! je suis d'accord. Assassiner sa femme, ça n'est pas invraisemblable — c'est même quasiment... naturel, si on veut aller par là ! Mais pas dans le cas particulier ! Je peux imaginer Rogers tuant sa femme parce qu'il avait peur qu'elle craque et le dénonce, ou parce qu'il ne la supportait plus, ou encore parce qu'il en pinçait pour une pouliche d'âge moins canonique... Mais je ne le vois pas en Mr O'Nyme-le-dingue, rendant une justice de timbré et commençant par sa propre femme pour un crime qu'ils ont commis ensemble.

– Vous prenez un ouï-dire pour un fait avéré, objecta le juge Wargrave. Rien ne nous prouve que Rogers et sa femme ont tramé l'assassinat de leur patronne. Il pourrait s'agir là d'une fausse accusation destinée à faire croire que Rogers se trouve dans la même situation que nous tous. La terreur de Mrs Rogers, hier soir, tenait peut-être au fait qu'elle avait compris que son mari battait la campagne.

– Bon, comme vous voudrez, admit Lombard. A.N. O'Nyme, c'est l'un de nous. Pas d'exception admise. Nous remplissons tous les conditions requises.

– Le point que je tiens à faire ressortir, déclara le juge Wargrave, c'est qu'il ne saurait y avoir d'exception fondée sur la *réputation*, la *situation sociale* ou la *probabilité*. Ce qu'il nous faut examiner maintenant, c'est l'éventualité d'éliminer une ou plusieurs personnes sur la base des *faits*. En clair, y a-t-il parmi nous une ou plusieurs personnes qui n'ont pas eu la possibilité d'administrer du cyanure à Anthony Marston, une trop forte dose de somnifère à Mrs Rogers, et qui n'ont pas eu l'occasion d'assener le coup qui a tué le général Macarthur ?

Les traits épais de Blore s'illuminèrent. Il se pencha en avant.

– Ça, monsieur, c'est parlé ! dit-il. La voilà, la bonne méthode ! Voyons voir. Dans le cas du petit Marston, je ne crois pas qu'on arrivera à grand-chose. On a déjà

139

suggéré que quelqu'un aurait pu verser le poison, de l'extérieur, avant qu'il ne remplisse son verre pour la dernière fois. Une personne présente dans la pièce aurait pu le faire encore plus facilement. Je ne me souviens pas si Rogers était dans le salon à ce moment-là, mais tous les autres étaient à pied d'œuvre.

Il marqua un temps avant de poursuivre :

– Prenons maintenant Mrs Rogers. Ceux qui émergent du lot, cette fois-ci, ce sont le mari et le médecin. Pour l'un comme pour l'autre, c'était simple comme bonjour.

Armstrong se leva d'un bond. Il tremblait :

– Je proteste... cette accusation est absolument injustifiée ! Je jure que la dose que j'ai administrée à cette femme était parfaitement...

– Dr Armstrong !

La petite voix aigre était impérieuse. Avec un haut-le-corps, le médecin s'interrompit au milieu de sa phrase. La petite voix poursuivit avec froideur :

– Votre indignation est bien naturelle. Vous devez néanmoins admettre qu'il faut regarder les choses en face. Vous comme Rogers, vous *auriez pu* administrer la dose fatale sans la moindre difficulté. Considérons maintenant la situation des autres personnes présentes. Quelle possibilité ai-je eue, ont eue l'inspecteur Blore, miss Brent, miss Claythorne et Mr Lombard d'administrer le poison ? Peut-on éliminer catégoriquement l'un ou l'autre d'entre nous ?... Je ne le pense pas.

– Je ne l'ai même pas approchée, cette femme ! s'exclama Vera, ivre de rage. Vous en êtes tous témoins.

Le juge Wargrave attendit une minute avant de poursuivre :

– Pour autant que ma mémoire soit fidèle, les faits sont les suivants — corrigez-moi si je me trompe. Anthony Marston et Mr Lombard ont transporté Mrs Rogers sur le divan, et le Dr Armstrong l'a auscultée. Il a envoyé Rogers chercher du cognac. On a alors soulevé la question de savoir d'où provenait la voix que nous venions d'entendre. Nous sommes tous passés dans la pièce voisine, à l'exception de miss Brent qui est restée dans le salon... seule avec la femme évanouie.

Des plaques rouges marbrèrent les joues d'Emily Brent. Elle s'arrêta de tricoter :

– Cette insinuation est monstrueuse !

Impitoyable, la petite voix poursuivit :

– Lorsque nous sommes revenus dans le salon, miss Brent, vous étiez penchée sur Mrs Rogers.

– La compassion la plus élémentaire serait-elle un crime ? demanda Emily Brent.

– Je me contente d'établir les faits, rétorqua le juge Wargrave. Rogers est arrivé sur ces entrefaites avec le cognac — que, naturellement, il aurait pu empoisonner avant d'entrer dans la pièce. On a fait boire le cognac à Mrs Rogers et, peu après, son mari et le Dr Armstrong l'ont aidée à monter se coucher. Là, le Dr Armstrong lui a donné un sédatif.

– C'est bien comme ça que ça s'est passé ! jubila bruyamment Blore. Exactement comme ça. Ce qui exclut le juge, Mr Lombard, miss Claythorne et moi-même.

Le juge Wargrave le considéra d'un œil froid.

– Ah, vous croyez ? murmura-t-il. Nous devons prendre en compte *toutes les possibilités*.

Blore ouvrit des yeux ronds :

– Je ne vous suis pas.

– Là-haut, dans sa chambre, Mrs Rogers est couchée sur son lit, expliqua le juge Wargrave. Le sédatif que le médecin lui a donné commence à agir. Elle est vaguement somnolente, apathique. Supposez qu'à ce moment-là on frappe à sa porte et que quelqu'un entre en lui apportant, mettons, un comprimé ou une potion, avec la prétendue consigne suivante : « Le docteur vous demande de prendre ça. » Croyez-vous vraiment qu'elle ne l'aurait pas avalé docilement, sans se poser de questions ?

Il y eut un silence. Blore agitait les pieds et fronçait les sourcils.

– Je ne crois pas un instant à cette histoire, dit Philip Lombard. D'ailleurs, aucun de nous n'a quitté cette pièce durant les heures qui ont suivi. Il y a eu la mort de Marston et tout le reste.

– Quelqu'un aurait pu se faufiler hors de sa chambre... plus tard, fit observer le juge.

– Mais à ce moment-là, Rogers aurait été là-haut, objecta Lombard.

Le Dr Armstrong intervint.

– Non, dit-il. Rogers était descendu ranger la salle à manger et l'office. N'importe qui aurait pu en profiter pour monter dans la chambre de Mrs Rogers sans être vu.

– Tout de même, docteur, fit remarquer Emily Brent,

avec la drogue que vous lui aviez donnée, elle devait être profondément endormie, non ?

– Selon toute vraisemblance, oui. Mais ce n'est pas une certitude. Tant qu'on n'a pas prescrit plusieurs fois un médicament à un malade, on ne peut pas prévoir comment il réagira. Dans certains cas, un sédatif peut mettre très longtemps à agir. Cela dépend de l'idiosyncrasie du patient.

– Evidemment, remarqua Lombard, vous avez tout intérêt à dire ça, docteur. Ça arrange bien vos affaires, pas vrai ?

De nouveau, le regard d'Armstrong s'empourpra de colère.

Mais la petite voix froide et objective lui figea de nouveau les mots sur les lèvres :

– Récriminer ne saurait nous servir à rien. Nous devons nous en tenir aux faits. Il est établi, je pense, que ce que je viens de supposer a effectivement pu se produire. La probabilité est faible, j'en conviens ; mais, là encore, tout dépend de la personne qui serait montée. L'apparition de miss Brent ou de miss Claythorne n'aurait suscité aucun étonnement chez la malade. Je reconnais qu'en revanche, une visite de Mr Blore, de Mr Lombard ou de moi-même aurait semblé pour le moins insolite ; je pense néanmoins que cela n'aurait pas vraiment éveillé les soupçons de la victime.

– Et tout ça, fit Blore, ça nous mène... où ?

Le juge Wargrave se tapotait la lèvre. Il semblait dépourvu de toute passion, quasi inhumain.

– Nous en avons donc fini avec le deuxième meurtre, reprit-il, et nous sommes arrivés à la conclusion qu'aucun de nous ne pouvait être mis formellement hors de cause.

Il s'interrompit un instant avant d'enchaîner :

– Venons-en maintenant à la mort du général Macarthur. Cela s'est passé ce matin. Je demanderai à ceux ou celles qui pensent avoir un alibi d'en faire état de manière concise. Pour ma part, je précise tout de suite que je n'ai aucun alibi valable. J'ai passé la matinée sur la terrasse, à méditer sur la situation singulière dans laquelle nous nous trouvons.

» Je suis resté dans mon fauteuil toute la matinée, jusqu'au coup de gong, mais sans doute y a-t-il eu plusieurs moments où personne ne m'observait et où il m'aurait été possible de descendre jusqu'à la mer, de tuer le général et de regagner ma place. Le fait est que vous n'avez que ma parole pour croire ou non que je n'ai pas quitté la terrasse un seul instant. En l'occurrence, cela n'est pas suffisant. Il nous faut des *preuves*.

– J'ai passé toute la matinée avec Mr Lombard et le Dr Armstrong, dit Blore. Ils peuvent en témoigner.

– Vous êtes revenu ici chercher une corde, rappela le Dr Armstrong.

– Oui, et alors ? gronda Blore. J'ai juste fait l'aller et retour. Vous le savez bien.

– Vous avez mis longtemps... dit Armstrong.

Blore vira au cramoisi.

– Que diable entendez-vous par là, Dr Armstrong ? s'étrangla-t-il.

– Je dis simplement que vous avez mis longtemps, répéta Armstrong.

– Il fallait bien la trouver, non ? On ne dégote pas un rouleau de corde en deux secondes.

Le juge Wargrave intervint :

– Pendant l'absence de l'inspecteur Blore, êtes-vous restés tous les deux ensemble, messieurs ?

– Evidemment ! répondit Armstrong avec feu. C'est-à-dire... Lombard est parti quelques minutes. Moi, je suis resté où j'étais.

– Je voulais voir s'il était possible de communiquer avec la côte par signaux optiques, dit Lombard en souriant. Je cherchais le meilleur emplacement. Je ne me suis absenté qu'une ou deux minutes.

Armstrong acquiesça :

– C'est exact. Pas assez longtemps pour commettre un meurtre, je peux vous l'assurer.

– L'un de vous a-t-il consulté sa montre ? demanda le juge.

– Ma foi, non.

– Je n'en portais pas, dit Philip Lombard.

– Une minute ou deux, c'est bien vague, fit observer le juge d'une voix égale.

Il tourna la tête vers la silhouette piquée bien droite dans son fauteuil, son tricot sur les genoux :

– Miss Brent ?

– Je suis montée au sommet de l'île avec miss Claythorne. Ensuite, je me suis assise au soleil sur la terrasse.

– Il ne me semble pas vous avoir remarquée, dit le juge.

– Non, j'étais installée à l'angle de la maison, à l'est. A l'abri du vent.

– Et vous n'en avez pas bougé jusqu'au déjeuner ?

– Non.

– Miss Claythorne ?

– En début de matinée, je n'ai pas quitté miss Brent, répondit aussitôt Vera avec précision. Ensuite, je me suis un peu promenée au hasard. Et puis je suis descendue sur le rivage et j'ai bavardé avec le général Macarthur.

Le juge Wargrave l'interrompit :

– Quelle heure était-il ?

Pour la première fois, Vera fit une réponse vague :

– Je ne sais pas. Ça devait être environ une heure avant le déjeuner... peut-être même moins.

– C'était après que nous lui avons parlé ou avant ? demanda Blore.

– Je n'en sais rien. Il... il était très bizarre.

Elle frissonna.

– Comment cela, bizarre ? s'enquit le juge.

– Il disait que nous allions tous mourir... murmura Vera d'une voix sourde. Il disait qu'il attendait la fin. Il... il m'a paniquée...

Le juge hocha la tête :

– Qu'avez-vous fait ensuite ?

– Je suis rentrée. Et puis, juste avant le déjeuner, je suis ressortie et j'ai grimpé derrière la maison. Je ne tenais pas en place.

Le juge Wargrave se caressa le menton :

– Reste Rogers. Mais je doute que son témoignage ajoute quoi que ce soit à ce que nous savons.

Convoqué devant le tribunal, Rogers eut bien peu de chose à déclarer. Il avait vaqué toute la matinée à ses occupations domestiques et à la préparation du déjeuner. Avant le repas, il avait servi les cocktails sur la terrasse, puis il était monté dans la mansarde pour déménager ses affaires. Il n'avait à aucun moment regardé par la fenêtre et n'avait rien vu qui ait pu avoir un rapport avec la mort du général Macarthur. Il était prêt à jurer qu'il y avait huit figurines de porcelaine sur la table de la salle à manger quand il avait mis le couvert pour le déjeuner.

Un silence suivit la déposition de Rogers.

Le juge Wargrave s'éclaircit la gorge.

– Et maintenant, place aux conclusions du grand homme ! glissa Lombard à l'oreille de Vera Claythorne.

– Nous avons enquêté, du mieux que nous avons pu, sur les circonstances de ces trois décès, déclara le juge. Bien que, selon toutes probabilités, certaines personnes puissent, suivant les crimes envisagés, être mises hors de cause, rien ne nous permet de les décharger à coup sûr du soupçon de complicité. Je le répète, j'ai l'intime conviction que, des sept personnes assemblées dans cette pièce, l'une est un criminel dangereux, probablement un aliéné. Nous ne disposons d'aucun indice quant à l'identité de cet individu. Tout ce que nous pouvons faire dans l'immédiat, c'est réfléchir aux mesures à prendre pour communiquer avec la côte et demander du secours. Et, au cas où les secours tarderaient — ce qui est à craindre étant donné les conditions atmosphériques —, nous devons songer aux mesures à adopter pour assurer notre sécurité.

» Je vous demande à tous de bien réfléchir à ces deux points et de me faire part de vos suggestions, quelles qu'elles soient. En attendant, je recommande instamment à chacun de se tenir sur ses gardes. Jusqu'ici, le meurtrier a eu la tâche facile dans la mesure où ses victimes étaient sans méfiance. A partir de maintenant, il nous incombe de nous soupçonner mutuellement, tous autant que nous sommes. Un homme averti en vaut deux. Ne prenez pas de risques et soyez à l'affût du danger. Ce sera tout.

– L'audience est levée... ricana tout bas Philip Lombard.

10

– Vous y croyez, vous ? demanda Vera.

Philip et elle étaient assis sur la banquette, devant la fenêtre du salon. Dehors, il pleuvait à torrents et le vent, qui mugissait et soufflait en rafales, faisait trembler les vitres.

Philip Lombard pencha légèrement la tête de côté :

– Autrement dit, est-ce que je crois que le vieux Wargrave a raison quand il affirme que l'assassin est l'un de nous ?

– Oui.

– Difficile de répondre à ça, marmonna Philip Lombard, songeur. Logiquement, il a raison, et pourtant...

Vera lui ôta les mots de la bouche :

– Et pourtant, ça paraît tellement incroyable !

Philip Lombard fit la grimace.

– Toute cette histoire est incroyable ! grommela-t-il. En tout cas, après la mort de Macarthur, une chose est sûre. Il n'est plus question d'accidents ni de suicides. Ce sont bel et bien des meurtres. Trois, à l'heure qu'il est.

Vera frissonna.

– C'est comme un mauvais rêve, dit-elle. Je ne peux pas m'ôter de l'idée que des choses pareilles, ça n'*arrive* pas !

– Je sais, dit-il, compréhensif. Dans un instant, on va frapper à la porte de votre chambre et vous apporter le petit déjeuner au lit.

– Oh, si seulement ! s'écria Vera.

– Oui, mais n'y comptez pas, répliqua Philip Lombard avec gravité. Nous faisons tous partie du mauvais rêve ! Et dorénavant, nous avons intérêt à veiller au grain.

Vera baissa la voix :

– Si... si c'est *vraiment* l'un d'entre eux... lequel est-ce, à votre avis ?

Philip Lombard eut un sourire subit :

– Vous nous excluez du lot tous les deux ? Remarquez, ça me va. Je sais pertinemment que je ne suis pas l'assassin, et je ne crois pas qu'il y ait une once de folie en vous, Vera. Pour moi, vous êtes la fille la plus saine et la plus équilibrée que j'aie rencontrée. Je parierais ma réputation sur votre santé mentale.

– Merci, répondit Vera avec un sourire teinté d'ironie.

149

– Eh bien, miss Vera Claythorne, qu'attendez-vous pour me retourner le compliment ?

Vera hésita un instant.

– Vous savez, dit-elle enfin, vous avez reconnu vous-même, que la vie humaine n'a rien de sacré pour vous ; mais j'ai quand même du mal à imaginer que vous puissiez être l'homme... l'homme qui a enregistré ce disque.

– Bien vu, approuva Lombard. Si je devais commettre un meurtre — ou plusieurs —, ce serait uniquement pour le bénéfice que je pourrais en tirer. Ce nettoyage en série, ce n'est pas mon style. Bon, maintenant que nous nous sommes éliminés, concentrons-nous sur nos cinq compagnons de détention. Lequel d'entre eux est A.N. O'Nyme ? Au hasard, et sans aucun argument à l'appui, je miserais sur Wargrave !

– Ah ? fit Vera, surprise.

Elle réfléchit un instant avant de demander :

– Pourquoi ?

– Difficile à dire précisément. D'abord, c'est un vieil homme qui a présidé des tribunaux pendant des années. En d'autres termes, il y a belle lurette qu'il se prend pour Dieu le Père dix mois par an. Ça doit finir par monter à la tête. Il en arrive à se croire omnipotent, détenteur du droit de vie et de mort sur tout un chacun... et, pour peu qu'il ait perdu la boule, il a pu être tenté de sauter le pas, de devenir à la fois le Juge Suprême et le Bourreau.

– Oui, ça n'est pas *impossible...* murmura lentement Vera.

– Et vous, sur qui misez-vous ? demanda Lombard.

Elle n'eut aucune hésitation :

150

– Le Dr Armstrong.

Lombard émit un sifflement étouffé :

– Le médecin, hein ? Moi, je l'aurais placé en dernier.

Vera secoua la tête :

– Oh, non ! Deux décès sur trois sont dus au poison. Ça désigne plutôt un médecin. Et puis n'oubliez pas que la seule chose que Mrs Rogers ait ingurgitée hier soir à notre connaissance, c'est le somnifère qu'il lui a fait avaler.

– Oui, c'est vrai, reconnut Lombard.

– Si un médecin devenait fou, insista Vera, personne ne s'en apercevrait avant un bon bout de temps. Et les médecins travaillent trop et vivent sur les nerfs.

– Oui, répliqua Philip Lombard, mais je doute qu'il ait pu tuer Macarthur. Je ne l'ai laissé seul qu'un instant, il n'en aurait pas eu le temps... à moins de faire l'aller et retour en quatrième vitesse, et je ne pense pas qu'il soit en assez bonne condition physique pour y arriver sans montrer de signes de fatigue.

– Il ne l'a pas tué à ce moment-là, dit Vera. Il en a eu l'occasion un peu plus tard.

– Quand ça ?

– Quand il est allé chercher le général pour le déjeuner.

De nouveau, Philip siffla entre ses dents :

– Vous croyez qu'il aurait fait le coup à ce moment-là ? Ça exigeait un sacré culot.

– Qu'est-ce qu'il risquait ? riposta Vera avec impatience. Il est le seul ici à avoir des connaissances médicales. S'il jure que la mort remonte à plus d'une heure, qui ira le contredire ?

Philip la regarda, pensif :

– Vous savez que votre idée n'est pas bête du tout. Je me demande...

– Qui est-ce, Mr Blore ? Voilà ce que je veux savoir. Qui est-ce ?

Le visage de Rogers était ravagé de tics. Ses mains étaient crispées sur un chiffon à poussière.

– Toute la question est là, mon gars ! répondit l'ex-inspecteur Blore.

– « L'un d'entre nous », a dit monsieur le Juge. Mais lequel ? Voilà ce que je veux savoir. Qui c'est, ce démon incarné ?

– Ça, dit Blore, c'est ce que nous voudrions tous savoir.

– Mais vous avez bien une idée, Mr Blore, dit Rogers d'un air entendu. Vous avez bien une idée, pas vrai ?

– J'en ai peut-être une, répondit Blore d'une voix lente. Mais de là à être sûr... Je peux me tromper. Tout ce que je peux dire c'est que, si j'ai raison, le personnage en question n'a pas froid aux yeux... ça non, il n'a pas froid aux yeux !

Rogers essuya son front en sueur.

– C'est un cauchemar, voilà ce que c'est, dit-il d'une voix rauque.

Blore le regarda avec curiosité :

– Et vous, Rogers, vous en avez, une idée ?

Le majordome secoua la tête :

– Je n'en sais rien. Je n'y comprends rien. Et c'est ça qui me met la peur au ventre : n'avoir aucune idée...

152

– Il faut que nous partions d'ici, dit le Dr Armstrong avec véhémence. Il le faut... il le faut ! A tout prix !

Pensif, le juge Wargrave regardait par la fenêtre du fumoir. Il jouait machinalement avec le cordon de son lorgnon :

– Je ne me prétends pas expert en météorologie. Mais — à supposer qu'on soit au courant de notre situation critique — il est fort peu probable qu'un bateau puisse aborder l'île avant vingt-quatre heures... Et encore, seulement si le vent tombe.

Le Dr Armstrong se prit la tête dans les mains.

– Et d'ici là, gémit-il, nous serons peut-être tous assassinés dans nos lits ?

– J'espère que non, répondit le juge Wargrave. J'ai l'intention de prendre toutes les précautions possibles pour parer à cette éventualité.

Le Dr Armstrong se fit la réflexion que les vieillards comme le juge étaient beaucoup plus attachés à la vie que les hommes plus jeunes. Ça l'avait souvent étonné au cours de sa carrière. Lui, qui avait sans doute une vingtaine d'années de moins, possédait un instinct de conservation qui n'arrivait pas à la cheville de celui du juge.

« Assassinés dans nos lits ! se disait le juge Wargrave. Tous les mêmes, ces médecins : ils pensent par clichés. Pas une once d'originalité. »

– Nous avons déjà eu trois victimes, insista le médecin. Il ne faut pas l'oublier.

– Certes. Mais vous, n'oubliez pas qu'elles ont été attaquées par surprise. Nous, en revanche, nous sommes prévenus.

– Que pouvons-nous faire ? dit le Dr Armstrong avec amertume. Tôt ou tard...

– A mon sens, répondit le juge Wargrave, nous pouvons faire bien des choses.

– Nous ne savons même pas qui ça peut être... se lamenta Armstrong.

Le juge se tapota le menton.

– Je ne suis pas de cet avis, murmura-t-il.

Armstrong le regarda, médusé :

– Vous voulez dire que vous *savez* ?

– Pour ce qui est des preuves matérielles, nécessaires devant un tribunal, je reconnais n'en avoir aucune, déclara le juge Wargrave avec prudence. Mais il me semble, si je récapitule toute l'affaire, qu'une personne bien précise se trouve assez clairement désignée. Oui, j'en suis convaincu.

– Je ne comprends pas, balbutia Armstrong en le regardant, bouche bée...

Miss Brent monta dans sa chambre.

Elle prit sa Bible et alla s'asseoir près de la fenêtre.

Elle ouvrit le livre saint. Puis, après un instant d'hésitation, elle le posa et se dirigea vers la coiffeuse. De l'un des tiroirs, elle sortit un petit carnet à couverture noire.

Elle l'ouvrit et commença à écrire.

Il s'est passé une chose terrible. Le général Macarthur est mort. (Son cousin a épousé Elsie MacPherson.) Il ne fait pas l'ombre d'un doute qu'il a été assassiné. Après le déjeuner, le juge nous a fait un exposé des plus intéressants. Il est convaincu que le meurtrier est l'un de nous. *Cela signifie que l'un de nous est possédé du démon. Je le soupçonnais déjà. De qui peut-il bien s'agir ? Ils se le demandent tous. Je suis la seule à savoir...*

Elle resta un moment sans bouger. Son regard peu à peu se fit vague, brumeux. Le crayon se mit à zigzaguer entre ses doigts. En capitales maladroites, tremblées, elle écrivit :

LA MEURTRIERE S'APPELLE BEATRICE TAYLOR...

Ses yeux se fermèrent.

Tout à coup, elle se réveilla en sursaut. Elle regarda son carnet. Avec une exclamation de colère, elle déchiffra sa dernière phrase, griffonnée à la diable.

– J'ai écrit ça, *moi* ? murmura-t-elle à voix basse. Moi ? *Ma parole, je deviens folle...*

La tempête redoublait de violence. Le vent cinglait en hurlant le pignon de la maison.

Ils étaient tous dans le salon. Abattus, serrés les uns contre les autres. Et, furtivement, ils s'observaient.

Ils sursautèrent lorsque Rogers entra avec le plateau du thé.

– Voulez-vous que je tire les rideaux ? demanda-t-il. Ça mettrait comme un peu de gaieté.

Avec leur accord, il ferma les rideaux et alluma les lampes. La pièce devint plus accueillante. Les ombres se dissipèrent un peu. Demain, sûrement, la tempête serait calmée et quelqu'un viendrait... un bateau arriverait...

– Désirez-vous servir le thé, miss Brent ? demanda Vera Claythorne.

– Non, ma chère, je vous laisse faire, répondit la vieille demoiselle. Cette théière est si lourde ! Et j'ai égaré deux écheveaux de laine grise. C'est bien ennuyeux !

Vera se dirigea vers la table à thé. On entendit un joyeux tintement de porcelaine. Tout rentrait dans l'ordre.

Le thé ! Béni soit le rituel du thé quotidien de 5 heures ! Philip Lombard fit une remarque amusante. Blore en fit autant. Le Dr Armstrong raconta une histoire drôle. Le juge Wargrave, qui, d'ordinaire, abhorrait le thé, but le sien à petites gorgées, avec plaisir sembla-t-il.

Ce fut dans cette atmosphère détendue que Rogers refit soudain irruption.

Un Rogers passablement agité.

– Excusez-moi, monsieur, balbutia-t-il sans s'adresser à personne en particulier, mais quelqu'un sait-il ce qu'est devenu le rideau de la salle de bains ?

Lombard leva vivement la tête :

– Le rideau de la salle de bains ? De quoi diable parlez-vous, Rogers ?

– Il a disparu, monsieur. Il s'est volatilisé. Je faisais le tour de la maison pour fermer les rideaux quand je me suis aperçu que celui des toil... de la salle de bains n'était plus là.

– Il y était ce matin ? demanda le juge Wargrave.

– Oh ! oui, monsieur.

– C'était quel genre de rideau ? intervint Blore.

– De la toile cirée rouge, monsieur. Pour aller avec le carrelage.

– Et il a disparu ? dit Lombard.

– Disparu, oui monsieur.

Ils échangèrent des regards perplexes.

– Bon... et alors ? soupira Blore. C'est insensé, d'accord... mais pas plus que le reste. En tout cas, ça n'a pas d'importance. On ne peut pas tuer quelqu'un avec un rideau en toile cirée. Ne vous faites pas de bile pour ça.

– Bien, monsieur. Merci, monsieur, dit Rogers.

Il sortit en refermant la porte derrière lui.

Dans le salon, la chape de peur était retombée sur les invités.

De nouveau, furtivement, ils s'observaient.

Le dîner fut servi, avalé, débarrassé. Un repas simple, à base de conserves.

Après quoi, dans le salon, la tension devint presque insupportable.

A 9 heures, Emily Brent se leva.

– Je vais me coucher, dit-elle.

– Je vais en faire autant, dit Vera.

Elles montèrent l'escalier, escortées de Lombard et de Blore. Arrivés sur le palier, les deux hommes attendirent qu'elles soient entrées dans leurs chambres respectives et qu'elles aient fermé leur porte. Ils les entendirent pousser le verrou et tourner la clef dans la serrure.

– Pas besoin de leur dire de s'enfermer ! ricana Blore.

– En tout cas, en voilà deux qui ne risquent rien cette nuit ! répliqua Lombard.

Il redescendit, suivi de Blore.

Les quatre hommes allèrent se coucher une heure plus tard. Ils se retirèrent ensemble. De la salle à manger où il mettait le couvert du petit déjeuner, Rogers les vit monter l'escalier. Il les entendit s'arrêter sur le palier du premier étage.

Puis la voix du juge lui parvint :

– Je ne saurais trop vous recommander, messieurs, de fermer vos portes à clef.

– Et de caler une chaise sous la poignée, tant que vous y êtes, renchérit Blore. Ouvrir une serrure de l'extérieur, je connais le truc, ça n'est pas sorcier.

– L'ennui avec vous, mon cher Blore, murmura Lombard, c'est que vous connaissez trop de trucs !

– Bonne nuit, messieurs, dit le juge avec gravité. Puissions-nous tous nous retrouver vivants demain matin !

Rogers sortit de la salle à manger et grimpa furtivement l'escalier jusqu'à mi-étage. Il vit quatre silhouettes s'engouffrer dans quatre chambres. Il entendit quatre clefs tourner dans quatre serrures — et quatre claquements de verrous.

Il hocha la tête.

– Ça va, marmonna-t-il.

Il retourna dans la salle à manger. Oui, tout était prêt pour le lendemain matin. Il s'attarda un instant à regarder le plateau, au centre de la table, et les sept figurines de porcelaine qui y étaient disposées.

Un sourire éclaira son visage.

– En tout cas, je vais faire en sorte que personne ne vienne nous jouer des tours cette nuit, murmura-t-il.

Traversant la pièce, il ferma à clef la porte de communication avec l'office. Puis il sortit par celle qui donnait sur le hall, la ferma également à double tour et glissa la clef dans sa poche.

Après avoir éteint les lumières, il monta rapidement l'escalier et entra dans sa nouvelle chambre.

Il n'y avait qu'un endroit où on aurait pu se cacher : la penderie, et il y jeta aussitôt un coup d'œil. Puis, après avoir fermé sa porte à clef et au verrou, il se prépara à se coucher.

– Pas d'escamotage de petits nègres cette nuit, dit-il tout haut. J'ai veillé au grain...

11

Philip Lombard se réveillait toujours à l'aube. Ce matin-là ne fit pas exception à la règle. Il se souleva sur un coude et tendit l'oreille. Le vent avait un peu molli mais soufflait encore. En revanche, la pluie semblait avoir cessé...

A 8 heures, le vent redoubla mais Lombard ne l'entendit pas. Il s'était rendormi.

A 9 heures et demie, assis au bord de son lit, il regarda sa montre. Il la porta à son oreille. Ses lèvres se retroussèrent, esquissant ce curieux sourire carnassier qui lui était propre.

« Je crois que le moment est venu de faire quelque chose », murmura-t-il.

A 10 heures moins 25, il frappait à la porte de Blore.

Celui-ci ouvrit avec circonspection. Il avait les cheveux ébouriffés, les yeux encore ensommeillés.

– Vous faites le tour du cadran ? dit aimablement Lombard. Ma foi, ça prouve au moins que vous avez la conscience tranquille.

– Qu'est-ce qui se passe ? demanda Blore d'un ton bref.

– Est-ce qu'on vous a appelé — ou apporté du thé ? Vous savez l'heure qu'il est ?

Blore jeta un coup d'œil à la pendulette de voyage qui se trouvait sur sa table de chevet :

– 10 heures moins 25 ! Je n'aurais jamais cru que je pourrais dormir si longtemps. Où est Rogers ?

– C'est le genre de cas où l'écho répond « Où ? ».

– Qu'est-ce que ça veut dire ? demanda vivement Blore.

– Ça veut dire que Rogers a disparu. Il n'est ni dans sa chambre ni ailleurs. Il n'y a pas de bouilloire sur le fourneau et le feu n'est même pas allumé.

Blore poussa un juron étouffé :

– Où diable peut-il être ? En vadrouille sur l'île ? Je m'habille en vitesse. Allez voir si les autres savent quelque chose.

160

Philip Lombard hocha la tête. Il passa en revue la rangée de portes closes.

Il trouva Armstrong debout et presque prêt. Tout comme pour Blore, il fallut tirer le juge Wargrave de son sommeil. Vera Claythorne était habillée. La chambre d'Emily Brent était vide.

Le petit groupe fit le tour de la maison. Comme l'avait annoncé Philip Lombard, Rogers n'était pas dans sa chambre. Le lit était défait ; son rasoir, son gant de toilette et son savon étaient mouillés.

– En tout cas, il s'est levé, dit Lombard.

D'une voix sourde, qu'elle s'efforçait de rendre ferme et assurée, Vera dit :

– Vous ne croyez pas qu'il est... qu'il est caché quelque part... et qu'il nous guette ?

– Je suis prêt à croire n'importe quoi de n'importe qui, ma pauvre ! répondit Lombard. Je propose que nous restions ensemble jusqu'à ce que nous l'ayons retrouvé.

– Il doit être quelque part sur l'île, dit Armstrong.

Blore, qui les avait rejoints, habillé mais non rasé, intervint :

– Et où est passée miss Brent ? Ça aussi, c'est encore un mystère !

Mais comme ils débouchaient dans le hall, Emily Brent arriva par la porte d'entrée. Elle était en imperméable.

– La mer est toujours aussi forte, dit-elle. Je serais surprise qu'un bateau puisse venir aujourd'hui.

– Vous êtes allée vous promener toute seule dans l'île, miss Brent ? demanda Blore. Vous vous rendez compte que c'est la dernière chose à faire ?

– Je puis vous assurer, Mr Blore, rétorqua miss Brent avec hauteur, que j'ai fait extrêmement attention.

– Vous avez aperçu Rogers ? grommela Blore.

Miss Brent haussa les sourcils :

– Rogers ? Non, je ne l'ai pas vu de la matinée. Pourquoi ?

Le juge Wargrave, rasé, habillé et dentier en place, descendit l'escalier. Il se dirigea vers la porte de la salle à manger, qui était ouverte :

– Ah ! le couvert du petit déjeuner est mis, à ce que je vois.

– Il a pu le mettre hier soir, dit Lombard.

Ils entrèrent tous. Les assiettes et les couverts étaient soigneusement disposés. Les tasses, alignées sur la desserte. Le dessous-de-plat de feutre prêt à recevoir la cafetière.

Ce fut Vera qui s'en aperçut la première. Elle saisit le bras du juge, à qui sa poigne arracha une grimace.

– Les petits nègres ! s'exclama-t-elle. Regardez !

Il ne restait plus que six figurines de porcelaine au milieu de la table.

Ils le découvrirent peu après.

Il était dans la petite buanderie, au fond de la cour. Il avait été surpris alors qu'il coupait du petit bois pour allumer la cuisinière. Il tenait encore la hachette à la main. Une hache, beaucoup plus grande, infiniment plus lourde, était appuyée contre la porte. Le fer de l'instrument, souillé de taches brunâtres, ne correspon-

162

dait que trop bien à la profonde blessure que Rogers avait à l'arrière du crâne...

– C'est clair comme le jour, dit Armstrong. Le meurtrier s'est glissé derrière lui, a brandi la hache et la lui a abattue sur la tête en profitant de ce qu'il était penché.

Blore était occupé à saupoudrer de farine le manche de la hache.

– Le coup exigeait une grande force physique, docteur ? demanda le juge Wargrave.

– Une femme aurait pu le faire, si c'est ce que vous voulez savoir, répondit Armstrong avec gravité.

Il lança un rapide regard circulaire. Vera Claythorne et Emily Brent s'étaient retirées dans la cuisine.

– La fille aurait pu le faire sans problème... elle est du genre athlétique. Quant à miss Brent, elle est frêle en apparence, mais, sous leur côté filiforme, ces femmes-là sont souvent très vigoureuses. Et n'oubliez pas qu'un individu mentalement dérangé possède des réserves de force insoupçonnées.

Le juge acquiesça, pensif.

Blore se redressa avec un soupir.

– Pas d'empreintes, dit-il. Le manche a été essuyé après coup.

Un rire éclata dans leur dos qui les fit se retourner d'un bloc. Vera Claythorne était plantée au milieu de la cour. D'une voix stridente, secouée par l'hilarité, elle s'écria :

– Est-ce qu'ils ont des abeilles, sur cette île ?

Dites-moi un peu ça ! Le miel, où va-t-on le chercher ?
Ha, ha !

Ils la regardèrent sans comprendre. On aurait pu croire que la jeune femme, d'ordinaire saine et équilibrée, était devenue folle sous leurs yeux. De la même voix aiguë, elle reprit :

– Ne faites pas cette tête-là ! On jurerait que vous me prenez pour une folle. Ma question tombe pourtant sous le sens, non ? Abeilles, rucher, abeilles ! Ne me dites pas que vous ne comprenez pas ! Vous n'avez donc pas lu cette comptine idiote ? Elle est placardée dans toutes les chambres, pour que chacun puisse méditer dessus à loisir ! Si nous avions eu un tant soit peu de jugeote, nous serions venus ici tout droit. *Sept petits nègres fendirent du petit bois.* Et le couplet suivant... Je les connais tous par cœur, vous pouvez me croire ! *Six petits nègres rêvassaient au rucher.* Voilà pourquoi je vous demande ça : est-ce qu'ils ont des abeilles sur cette île ?... Tordant, non ?... Vous ne trouvez pas ça à se tordre, vous ?

Elle repartit d'un grand rire hystérique. Le Dr Armstrong fit un pas vers elle et la gifla du plat de la main.

Le souffle coupé, Vera hoqueta... déglutit. Elle resta un moment immobile.

– Merci... dit-elle enfin. Ça va, maintenant.

Elle avait retrouvé sa voix calme, normale — la voix du professeur d'éducation physique que rien ne peut ébranler.

– Nous vous préparons le petit déjeuner, miss Brent et moi, dit-elle avant de tourner les talons et de regagner la cuisine. Pouvez-vous nous apporter... du petit bois pour allumer le feu ?

La main du médecin lui avait laissé une marque rouge sur la joue.

Comme elle entrait dans la cuisine, Blore commenta :

– On peut pas dire, docteur, mais vous vous en êtes rudement bien tiré.

– Bien obligé ! répondit Armstrong sur un ton d'excuse. Nous ne pouvons pas nous offrir des crises d'hystérie en plus du reste.

– L'hystérie, ça n'a pourtant pas l'air d'être son genre, dit Philip Lombard.

Armstrong en convint :

– Oh ! non. C'est une fille tout ce qu'il y a de saine et de sensée. Seulement elle a mal digéré le choc. Ça peut arriver à n'importe qui.

Avant d'être tué, Rogers avait débité une certaine quantité de petit bois. Ils le rassemblèrent et l'emportèrent à la cuisine. Vera et Emily Brent étaient occupées, miss Brent à tisonner la cuisinière, Vera à découenner le bacon.

– Merci, dit Emily Brent. Nous allons faire le plus vite possible — une demi-heure ou trois quarts d'heure, mettons. Il faut le temps de faire chauffer la bouilloire.

– Savez ce que je pense ? murmura d'une voix sourde l'ex-inspecteur Blore à Philip Lombard.

– Comme vous allez me le dire, répondit Philip Lombard, pas la peine que je me creuse la cervelle à deviner.

165

L'ex-inspecteur Blore était un homme d'un grand sérieux. Il ne comprenait pas la plaisanterie. Il poursuivit, imperturbable :

– Il y a eu une affaire célèbre, en Amérique. Un vieux monsieur et sa femme... tous les deux tués à coups de hache. En plein milieu de la matinée. Personne dans la maison, à part la fille et la bonne. La bonne — ç'avait été prouvé — ne pouvait pas avoir fait le coup. L'autre était une respectable vieille fille entre deux âges. Ça paraissait incroyable. Tellement incroyable qu'on l'a acquittée. Mais on n'a jamais trouvé d'autre explication... J'ai repensé à cette histoire quand j'ai vu la hache... et quand je l'ai vue, *elle*, dans la cuisine, si calme, si impeccable. Ça ne lui avait fait ni chaud ni froid ! Cette fille qui vient piquer une crise de nerfs... ça, c'est normal — c'est le genre de réaction à laquelle on s'attend dans des cas pareils... pas vrai ?

– Peut-être bien, répondit Philip Lombard, laconique.

– Mais l'autre ! poursuivit Blore. Si nette, si guindée — drapée dans ce tablier, celui de Mrs Rogers, je suppose — et qui vous dit comme ça : « Le petit déjeuner sera prêt dans une demi-heure... » Si vous voulez mon avis, cette bonne femme travaille du chapeau ! Ça leur arrive souvent, aux vieilles filles... Je ne veux pas dire de commettre des meurtres en série, mais de perdre la boule. Malheureusement, c'est le cas avec elle. La folie mystique... elle se prend pour l'instrument de Dieu, quelque chose comme ça ! Elle passe des heures dans sa chambre à lire la Bible, vous savez.

– Ce n'est pas forcément une preuve de déséquilibre mental, soupira Philip Lombard.

Mais Blore, têtu comme une mule, se cramponnait à son idée :

– Et puis ce matin, elle est sortie... en imperméable, histoire d'aller regarder la mer — c'est du moins ce qu'elle raconte.

Lombard secoua la tête :

– Rogers a été tué alors qu'il coupait le bois... C'est la première chose qu'il a faite quand il s'est levé. Miss Brent n'aurait eu aucune raison de se balader pendant des heures après avoir fait le coup. A mon avis, le meurtrier de Rogers se serait plutôt arrangé pour qu'on le trouve en train de ronfler dans son lit.

– Il y a un point important qui vous échappe, Mr Lombard, dit Blore. Si cette femme était innocente, elle aurait eu bien trop la frousse pour aller se promener toute seule. Elle ne pouvait le faire que *si elle était sûre qu'elle n'avait rien à craindre.* Autrement dit, *si c'était elle la meurtrière.*

– Il est exact que c'est un bon argument, reconnut Philip Lombard. Et je dois admettre que je n'y avais pas pensé... En tout cas, je suis heureux de constater que vous ne me soupçonnez plus, ajouta-t-il avec un mince sourire.

– C'est vrai que j'ai d'abord misé sur vous, avoua Blore, penaud. A cause du revolver... et de la curieuse histoire que vous avez racontée... ou plutôt, que vous n'avez pas racontée. Mais je me rends compte maintenant que c'était un peu gros... J'espère que vous me rendez la pareille ? ajouta-t-il après un silence.

– Je peux me tromper, bien sûr, mais je ne pense pas que vous ayez l'imagination nécessaire, répliqua Lombard, songeur. Tout ce que je peux dire, c'est que si c'est vous l'assassin, vous êtes un sacré comédien et je vous tire mon chapeau.

Il baissa la voix :

– Entre nous, Blore, et puisque nous serons sans doute tous les deux transformés en macchabées d'ici vingt-quatre heures, vous pouvez bien me le dire : vous avez vraiment fait un faux témoignage, n'est-ce pas ?

Mal à l'aise, Blore se dandina d'un pied sur l'autre.

– Bah ! après tout, ça n'a plus grande importance, maintenant, répondit-il enfin. Bon, d'accord... Landor était innocent. Le gang m'avait graissé la patte et nous nous sommes arrangés pour l'expédier en taule. Seulement attention, hein ! pas question que j'avoue un truc pareil...

– ... en présence de témoins, acheva Lombard avec un grand sourire. Ça restera entre nous. J'espère au moins que ça vous a rapporté gros.

– Pas autant que ça aurait dû. Des radins, les gars du gang Purcell. Mais enfin, j'ai eu mon avancement.

– Et Landor a été condamné à trois ans fermes et il est mort en prison.

– Je ne pouvais pas prévoir qu'il allait mourir, non ? protesta Blore.

– Non, malheureusement pour vous.

– Pour moi ? Pour lui, vous voulez dire.

– Pour vous aussi. Parce que, à cause de ça, on dirait bien que votre petite existence va être désagréablement écourtée.

168

– La mienne ? fit Blore en écarquillant les yeux. Parce que vous croyez, vous, que je vais finir comme Rogers et les autres ? Jamais de la vie ! Je veille au grain, ça, je vous en fiche mon billet.

– Oh, ça va, je ne suis pas homme à parier, dit Lombard. De toute façon, quand vous serez mort, ce n'est pas vous qui viendriez me payer.

– Dites donc, Mr Lombard, que voulez-vous dire par là ?

Philip Lombard sourit de toutes ses dents :

– Je veux dire par là, mon cher Blore, qu'à mon humble avis, vous n'avez pas une chance !

– Quoi ?

– Votre manque d'imagination fait de vous la cible idéale. Un assassin aussi machiavélique qu'A.N. O'Nyme aura votre peau à la minute précise qu'il — ou elle — aura choisie.

Le visage de Blore vira au cramoisi.

– Et vous, alors ? lança-t-il avec colère

Philip Lombard prit une expression dure, redoutable :

– Moi, pour mon compte, j'en ai à revendre, de l'imagination. Je me suis déjà trouvé dans des situations difficiles, et je m'en suis toujours sorti ! Je pense — je dis bien : je pense — que je me sortirai aussi de celle-là.

Les œufs cuisaient dans la poêle. Tout en faisant griller du pain, Vera pensait :

« Qu'est-ce qui m'a pris de piquer cette crise de nerfs ? Ça n'était pas malin. Du calme, ma fille, du calme. »

Après tout, ne s'était-elle pas toujours vantée de son parfait équilibre ?

« *Miss Claythorne a été extraordinaire... elle n'a pas perdu la tête... elle a tout de suite plongé pour rattraper Cyril.* »

Pourquoi penser à ça maintenant ? C'était fini, tout ça. Fini... Cyril avait disparu bien avant qu'elle n'atteigne le rocher. Elle avait senti le courant l'emporter, l'entraîner vers le large. Elle s'était laissé porter — nageant à petites brasses, faisant la planche — jusqu'à ce qu'enfin le bateau arrive...

Tout le monde avait vanté son courage, son sang-froid...

Sauf Hugo. Hugo, lui, l'avait juste... dévisagée...

Mon Dieu ! que ça faisait mal, encore maintenant, de penser à Hugo...

Où était-il ? Que faisait-il ? Etait-il fiancé... marié ?

– Vera, ce toast est en train de brûler ! lui dit Emily Brent d'un ton outré.

– Oh ! c'est vrai, je suis désolée. Quelle idiote je fais !

Emily Brent sortit le dernier œuf du beurre grésillant.

Tout en mettant une nouvelle tranche de pain dans le toasteur, Vera remarqua avec étonnement :

– C'est incroyable ce que vous êtes calme, miss Brent.

Emily Brent pinça les lèvres :

– On m'a appris à garder la tête froide et à ne jamais faire de simagrées.

« Une enfance refoulée... pensa machinalement Vera.
Ça peut expliquer bien des choses... »

– Vous n'avez pas peur ? demanda-t-elle.

Après un silence, elle ajouta :

– Ou est-ce que ça vous est égal de mourir ?

Mourir ! Ce fut comme si une petite vrille bien aiguisée s'enfonçait dans le magma pétrifié du cerveau
d'Emily Brent. Mourir ? Mais elle n'allait pas mourir,
elle ! Les autres mourraient, oui, mais pas elle. Cette
fille n'y comprenait rien ! Emily n'avait pas peur, bien
sûr que non... Les Brent ignoraient la peur. Dans la
famille, on était militaire de père en fils. On regardait
la mort en face, sans ciller. On menait une vie droite
— tout comme elle, Emily Brent, avait mené une vie
droite... Elle n'avait jamais rien fait dont elle pût avoir
honte... Par conséquent, il était clair qu'elle n'allait pas
mourir...

« *Le Seigneur a pitié de ses créatures.* » « *Tu ne crain-
dras ni les terreurs de la nuit, ni la flèche qui vole
de jour...* » Il faisait jour, maintenant, elle n'éprouvait
nulle terreur. « *Aucun de nous ne quittera cette île.* »
Au fait, qui avait dit cela ? Ah ! oui : le général Macarthur, bien sûr, dont le cousin avait épousé Elsie Mac-
Pherson. Ça n'avait pas semblé le *troubler* outre mesure.
Il avait même paru... oui, *soulagé* à cette perspective !
C'était monstrueux ! C'était presque sacrilège, un sentiment pareil. Certaines personnes font si peu de cas de
la mort qu'elles en arrivent à attenter à leur vie. *Beatrice
Taylor...* Cette nuit, Emily avait rêvé de Beatrice
— rêvé qu'elle était là, dehors, le visage pressé contre
la vitre, qu'elle gémissait en implorant qu'on la laisse

171

entrer. Mais Emily Brent n'avait pas voulu la laisser entrer. Parce que, si elle l'avait fait, quelque chose de terrible serait arrivé...

Dans un sursaut, Emily revint à la réalité. Cette fille la regardait d'un drôle d'air.

– Tout est prêt, n'est-ce pas ? dit-elle avec un entrain forcé. Alors, servons le petit déjeuner.

Ce fut un repas étrange. Chacun se montrait d'une prévenance extrême :

– Voulez-vous encore un peu de café, miss Brent ?

– Une tranche de jambon, miss Claythorne ?

– Un autre toast ?

Six personnes, extérieurement calmes et maîtresses d'elles-mêmes.

Mais intérieurement ? Des pensées qui tournaient en rond comme des écureuils en cage...

« *Et maintenant ? Et maintenant ? Qui ? Lequel ?* »

« *Est-ce que ça va marcher ? Je me demande... Mais ça vaut le coup d'essayer. Seulement est-ce que nous aurons le temps ? Bon Dieu, est-ce que nous aurons le temps... ?* »

« *Folie mystique, à tous les coups... Pourtant, à la regarder, on ne croirait jamais... Et si je me trompais... ?* »

« *C'est dingue... tout est dingue. Je deviens dingue. De la laine qui disparaît... des rideaux en toile cirée rouge... ça n'a ni queue ni tête. Je ne comprends pas le comment du pourquoi...* »

« *L'imbécile ! Il a cru tout ce que je lui ai dit. Simple comme bonjour... Il faut quand même que je sois prudent, très prudent.* »

« *Six figurines de porcelaine... plus que six. Combien en restera-t-il ce soir... ?* »

– Qui veut le dernier œuf ?

– Un peu de confiture ?

– Merci, voulez-vous que je vous coupe une tranche de pain ?

Six personnes, qui prenaient leur petit déjeuner en se comportant comme des êtres normaux...

12

Le repas était terminé.

Le juge Wargrave s'éclaircit la gorge. D'une voix ténue mais pleine d'autorité, il déclara :

– Il serait sage, je pense, de nous réunir pour discuter de la situation. Disons... dans une demi-heure, au salon ?

Chacun donna son accord dans un murmure général.

Vera entreprit d'empiler les assiettes :

– Je vais desservir et faire la vaisselle.

– Nous allons vous apporter le tout à l'office, dit Philip Lombard.

– Merci.

Emily Brent se leva et se rassit aussitôt :

– Allons bon !

– Ça ne va pas, miss Brent ? s'enquit le juge.

– Je suis désolée, répondit Emily d'un ton d'excuse. J'aurais voulu aider miss Claythorne, mais je ne sais pas ce que j'ai. Je me sens un peu étourdie.

Le Dr Armstrong s'approcha d'elle :

– Etourdie, hein ? C'est bien naturel. Le contrecoup. Je peux vous donner quelque chose pour...

– Non !

Le cri avait jailli des lèvres d'Emily avec la violence d'une grenade explosive.

Ils en restèrent tous pantois. Le Dr Armstrong rougit violemment.

La peur et la méfiance se lisaient clairement sur le visage de miss Brent.

– A votre aise, miss Brent, répondit-il avec raideur.

– Je ne veux rien prendre, dit-elle. Rien du tout. Je vais rester tranquillement assise jusqu'à ce que ça passe.

Ils achevèrent de débarrasser la vaisselle du petit déjeuner.

– Je suis un homme d'intérieur, dit Blore. Je vais vous donner un coup de main, miss Claythorne.

– Merci, répondit Vera.

Emily Brent resta seule dans la salle à manger.

Pendant un moment, elle entendit un léger murmure de voix en provenance de l'office.

Son vertige se dissipait. Elle se sentait engourdie, maintenant, comme si elle était à deux doigts de s'assoupir.

Elle avait un bourdonnement dans les oreilles... ou bien était-ce un bourdonnement bien réel ?

« On dirait une abeille... » se dit-elle.

174

Elle ne tarda pas à la voir. L'abeille grimpait à la vitre de la fenêtre.

Vera Claythorne avait parlé d'abeilles, ce matin.

D'abeilles et de miel.

Elle aimait le miel. Le miel en rayon, qu'on faisait tomber goutte à goutte à travers un sac en mousseline. Ploc, ploc, ploc...

Il y avait quelqu'un dans la pièce — quelqu'un de tout trempé, qui dégoulinait... *Beatrice Taylor était sortie de la rivière...*

Emily n'avait qu'à tourner la tête pour la voir.

Mais elle n'arrivait pas à tourner la tête...

Si elle appelait...

Mais elle n'arrivait pas à appeler...

Il n'y avait personne dans la maison. Elle était toute seule...

Elle entendit des pas... des pas traînants, feutrés, qui approchaient par-derrière. Les pas trébuchants de la noyée...

Un remugle d'humidité glacée assaillit ses narines...

Sur la vitre, l'abeille bourdonnait... bourdonnait...

Et soudain, elle sentit la piqûre.

La piqûre de l'abeille dans son cou...

Dans le salon, on attendait Emily Brent.

– Voulez-vous que j'aille la chercher ? proposa Vera Claythorne.

– Attendez une seconde ! lança Blore.

Vera se rassit. Tout le monde regarda Blore d'un air interrogateur.

– Ecoutez, vous tous, dit-il, voilà ce que je pense : à l'heure qu'il est, inutile de chercher l'auteur de tous ces meurtres plus loin que la salle à manger. Je suis prêt à jurer que cette femme est l'assassin après lequel nous courons.

– Et le mobile ? demanda Armstrong.

– Folie mystique. Qu'en dites-vous, docteur ?

– C'est tout à fait possible, répondit Armstrong. Je n'ai aucun argument à vous opposer. Mais nous n'avons aucune preuve.

– Je l'ai trouvée très bizarre, tout à l'heure, pendant que nous préparions le petit déjeuner à la cuisine, dit Vera. Ses yeux...

Elle frissonna.

– On ne peut pas la juger là-dessus, répliqua Lombard. En ce moment, on a tous le cerveau qui bat un peu la breloque.

– Il y a autre chose, insista Blore. Hier soir, après le coup du gramophone, elle a été la seule à refuser de se justifier. Pourquoi ça ? Parce qu'elle n'avait aucune justification à fournir.

Vera s'agita dans son fauteuil :

– Ce n'est pas tout à fait exact. Elle m'a tout raconté... plus tard.

– Et que vous a-t-elle raconté, miss Claythorne ? demanda Wargrave.

Vera répéta l'histoire de Beatrice Taylor.

– Voilà un récit dépourvu d'ambiguïté, fit observer le juge Wargrave. Pour ma part, je serais tenté de l'accepter sans réserve. Dites-moi, miss Claythorne, vous a-t-elle paru éprouver un sentiment de culpabilité ou de remords pour l'attitude qu'elle avait eue dans cette affaire ?

– Pas le moindre, répondit Vera. Elle était absolument imperturbable.

– Des cœurs de pierre, ces vieilles filles à principes ! grommela Blore. C'est l'envie qui les ronge, un point c'est tout !

– Il est 11 heures moins 5, déclara le juge Wargrave. Je pense que nous devrions prier miss Brent de se joindre à notre assemblée.

– Vous n'allez pas prendre des mesures ? s'inquiéta Blore.

– Je ne vois pas bien quelles mesures nous pourrions prendre, répondit le juge. Nos soupçons, pour le moment, ne sont que des soupçons. Je demanderai néanmoins au Dr Armstrong d'observer de très près le comportement de miss Brent. Et maintenant, allons dans la salle à manger.

Ils trouvèrent Emily Brent assise là où ils l'avaient laissée. De dos, ils ne remarquèrent rien d'anormal, sinon qu'elle ne semblait pas les avoir entendus entrer.

Et puis ils la virent de face, le visage injecté de sang, les lèvres bleuies, les yeux révulsés.

– Bon Dieu, s'exclama Blore, elle est morte !

– Encore l'une de nous dont l'innocence est prouvée... trop tard ! fit la petite voix posée du juge Wargrave.

Armstrong était penché sur la morte. Il lui renifla les lèvres, secoua la tête, lui examina les paupières.

– De quoi est-elle morte, docteur ? s'impatienta Lombard. Elle allait très bien quand nous l'avons quittée !

L'attention d'Armstrong était concentrée sur une marque, du côté droit du cou.

– Cette marque a été faite par une seringue hypodermique, dit-il.

Un bourdonnement leur parvint de la fenêtre.

– Regardez... une abeille ! s'écria Vera. Rappelez-vous ce que je vous ai dit ce matin !

– Ce n'est pas cette abeille qui l'a piquée ! fit observer Armstrong d'un air sombre. C'était une seringue, tenue par une main humaine.

– Quel poison lui a-t-on injecté ? demanda le juge.

– A vue de nez, un cyanure quelconque, répondit Armstrong. Probablement du cyanure de potassium, comme pour Anthony Marston. La mort par asphyxie a dû être instantanée.

– Mais cette *abeille* ? s'exclama Vera. Ça n'est quand même pas une *coïncidence* ?

– Oh, non, ce n'est pas une coïncidence ! répliqua Lombard, la mine farouche. C'est la touche folklorique de notre assassin ! Un sacré plaisantin celui-là. Ça l'amuse de coller au plus près à sa fichue comptine !

Pour la première fois, il parlait d'une voix tremblante, presque stridente. Comme si ses nerfs, pourtant aguerris par une longue carrière de périls et d'aventures dangereuses, avaient fini par lâcher.

– C'est fou... absolument fou ! lança-t-il avec violence. Nous sommes tous fous !

– Nous avons encore, je l'espère, toute notre raison,

le contredit calmement le juge. *Quelqu'un a-t-il apporté une seringue hypodermique dans cette maison ?*

Le Dr Armstrong se redressa et, d'une voix mal assurée, balbutia :

– Oui, moi.

Quatre paires d'yeux se fixèrent sur lui. Il se raidit face à l'hostilité profonde, soupçonneuse de tous ces regards.

– J'en emporte toujours une avec moi, dit-il. Comme la plupart des médecins.

– Cela va de soi, déclara le juge Wargrave sans autrement s'émouvoir. Voulez-vous néanmoins nous dire, docteur, où se trouve actuellement cette seringue ?

– Dans ma valise, dans ma chambre.

– Nous pourrions peut-être aller vérifier de ce pas, dit Wargrave.

En une silencieuse procession, ils montèrent tous les cinq à l'étage.

On vida par terre le contenu de la valise.

La seringue hypodermique n'y était pas.

– Quelqu'un a dû me la prendre ! s'écria Armstrong avec véhémence.

Il se fit un silence dans la pièce.

Armstrong tournait le dos à la fenêtre. Quatre paires d'yeux, soupçonneux et accusateurs, le fixaient. Il les regarda tour à tour, de Wargrave à Vera, en répétant d'une voix faible, désemparée :

– On a dû me la prendre, je vous dis !

Blore regarda Lombard, qui lui retourna son regard.

– Nous sommes cinq dans cette pièce, déclara le juge.

L'un de nous est un meurtrier. La situation est extrêmement grave, et le danger partout. Tout doit être mis en œuvre pour protéger les quatre d'entre nous qui sont innocents. Dr Armstrong, permettez-moi de vous demander quels médicaments vous avez en votre possession.

– J'ai là une petite trousse médicale, répondit Armstrong. Vous pouvez l'examiner. Vous y trouverez quelques somnifères — du trional et des comprimés de sulfonal —, du bromure, du bicarbonate de soude et de l'aspirine. Rien d'autre. Je n'ai pas de cyanure en ma possession.

– Moi-même, j'ai des somnifères, dit le juge. Des comprimés de sulfonal, je crois. Je présume qu'ils seraient fatals si on les administrait à haute dose. Et vous, Mr Lombard, vous avez un revolver.

– Et alors ? repartit vivement Philip Lombard.

– Alors, voilà : je propose que les médicaments du Dr Armstrong, mes comprimés de sulfonal, votre revolver — et toute autre drogue ou arme à feu pouvant se trouver dans cette maison — soient rassemblés et placés en lieu sûr. Et, ceci fait, que nous nous soumettions tous à une fouille... aussi bien corporelle que de nos affaires.

– Je veux bien être pendu si je vous donne mon revolver ! s'emporta Lombard.

– Mr Lombard, répliqua sèchement Wargrave, vous êtes un garçon vigoureux et solidement bâti, mais l'ex-inspecteur Blore est également un homme de robuste constitution. J'ignore quelle serait l'issue d'une lutte entre vous deux, mais je puis vous certifier une chose :

Blore aurait à ses côtés, pour lui prêter main-forte dans la mesure de nos moyens, le Dr Armstrong, miss Claythorne et moi-même. Vous conviendrez donc que, si vous décidiez de résister, vous auriez affaire à forte partie.

Lombard rejeta la tête en arrière. Il découvrit ses dents en une sorte de rictus féroce :

– Oh ! bon, très bien. Puisque vous avez la situation en main...

Le juge Wargrave hocha la tête :

– Vous êtes un garçon raisonnable. Où est-il, ce revolver ?

– Dans le tiroir de ma table de chevet.

– Bien.

– Je vais le chercher.

– J'estime qu'il serait préférable que nous vous accompagnions.

Avec son même sourire carnassier, Philip répliqua :

– On est soupçonneux, pas vrai ?

Ils enfilèrent le couloir jusqu'à la chambre de Lombard.

Philip alla ouvrir d'un coup sec le tiroir de sa table de chevet.

Il recula aussitôt, en poussant un juron.

Le tiroir était vide.

– Satisfaits ? demanda Lombard.

Il s'était mis complètement nu et les trois hommes l'avaient méticuleusement fouillé ainsi que sa chambre. Vera Claythorne attendait dehors, dans le couloir.

181

La fouille se poursuivit avec méthode. Tour à tour, Armstrong, le juge et Blore furent soumis au même examen.

Enfin, sortant de la chambre de Blore, ils s'approchèrent de Vera.

– J'espère que vous comprendrez, miss Claythorne, lui dit le juge, que nous ne pouvons faire aucune exception. Il faut retrouver ce revolver. Vous avez un maillot de bain, je présume ?

Vera acquiesça.

– Dans ce cas, je vous demanderai d'aller l'enfiler dans votre chambre et de revenir ici ensuite.

Vera entra dans sa chambre et ferma la porte. Elle réapparut moins d'une minute plus tard, vêtue d'un maillot de satin moulant.

Wargrave eut un hochement de tête approbateur :

– Merci, miss Claythorne. A présent, si vous voulez bien rester ici, nous allons fouiller votre chambre.

Vera attendit patiemment dans le couloir. Lorsqu'ils eurent terminé, elle rentra se rhabiller et les rejoignit.

– Nous sommes maintenant sûrs d'une chose, déclara le juge. Aucun de nous cinq n'a d'arme ni de drogue mortelle en sa possession. C'est un bon point d'acquis. Nous allons maintenant mettre les médicaments en lieu sûr. Il y a bien un coffre pour l'argenterie dans l'office, n'est-ce pas ?

– Tout ça, c'est bien joli, grommela Blore. Mais qui en aura la clef ? Vous, je suppose.

Le juge Wargrave ne répondit pas.

Il descendit à l'office, suivi des autres. Il y avait là un petit coffre prévu pour le rangement de l'argenterie.

182

Sous la direction du juge, on y déposa les divers médicaments et on le ferma à clef. Puis, toujours sur les instructions de Wargrave, on hissa le coffre dans le vaisselier, qu'on ferma également à double tour. Le juge remit alors la clef du coffre à Philip Lombard et celle du vaisselier à Blore.

– Vous êtes physiquement les deux plus forts, leur dit-il. Il serait difficile à l'un de vous de prendre sa clef à l'autre. Et aucun de nous trois ne pourrait le faire. Forcer la porte du vaisselier — ou celle du coffre — serait une méthode bruyante et peu pratique, qui ne manquerait pas d'attirer l'attention.

Il s'arrêta un instant avant de poursuivre :

– Reste un grave problème. *Qu'est devenu le revolver de Mr Lombard ?*

– Son propriétaire doit le savoir mieux que personne, maugréa Blore.

Un sillon blafard souligna les narines de Philip Lombard :

– Bougre de tête de mule ! Je vous répète qu'on me l'a volé !

– Quand l'avez-vous vu pour la dernière fois ? s'enquit Wargrave.

– Hier soir. Il était dans le tiroir quand je me suis couché — prêt à servir en cas de besoin.

Le juge hocha la tête :

– On a dû le subtiliser ce matin, dans l'affolement, pendant que nous cherchions Rogers ou après que nous avons découvert son corps.

– Il doit être caché quelque part dans la maison, dit Vera. Il faut le chercher.

Le juge Wargrave se tapotait le menton :

– Je doute qu'une perquisition donne des résultats. Notre assassin a eu tout le temps d'imaginer une bonne cachette. Je ne pense pas que ce revolver serait facile à trouver.

– Je ne sais pas où est ce revolver, intervint Blore avec force, mais je suis prêt à parier que je sais où se trouve quelque chose d'autre... la seringue hypodermique. Suivez-moi.

Il sortit et leur fit faire le tour de la maison.

Il trouva la seringue non loin de la fenêtre de la salle à manger. A côté d'elle il y avait une figurine de porcelaine brisée : le cinquième petit nègre, en miettes.

Satisfait, Blore expliqua :

– Elle ne pouvait être que là. Après avoir tué miss Brent, le meurtrier a jeté la seringue par la fenêtre et a envoyé la figurine de porcelaine la rejoindre.

Il n'y avait pas d'empreintes sur la seringue. On l'avait soigneusement essuyée.

– A présent, il faut que nous le cherchions, ce revolver, décréta Vera d'un ton décidé.

– Bien sûr, acquiesça le juge Wargrave. Mais, ce faisant, prenons garde de rester tous ensemble. Dites-vous bien que, si nous nous séparons, nous donnons au meurtrier sa chance.

Ils fouillèrent la maison de la cave au grenier. Sans résultat. Le revolver demeura introuvable.

13

« *L'un de nous... l'un de nous... l'un de nous...* »

Quatre mots, inlassablement répétés, qui s'enfonçaient heure après heure dans des cerveaux réceptifs.

Cinq personnes... cinq personnes terrifiées. Cinq personnes qui s'épiaient mutuellement, qui ne prenaient même plus la peine de cacher leur état de tension.

Plus question de donner le change — plus question de bavarder pour sauver les apparences. Ils étaient cinq ennemis, unis par un même instinct de conservation.

Et voilà que, déjà, ils ressemblaient moins à des êtres humains. Ils régressaient au rang de la bête. Telle une vieille tortue à l'affût, le juge Wargrave restait immobile, le dos rond, l'œil vif, aux aguets. L'ex-inspecteur Blore paraissait maintenant plus fruste et plus lourdaud. Sa démarche feutrée était celle d'un animal. Ses yeux étaient injectés de sang. Il avait l'air féroce et stupide à la fois de la bête aux abois, prête à charger ses poursuivants. Philip Lombard, lui, paraissait avoir les sens plutôt aiguisés qu'affaiblis. Ses oreilles réagissaient au moindre bruit. Son pas était plus léger, plus rapide ; son corps était souple et gracieux. Et, lèvres retroussées sur ses longues dents blanches, il souriait souvent.

Vera Claythorne était très silencieuse. Elle restait la plupart du temps recroquevillée dans un fauteuil, le regard perdu dans le vide. L'air hébété, elle faisait penser à un oiseau qui s'est cogné la tête contre une vitre et qu'une main a ramassé : terrifié, incapable de bouger, il y reste tapi, espérant trouver son salut dans l'immobilité.

Armstrong avait les nerfs en piteux état. Il était ravagé de tics et ses mains tremblaient. Il allumait cigarette sur cigarette et les éteignait presque aussitôt. L'inaction à laquelle ils étaient contraints semblait le miner plus que les autres. Par moments, il déversait nerveusement un déluge de paroles :

– Nous... nous ne devrions pas rester là à ne rien faire ! Il doit bien y avoir *quelque chose*... il y a sûrement, sûrement *quelque chose à faire* ! Si nous allumions un feu... ?

– Par ce temps ? soupira Blore, accablé.

Il tombait à nouveau des cordes. Le vent soufflait par rafales irrégulières. Le tambourinement déprimant de la pluie les rendait fous.

Sans se concerter, ils avaient adopté une même ligne de conduite. Ils restaient tous ensemble dans le salon. Une seule personne à la fois quittait la pièce. Les quatre autres attendaient le retour de la cinquième.

– Ce n'est qu'une question de temps, dit Lombard. La tempête va bien finir par se calmer, et nous pourrons alors faire quelque chose : lancer des signaux... allumer des feux... fabriquer un radeau, que sais-je !

Armstrong émit une sorte de gloussement :

– Une question de temps... De *temps* ? Mais nous n'en avons pas, du temps ! Nous serons tous morts...

De sa petite voix claire, chargée d'une détermination passionnée, le juge Wargrave intervint :

– Pas si nous sommes prudents. Il faut que nous soyons *prudents*...

Ils avaient déjeuné à l'heure habituelle, mais sans plus de cérémonie. Ils s'étaient installés tous les cinq dans la cuisine. A l'office, ils avaient découvert une importante réserve de conserves. Ils avaient ouvert une boîte de langue en gelée et deux boîtes de fruits au sirop. Ils avaient mangé debout, autour de la table de la cuisine. Puis, toujours groupés, ils avaient regagné le salon, s'y étaient assis — et étaient restés là, à s'épier du regard.

Désormais, leurs esprits étaient traversés de pensées hallucinatoires, fiévreuses, morbides...

« C'est Armstrong... il vient de me lancer un regard en biais... il a les yeux fous... complètement fous... Si ça se trouve, il n'est même pas médecin... Mais oui, c'est évident !... C'est un cinglé, échappé d'un asile et qui se fait passer pour un médecin.. C'est ça... Est-ce qu'il faut que je prévienne les autres ?... que je me mette à hurler ?... Non, il ne faut pas le mettre sur ses gardes... Et puis il a l'air si équilibré par moments... Quelle heure est-il ?... Seulement 3 heures et quart !... Seigneur, la folie me guette, moi aussi... *Oui, c'est Armstrong...* Il est en train de m'épier... »

« On ne m'aura pas, *moi* ! Je suis de taille à me défendre... J'en ai vu d'autres... Où est ce revolver, bon dieu ?... Qui est-ce qui l'a pris ?... Qui est-ce qui l'a en ce moment ?... Personne ne l'a sur lui — ça, c'est sûr. Tout le monde a été fouillé... Personne ne *peut* l'avoir... *Mais quelqu'un sait où il est...* »

« Ils deviennent fous... ils vont tous devenir fous... Ils ont peur de la mort... nous avons tous peur de la mort... *Moi*, j'ai peur de la mort... Oui, mais ça n'empêche pas la mort de frapper... *« Le corbillard de Monsieur est*

187

avancé ! » Où ai-je lu ça ? La fille... je vais surveiller la fille. Oui, je vais surveiller la fille... »

« 4 heures moins 20... seulement 4 heures moins 20... la pendule s'est peut-être arrêtée... Je ne comprends pas... non, je ne comprends pas... Ces choses-là n'arrivent pas dans la réalité... *et pourtant, c'est bien réel*... Pourquoi est-ce qu'on ne se réveille pas ? Réveille-toi... le Jour du Jugement... non, pas ça ! Si seulement je pouvais réfléchir... Ma tête... Il se passe quelque chose dans ma tête... elle va éclater... elle va se fendre en deux... ça n'arrive pas, ces choses-là... quelle heure est-il ? Seigneur ! seulement 4 heures moins le quart. »

« Je dois garder la tête froide... garder la tête froide... Le tout est de garder la tête froide... Tout est parfaitement clair, tout est au point. Mais personne ne doit rien soupçonner. Ça devrait marcher. Ça doit marcher ! Il le faut ! Lequel ? C'est toute la question : lequel ? Je pense... oui, je pense... oui, *lui*. »

Ils sursautèrent tous en entendant l'horloge sonner 5 heures.

– Est-ce que quelqu'un... veut du thé ? demanda Vera.

Il y eut un moment de silence.

– J'en prendrai bien une tasse, articula enfin Blore. Vera se leva :

– Je vais le préparer. Vous pouvez tous rester là.

– Je pense, ma chère petite, que nous préférons tous vous accompagner et vous regarder faire, objecta le juge Wargrave d'une voix douce.

Vera ouvrit de grands yeux. Puis elle eut un rire bref, à la limite de l'hystérie.

– Bien sûr ! dit-elle. Ça va de soi !

Cinq personnes allèrent dans la cuisine. Vera et Blore préparèrent et burent leur thé. Les trois autres prirent du whisky... après avoir ouvert une bouteille capsulée et utilisé un siphon provenant d'une caisse clouée.

– Il faut que nous soyons très prudents... murmura le juge, un sourire reptilien sur les lèvres.

Ils regagnèrent le salon. Bien qu'on fût en été, la pièce était plongée dans la pénombre. Lombard actionna l'interrupteur, mais les lampes ne s'allumèrent pas.

– Bien sûr ! dit-il. Rogers n'étant pas là pour s'en occuper, le groupe électrogène n'a pas été mis en route.

Après avoir hésité, il ajouta :

– Nous pourrions aller le faire démarrer...

– J'ai vu un paquet de bougies à l'office, déclara le juge Wargrave. Autant s'en servir.

Lombard sortit. Les quatre autres restèrent à s'observer mutuellement.

Il revint avec une boîte de bougies et une pile de soucoupes. On alluma cinq bougies que l'on répartit dans la pièce.

Il était 6 heures moins le quart.

À 6 h 20, incapable de rester plus longtemps immobile, Vera décida de monter dans sa chambre pour asperger d'eau froide sa tête et ses tempes douloureuses.

Elle se leva et se dirigea vers la porte. Puis, se rappelant qu'il n'y avait pas de lumière, elle revint prendre une bougie dans la boîte. Elle l'alluma, fit couler un peu de cire dans une soucoupe et l'y ficha solidement. Puis elle sortit de la pièce, fermant la porte derrière elle et laissant les quatre hommes ensemble. Elle monta l'escalier et longea le couloir jusqu'à sa chambre.

Comme elle ouvrait la porte, elle s'arrêta brusquement, clouée sur place.

Ses narines palpitèrent.

La mer... l'odeur de la mer à St. Tredennick.

C'était ça. Impossible de s'y méprendre. Evidemment, ça sentait aussi la mer sur une île ; mais là, c'était différent. C'était l'odeur qu'elle avait sentie sur la plage ce jour-là — à marée basse, avec les rochers couverts d'algues qui séchaient au soleil.

« Je veux nager jusqu'à l'île, miss Claythorne ! Pourquoi je peux pas nager jusqu'à l'île ?... »

Horrible petit morveux, geignard et à qui on passait tous ses caprices ! Sans lui, Hugo serait riche... libre d'épouser la fille qu'il aimait...

Hugo...

Est-ce qu'elle ne se trompait pas ? Est-ce que Hugo n'était pas là, près d'elle ? Non, il l'attendait dans la chambre...

Elle avança d'un pas. Un courant d'air venant de la fenêtre souffla la bougie. La flamme vacilla et s'éteignit...

Dans le noir, soudain, elle eut peur...

« Ne sois pas ridicule, se réprimanda-t-elle. Tu n'as rien à craindre. Les autres sont en bas. Tous les quatre.

Il n'y a personne dans la chambre. C'est impossible. Tu te fais des idées, ma petite. »

Pourtant, cette odeur... l'odeur de la plage de St. Tredennick... ce n'était pas un effet de son imagination. *C'était réel.*

Et il y *avait* quelqu'un dans la pièce... Elle venait d'entendre quelque chose... elle était sûre d'avoir entendu quelque chose...

Et alors qu'elle restait là, l'oreille aux aguets, une main froide et gluante lui frôla la gorge... une main mouillée, qui sentait la mer...

Vera hurla. Elle hurla, hurla... poussa des clameurs de peur panique... des appels à l'aide sauvages et désespérés.

Elle n'entendit pas le remue-ménage au rez-de-chaussée : chaise renversée, porte qu'on ouvre, pas précipités dans l'escalier. Elle n'avait conscience que de son indicible terreur.

Elle recouvra ses esprits en voyant des lueurs tremblotantes sur le seuil... des bougies... des hommes qui s'engouffraient dans la pièce.

– Bon sang, mais qu'est-ce que... ? Qu'est-ce qui se passe ? Nom de Dieu, mais qu'est-ce que c'est que ça ?

Elle frissonna, fit un pas en avant et s'effondra sur le plancher.

A demi consciente, elle sentit que quelqu'un se penchait sur elle, la forçait à courber la tête entre les genoux.

Une exclamation soudaine : « Bon sang, regardez-moi ça ! », la fit revenir à elle.

Elle ouvrit les yeux, leva la tête... et vit ce que regardaient les hommes aux bougies.

Un large ruban d'algue humide pendait du plafond. C'était ça qui, dans l'obscurité, s'était plaqué sur sa gorge. C'était ça qu'elle avait pris pour une main gluante, la main d'un noyé revenu d'entre les morts pour lui serrer le cou jusqu'à ce qu'il ne lui reste plus un souffle de vie !

Elle éclata d'un rire hystérique :

– C'était une algue... rien qu'une algue... d'où l'odeur...

De nouveau, elle défaillit... des vagues de nausée se succédèrent. De nouveau, quelqu'un la força à se pencher en avant, la tête entre les genoux.

Des éternités semblèrent s'écouler. On lui offrait quelque chose à boire... on pressait le verre contre ses lèvres. Ça sentait le cognac.

Elle était sur le point d'avaler l'alcool avec gratitude quand, soudain, une mise en garde — une sonnette d'alarme — tinta dans son cerveau. Elle se redressa, écarta le verre.

– D'où vient ce cognac ? demanda-t-elle d'un ton brusque.

Blore la regarda un moment en silence avant de parler.

– Je l'ai pris en bas, finit-il par dire.

– Je ne le boirai pas ! s'écria Vera.

Un autre silence suivit, puis Lombard se mit à rire :

– Bravo, Vera ! Même si vous avez eu la plus belle

192

frousse de votre existence, vous n'avez pas perdu le nord ! Je file vous chercher une bouteille non débouchée.

Il sortit rapidement.

– Ça va, maintenant, bredouilla Vera. Je vais boire un peu d'eau.

Armstrong l'aida à se mettre debout. Cramponnée à lui pour ne pas tomber, elle tituba jusqu'au lavabo, ouvrit le robinet d'eau froide et le laissa couler avant de remplir son verre.

– Ce cognac est tout ce qu'il y a d'OK, grommela Blore d'un ton vexé.

– Qu'est-ce que vous en savez ? contra Armstrong.

– Je n'ai rien mis dedans, répliqua Blore, furibond. C'est ce que vous insinuez, je suppose ?

– Je ne dis pas que vous l'ayez fait, riposta Armstrong. Mais je prétends que vous auriez pu le faire, ou que quelqu'un d'autre aurait pu tripatouiller cette bouteille en prévision précisément de cet incident.

Lombard ne tarda pas à revenir.

Avec une bouteille de cognac intacte et un tire-bouchon.

Il brandit la bouteille capsulée sous le nez de Vera.

– Et voilà, mon petit. Pas l'ombre d'une entourloupe.

Il déchira le papier d'étain et fit sauter le bouchon :

– Encore heureux qu'il y ait une bonne réserve d'alcools dans la maison. Délicate attention de A.N. O'Nyme.

Un violent frisson parcourut Vera.

Armstrong tint le verre pendant que Philip versait le cognac.

– Vous feriez bien de boire ça, miss Claythorne, dit-il. Vous avez subi un sacré choc.

Vera en but une gorgée. Son visage reprit des couleurs.

– Eh bien ! voilà un meurtre qui ne s'est pas déroulé comme prévu ! s'écria Philip Lombard en riant.

– Vous pensez que... que c'était le but recherché ? murmura Vera, presque dans un souffle.

Lombard hocha la tête :

– On espérait vous faire mourir de peur ! Ça aurait pu marcher avec d'autres, pas vrai, docteur ?

– Hum... impossible à dire, répondit Armstrong sans se compromettre. Sujet jeune et en bonne santé... pas de faiblesse cardiaque... Douteux. D'un autre côté...

Il prit le verre de cognac que Blore avait apporté, y trempa un doigt, le goûta avec précaution. Son visage ne changea pas d'expression.

– Hum... le goût est normal, remarqua-t-il, perplexe.

– Si vous insinuez que je l'ai trafiqué, je vous casse la gueule ! vociféra Blore, hors de lui, en faisant un pas en avant.

Revigorée par le cognac, Vera fit diversion :

– Au fait, où est le juge ?

Les trois autres se regardèrent.

– *Bizarre...* J'étais persuadé qu'il nous avait suivis.

– *Moi aussi...* dit Blore. Votre avis, docteur ? Vous êtes monté derrière moi.

– Je croyais qu'il me suivait, répondit Armstrong. Remarquez, il devait grimper moins vite que nous. Ce n'est plus un gamin.

De nouveau, ils échangèrent un regard.

– C'est diablement étrange, murmura Lombard.

– Il faut aller à sa recherche ! s'exclama Blore.

Il se dirigea vers la porte. Les autres lui emboîtèrent le pas, Vera fermant la marche.

– Si ça se trouve, il est resté au salon ! lança Armstrong tandis qu'ils descendaient l'escalier.

Ils traversèrent le hall.

– Wargrave ! Wargrave ! Où êtes-vous ? appela Armstrong.

Pas de réponse. A part le tambourinement de la pluie, un silence de mort régnait dans la maison.

Sur le seuil du salon, Armstrong s'arrêta net. Les autres s'agglutinèrent autour de lui pour regarder par-dessus son épaule.

Quelqu'un poussa un cri.

Le juge Wargrave était assis dans son fauteuil à haut dossier, à l'autre bout de la pièce. Deux bougies allumées l'encadraient. Mais ce qui les stupéfia et les horrifia le plus, c'était qu'il siégeait en robe écarlate, avec une perruque de juge sur la tête...

Le Dr Armstrong fit signe aux autres de rester en arrière. Titubant comme un homme ivre, il s'approcha de la silhouette silencieuse, au regard fixe.

Il se pencha, scruta le visage figé. Puis, d'un geste vif, il souleva la perruque. Celle-ci tomba par terre, découvrant le front haut et dégarni — avec, au beau milieu, une marque ronde, poisseuse, d'où quelque chose avait coulé.

Le Dr Armstrong souleva la main inerte et chercha le pouls. Il se tourna vers les autres.

– *Tué d'une balle dans la tête...* dit-il d'une voix sans timbre, morte, lointaine.

– Bon sang ! s'écria Blore. *Le revolver !*

– La balle a traversé le crâne... Mort instantanée... poursuivait le médecin de la même voix inexpressive.

Vera ramassa la perruque.

– *L'écheveau de laine grise que miss Brent avait perdu...* murmura-t-elle d'une voix frémissante d'horreur.

– Et le rideau rouge qui avait disparu de la salle de bains... ajouta Blore.

– Voilà donc à quel usage on les destinait... ! chuchota Vera.

Soudain, Philip Lombard éclata de rire — d'un rire haut perché, inquiétant.

– *Cinq petits nègres étaient avocats à la cour, l'un d'eux finit en haute cour...* — *n'en resta plus que quatre !* Ainsi finit Wargrave, le Pourvoyeur de la Potence. Plus jamais il ne prononcera de sentences ! Plus jamais il ne coiffera la toque noire ! C'est la dernière fois qu'il siège au tribunal ! Plus jamais il n'enverra des innocents à l'échafaud. Il rirait bien, Edward Seton, s'il était là ! Seigneur, comme il rirait !

Les autres furent surpris et choqués par son éclat.

– Pas plus tard que ce matin, s'écria Vera, vous prétendiez que c'était *lui* !

Philip Lombard changea de visage, redevint maître de lui.

– Oui, c'est vrai, dit-il à voix basse. Eh bien, je me trompais. Encore un de nous dont l'innocence a été prouvée... *trop tard !*

14

Ils avaient transporté le juge Wargrave dans sa chambre et l'avaient allongé sur son lit.

Puis ils étaient redescendus dans le hall et étaient restés plantés là, à se regarder.

– Et maintenant, qu'est-ce qu'on fait ? avait soudain demandé Blore d'une voix sourde.

– On va manger un morceau, avait répondu Lombard d'un ton guilleret. Il faut bien se nourrir, pas vrai ?

Une fois encore, ils se rendirent donc à la cuisine. Une fois encore, ils ouvrirent une boîte de langue en gelée. Ils mangèrent du bout des lèvres, sans goût.

– C'est la dernière fois que je mange de la langue, dit Vera.

Ils terminèrent leur repas. Et ils restèrent assis autour de la table à se regarder dans le blanc des yeux.

– Plus que nous quatre, marmonna Blore. *A qui le tour, maintenant ?*

Armstrong ne cilla pas.

– Il faut que nous soyons très prudents... commença-t-il machinalement avant de s'arrêter net.

Blore hocha la tête :

– C'est ce qu'*il* disait toujours... Et maintenant, il est mort !

– Ce que je me demande, dit Armstrong, c'est comment ça a pu se passer.

Lombard émit un juron.

– Bougrement astucieuse, la diversion ! ricana-t-il. Cette cochonnerie suspendue dans la chambre de miss

Claythorne a eu exactement l'effet désiré. Tout le monde a grimpé quatre à quatre, persuadé qu'*elle* était en train de se faire assassiner. Et là... profitant de l'affolement... quelqu'un a... a pris le vieux par surprise.

– Comment se fait-il que personne n'ait entendu le coup de feu ? s'étonna Blore.

Lombard secoua la tête :

– Miss Claythorne criait comme un cochon qu'on égorge, le vent hurlait, nous courions dans tous les sens en braillant. Non, il était impossible de l'entendre... Mais le truc ne pourra pas resservir, reprit-il après un temps de réflexion. Il va falloir qu'il trouve autre chose la prochaine fois.

– Qu'il y arrive ne fait guère de doute, pronostiqua Blore.

Sa voix avait une intonation déplaisante. Les deux hommes se mesurèrent du regard.

– Nous sommes quatre, dit Armstrong, et nous ne savons pas lequel...

– *Moi*, je le sais, l'interrompit Blore.

– Je n'ai pas le moindre doute... dit Vera.

– Je pense que je le sais, au fond... dit Armstrong avec lenteur.

– Et moi, je crois que je commence à avoir ma petite idée... dit Philip Lombard.

De nouveau, ils se dévisagèrent...

Vera se remit sur pied tant bien que mal.

– Je ne me sens pas bien, dit-elle. Je vais me coucher... je suis rompue.

– Je vais en faire autant, dit Lombard. Pas la peine de rester là à se regarder en chiens de faïence.

198

– De mon côté, pas d'objection, dit Blore.

– C'est ce que nous avons de mieux à faire, murmura le médecin, même si je doute que nous arrivions à dormir.

Ils se dirigèrent vers la porte.

– *Ce que je me demande*, commenta Blore, *c'est où se trouve le revolver à l'heure qu'il est !*

Ils montèrent l'escalier.

La scène qui suivit n'aurait pas déparé une comédie burlesque.

Chacun des quatre s'arrêta, la main sur la poignée de sa porte. Puis, comme à un signal, chacun s'engouffra dans sa chambre et claqua la porte derrière soi. On entendit des bruits de serrures, de verrous et de meubles qu'on déplace.

Quatre personnes terrorisées venaient de se barricader jusqu'au matin.

Ayant calé une chaise sous la poignée de sa porte, Philip Lombard se détourna avec un soupir de soulagement.

D'un pas nonchalant, il se dirigea vers sa table de toilette.

A la lumière vacillante de la bougie, il examina son visage avec curiosité.

– Pas à dire, cette histoire t'a secoué, se murmura-t-il à lui-même.

Il eut son sourire subit, carnassier.

Il se déshabilla rapidement.

Il s'approcha du lit et posa sa montre sur sa table de chevet.

Puis il ouvrit le tiroir de la table.

Et il resta pétrifié, le regard fixé sur le revolver qui se trouvait là...

Vera Claythorne était couchée.

A côté d'elle, la bougie brûlait toujours.

Elle ne trouvait pas le courage de l'éteindre.

Elle avait peur de l'obscurité...

Elle n'arrêtait pas de se répéter : « *Tu es tranquille jusqu'à demain matin. Il ne s'est rien passé la nuit dernière. Il ne se passera rien cette nuit. Il ne peut rien arriver. La porte est fermée à clef et au verrou. Personne ne peut t'approcher...* »

Et, brusquement, elle pensa :

« Mais voilà ! Je n'ai qu'à rester ici ! Rester enfermée ! Tant pis pour la nourriture ! Je peux rester ici... en sécurité... jusqu'à ce qu'on vienne à notre secours ! Même si ça doit durer un jour... deux jours... »

Rester ici. Oui, mais en serait-elle capable ? Rester ici, heure après heure... sans personne à qui parler, sans rien d'autre à faire que réfléchir...

Elle recommencerait à penser aux Cornouailles... à Hugo... à... à ce qu'elle avait dit à Cyril.

Insupportable gamin pleurnichard, toujours à la harceler...

– *Miss Claythorne, pourquoi j'ai pas le droit de nager jusqu'au rocher ? Je suis assez grand pour le faire. Je sais que je suis assez grand pour le faire.*

Etait-ce vraiment elle qui avait répondu :

– *Mais oui, Cyril, tu es assez grand. Je le sais bien.*

– Alors je peux y aller, miss Claythorne ?

– C'est que... vois-tu, Cyril, ta mère s'inquiète tellement pour toi. Ecoute, voilà ce que nous allons faire. Demain, tu nageras jusqu'au rocher. Moi, je bavarderai sur la plage avec ta mère pour détourner son attention. Et quand elle te cherchera, tu seras déjà là-bas, sur le rocher, en train de lui faire de grands signes. C'est ça qui lui fera une surprise !

– Oh, vous êtes chic, miss Claythorne ! Ce qu'on va rigoler !

Voilà, elle l'avait dit. Demain ! Le lendemain, Hugo devait aller à Newquay. Lorsqu'il reviendrait... ce serait terminé.

Oui, mais si jamais ça échouait ? Si ça ne se passait pas comme prévu ? Cyril serait peut-être secouru à temps. Et dans ce cas... dans ce cas, il dirait : « *Miss Claythorne m'a dit que j'étais assez grand.* » Et alors ? On n'a rien sans risque ! Si le pire venait à se produire, elle nierait froidement. « *Comment peux-tu faire un mensonge pareil, Cyril ? Tu sais très bien que je n'ai jamais dit ça !* » On la croirait à tous les coups. Cyril racontait souvent des bobards. On ne pouvait pas lui faire confiance. Cyril saurait, évidemment. Mais ça n'avait pas d'importance... et puis de toute façon, tout se passerait *bien*. Elle ferait semblant d'aller à son secours. Mais elle arriverait trop tard... Personne n'irait la soupçonner...

201

Hugo l'avait-il soupçonnée ? Etait-ce pour ça qu'il l'avait regardée de cette manière bizarre, distante ?... Hugo avait-il *compris ?*

Etait-ce pour ça qu'il était parti si précipitamment après l'enquête ?

Il n'avait pas répondu à l'unique lettre qu'elle lui avait écrite...

Hugo...

Vera se tournait et se retournait dans son lit. Non, non, elle ne devait pas penser à Hugo. Ça faisait trop mal ! Tout ça, c'était fini, bel et bien fini... Il fallait oublier Hugo.

Pourquoi, ce soir, avait-elle eu soudain l'impression que Hugo était avec elle dans la chambre ?

Elle regarda fixement le plafond, regarda le grand crochet noir qui était fixé au centre.

C'était la première fois qu'elle le remarquait, ce crochet.

C'était là que l'algue avait été suspendue.

Elle frissonna au souvenir de ce contact froid et visqueux sur son cou.

Ce crochet au plafond ne lui plaisait pas. Il vous attirait l'œil, il vous fascinait... Un grand crochet noir...

L'ex-inspecteur Blore était assis au bord de son lit.

Ses petits yeux, bordés de rouge et injectés de sang, étaient en alerte dans son visage massif. Il faisait penser à un sanglier sur le point de charger.

Il ne se sentait pas d'humeur à dormir.

La menace se précisait dangereusement... Six ôté de dix...

Malgré sa sagacité, malgré sa prudence et son astuce, le vieux juge avait subi le même sort que les autres.

Blore ricana avec une sorte de satisfaction sauvage.

Qu'est-ce qu'il disait, déjà, le vieux schnock ?

« Il faut que nous soyons très prudents... »

Vieil hypocrite, intransigeant et imbu de lui-même. Qui siégeait au tribunal en se prenant pour Dieu le Père. Il avait eu son compte, comme les copains... Plus besoin de se montrer prudent.

Ils n'étaient plus que quatre, maintenant. La fille, Lombard, Armstrong et lui.

Très bientôt, un autre allait encore y passer. Mais ce ne serait pas William Henry Blore. Il était bien décidé à y veiller.

(Mais le revolver... qu'était devenu le revolver ? C'était ça, le facteur inquiétant : le revolver !)

Blore était assis sur son lit, le front creusé de rides profondes ; ses paupières se plissèrent sur ses petits yeux porcins tandis qu'il réfléchissait au problème du revolver...

Dans le silence, il entendit l'horloge sonner, en bas.

Minuit.

Il se détendit un peu, alla même jusqu'à s'allonger sur son lit. Mais il ne se déshabilla pas.

Il se creusait la cervelle. Il récapitulait toute l'affaire depuis le début, méthodiquement, laborieusement, comme il le faisait du temps où il était dans la police. L'examen minutieux des faits finissait toujours par payer.

La bougie diminuait. Après s'être assuré qu'il avait les allumettes à portée de la main, il l'éteignit.

Chose étrange, il trouva l'obscurité inquiétante. Comme si des peurs millénaires se réveillaient en lui et s'évertuaient à prendre le contrôle de son esprit. Des visages fantomatiques flottaient dans l'air : le visage du juge, couronné de cette grotesque perruque de laine grise... le visage glacé, figé de Mrs Rogers... le visage convulsé, violacé d'Anthony Marston.

Et un autre visage... très pâle, avec des lunettes et une petite moustache couleur paille.

Un visage qu'il avait vu à un moment donné, mais quand ? Pas sur l'île. Non, ça remontait à beaucoup plus longtemps que ça.

Curieux qu'il n'arrive pas à mettre un nom dessus... Un visage assez stupide, en vérité : le type avait l'air d'un bel empoté.

Mais bien sûr !

Ça lui revint brusquement, et ça lui causa un véritable choc.

Landor !

Bizarre, qu'il ait complètement oublié à quoi ressemblait Landor. Pas plus tard qu'hier, il avait essayé — sans succès — de se rappeler quelle tête il avait.

Et voilà maintenant que ce visage lui apparaissait, clair et distinct jusque dans ses moindres détails, comme s'il l'avait encore vu la veille.

Landor avait une femme — un petit bout de femme toute menue, au visage soucieux. Et une gosse, aussi, une gamine de treize ou quatorze ans. Pour la première fois, il se demanda ce qu'elles étaient devenues.

(Le revolver. Qu'était devenu le revolver ? C'était beaucoup plus important.)

Plus il y réfléchissait, plus ça l'intriguait... Il ne comprenait pas cette histoire de revolver.

Quelqu'un, dans la maison, avait mis la main sur ce revolver...

En bas, l'horloge sonna 1 heure.

Blore fut interrompu net dans ses réflexions. Il s'assit, tous ses sens en alerte. Car il avait entendu un bruit — un très léger bruit — quelque part derrière la porte de sa chambre.

Quelqu'un rôdait dans la maison enténébrée.

La sueur perla à son front. Qui pouvait bien se promener ainsi, en cachette et à pas feutrés, dans les couloirs ? Quelqu'un qui n'avait certainement pas de bonnes intentions, il était prêt à le parier !

Sans bruit, malgré sa corpulence, il sauta à bas de son lit et, en deux enjambées, alla coller son oreille à la porte.

Mais le bruit ne se reproduisit pas. Blore était pourtant convaincu de ne pas s'être trompé. Il avait entendu des pas juste derrière sa porte. Ses cheveux se hérissèrent sur son crâne. De nouveau, il connut la peur...

Quelqu'un rôdait furtivement dans la nuit.

Il écouta... mais le bruit ne se répéta pas.

A présent, une nouvelle tentation l'assaillait. Il avait une envie folle d'aller voir ce qui se passait. Histoire de découvrir *qui* se promenait ainsi dans l'obscurité.

Mais ouvrir sa porte aurait été de la dernière imprudence. C'était sans doute précisément ce que *l'autre* attendait. Peut-être même avait-il fait du bruit exprès, afin de l'attirer dehors.

Parfaitement immobile, Blore écoutait. Il entendait maintenant des bruits de tous les côtés : craquements, frôlements, mystérieux chuchotis... Mais son esprit réaliste, opiniâtre, les reconnaissait pour ce qu'ils étaient : des créations de son imagination enfiévrée.

Et puis soudain, il entendit un bruit qui n'avait *rien* d'imaginaire. Des pas. Très légers, très prudents, mais parfaitement audibles pour un homme qui, comme Blore, écoutait de toutes ses oreilles.

Les pas feutrés venaient du fond du couloir (les chambres de Lombard et d'Armstrong étaient plus éloignées de l'escalier que la sienne). Ils passèrent devant sa porte sans hésiter ni ralentir.

Au quart de seconde, Blore se décida.

Il fallait qu'il sache qui c'était ! Les pas avaient maintenant dépassé sa porte et se dirigeaient vers l'escalier. Où allait-il, cet individu ?

Quand Blore passait à l'action, il le faisait avec une rapidité étonnante pour un homme d'apparence si lourde et si lente. Il retourna vers son lit sur la pointe des pieds, empocha les allumettes, débrancha la lampe de chevet, l'empoigna et enroula le fil électrique autour du pied. C'était une lampe en chrome, montée sur un lourd socle en ébonite — une arme qui pouvait se révéler utile.

Sans bruit, il fonça ôter la chaise qui bloquait la poignée de la porte, puis, avec précaution, il tourna la clef dans la serrure et tira le verrou. Il sortit dans le couloir.

De légers craquements montaient du hall. En chaussettes, Blore courut silencieusement vers l'escalier.

A cet instant, il comprit pourquoi il avait entendu si distinctement tous ces bruits. Le vent était tombé et le ciel avait dû s'éclaircir. Le clair de lune filtrait par la fenêtre du palier et éclairait le hall du rez-de-chaussée.

Blore n'eut que le temps d'entrevoir une silhouette qui sortait par la porte d'entrée.

Il dévalait l'escalier quand, soudain, il s'arrêta dans son élan.

Là encore, il avait bien failli faire une bêtise ! Qui sait si ce n'était pas une manœuvre destinée à l'attirer hors de la maison ?

Mais ce dont l'autre ne se doutait pas, c'est qu'il avait commis une erreur — qu'il venait de se livrer à Blore pieds et poings liés.

Car, des trois chambres occupées à l'étage, *l'une devait maintenant être vide*. Il suffisait de savoir *laquelle* !

Blore rebroussa chemin.

Il commença par frapper à la porte du Dr Armstrong. Pas de réponse.

Il attendit quelques instants, puis alla toquer chez Philip Lombard.

Cette fois, la réponse vint immédiatement :

– Qui est là ?

– Blore. Je crois qu'Armstrong n'est pas dans sa chambre. Attendez deux secondes.

Il alla jusqu'au bout du couloir et frappa à la dernière porte :

– Miss Claythorne ? Miss Claythorne ?

207

– Qui est-ce ? Que se passe-t-il ? cria Vera d'une voix étranglée par la peur.

– Rien de grave, miss Claythorne. Attendez un instant, je reviens.

Il retourna en courant vers la chambre de Lombard. La porte s'ouvrit au moment où il l'atteignait et Lombard apparut sur le seuil. Il tenait une bougie dans la main gauche. Il avait enfilé un pantalon par-dessus son pyjama. Sa main droite était enfoncée dans la poche de sa veste de pyjama.

– Bon Dieu, qu'est-ce que c'est que ce cirque ? fit-il d'un ton cassant.

Blore s'expliqua rapidement. L'œil de Lombard s'alluma :

– *Armstrong, hein ?* Ce serait donc *lui* notre oiseau !

Il se dirigea vers la chambre du médecin :

– Désolé, Blore, mais je ne crois que ce que je vois.

Il tambourina à la porte :

– Armstrong ! Armstrong !

Pas de réponse.

Lombard s'accroupit et regarda par le trou de la serrure. Il y introduisit son petit doigt avec précaution :

– La clef n'est pas dans la serrure !

– Autrement dit, il est sorti en fermant sa porte à double tour et en emportant la clef, décréta Blore.

Philip hocha la tête :

– Précaution élémentaire. *Nous le tenons, Blore...* Cette fois, *nous le tenons* ! Une seconde...

Il courut vers la chambre de Vera Claythorne :

– Vera ?

– Oui.

– Nous partons à la recherche d'Armstrong. Il n'est pas dans sa chambre. Quoi qu'il arrive, *n'ouvrez pas*. Compris ?

– Oui, j'ai compris.

– Si Armstrong vient vous dire que j'ai été tué, ou que Blore a été tué, *ne l'écoutez pas*. Vu ? N'ouvrez votre porte que *si nous vous le demandons tous les deux, Blore et moi*. Pigé ?

– Oui. Je ne suis pas encore complètement idiote.

– Parfait, dit Lombard.

Il rejoignit Blore :

– Et maintenant... sus à Armstrong ! La chasse est ouverte !

– Allons-y prudemment, dit Blore. Il a un revolver, ne l'oubliez pas.

Tout en dévalant l'escalier, Philip Lombard gloussa :

– Ça, c'est ce qui vous trompe !

Il ouvrit la porte d'entrée et remarqua au passage :

– Loquet repoussé — de façon à pouvoir rentrer sans problème... Le revolver, c'est moi qui l'ai ! poursuivit-il en le sortant à moitié de sa poche. Je l'ai retrouvé ce soir, là où on me l'avait remis : dans ma table de chevet.

Blore s'arrêta net. Son visage avait changé d'expression. Philip Lombard s'en aperçut :

– Ne soyez pas grotesque, Blore ! Je ne vais pas vous tirer dessus ! Retournez vous barricader dans votre chambre si vous voulez ! Moi, je pars à la recherche d'Armstrong.

Il s'éloigna dans le clair de lune. Après quelques instants d'hésitation, Blore le suivit.

Il songea à part lui :

209

« Je l'aurai voulu. Mais après tout... »

Après tout, ce n'était pas la première fois qu'il avait affaire à des criminels armés de revolvers. Blore avait peut-être beaucoup de défauts, mais il ne manquait pas de courage. Il suffisait de lui montrer le danger pour qu'il fonce dans le tas. Il n'avait pas peur de se battre à découvert — ce qui le paniquait, c'était le danger vague, imprécis, teinté de surnaturel.

Réduite à attendre, Vera se leva et s'habilla.

A une ou deux reprises, elle jeta un coup d'œil à sa porte. C'était une bonne porte bien solide. Fermée à clef et au verrou, avec une chaise en chêne qui bloquait la poignée.

On ne pourrait pas l'enfoncer. En tout cas, pas le Dr Armstrong. Ce n'était pas une force de la nature.

A la place d'Armstrong, elle utiliserait la ruse plutôt que la force.

Pour se distraire, elle réfléchit aux différents moyens qu'il pourrait employer.

Il pouvait, comme Philip l'avait suggéré, lui annoncer qu'un des deux autres était mort. Ou encore se traîner en gémissant devant sa porte en faisant semblant d'être mortellement blessé.

Il y avait d'autres possibilités. Il pouvait lui dire que la maison était en flammes. Mieux : il pouvait carrément y mettre le feu... Oui, c'était une possibilité. Attirer les deux autres à l'extérieur, arroser le plancher d'essence et y mettre le feu. Et elle, comme une idiote, resterait barricadée dans sa chambre jusqu'à ce qu'il soit trop tard.

Elle s'approcha de la fenêtre. Pas trop mal. A la limite, elle pourrait s'échapper par là. Evidemment, il lui faudrait sauter... mais il y avait une plate-bande pour amortir le choc.

Elle s'assit, prit son journal intime et se mit à écrire au fil de la plume.

Il fallait bien tuer le temps.

Soudain, elle se raidit. Elle avait entendu un bruit. On aurait dit un bruit de verre brisé. Et ça provenait du rez-de-chaussée.

Elle écouta de toutes ses forces, mais le bruit ne se répéta pas.

Elle entendit — ou crut entendre — des pas furtifs, des craquements dans l'escalier, un frou-frou de vêtements... mais rien de très précis et elle décida, tout comme Blore avant elle, que ces bruits avaient son imagination pour origine.

Mais elle entendit bientôt des sons plus concrets. Des gens qui remuaient en bas... des murmures de voix. Puis des pas décidés qui montaient l'escalier... des portes qui s'ouvraient et se fermaient... quelqu'un qui grimpait dans la mansarde. D'autres bruits venant de là-haut.

Et, finalement, des pas dans le couloir et la voix de Lombard :

– Vera ? Tout va bien ?

– Oui. Qu'est-ce qui s'est passé ?

La voix de Blore intervint :

– Vous voulez bien nous ouvrir ?

Vera alla à la porte. Elle ôta la chaise, tourna la clef dans la serrure et tira le verrou. Elle ouvrit le battant. Les deux hommes étaient essoufflés, leurs chaussures et le bas de leur pantalon étaient trempés.

– Qu'est-ce qui s'est passé ? répéta-t-elle.

Ce fut Lombard qui répondit :

– *Armstrong a disparu...*

– Quoi ? s'écria Vera.

– Volatilisé, dit Lombard.

– Volatilisé... c'est le mot ! renchérit Blore. Un véritable tour de passe-passe.

– C'est absurde ! répliqua Vera avec irritation. Il se cache quelque part.

– Non, justement pas ! riposta Blore. Croyez-moi, il n'y a aucun endroit où se cacher sur cette île. Elle est nue comme la main ! En plus, avec le clair de lune, on y voit comme en plein jour. *Il est introuvable.*

– Il a dû revenir ici, dit Vera.

– Nous y avons pensé, affirma Blore. Nous avons fouillé la maison aussi. Vous avez dû nous entendre. *Il n'est pas ici*, ça je peux vous le garantir. Il s'est envolé... éclipsé, volatilisé...

– Je n'y crois pas ! protesta Vera, sceptique.

– C'est pourtant vrai, je vous assure, intervint Lombard.

Il marqua un temps avant d'ajouter :

– Il y a un autre petit détail à signaler. Un carreau de la fenêtre de la salle à manger a été brisé... *et il ne reste plus que trois petits nègres sur la table.*

15

Trois personnes prenaient leur petit déjeuner dans la cuisine.

Dehors, le soleil brillait. La journée était superbe. La tempête n'était plus qu'un mauvais souvenir.

Et, avec le changement de temps, un changement s'était produit dans l'humeur des prisonniers de l'île.

C'était comme s'ils venaient de se réveiller d'un cauchemar. Le danger était toujours présent, certes, mais c'était un danger qu'ils pouvaient affronter en plein jour. L'atmosphère de terreur paralysante, qui les avait enveloppés la veille au soir dans une chape de plomb tandis que le vent mugissait, s'était maintenant dissipée.

– Nous allons grimper jusqu'au point culminant de l'île et essayer d'envoyer des signaux lumineux avec un miroir, décréta Lombard. J'espère qu'un gamin astucieux se baladera sur les falaises et déchiffrera notre S.O.S. Nous pourrons aussi allumer un feu dans la soirée... mais il ne reste pas beaucoup de bois... et ils risquent de penser qu'on est tout bonnement en train de chanter, de danser et de se donner du bon temps.

– Il y en a certainement qui connaissent le morse, dit Vera. Alors on viendra nous chercher. Bien avant la nuit.

– Le temps s'est éclairci, d'accord, dit Lombard, mais la mer n'est pas encore calmée. Drôlement houleuse ! On ne pourra pas aborder l'île en bateau avant demain.

– Encore une nuit ici ! s'écria Vera.

Lombard haussa les épaules :

– Autant vous y faire ! Vingt-quatre heures suffiront,

je pense. Si nous pouvons tenir jusque-là, nous serons tirés d'affaire.

Blore se racla la gorge :

– Nous devrions mettre les choses au clair. *Qu'est-ce qui a bien pu arriver à Armstrong ?*

– Ma foi, nous avons un indice, répondit Lombard. Il ne reste plus que trois petits nègres sur la table. On dirait bien qu'Armstrong a avalé lui aussi son bulletin de naissance.

– Si c'est le cas, pourquoi n'avez-vous pas retrouvé son cadavre ? objecta Vera.

– Je ne vous le fais pas dire ! approuva Blore.

Lombard secoua la tête :

– Il n'y a pas à tortiller, c'est sacrément bizarre.

– On l'a peut-être jeté à la mer ? hasarda Blore.

– Qui ça, « on » ? Vous ? Moi ? répliqua Lombard d'un ton sec. Vous l'avez vu sortir de la maison. Vous êtes venu me trouver dans ma chambre. Nous sommes partis ensemble à sa recherche. Quand diable aurais-je trouvé le temps de le tuer et de le trimbaler de l'autre côté de l'île ?

– Ça, je n'en sais rien, répondit Blore. Mais il y a une chose que je sais.

– Laquelle ?

– Le revolver, dit Blore. C'est le vôtre. En ce moment, c'est vous qui l'avez. Rien ne prouve que vous ne l'avez pas eu tout le temps en votre possession.

– Allons, Blore, nous avons tous été fouillés !

– Oui, mais vous auriez pu le cacher avant, et le récupérer après.

– Bougre d'entêté ! Puisque je vous jure qu'on l'a

214

remis dans mon tiroir. J'ai eu la surprise de ma vie quand je l'ai trouvé là.

– Et vous nous demandez d'avaler un truc pareil ? Pourquoi diable Armstrong — ou je ne sais qui d'autre — aurait-il remis ce machin en place ?

Lombard haussa les épaules, désemparé :

– Je n'en ai pas la moindre idée. C'est complètement dingue. Totalement inattendu. Inexplicable.

– C'est bien mon avis, opina Blore. Vous auriez pu inventer une meilleure histoire.

– Ça tendrait à prouver que je dis la vérité, non ?

– Je ne vois pas ça comme ça.

– Le contraire m'aurait étonné, gronda Philip.

– Ecoutez, Mr Lombard, reprit Blore, si vous êtes aussi honnête homme que vous le prétendez...

– Depuis quand ai-je prétendu être honnête homme ? maugréa Philip. Non, je n'ai jamais dit ça.

– Si vous dites la vérité, poursuivit Blore, imperturbable, vous n'avez qu'une chose à faire. Tant que vous aurez ce revolver, nous serons à votre merci, miss Claythorne et moi. Pour être justes, il faudrait le mettre sous clef dans le coffre, avec le reste... et nous garderions les deux clefs comme avant, vous et moi.

Philip Lombard alluma une cigarette.

– Ne vous faites pas plus bête que vous n'êtes, susurra-t-il en soufflant sa fumée.

– Ce qui veut dire que vous n'êtes pas d'accord ?

– Non, je ne suis pas d'accord. Ce revolver est à moi. J'en ai besoin pour me défendre... et j'ai bien l'intention de le garder.

– J'en suis amené à tirer une conclusion simple... dit Blore.

– A savoir que je suis A.N. O'Nyme ? Pensez ce qui vous chante, après tout ! Mais si tel est le cas, dites-moi un peu pourquoi je ne me suis pas servi de ce flingue pour vous descendre cette nuit ? J'en ai eu l'occasion une bonne vingtaine de fois.

Blore secoua la tête :

– Je n'en sais rien... mais c'est un fait. Vous deviez avoir vos raisons.

Vera, qui n'avait pas pris part à la discussion, sortit de son mutisme :

– Vous vous conduisez tous les deux comme des imbéciles.

Lombard la regarda :

– C'est-à-dire ?

– Vous avez oublié la comptine. Vous ne voyez pas qu'elle contient un indice ?

D'une voix lourde de sens, elle récita :

– *Quatre petits nègres se baignèrent au matin,*
Poisson d'avril goba l'un
– *n'en resta plus que trois.*

Elle enchaîna :

– *Poisson d'avril !* Le voilà, l'indice essentiel. *Armstrong n'est pas mort...* Il a subtilisé le nègre en porcelaine pour nous faire croire qu'il l'était. Vous avez beau dire, Armstrong est encore sur l'île. Sa disparition n'est qu'un poisson d'avril hors saison à nous faire gober pour nous envoyer sur une fausse piste...

Lombard se rassit.

– Vous avez peut-être raison, au fond.

216

– Oui, mais dans ce cas, où est-il ? s'insurgea Blore. Nous avons fouillé partout. Dedans et dehors.

– Nous avons tous cherché le revolver sans le trouver, n'est-ce pas ? répliqua Vera avec dédain. Et pourtant, il était bien quelque part !

– Il y a une légère différence de calibre entre un homme et un revolver, vous savez, se moqua gentiment Lombard.

– Je m'en fiche, dit Vera. Je suis sûre que j'ai raison.

– C'était quand même vendre plus ou moins la mèche, non ? murmura Blore. Parler carrément de « poisson d'avril »... Il aurait pu changer un peu les paroles.

– Mais vous ne *comprenez* donc pas qu'il est *fou* ? s'écria Vera. C'est de la folie ! Coller comme ça à une comptine, c'est de la folie ! Déguiser le juge, tuer Rogers pendant qu'il débitait du petit bois... droguer Mrs Rogers pour qu'elle « s'endorme à jamais »... lâcher une abeille dans la salle à manger avant de tuer miss Brent ! On dirait un jeu inventé par un enfant monstrueux. Il faut que tout concorde.

– Oui, vous avez raison, dit Blore. Quoi qu'il en soit, il n'y a pas de zoo sur cette île, reprit-il après avoir réfléchi un instant. Il aura du mal à se tirer de ce couplet-là.

– Mais vous ne comprenez donc rien à rien ? s'écria Vera. *Le zoo, c'est nous...* Hier soir, nous n'étions pratiquement plus des êtres humains. *Le zoo, c'est nous...*

Ils passèrent la matinée sur les falaises, face à la côte, à envoyer à tour de rôle des signaux à l'aide d'un miroir.

217

Rien n'indiquait que quelqu'un les ait captés. Aucun signal ne leur parvint en retour. La journée était belle, légèrement brumeuse. Au pied des rochers, la mer était agitée par une très forte houle. On ne voyait pas de bateau à l'horizon.

Ils avaient de nouveau fouillé l'île, sans résultat. Aucune trace du médecin disparu.

Vera regarda en direction de la maison et dit d'une voix un peu altérée :

– On se sent plus en sécurité ici, dehors... Ne retournons pas dans la maison.

– Pas mauvaise, cette idée, approuva Lombard. Ici on ne risque rien ; personne ne peut s'approcher sans qu'on le repère longtemps à l'avance.

– Nous resterons ici, se réjouit Vera.

– Il faudra quand même qu'on passe la nuit quelque part, intervint Blore. A ce moment-là, nous serons bien obligés de rentrer.

– Je ne pourrai pas le supporter, frissonna Vera. Je ne serai jamais capable de passer encore une nuit là-haut !

– Bouclée dans votre chambre, vous serez en sécurité, fit remarquer Philip.

– Oui, peut-être bien, soupira Vera.

Ecartant les bras, elle murmura :

– C'est si bon, de sentir à nouveau la caresse du soleil...

« C'est bizarre... pensait-elle, je suis presque heureuse. Et pourtant, je suppose que je suis vraiment en danger... Mais maintenant, à la lumière du jour, rien ne semble avoir d'importance... J'ai l'impression de possé-

218

der tous les pouvoirs... j'ai l'impression que je ne peux pas mourir... »

Blore regarda sa montre.

– Il est 2 heures, grommela-t-il. Et le déjeuner ?

– Je ne retourne pas dans cette maison, répéta Vera avec obstination. Je reste ici — à l'air libre.

– Allons, miss Claythorne. Il ne faut pas que vous perdiez vos forces.

– Si je vois encore une boîte de langue, je vomis ! répliqua Vera. Je ne veux rien avaler. Il y a des gens qui suivent un régime et qui ne mangent rien pendant des jours et des jours.

– Oui, eh bien, moi, j'ai besoin de me nourrir trois fois par jour, dit Blore. Et vous, Mr Lombard ?

– La perspective d'ingurgiter de la langue en conserve ne me tente pas particulièrement, vous savez, répondit Philip. Je vais rester ici avec miss Claythorne.

Comme Blore hésitait, Vera lui dit :

– Ne vous en faites pas pour moi. Je ne pense pas qu'il va me tirer dessus dès que vous aurez le dos tourné, si c'est ce que vous craignez.

– Puisque c'est vous qui le dites... acquiesça Blore. Mais je vous signale qu'on avait convenu de ne pas se séparer.

– C'est vous qui insistez pour vous jeter dans la gueule du loup, fit remarquer Philip. Mais si vous voulez, je vous accompagne.

– Pas question ! fit Blore avec un mouvement de recul. Vous, vous restez ici.

Philip éclata de rire :

– Vous persistez à avoir peur de moi ? Voyons, je

pourrais vous descendre tous les deux à l'instant même pour peu que ça me chante !

– Oui, mais ça ne collerait pas avec la comptine, répliqua Blore. C'est un à la fois, que ça se passe — et puis pas n'importe comment.

– Dites donc, nota Philip, vous m'avez l'air drôlement au courant, vous !

– Evidemment, reprit Blore, c'est un peu angoissant d'aller comme ça tout seul dans la maison...

– Autrement dit, *pourrais-je vous prêter mon revolver ?* susurra Philip. La réponse est : *non !* Pas si simple que ça, merci bien.

Avec un haussement d'épaules, Blore entreprit de grimper le raidillon menant à la terrasse.

– L'heure du repas au zoo ! ricana tout bas Lombard. Les animaux ont des habitudes très régulières !

– Est-ce que ce n'est pas très risqué, ce qu'il fait ? s'inquiéta Vera.

– Au sens où vous l'entendez... non, je ne pense pas ! Armstrong n'est pas armé et, de toute façon, Blore est trois fois plus costaud que lui, sans compter qu'il est sur ses gardes. Et puis de toute manière, il est rigoureusement impossible qu'Armstrong soit dans la maison. Je *sais* qu'il n'y est pas.

– Mais alors... qu'est-ce qui reste comme autre solution ?

– Il y a Blore, répondit doucement Philip.

– Oh !... Vous pensez vraiment que... ?

– Ecoutez, mon petit. Vous avez entendu sa version des événements de cette nuit. Vous êtes bien obligée d'admettre que, si elle est vraie, *je n'ai rien à voir dans la disparition d'Armstrong.* Le témoignage de Blore me met hors de cause. *Mais ça ne le met pas hors de cause, lui.* Nous n'avons que sa parole lorsqu'il affirme avoir entendu des pas, avoir vu un homme descendre l'escalier et sortir de la maison. C'est peut-être un mensonge de bout en bout. Il a très bien pu se débarrasser d'Armstrong deux heures avant.

– Comment ?

Lombard haussa les épaules :

– Ça, nous n'en savons rien. Mais si vous voulez mon avis, nous n'avons qu'un seul danger à redouter... et ce danger, c'est Blore ! Que savons-nous de lui ? Moins que rien ! Cette histoire d'ex-policier, c'est peut-être de la foutaise ! Il pourrait aussi bien être un milliardaire fou... un homme d'affaires cinglé... un pensionnaire de Broadmoor en cavale. Une chose est sûre : il a *pu* commettre chacun de ces crimes, sans exception.

Vera avait pâli.

– Supposez, balbutia-t-elle, supposez qu'il arrive à... à nous avoir ?

Lombard tapota son revolver à travers sa poche.

– Je vais prendre bien garde à ce qu'il n'y arrive pas, répondit-il avec douceur.

Il la regarda avec curiosité :

– Vous avez une touchante confiance en moi, pas vrai, Vera ? Vous en êtes sûre, que je ne vais pas vous tuer ?

– Il faut bien faire confiance à quelqu'un, dit-elle. Pour en revenir à Blore, je pense que vous avez tort. Je persiste à croire que c'est Armstrong.

Elle se tourna soudain vers lui :

– Vous n'avez pas l'impression... tout le temps... qu'il

y a *quelqu'un* ? Quelqu'un qui nous observe et qui attend ?

– Simple nervosité, marmonna Lombard non sans réticence.

Vera insista :

– Alors vous avez ressenti ça, vous aussi ?

Elle frissonna et se pencha un peu plus vers lui :

– Dites... vous ne pensez pas que...

Elle s'interrompit, puis reprit :

– J'ai lu un livre autrefois... c'était l'histoire de deux juges qui débarquaient dans une petite ville américaine... envoyés par la Cour Suprême. Ils rendaient la justice... la Justice Absolue. *Car... ils n'étaient pas de ce monde...*

Lombard haussa les sourcils :

– Des visiteurs célestes, hein ? Non, je ne crois pas au surnaturel. Et puis cette manie de juger... il y a un cerveau humain derrière tout ça.

– Par moments... je n'en suis pas si sûre, dit Vera dans un souffle.

Lombard la regarda.

– Ça, c'est la voix de la conscience... diagnostiqua-t-il.

Et, après un instant de silence, il ajouta d'un ton uni :

– Alors comme ça, vous l'avez bel et bien envoyé se noyer, ce gamin ?

– Je ne l'ai pas envoyé se noyer ! protesta Vera avec véhémence. Je n'ai pas fait ça ! Vous n'avez pas le droit de dire une chose pareille !

Il eut un rire décontracté :

– Oh, que si, vous l'avez fait, ma poulette ! Mais ce

que je ne comprends pas, c'est pourquoi vous l'avez fait. Ça me dépasse. Il devait y avoir un homme dans l'histoire. Exact ?

Une soudaine lassitude, une immense fatigue envahirent Vera. D'une voix éteinte, elle répondit :

– Oui... il y avait un homme...

– Merci, dit doucement Lombard. C'est tout ce que je voulais savoir...

Vera se redressa d'un bond.

– Qu'est-ce que c'est ? s'exclama-t-elle. Un tremblement de terre ?

– Non, non, dit Lombard. Mais c'est bizarre... un choc sourd a secoué le sol. Et j'ai cru... vous n'avez pas entendu une sorte de cri ? Moi si.

Ils regardèrent la maison.

– Ça venait de là, dit Lombard. Nous ferions pas mal d'aller voir.

– Ah, non ! Pas question.

– Comme il vous plaira. Moi, j'y vais.

– Bon, d'accord, je vais avec vous, gémit-elle, au comble du désarroi.

Ils grimpèrent jusqu'à la terrasse. Inondée de soleil, elle offrait désormais un aspect paisible, inoffensif. Ils hésitèrent un instant. Puis, au lieu d'entrer par la grand-porte, ils firent avec précaution le tour de la maison.

Ils découvrirent Blore. Bras et jambes écartés, il gisait entre deux plates-bandes, le crâne réduit en bouillie par un gros bloc de marbre blanc.

Philip leva la tête :

– C'est la fenêtre de quelle chambre, au-dessus ?

– La mienne, répondit Vera d'une voix basse et

tremblante. *Et ça, c'est la pendule qui était sur ma cheminée...* Je la reconnais. Elle avait la... la forme d'un
ours.

Elle répéta en chevrotant :

– Elle avait la forme d'un ours...

Philip la saisit par l'épaule.

– Voilà qui règle la question, gronda-t-il, farouche.
Armstrong se cache quelque part dans la maison. Je vais
le débusquer.

Mais Vera se cramponna à lui.

– Ne faites pas l'idiot ! s'écria-t-elle. C'est *nous*, à présent ! Nous sommes les prochains ! Il veut que nous partions à sa recherche ! C'est ce qu'il *attend* !

Philip s'arrêta.

– Il y a de l'idée dans ce que vous dites, murmura-
t-il, songeur.

– En tout cas, vous devez avouer maintenant que
j'avais raison.

Il hocha la tête :

– Oui... vous avez gagné ! C'est bel et bien Armstrong. Mais où diable s'est-il caché ? Nous avons passé
l'île au peigne fin.

– Si vous ne l'avez pas trouvé hier soir, *vous ne le
trouverez pas maintenant*. Ça tombe sous le sens.

– Oui, convint Lombard à contrecœur, mais...

– Il a dû se préparer un repaire secret... oui, c'est
sûrement ce qu'il a dû faire... Un genre de « trou du
prêtre », comme dans les vieux manoirs.

– Pas dans une maison moderne comme celle-là.

224

– Il a pu le faire construire spécialement.

Philip Lombard secoua la tête :

– Nous avons tout mesuré le premier jour. Je suis prêt à jurer qu'il n'y a pas de fausses cloisons.

– Il y en a forcément ! s'emporta Vera.

– Je voudrais bien voir... commença Lombard.

– Oui, vous voudriez bien voir ! l'interrompit Vera. Et ça, il le sait ! Il est là-dedans... à vous attendre.

Lombard sortit à moitié son revolver de sa poche :

– N'oubliez pas que j'ai ça.

– Vous avez dit que Blore ne risquait rien, qu'il était beaucoup plus costaud qu'Armstrong. Physiquement, c'était vrai, d'autant qu'il était sur ses gardes. Mais ce que vous n'avez pas l'air de comprendre, c'est qu'Armstrong est *fou* ! Or, un fou a tous les avantages pour lui. Il est deux fois plus rusé que n'importe quel homme sain d'esprit.

Lombard rempocha son revolver.

– Bon, venez, dit-il.

– Qu'est-ce que nous allons faire quand la nuit va tomber ? finit par demander Lombard.

Vera ne répondit pas. Il insista, accusateur :

– Vous n'avez pas pensé à ça ?

– Mais que *pouvons-nous* faire ? répondit-elle avec l'accent du désespoir. Oh, mon Dieu, je suis *terrorisée*.

– Le ciel est dégagé, dit Philip Lombard, songeur. Il y aura clair de lune. On devrait pouvoir trouver un abri... là-haut, dans les falaises. On pourrait y rester en attendant le lever du jour. *Mais il ne faudra pas nous*

225

endormir... Nous devrons monter la garde en permanence. Et si quelqu'un s'approche, je lui tirerai dessus !

Il ajouta :

– Vous n'aurez pas froid, dans cette robe légère ?

– Froid ? répliqua Vera avec un rire rauque. J'aurais encore plus froid si j'étais morte.

– Oui, c'est un fait... admit Lombard d'un ton uni.

Nerveuse, Vera s'agitait :

– Si je reste assise là une minute de plus, je vais devenir enragée. Marchons un peu.

– D'accord.

Ils firent lentement les cent pas en longeant la ligne de rochers qui dominait la mer. A l'ouest, le soleil déclinait. La lumière était douce et veloutée. Elle les enveloppait de sa clarté dorée.

– Dommage qu'on ne puisse pas se baigner, dit Vera avec un petit gloussement nerveux.

Philip, qui contemplait la mer, en contrebas, s'exclama soudain :

– Tiens, qu'est-ce que c'est que ça ? Vous ne voyez pas... là, près de ce gros rocher... ? Non... un peu plus à droite.

Vera regarda avec curiosité :

– On dirait des vêtements !

– Un baigneur, hein ? fit Lombard en riant. Bizarre... C'est sans doute des algues.

– Allons voir, dit Vera.

– Ce sont bien des vêtements, dit Lombard lorsqu'ils furent plus près. Tout un paquet. J'aperçois une chaussure. Venez, tâchons d'arriver jusqu'au bord.

Non sans difficulté, ils progressèrent entre les rochers.

Soudain, Vera s'arrêta.

– *Ce ne sont pas des vêtements*, dit-elle. *C'est... un homme...*

Rejeté par la marée quelques heures plus tôt, le corps était coincé entre deux rochers.

Au prix d'un dernier effort, Lombard et Vera l'atteignirent enfin. Ils se penchèrent sur lui.

Un visage violacé, décoloré... un hideux visage de noyé...

– Bon Dieu ! s'écria Lombard. *C'est Armstrong...*

16

Des siècles passèrent... des mondes tourbillonnèrent, virevoltèrent... Le temps était immobile, suspendu... il traversait les âges...

Non, une minute à peine venait de s'écouler...

Deux personnes, debout, contemplaient le cadavre d'un homme...

Lentement, très lentement, Vera Claythorne et Philip Lombard relevèrent la tête et se regardèrent dans les yeux...

Lombard éclata de rire :

– Nous y voilà, n'est-ce pas, Vera ?

– Il n'y a plus personne sur l'île... dit-elle d'une voix qui n'était guère qu'un murmure. Absolument plus personne... *à part nous deux*...

– Tout juste, dit Lombard. Nous savons donc à quoi nous en tenir, n'est-ce pas ?

– Comment est-ce que ça a bien pu être combiné... le coup de l'ours en marbre, je veux dire ?

Il haussa les épaules :

– Un tour de passe-passe, ma toute belle. Rudement bien exécuté...

De nouveau, leurs regards se croisèrent.

« *Comment se fait-il que je n'aie jamais convenablement regardé son visage ?* se dit Vera. *Un loup... un faciès de loup, voilà ce que c'est... Ces dents horribles...* »

D'une voix semblable à un grondement, une voix menaçante, hargneuse, Lombard décréta :

– C'est la fin, vous comprenez. Nous connaissons maintenant la vérité. *Et c'est la fin*...

– Je m'en rends bien compte... répondit Vera avec calme.

Elle avait les yeux fixés sur la mer. Le général Macarthur aussi avait les yeux fixés sur la mer quand... — mais quand était-ce, au fait ? —... hier seulement ? Ou bien était-ce avant-hier ? Et lui aussi, il avait dit : « *C'est la fin...* »

Il avait dit ça avec résignation... presque avec soulagement.

Mais chez Vera, ces mots — cette idée — ne suscitaient que révolte. Non, ça ne serait pas la fin.

Elle regarda le mort.

– Pauvre Dr Armstrong... murmura-t-elle.

Lombard ricana :

– Qu'est-ce qui vous prend ? Vous nous faites le coup de la compassion ?

– Pourquoi pas ? Vous n'en éprouvez pas, vous ?

– Je n'en éprouve aucune pour vous, répondit-il. Ne comptez pas sur moi pour ça !

Vera posa de nouveau les yeux sur le cadavre :

– Il faut le sortir de là. Le transporter dans la maison.

– Pour qu'il rejoigne les autres victimes, j'imagine ? Pour que tout soit net et sans bavures ? En ce qui me concerne, il peut rester là où il est.

– Mettons-le au moins au sec, dit Vera.

– Si vous y tenez ! ricana Lombard.

Il s'arc-bouta et tira sur le corps. Vera s'appuya contre lui pour l'aider. Elle tira, hala de toutes ses forces.

– Pas si facile, dites donc ! haleta Lombard.

Ils parvinrent néanmoins à traîner le corps à l'écart, hors d'atteinte de la marée.

– Satisfaite ? demanda Lombard en se redressant.

– Tout à fait, répondit-elle.

Quelque chose dans le ton de sa voix alerta Lombard. Il se retourna d'un bloc. Mais il n'avait pas encore tâté la poche de sa veste qu'il savait déjà qu'elle était vide.

Vera avait reculé de quelques pas et lui faisait face, revolver au poing.

– Voilà pourquoi vous étiez si pleine de féminine sollicitude ! grinça Lombard. Vous vouliez me faire les poches, oui !

Elle hocha la tête.

Elle tenait l'arme bien en main, sans trembler.

Pour Philip Lombard, la mort était proche. Jamais elle n'avait été si proche.

Mais il ne s'avouait pas encore vaincu.

– Donnez-moi ce revolver ! dit-il d'un ton impérieux.

Vera se borna à rire.

– Allons, donnez-le-moi ! répéta Lombard.

Il réfléchissait à toute allure. Comment faire ? Quelle méthode employer ? Palabrer ? Endormir sa méfiance ? Bondir sur elle... ?

Toute sa vie, il avait choisi la voie du risque. Cette fois encore, il n'y manqua pas.

Lentement, comme s'il voulait argumenter, il commença :

– Et maintenant, mon petit chou, écoutez-moi...

Sur quoi il bondit. Vif comme une panthère — ou comme tout autre félin...

D'un geste instinctif, Vera pressa sur la détente...

Fauché en plein élan, Lombard demeura un instant immobile, le corps en extension, avant de s'effondrer lourdement sur le sol.

Vera s'avança avec prudence, prête à tirer une seconde fois.

Mais elle n'avait plus besoin d'être prudente.

Philip Lombard était mort, touché en plein cœur...

Le soulagement submergea Vera — un soulagement immense, exquis.

C'en était enfin terminé.

C'en était fini d'avoir peur. Fini de vivre sur les nerfs...

Elle était seule sur l'île...

Seule avec neuf cadavres...

Mais quelle importance ? Elle, elle était vivante...

Elle s'assit, délicieusement heureuse, délicieusement sereine...

Fini, la peur...

Le soleil se couchait lorsque Vera se décida enfin à bouger. Le contrecoup l'avait paralysée, rendue un moment incapable d'éprouver autre chose que cette formidable impression de sécurité.

Mais maintenant, elle avait faim et sommeil. Surtout sommeil. Elle avait envie de se jeter sur son lit et de dormir, dormir, dormir...

Demain, peut-être, on viendrait la secourir... mais, au fond, elle ne s'en souciait guère. Elle ne voyait plus d'inconvénient à rester ici. Plus maintenant qu'elle était seule...

Oh ! paix, paix bienheureuse...

Elle se mit sur ses pieds et leva les yeux vers la maison.

Plus rien à craindre, maintenant ! Plus rien de terrifiant ne l'y attendait ! Ce n'était à tout prendre qu'une maison moderne, ordinaire, bien conçue. Et dire que, quelques heures plus tôt, elle ne pouvait pas la regarder sans frissonner...

La peur... Quelle chose étrange que la peur !...

Eh bien, c'en était terminé, maintenant. Elle avait vaincu — triomphé d'un péril mortel. Grâce à sa présence d'esprit et à son habileté, elle avait retourné la situation et s'était débarrassée de celui qui voulait sa perte.

Elle se mit en marche vers la maison.

Le soleil se couchait. A l'ouest, le ciel était strié de longues traînées rouges et orangées. C'était beau, apaisant...

« C'est comme si tout ça n'avait été qu'un rêve », pensa Vera.

Ce qu'elle pouvait être fatiguée... exténuée ! Elle avait les membres ankylosés. Ses paupières se fermaient toutes seules. Plus besoin d'avoir peur... Dormir. Dormir... dormir... dormir...

Dormir en toute sécurité, puisqu'elle était seule sur l'île. *Un petit nègre se retrouva tout esseulé...*

Elle sourit.

Elle entra par la grand-porte. La maison, elle aussi, paraissait étrangement paisible.

« Normalement, se dit Vera, on ne devrait pas avoir envie de dormir dans une maison où il y a pratiquement un cadavre par chambre ! »

Si elle allait à la cuisine chercher quelque chose à manger ?

Après un instant d'hésitation, elle y renonça. Elle était vraiment trop fatiguée...

Elle s'arrêta devant la porte de la salle à manger. Il y avait encore trois petites figurines en porcelaine au milieu de la table.

– Vous avez du retard, dites-moi ! fit-elle en riant.

Elle en prit deux, qu'elle jeta par la fenêtre. Elle les entendit se briser sur la terrasse.

La troisième, elle la prit dans sa main.

232

– Toi, je t'emmène, dit-elle. Nous avons gagné, mon petit ! Nous avons gagné !

Le hall était sombre dans la lumière déclinante.

Le petit nègre bien serré dans sa main, Vera commença à monter l'escalier. Lentement, car elle avait soudain l'impression que ses jambes pesaient des tonnes.

« *Un petit nègre se retrouva tout esseulé.* » Ça se terminait comment, déjà ? Ah ! oui : « *Fou d'amour, s'en fut se marier — n'en resta plus... du tout.* »

Se marier... Curieux, d'avoir à nouveau cette impression soudaine que Hugo était dans la maison.

Une impression très forte. Oui, Hugo l'attendait en haut.

« Ne sois pas ridicule, se dit Vera. Tu es si fatiguée que tu imagines les trucs les plus invraisemblables... »

Lentement, marche après marche...

En haut de l'escalier, quelque chose lui échappa des mains et tomba sans bruit sur le tapis de haute laine. Elle ne s'aperçut pas qu'elle avait lâché le revolver. Elle avait seulement conscience de serrer entre ses doigts une petite figurine de porcelaine.

Comme elle était silencieuse, cette maison ! Et pourtant... on n'aurait pas dit une maison vide...

Hugo, en haut, l'attendait...

« *Un petit nègre se retrouva tout esseulé.* » C'était quoi, le dernier vers, déjà ? Une histoire de mariage, non ?... Ou bien s'agissait-il d'autre chose ?

Elle était arrivée devant la porte de sa chambre. Hugo l'attendait à l'intérieur... elle en était sûre et certaine.

Elle ouvrit la porte...

233

Elle réprima un cri...

Qu'est-ce que c'était qui pendait là, au crochet du plafond ? Une corde avec un nœud coulant tout prêt ? Et une chaise pour grimper dessus... une chaise qu'il suffirait ensuite de culbuter d'un coup de pied...

C'était ça, ce que voulait Hugo...

Et d'ailleurs, c'était en fait bien ça le dernier vers de la comptine.

« *Se pendre il s'en est allé — n'en resta plus... DU TOUT.* »

Le petit nègre en porcelaine lui échappa des mains. Sans même qu'elle s'en rende compte, il s'en alla rouler sur le tapis et se brisa contre le pare-feu.

Comme une automate, Vera fit un pas en avant, puis un autre. C'était la fin... ici, à l'endroit où la main froide et mouillée — la main de Cyril, bien entendu — lui avait frôlé la gorge...

« *Mais oui, Cyril, tu es assez grand pour nager jusqu'au rocher...* »

Voilà ce que c'était que de commettre un meurtre... ce n'était pas plus compliqué que ça !

Seulement après, on n'arrêtait plus d'y penser...

Elle monta sur la chaise, les yeux rivés droit devant elle comme une somnambule... Elle se passa le nœud autour du cou.

Hugo était là pour veiller à ce qu'elle fasse ce qu'elle avait à faire.

D'un coup de pied, elle fit culbuter la chaise...

Epilogue

– Mais cette histoire est invraisemblable ! s'emporta sir Thomas Legge, super-intendant et directeur adjoint de Scotland Yard.

– Je sais, monsieur, répondit l'inspecteur Maine avec déférence.

– Dix cadavres sur une île ! reprit le digne super-intendant. Et pas âme qui vive dans les parages ! Ça ne tient pas debout !

– Et pourtant, monsieur, c'est un *fait*, rétorqua l'inspecteur Maine, imperturbable.

– Bon sang, Maine, il faut bien que quelqu'un les ait tués, ces gens !

– C'est justement là le problème, monsieur.

– Rien qui puisse nous aider dans le rapport du médecin légiste ?

– Non, monsieur. Wargrave et Lombard ont été tués d'une balle de revolver, le premier dans la tête, le second en plein cœur. Miss Brent et Marston ont été empoisonnés au cyanure. Mrs Rogers est morte d'une trop forte dose de chloral. Rogers a eu le crâne fendu.

Blore a eu la tête réduite en bouillie. Armstrong est mort noyé. Macarthur a eu le crâne fracassé par un coup porté derrière la tête et Vera Claythorne a été trouvée pendue.

Le superintendant cligna des paupières :

– Sale affaire.

Il réfléchit deux secondes. Puis il céda de nouveau à l'irritation :

– Et vous prétendez me faire croire que vous n'avez rien pu tirer des habitants de Sticklehaven ? Bon Dieu, ils doivent quand même bien savoir quelque chose !

L'inspecteur Maine haussa les épaules :

– Bah ! ce sont de braves gens de mer parfaitement ordinaires. Ils savent que l'île a été achetée par un certain O'Nyme — mais ça s'arrête là.

– Qui a approvisionné l'île et pris les dispositions nécessaires ?

– Un nommé Morris. Isaac Morris.

– Et lui, qu'est-ce qu'il dit de tout ça ?

– Il ne dit rien, monsieur. Il est mort.

Le superintendant fronça les sourcils :

– Et on a des renseignements sur ce Morris ?

– Oh ! oui, monsieur. Ce n'était pas le genre de type recommandable. Il y a de ça trois ans, il a été mêlé à l'affaire Bennito — une histoire de courtier marron et d'actions frauduleuses ; rien que nous ayions pu prouver, mais nous sommes sûrs du coup. Il a également été impliqué dans des trafics de drogue. Là encore, nous n'avons pas de preuve. C'était un homme très prudent, Morris.

– Et il était derrière cette histoire d'île ?

– Oui, monsieur. C'est lui qui s'était porté acquéreur de l'île du Nègre, tout en précisant bien qu'il agissait pour le compte d'une tierce personne, anonyme.

– On pourrait peut-être découvrir quelque chose en creusant l'aspect financier de l'acquisition ?

L'inspecteur Maine sourit :

– On voit que vous ne connaissiez pas Morris ! Il savait si bien jongler avec les chiffres que le meilleur expert-comptable du pays n'y verrait que du feu ! Nous avons eu un échantillon de ses talents au moment de l'affaire Bennito. Non, il a soigneusement brouillé la piste de son patron.

Le superintendant soupira.

– C'est Morris qui a pris toutes les dispositions là-bas, à Sticklehaven, poursuivit l'inspecteur Maine. Il s'est présenté partout comme le mandataire de « Mr O'Nyme ». Et c'est lui qui a expliqué aux gens qu'on allait procéder à une expérience — suite à un prétendu pari de vivre pendant une semaine sur une « île déserte » — et qu'il ne faudrait tenir aucun compte d'éventuels appels à l'aide provenant de là-bas.

Sir Thomas Legge s'agita, troublé :

– Et vous voulez me faire croire que tout le monde a trouvé ça normal ? Même à ce moment-là ?

Maine haussa les épaules :

– Vous oubliez, monsieur, que le précédent propriétaire de l'île du Nègre était Elmer Robson, le jeune milliardaire américain. Il y donnait des fêtes extravagantes. Au début, les gens du cru devaient certainement en avoir les yeux qui leur sortaient de la tête. Mais ils ont fini par s'y habituer et par considérer que tout ce qui touchait à l'île du Nègre était forcément invraisemblable. C'est une réaction parfaitement naturelle, monsieur, quand on y réfléchit.

Le directeur adjoint voulut bien convenir, d'un air lugubre, qu'il y avait du vrai là-dedans.

– Fred Narracott — le marin qui les a fait passer sur l'île — a tout de même noté un détail intéressant, enchaîna Maine. Il a déclaré qu'il avait été surpris en les voyant. Ils n'étaient « pas du tout comme les invités de Mr Robson ». Je crois d'ailleurs que c'est parce qu'ils avaient l'air si normaux et si quelconques qu'il a enfreint les ordres de Morris et sorti un bateau quand il a été mis au courant de leur S.O.S.

– Quand est-ce qu'ils y sont allés, lui et les autres sauveteurs ?

– Les signaux ont été repérés par une troupe de scouts dans la matinée du 11. Le temps ne permettait pas de prendre la mer ce jour-là. Ils ont donc fait la traversée dans l'après-midi du 12, dès qu'il a été possible de mettre une embarcation à l'eau. Ils sont tous formels : personne n'aurait pu quitter l'île avant leur arrivée. La mer n'avait pas cessé d'être grosse depuis la tempête.

– Personne n'aurait pu atteindre le rivage à la nage ?

– La côte est à plus d'un kilomètre et demi, la mer était houleuse, avec de grandes déferlantes. Sans compter qu'un tas de gens — boy-scouts et autres — se trouvaient sur les falaises et avaient les yeux rivés sur l'île.

– Et ce disque de gramophone que vous avez trouvé dans la maison ? soupira le superintendant. Vous n'avez rien déniché de ce côté-là qui puisse nous aider ?

– J'ai creusé la question, répondit l'inspecteur Maine. Le disque a été fourni par une société spécialisée dans les effets sonores pour le cinéma et le théâtre. Il a été envoyé à Mr A.N. O'Nyme, aux bons soins d'Isaac Morris, soi-disant pour la représentation, par une troupe d'amateurs, d'une pièce inédite. Le texte dactylographié a été retourné avec le disque.

– Et son contenu ? demanda Legge.

– J'y arrive, monsieur, répondit l'inspecteur avec gravité.

Il s'éclaircit la gorge :

– J'ai enquêté sur ces accusations autant que faire se pouvait. En commençant par les Rogers, qui ont été les premiers à arriver sur l'île. Ils étaient au service d'une certaine miss Brady, laquelle est morte subitement. Je n'ai rien pu tirer de précis du médecin qui la soignait. Il dit qu'ils n'ont certainement pas empoisonné leur patronne ni rien de ce genre, mais il n'en pense pas moins qu'il y a eu un coup tordu — qu'elle est morte à la suite d'une négligence de leur part. Le genre de chose absolument impossible à prouver, comme il dit.

» Vient ensuite le juge Wargrave. Là, pas de problème. C'est le juge qui a condamné Seton à mort.

» Soit dit en passant, Seton était coupable — incontestablement coupable. On en a eu la preuve, sans l'ombre d'un doute, après sa pendaison. Mais on avait beaucoup jasé à l'époque : neuf personnes sur dix étaient convaincues que Seton était innocent et que le juge s'était montré partial.

» Vera Claythorne, elle, était gouvernante dans une famille où s'est produite une mort par noyade. Elle ne paraît néanmoins avoir aucune responsabilité dans l'affaire. Elle s'est même, au contraire, très bien conduite : elle s'est portée au secours de l'enfant, a été entraînée vers le large et n'a pu être sauvée que d'extrême justesse.

– Continuez, soupira le superintendant.

Maine reprit son souffle :

– Le Dr Armstrong, maintenant. Médecin réputé. Il avait son cabinet dans Harley Street. Absolument irréprochable sur le plan professionnel. Je n'ai pas trouvé trace d'une quelconque opération illégale — type avortement ou autre. Il est vrai qu'une certaine Mrs Clees a été opérée par ses soins à Leithmore, en 1925, quand il était interne à l'hôpital du lieu. Péritonite — et elle est morte sur le billard. Il n'avait peut-être pas été très adroit — après tout, il manquait d'expérience —, mais la maladresse ne saurait être considérée comme un crime. Par-dessus le marché, il n'avait rigoureusement aucun mobile.

» Vient ensuite miss Emily Brent. La jeune Beatrice Taylor était domestique chez elle. S'est trouvée enceinte, a été flanquée dehors par sa patronne et a couru se noyer. Sale histoire... mais, là encore, rien de criminel.

– Tout est là, on dirait, fit remarquer le superintendant. A.N. O'Nyme s'est occupé d'affaires où la justice s'était montrée impuissante.

Imperturbable, Maine poursuivit son énumération :

– Le jeune Marston était un véritable chauffard — il s'était vu confisquer deux fois son permis et, à mon humble avis, il aurait dû être carrément interdit à vie.

C'est tout ce qu'on peut lui reprocher. John et Lucy Combes, cités dans l'enregistrement, sont les deux gamins qu'il avait écrasés près de Cambridge. Des amis à lui avaient témoigné en sa faveur et il s'en était tiré avec une amende.

» Je n'ai rien trouvé de précis sur le général Macarthur. Excellents états de service, a fait 14-18 et tout le tremblement. Arthur Richmond avait servi sous ses ordres en France et avait été tué au front. Aucune mésentente entre le général et lui. Ils étaient quasi intimes, en fait. Des quantités de bourdes ont été commises à l'époque, des hommes sacrifiés sans nécessité par leurs chefs... Il s'agissait peut-être d'une erreur de ce genre.

– Peut-être, admit le superintendant.

– Philip Lombard, maintenant. Il a été mêlé à certaines opérations très bizarres, à l'étranger. Une ou deux fois, il a failli avoir des démêlés avec la justice. Il avait la réputation d'un type qui n'a pas froid aux yeux et que les scrupules n'étouffent pas. Le genre d'individu capable de commettre éventuellement quelques meurtres — pourvu que ce soit dans un bled perdu.

» Nous en arrivons enfin à Blore. Lui... lui, bien sûr, c'était un des nôtres, ajouta Maine après une hésitation.

Le superintendant s'agita sur son siège.

– Blore était une fripouille ! dit-il avec force.

– Vous le pensez, monsieur ?

– Je l'ai toujours pensé, répondit le superintendant. Mais il était assez malin pour ne pas se faire prendre. J'ai la conviction qu'il a fait un faux témoignage éhonté lors du procès Landor. Ça ne m'a pas plu, à l'époque.

241

Mais je n'ai pas réussi à l'épingler. Harris, que j'avais mis sur l'affaire, a fait chou blanc lui aussi, mais je persiste à croire qu'il y avait quelque chose à trouver contre lui — à condition de savoir où chercher. Ce type n'était pas régulier.

Après un silence, sir Thomas Legge reprit :

– Et vous dites qu'Isaac Morris est mort ? Quand ça ?

– J'attendais cette question, monsieur. Isaac Morris est mort dans la nuit du 8 août. Trop forte dose de somnifère... un barbiturique, je crois. Rien ne permet de dire s'il s'agissait d'un accident ou d'un suicide.

– Vous voulez savoir ce que je pense, Maine ?

– Je crois le deviner, monsieur.

– La mort de Morris tombe rudement trop à pic ! dit Legge d'un ton accablé.

L'inspecteur Maine hocha la tête :

– Je pensais bien que vous alliez dire ça, monsieur.

Le superintendant abattit son poing sur le bureau :

– Cette histoire est abracadabrante... impossible ! Dix personnes assassinées sur un rocher dénudé... et nous ne savons ni qui a fait le coup, ni pourquoi, ni comment !

Maine toussota :

– Euh... ce n'est pas tout à fait exact, monsieur. Nous savons plus ou moins *pourquoi*. Un fanatique de justice ayant une araignée au plafond. Il a cherché des gens contre qui la justice ne pouvait que se casser le nez. Il a porté son choix sur dix personnes — peu importe de savoir si elles étaient vraiment coupables ou non...

Le superintendant se redressa :

– Vous croyez ? Moi, il me semble...

Il s'interrompit. L'inspecteur Maine attendit avec déférence. Legge secoua la tête en soupirant.

– Continuez, dit-il. J'ai cru un instant que je tenais quelque chose. La clef du mystère, en fait. Mais ça m'a échappé. Reprenez où vous en étiez.

– Il y avait dix personnes, enchaîna Maine. Dix personnes à... à exécuter, mettons. Or, elles ont bel et bien été exécutées. A.N. O'Nyme a accompli sa tâche. Après quoi, Dieu sait comment, il s'est volatilisé.

– Chapeau, le tour de passe-passe ! grommela le superintendant. Mais vous savez, Maine, il y a forcément une explication.

– Je vois votre idée, monsieur. Si notre homme n'était pas sur l'île à l'arrivée des secours, s'il n'a pas pu quitter l'île, et si — d'après le récit des intéressés — il n'a à aucun moment été sur l'île... alors, la seule explication possible est qu'il était en fait l'un des dix.

Le superintendant hocha la tête.

– Nous y avons songé, monsieur, dit gravement Maine. Nous avons creusé cette hypothèse. Précisons d'abord que nous ne sommes pas totalement dans l'ignorance de ce qui s'est passé sur l'île du Nègre. Vera Claythorne tenait un journal intime, Emily Brent aussi. Le vieux Wargrave a pris quelques notes — sèches, juridiques, laconiques, mais d'une parfaite clarté. Blore, lui aussi, a pris des notes. Tous ces témoignages écrits concordent. Les victimes sont mortes dans l'ordre suivant : Marston, Mrs Rogers, Macarthur, Rogers, miss Brent, Wargrave. Après la mort du juge, Vera Claythorne mentionne dans son journal que le Dr Armstrong a quitté la maison en pleine nuit et que

Blore et Lombard se sont lancés à sa poursuite. Quant au calepin de Blore, on y trouve une dernière note — juste trois mots : *Armstrong a disparu.*

» En tenant compte de tous ces éléments, monsieur, il m'avait semblé que nous devions aboutir à une solution parfaitement acceptable. Si vous vous en souvenez, Armstrong s'est noyé. Partant du principe qu'Armstrong était fou, qu'est-ce qui l'empêchait, après avoir tué tous les autres, de se suicider en se jetant du haut de la falaise, ou de se noyer en essayant de rejoindre la côte à la nage ?

» C'était une bonne solution... Malheureusement, elle ne tient pas. Non, monsieur, elle ne tient pas. Tout d'abord, il y a le témoignage du médecin légiste. Il est arrivé sur l'île le 13 août en début de matinée. Il n'a pas pu nous apprendre grand-chose. Tout ce qu'il a pu nous dire, c'est que les victimes étaient toutes mortes depuis au moins trente-six heures et sans doute bien davantage. Mais il a été formel pour Armstrong. Selon lui, le corps du médecin a séjourné dans l'eau entre huit et dix heures avant d'être rejeté sur le rivage. Il s'ensuit qu'Armstrong a dû plonger dans la mer au cours de la nuit du 10 au 11... et je vais vous expliquer pourquoi. Nous avons repéré l'endroit où son cadavre a été rejeté ; il est resté un bon moment coincé entre deux rochers sur lesquels on a relevé des lambeaux de vêtements, des cheveux, etc. Il a dû être déposé là le 11, à marée haute... c'est-à-dire aux environs de 11 heures du matin. En effet, la tempête s'est ensuite calmée et les marées suivantes ont été de beaucoup plus faible intensité.

» On pourrait évidemment supposer qu'Armstrong a réussi à liquider les trois autres *avant* d'entrer dans l'eau cette nuit-là. Mais il y a un autre obstacle impossible à contourner. *Le corps d'Armstrong a été traîné au-delà du niveau des plus hautes eaux.* Quand nous l'avons retrouvé, il était largement hors d'atteinte de la marée. Et il était allongé sur le sol, bien droit et les vêtements en ordre.

» Ce qui établit au moins une chose : il y avait encore quelqu'un de *vivant* sur l'île *après la mort d'Armstrong.*

Il s'arrêta un instant avant de poursuivre :

– Ce qui nous laisse donc... quoi, au juste ? Voici quelle est la situation le 11, en début de matinée. Armstrong a « disparu » *(noyé).* Restent trois personnes : Lombard, Blore et Vera Claythorne. Lombard a été tué par balle. Son corps était au bord de l'eau... près de celui d'Armstrong. Vera Claythorne a été retrouvée pendue dans sa chambre. Blore était sur la terrasse, la tête fracassée par une lourde pendule de marbre qui, selon toute probabilité, lui est tombée dessus de la fenêtre du premier étage.

– Quelle fenêtre ?

– Celle de Vera Claythorne. Et maintenant, si vous le voulez bien, monsieur, examinons chaque cas séparément. Commençons par Philip Lombard. Admettons que ce soit lui qui ait balancé le bloc de marbre sur la tête de Blore, puis qu'il ait pendu Vera Claythorne après l'avoir droguée. Et que, pour finir, il soit descendu sur le rivage et se soit tiré une balle en plein cœur.

» Mais dans ce cas, *qui lui a pris son revolver ?* Car on a retrouvé l'arme au premier étage de la maison, sur le seuil de la chambre située en face de l'escalier... la chambre de Wargrave.

– Des empreintes ? demanda le superintendant.

– Oui, monsieur. Celles de Vera Claythorne.

– Bonté divine ! Mais alors...

– Je sais ce que vous allez dire, monsieur. Que c'est elle la coupable. Qu'elle a tué Lombard, rapporté le revolver dans la maison, balancé le bloc de marbre sur la tête de Blore, puis... qu'elle s'est pendue.

» Et ça se tient tout à fait... à un détail près. Il y a dans sa chambre une chaise sur le siège de laquelle on a relevé des traces d'algues... les mêmes que sur ses chaussures. Comme si elle était montée sur la chaise, s'était passé la corde au cou et avait renversé la chaise d'un coup de pied.

» *Seulement voilà : la chaise n'était pas renversée quand on l'a retrouvée.* Elle était alignée contre le mur avec les autres. Et ça, ç'a été fait *par quelqu'un d'autre... après la mort de Vera Claythorne.*

» Reste donc Blore. Mais si vous essayez de me convaincre que Blore, après avoir tiré sur Lombard et forcé Vera Claythorne à se pendre, est sorti sur la terrasse et s'est fait tomber dessus un énorme bloc de marbre en le manœuvrant avec une ficelle ou je ne sais trop quoi... eh bien ! je ne vous croirai pas. On ne se suicide pas comme ça... et, qui plus est, ce n'était pas le genre de Blore. Nous, nous l'avons connu : ce n'était pas le type à qui on aurait pu reprocher un goût forcené de la justice.

– Je suis bien d'accord, acquiesça le superintendant.

– Par conséquent, monsieur, reprit l'inspecteur

Maine, il y avait forcément *quelqu'un d'autre* sur l'île. Quelqu'un qui a réglé les derniers détails une fois que tout a été fini. Mais où était-il caché pendant tout ce temps... et où est-il allé ? Les gens de Sticklehaven sont sûrs et certains que personne n'a pu quitter l'île avant l'arrivée des secours. Mais dans ce cas...

Il se tut.

– Dans ce cas... répéta le superintendant.

Il soupira. Il secoua la tête. Et il se pencha vers Maine.

– Mais dans ce cas, dit-il, *qui les a tués ?*

DOCUMENT MANUSCRIT ENVOYE
A SCOTLAND YARD PAR LE PATRON
DU CHALUTIER « L'EMMA JANE »

Dès ma plus tendre enfance, je me suis rendu compte que ma nature était un tissu de contradictions. Pour commencer, je suis doté d'une imagination incurablement romanesque. Jeter à la mer une bouteille contenant un document important était une pratique qui ne manquait jamais de m'enthousiasmer quand, enfant, je lisais des romans d'aventures. Elle m'enthousiasme encore aujourd'hui, et c'est pourquoi j'ai adopté cette méthode : rédiger ma confession, l'introduire dans une bouteille, fermer ladite bouteille et la livrer aux flots. Il y a, je suppose, une chance sur cent pour qu'on retrouve un jour ma confession — et à ce moment-là (ou bien me flatté-je ?) une énigme criminelle demeurée sans solution trouvera enfin son explication.

Outre mon côté romanesque, j'ai reçu à la naissance des traits de caractère bien particuliers. Ainsi, j'éprouve un plaisir indéniablement sadique à voir mourir ou à causer la mort. Je me souviens d'expériences pratiquées sur des guêpes et sur divers insectes nuisibles... Dès mon plus jeune âge, j'ai connu avec intensité la volupté de tuer.

Mais ce trait coexistait avec un autre, contradictoire : un sens aigu de la justice. Qu'une personne ou une créature innocente puisse souffrir ou mourir par ma faute me révulsait. J'ai toujours été fermement convaincu que le droit devait prévaloir.

Avec une mentalité comme la mienne, on peut comprendre (un psychologue le comprendrait, je pense) que j'aie choisi de faire carrière dans la magistrature. La profession juridique satisfaisait pratiquement tous mes instincts.

Le crime et son châtiment m'ont toujours fasciné. J'adore tout ce qui est roman policier et thriller. J'ai inventé, pour mon amusement personnel, les méthodes les plus ingénieuses pour commettre un meurtre.

Ce secret instinct de ma nature trouva matière à développement lorsque vint pour moi le moment de présider un tribunal. Voir un misérable criminel prostré dans le box des accusés, en proie aux tourments des damnés tandis que se rapprochait lentement, inexorablement, l'heure de la sentence, me procurait un plaisir exquis. Mais attention : je n'éprouvais aucun plaisir à y voir un *innocent*. En deux occasions au moins, j'ai interrompu les débats dès que l'accusé m'est apparu manifestement innocent, et j'ai aiguillé le jury vers un non-lieu. Grâces en soient cependant rendues à la probité et à l'efficacité de notre police, la majorité des prévenus qui ont comparu devant moi pour meurtre se sont révélés effectivement coupables.

Je tiens à dire ici que tel était le cas du dénommé Edward Seton. Sa prestance et ses manières étaient trompeuses, et il a fait bonne impression sur le jury. Pourtant, non seulement les preuves — évidentes, sinon spectaculaires — mais ma propre connaissance des criminels m'avaient convaincu sans l'ombre d'un doute que cet homme avait bien commis le crime dont on l'accusait : l'assassinat brutal d'une vieille dame qui lui faisait confiance.

J'ai la réputation d'être le pourvoyeur de la potence, mais c'est injuste. Je me suis toujours montré rigoureusement équitable et scrupuleux dans mes conclusions.

Je ne cherchais qu'à mettre les jurés en garde contre leurs éventuelles réactions émotives face aux appels à l'émotion de nos ténors les plus portés sur l'émotion. J'attirais leur attention sur les preuves concrètes.

Depuis quelques années, j'avais remarqué chez moi un changement, une perte de hauteur... un désir croissant d'agir plutôt que de juger.

J'avais envie — reconnaissons-le franchement — *de commettre un meurtre moi-même*. J'assimilais cela au désir qu'a l'artiste de s'exprimer ! J'étais — ou pouvais être — un artiste du crime ! Mon imagination, sévèrement bridée par les devoirs de ma charge, s'épanouissait en secret avec une force colossale.

Il fallait, il fallait, il *fallait* que je commette un meurtre ! Et, qui plus est, pas un meurtre ordinaire ! Ce devait être un crime fantastique, stupéfiant, hors du commun ! A cet égard, j'ai encore, je crois, une imagination d'adolescent.

Je voulais commettre un crime théâtral, impossible !

Je voulais tuer... Oui, je voulais tuer...

Cependant, si incongru que cela puisse paraître, j'étais entravé par mon sens inné de la justice. L'innocent ne doit pas souffrir.

Et puis, un beau jour, l'idée est née d'une remarque fortuite, entendue au cours d'un échange de banalités. Je parlais avec un médecin, un généraliste parfaitement quelconque. Il observa négligemment qu'il se commettait bien souvent des meurtres contre lesquels la loi ne pouvait rien.

Et il me cita le cas d'une vieille dame, une de ses patientes, qui venait de mourir. Il était convaincu que le décès était dû au fait que le couple de serviteurs qui s'occupait d'elle — et qui devait tirer de sa mort un bénéfice substantiel — avait sciemment omis de lui administrer son médicament. C'était impossible à prouver, disait-il, mais il était néanmoins absolument sûr de son fait. Il ajouta qu'il existait nombre de cas du même genre : des meurtres délibérés, hors d'atteinte de la justice.

C'est ainsi que tout a commencé. Ma voie était soudain tracée. Et j'ai décidé de commettre non pas un seul meurtre, mais toute une série de meurtres.

Une comptine qui avait bercé ma tendre enfance m'était revenue en mémoire : la comptine des dix petits nègres. A l'âge de deux ans, elle m'avait fasciné par son inexorable suite de soustractions, par son côté inéluctable...

J'entrepris, en secret, de recruter des victimes...

Je ne m'étendrai pas ici sur les moyens que j'ai employés. J'avais mis au point une façon de diriger la conversation que j'utilisais avec presque tout le monde — et j'obtenais des résultats surprenants. C'est au cours d'un séjour en clinique que j'ai glané le cas du Dr Armstrong. Acharnée à me prouver les méfaits de l'alcool, l'infirmière qui s'occupait de moi, une virulente adepte de la tempérance, me raconta une affaire qui s'était passée bien des années auparavant : dans un hôpital, un médecin en état d'ébriété avait tué la malade qu'il opérait. En interrogeant négligemment l'infirmière sur l'établissement où elle avait été stagiaire, etc., j'ai vite obtenu les renseignements nécessaires. Et retrouver la trace du médecin et de la malade en question ne m'a pas posé de problème.

Une conversation entre vieux militaires bavards, à mon club, m'a mis sur la piste du général Macarthur. Un homme, de retour d'Amazonie, m'a brossé un tableau accablant des activités d'un certain Philip Lombard. A Majorque, une femme du monde indignée m'a rapporté l'histoire de la puritaine Emily Brent et de sa malheureuse servante. Quant à Anthony Marston, je l'ai sélectionné parmi un vaste groupe d'individus ayant commis des délits du même ordre. Son égoïsme foncier et son absence de sentiment de culpabilité vis-à-vis des deux morts qu'il avait provoquées en faisaient, à mes yeux, un individu dangereux pour autrui et inapte à la vie en société. Le cas de l'ex-inspecteur Blore s'est présenté à moi tout naturellement, un jour où des confrères magistrats discutaient haut et fort de l'affaire Landor. Son délit m'a paru particulièrement grave. En tant que serviteurs de la loi, les policiers sont tenus à une intégrité absolue. Car, en vertu de leur profession, leur parole n'est que rarement mise en doute.

Enfin, j'ai entendu parler du cas Vera Claythorne au cours d'une traversée de l'Atlantique. Un soir tard, je me suis trouvé seul au fumoir avec un bel homme du nom de Hugo Hamilton.

Hugo Hamilton était malheureux. Pour soulager sa peine, il avait bu une grande quantité d'alcool. Il en était au stade des confidences larmoyantes. Sans grand espoir de succès, j'ai automatiquement mis la conversation sur mes rails habituels. Le résultat a été saisissant. Aujourd'hui encore, je me souviens de ses paroles.

– Vous avez raison, m'a-t-il dit. Un meurtre, ce n'est pas ce que la plupart des gens s'imaginent : faire avaler à quelqu'un une bonne dose d'arsenic... le pousser du haut d'une falaise... j'en passe et des meilleures.

Il s'est penché vers moi et m'a soufflé son haleine dans la figure :

– J'ai connu une meurtrière... ce qui s'appelle *connu*. Par-dessus le marché, j'étais fou d'elle... Bonté divine, je me demande parfois si je ne le suis pas encore... C'est l'enfer, ça, je vous prie de croire. L'enfer, je vous dis. Vous comprenez, elle a fait ça plus ou moins pour moi... Moi, j'étais à cent lieues de me douter... Les femmes sont démoniaques, absolument démoniaques... Comment imaginer qu'une fille comme elle... une fille droite, enjouée... comment imaginer qu'elle soit capable d'une chose pareille, dites ? Envoyer un gosse se noyer dans la mer... comment imaginer qu'une *femme* puisse faire une chose pareille ?

– Vous êtes sûr qu'elle l'ait fait ? lui ai-je demandé.

Il a paru soudain dégrisé :

– Sûr et certain, m'a-t-il répondu. A part moi, personne ne s'est douté de rien. Mais j'ai su la vérité à l'instant même où je l'ai regardée, quand je suis rentré — après... Et elle a compris que j'avais compris... Ce qu'elle ne savait pas, c'est que je l'aimais, ce gosse...

Il n'en a pas dit plus, mais il ne m'a pas été difficile d'exhumer l'affaire et de la reconstituer.

J'avais besoin d'une dixième victime. Je l'ai trouvée en la personne d'un dénommé Morris. C'était un sale petit bonhomme, une ignoble demi-portion. Entre autres choses, il était revendeur de cocaïne et c'était lui qui avait poussé la fille d'un de mes amis à se droguer. Elle s'était suicidée à vingt et un ans.

Pendant que je menais toutes ces recherches, mon plan avait progressivement mûri. Il était maintenant au point, et le facteur décisif en a été une consultation que j'ai eue chez un médecin de Harley Street. J'ai indiqué plus haut que j'avais subi une opération. Cette consultation à Harley Street m'a appris qu'une seconde opération ne servirait à rien. Mon médecin a joliment enveloppé la nouvelle, mais j'ai l'habitude d'interpréter les dépositions des témoins.

Je n'en ai rien dit à l'homme de l'art, mais j'ai décidé que je ne connaîtrais pas la mort lente et l'interminable agonie que me réservait la nature. Non, ma mort surviendrait dans un flamboiement d'émotions. Je *vivrais* avant de mourir.

Venons-en maintenant au processus criminel proprement dit. L'achat de l'île du Nègre, avec Morris comme prête-nom, a été relativement facile. Morris était expert en la matière. En me fondant sur les renseignements que j'avais recueillis sur mes victimes en puissance, j'ai pu concocter un appât adapté à chacun. Tout a marché comme je l'avais prévu. Le 8 août, tous mes invités arrivaient à l'île du Nègre. Je faisais moi-même partie du lot.

Le sort de Morris était déjà réglé. Il souffrait de maux d'estomac. Avant de quitter Londres, je lui avais donné un comprimé à prendre le soir avant de se coucher — remède qui, lui avais-je affirmé, avait fait merveille sur mes propres sucs gastriques. Il l'avait accepté sans hésiter — l'individu était quelque peu hypocondriaque. Je n'avais pas peur qu'il laisse derrière lui des notes ou des documents compromettants. Ce n'était pas le genre.

L'ordre des décès sur l'île avait fait l'objet de toute mon attention. Je considérais que mes invités n'étaient pas tous coupables au même degré. J'avais décidé que les moins coupables disparaîtraient les premiers, qu'ils ne connaîtraient pas la même angoisse, la même terreur interminable que les délinquants endurcis.

Anthony Marston et Mrs Rogers moururent les premiers, l'un instantanément, l'autre dans son sommeil. D'après moi, Marston n'avait pas reçu à la naissance, comme la plupart d'entre nous, le sens des responsabilités. Il était amoral... païen. Quant à Mrs Rogers, elle avait largement agi, sans l'ombre d'un doute, sous l'influence de son mari.

Je ne m'attarderai pas sur la manière dont je m'y suis pris pour les supprimer. La police l'aura compris sans mal. N'importe qui peut se procurer du cyanure de potassium pour détruire les guêpes. J'en avais en ma possession et je n'ai eu aucune difficulté à en mettre dans le verre presque vide de Marston pendant le moment d'affolement qui a suivi l'épisode du gramophone.

J'ai observé de près le visage de mes invités pendant la lecture de cet acte d'accusation et, compte tenu de ma longue expérience des tribunaux, je ne doute pas qu'ils étaient tous coupables, du premier au dernier.

Lors de récentes crises de douleur, le médecin m'avait prescrit du chloral comme somnifère. Il m'a été facile de m'en passer jusqu'à obtenir une dose mortelle. Quand Rogers a apporté le cognac à sa femme, il a posé le verre sur la table ; en passant, j'y ai glissé le poison. Cela n'a pas été bien sorcier car, à ce moment-là, la méfiance n'était pas encore de mise.

Le général Macarthur est allé à la mort sans souffrir. Il ne m'a pas entendu approcher. Bien sûr, j'ai dû choisir mon moment et quitter la terrasse avec précaution, mais tout s'est passé sans accroc.

Comme je m'y attendais, on a fouillé l'île et découvert qu'à part nous sept, il n'y avait personne. Cela a créé aussitôt un climat de suspicion. Selon mon plan, je devais avoir bientôt besoin d'un allié. J'ai choisi le Dr Armstrong pour ce rôle. C'était un individu facile à duper, qui me connaissait de vue et de réputation ; il était inconcevable pour lui qu'un homme de mon importance puisse être un meurtrier ! Ses soupçons se portaient sur Lombard et j'ai fait semblant d'abonder dans son sens. Je lui ai laissé entendre que j'avais un plan susceptible d'amener l'assassin à se trahir.

On avait fouillé toutes nos chambres, mais pas encore opéré de fouille corporelle. Cela ne devait cependant pas tarder.

J'ai tué Rogers le 10 août au matin. Occupé à débiter du bois pour allumer le feu, il ne m'a pas entendu approcher. J'ai trouvé la clef de la salle à manger dans sa poche. Il avait fermé la porte à double tour la veille au soir.

Dans la confusion qui a suivi la découverte du corps de Rogers, je me suis faufilé dans la chambre de Lombard et je lui ai subtilisé son revolver. Je savais qu'il en aurait apporté un : j'avais recommandé à Morris de le lui suggérer quand il s'entretiendrait avec lui.

Au petit déjeuner, j'ai versé ma dernière dose de chloral dans la tasse de miss Brent en lui resservant du café. Nous l'avons laissée seule dans la salle à manger. Je suis revenu furtivement un peu plus tard : elle était presque inconsciente et je n'ai eu aucun mal à lui injecter une solution concentrée de cyanure. Je reconnais que l'épisode de l'abeille était assez puéril, mais il m'a plu. Et puis j'avais envie de rester aussi près que possible de ma comptine.

Aussitôt après ça, ce que j'avais prévu est arrivé. En fait, je crois même que c'est moi qui l'ai suggéré. Nous avons tous été soumis à une fouille en règle. J'avais caché le revolver dans un endroit sûr, et je n'avais plus en ma possession ni cyanure ni chloral.

C'est à ce moment-là que j'ai proposé à Armstrong de mettre notre plan à exécution. Oh, rien de compliqué : *je* devais me poser en victime suivante. C'était censé inquiéter le meurtrier... et, en tout cas, cela me permettrait — puisque j'étais « mort » — de me déplacer à mon aise pour espionner l'assassin inconnu.

L'idée avait conquis Armstrong. Nous sommes passés à l'action le soir même. Un petit morceau de terre rougeâtre sur le front... le rideau rouge... l'écheveau de laine : la mise en scène était prête. A la lueur vacillante des bougies, l'éclairage était très incertain, et Armstrong devait être la seule personne à m'examiner de près.

Cela n'aurait pas pu mieux marcher. Miss Claythorne a ébranlé la maison de ses hurlements quand elle a découvert l'algue que j'avais eu l'aimable attention de suspendre dans sa chambre. Ils sont tous montés précipitamment, et j'ai pris ma pose d'homme assassiné.

L'effet produit sur eux, quand ils m'ont trouvé là, a comblé mon attente. Armstrong a joué son rôle en vrai professionnel. On m'a transporté en haut et allongé sur mon lit. Et plus personne ne s'est soucié de moi ; ils étaient tous trop morts de peur, trop terrifiés par le voisin.

J'avais donné rendez-vous à Armstrong derrière la maison, cette nuit-là, à 2 heures moins le quart. Je l'ai entraîné un peu à l'écart, au bord de la falaise. Je lui ai dit que, de là, nous pouvions voir si quelqu'un approchait et qu'en même temps nous étions hors de vue de la maison puisque les chambres donnaient de l'autre côté. Il ne se méfiait toujours pas... et pourtant, s'il s'était souvenu des paroles de la comptine, il aurait dû. « Poisson d'avril goba l'un... » De fait, il l'a bel et bien gobé.

Ç'a été enfantin. J'ai poussé une exclamation et je me suis penché au bord de la falaise en lui disant de regarder : est-ce que ce n'était pas l'entrée d'une grotte, là ? Il s'est penché à son tour. Une vigoureuse poussée lui a fait perdre l'équilibre et l'a envoyé faire un plat tout en bas, dans la mer houleuse. Sur quoi je suis rentré à la maison. Ce sont probablement mes pas que Blore a entendus dans le couloir. Quelques minutes après avoir pénétré dans la chambre d'Armstrong, j'en suis ressorti en faisant assez de bruit cette fois pour que personne ne puisse m'ignorer. Quand je suis arrivé en bas de l'escalier, une porte s'est ouverte au premier. Ils n'ont dû entrevoir qu'une silhouette lorsque je suis sorti par la grand-porte.

Ils ont perdu une minute ou deux avant de me suivre. J'ai fait le tour de la maison et je suis rentré par la fenêtre de la salle à manger, que j'avais laissée ouverte. Je l'ai fermée et j'ai brisé la vitre. Puis je suis remonté m'allonger sur mon lit.

J'avais prévu qu'ils fouilleraient de nouveau la maison, mais j'étais sûr qu'ils n'examineraient pas les cadavres de très près, qu'ils se contenteraient d'écarter le drap pour s'assurer qu'Armstrong ne jouait pas les gisants à la place d'une des victimes. Et c'est exactement ce qui s'est passé.

J'ai oublié de dire que j'avais rapporté le revolver dans la chambre de Lombard. Cela intéressera peut-être

258

quelqu'un de savoir où je l'avais caché pendant la perquisition ? Il y avait dans le garde-manger un tas de boîtes de conserve empilées. J'avais ouvert celle du dessous — une boîte de biscuits, je crois — et j'y avais enfoui le revolver, en replaçant ensuite la bande de ruban adhésif.

Je pensais bien que personne ne songerait à examiner une pile de boîtes de conserve apparemment intactes, d'autant que toutes celles du dessus étaient soudées.

Le rideau rouge, je l'avais caché à plat sous la tapisserie en chintz d'un des sièges du salon après avoir découpé un petit trou dans le coussin.

Arrivait maintenant le moment tant attendu : trois personnes qui avaient si peur les unes des autres que n'importe quoi pouvait arriver... *et l'une d'elles avait un revolver*. Je les observais des fenêtres. Quand Blore est arrivé seul, j'ai mis la grosse pendule de marbre en position. *Exit Blore...*

De ma fenêtre, j'ai vu Vera Claythorne tirer sur Lombard. Pas froid aux yeux, pleine de ressources, cette jeune femme... J'avais toujours eu dans l'idée qu'elle serait largement de taille à rivaliser avec lui. Sans perdre une seconde, je suis allé planter le décor dans sa chambre.

C'était une expérience intéressante sur le plan psychologique. Son sentiment de culpabilité, la tension nerveuse consécutive au fait qu'elle venait de tuer un homme, associés à la suggestion presque hypnotique du décor, suffiraient-ils à la pousser au suicide ? Je le pensais. Et j'avais raison. Vera Claythorne s'est pendue devant moi, qui m'étais caché dans l'ombre de la penderie.

Restait la dernière étape. J'ai ramassé la chaise et l'ai placée contre le mur. J'ai cherché le revolver, que j'ai trouvé en haut de l'escalier, là où il lui était tombé des mains. J'ai pris bien soin de ne pas brouiller les empreintes qu'elle y avait laissées.

Et maintenant ?

Je vais terminer d'écrire ma confession. Je la mettrai dans une bouteille scellée et je jetterai la bouteille à la mer.

Pourquoi ?

Oui, pourquoi ?

J'avais pour ambition *d'inventer* une énigme criminelle que personne ne pourrait résoudre.

Mais un artiste, je le constate aujourd'hui, ne saurait se satisfaire de l'art en soi. On ne peut nier chez lui le besoin légitime d'être reconnu.

J'éprouve le désir pitoyablement humain — je l'avoue en toute humilité — de faire savoir à autrui à quel point j'ai été ingénieux...

Depuis le début, je suis parti du principe que le mystère de l'île du Nègre resterait insoluble. Mais, bien entendu, il se peut que la police se montre plus astucieuse que je ne le pense. Après tout, elle dispose de trois indices. Primo, elle sait parfaitement qu'Edward Seton était coupable. Par conséquent, elle sait que l'un des dix occupants de l'île n'était en aucune manière un assassin ; paradoxalement, il s'ensuit que c'est celui-là — en toute logique — qui doit être *le* meurtrier. Le second indice se trouve dans le septième couplet de la comptine. La mort d'Armstrong est associée à un « poisson d'avril » qui l'a gobé — ou, plus exactement, qu'il a gobé, lui. Autrement dit, à ce stade de l'affaire, il est clairement indiqué qu'il y a mystification... qu'Armstrong a trouvé la mort en s'y laissant prendre. Voilà qui pourrait orienter l'enquête dans une direction prometteuse. Car il ne restait plus alors que quatre personnes sur l'île et, de ces quatre personnes, j'étais de toute évidence la seule susceptible d'inspirer confiance au médecin.

Le troisième indice est d'ordre symbolique : la marque que la mort aura laissée sur mon front. Le signe de Caïn.

Il ne me reste plus grand-chose à ajouter.

Après avoir confié à la mer ma bouteille et son message, je monterai dans ma chambre et je m'allongerai sur le lit. A mon lorgnon est fixé ce qui a tout l'air d'un long cordon noir... — en réalité, c'est un élastique. De tout mon poids, je pèserai sur le lorgnon. Quant au cordon, je le passerai autour de la poignée de la porte et, à son extrémité, j'attacherai — pas trop solidement — le revolver. Selon moi, voici ce qui se passera.

Ma main, protégée par un mouchoir, pressera sur la détente puis retombera à mon côté. Le revolver, tiré par l'élastique, ira heurter la poignée de la porte ; sous le choc, il se détachera du cordon et tombera sur le seuil. L'élastique coulissera autour de la poignée et, libéré, reviendra alors pendre innocemment au lorgnon sur lequel mon corps repose. Le mouchoir ? Bah ! la présence d'un mouchoir sur le parquet, à portée de ma main, ne devrait pas susciter de commentaire.

On me retrouvera allongé sur mon lit, tué d'une balle dans le front, conformément aux notes laissées par mes compagnons d'infortune. D'ici que l'on procède à l'autopsie de nos cadavres, il sera impossible de déterminer avec exactitude l'heure de notre mort.

Quand la mer se calmera, des hommes viendront de la côte avec leurs bateaux.

Dix cadavres et un problème insoluble, voilà ce qu'ils trouveront sur l'île du Nègre.

Signé :

Lawrence Wargrave

L'Homme au complet marron

Prologue

Sous un tonnerre d'applaudissements, Nadine, la danseuse russe qui avait enthousiasmé Paris, revint saluer une dernière fois. Ses yeux noirs en amande se fendirent encore plus et les coins de sa bouche écarlate se soulevèrent légèrement. Le public conquis trépignait toujours quand le rideau retomba sur les bleus, les rouges et les magenta de l'étrange décor. Dans un envol de voiles bleu et tango, la danseuse sortit de scène. Elle tomba dans les bras d'un gentleman barbu — le directeur du théâtre.

– Magnifique, petite, magnifique ! s'exclama-t-il. Tu t'es surpassée, ce soir.

Et il lui plaqua sur les joues deux baisers sonores.

Nadine accepta ce tribut avec une aisance qui trahissait une longue habitude et fila dans sa loge où, parmi les costumes à motifs futuristes pendus aux patères, s'entassaient d'innombrables bouquets saturant la chaude atmosphère de senteurs qui se mêlaient aux parfums et aux essences les plus raffinées. Jeanne, l'habilleuse, vint officier auprès de sa maîtresse, sans

cesser de lui déverser des flots de compliments outran-
ciers.

Mais un coup frappé à la porte l'interrompit. Elle alla
répondre, et revint, une carte à la main :

– Madame va le recevoir ?

– Fais voir.

La danseuse prit la carte d'une main languide, mais à
la vue du nom : Comte Sergueï Pavlovitch, une lueur
d'intérêt s'alluma dans ses yeux.

– Je vais le recevoir. Jeanne, mon peignoir safran,
vite ! Et quand tu auras fait entrer le comte, tu pourras
disposer.

– Bien, Madame.

Jeanne lui apporta un ravissant peignoir de mousseline bordé d'hermine. Nadine l'enfila, se rassit, sourit à
son miroir et se mit à tambouriner sur le plateau vitré
de sa coiffeuse.

Le comte s'empressa de profiter de la faveur qui lui
était accordée. C'était un homme de taille moyenne, très
mince, très élégant, très pâle et à l'air épuisé. Ses traits
n'avaient rien de remarquable, et, n'était son comportement maniéré, on n'aurait su à quoi se raccrocher pour
le reconnaître. Il baisa la main de la danseuse avec une
courtoisie exagérée :

– C'est un vrai plaisir de vous voir, madame.

Jeanne n'en entendit pas plus. Elle sortit et ferma la
porte derrière elle. Dès qu'elle se retrouva seule avec
son visiteur, le sourire de Nadine se modifia impercep-
tiblement.

– Nous avons beau être compatriotes, nous n'allons
pas parler russe, je pense, dit-elle.

266

– Comme nous n'en connaissons pas un traître mot ni l'un ni l'autre, c'est sans doute préférable en effet, convint son visiteur.

D'un commun accord, ils passèrent à l'anglais ; et dès que le comte abandonna son maniérisme, personne n'aurait douté que c'était bien là sa langue maternelle. En fait, il avait débuté dans la vie comme spécialiste des transformations rapides dans un music-hall londonien.

– Vous avez eu beaucoup de succès ce soir, ma chère, fit-il remarquer. Félicitations.

– Il n'empêche que je suis inquiète. Ma situation n'est plus ce qu'elle était. Les soupçons nés durant la guerre me poursuivent. Je suis sans cesse surveillée, épiée.

– Vous n'avez jamais été formellement accusée d'espionnage ?

– Les plans du Chef sont trop bien conçus pour cela !

– Vive le « Colonel », donc ! fit le comte en souriant. Etonnant, non, d'apprendre qu'il se retire ! Se retirer... Comme le boucher du coin, ou le plombier atteint par la limite d'âge, ou encore comme le médecin dépassé par l'évolution de la science...

– ... ou tout bonnement comme le premier homme d'affaires venu, poursuivit Nadine. Cela ne devrait pas nous étonner. C'est ce que le « Colonel » a toujours été, un remarquable homme d'affaires. Il a organisé le crime comme un autre une fabrique de chaussures. Sans jamais se compromettre, il aura conçu et dirigé une série de coups prodigieux, et dans toutes les branches de ce qu'on peut appeler la profession : vol de bijoux, falsification de documents, espionnage — si profitable en temps de guerre —, sabotage, assassinats discrets...

Il aura touché à tout, tout en sachant toujours s'arrêter à temps, qui plus est ! Le jeu devient-il dangereux ? Il se retire en beauté, avec une fortune colossale !

– Hum ! fit le comte d'un air dubitatif. C'est tout de même assez contrariant pour nous tous ! Nous allons nous retrouver le bec dans l'eau.

– Mais nous en serons assez largement dédommagés.

Alerté par une espèce de sous-entendu moqueur, le comte regarda vivement Nadine. Son sourire éveilla sa curiosité, mais il décida d'user de diplomatie.

– Effectivement, le « Colonel » a toujours été généreux. Il doit même une bonne part de son succès à sa générosité, ainsi qu'à son invariable tactique consistant à tout faire endosser par un bouc émissaire. C'est un cerveau, il n'y a pas de doute là-dessus. Toujours partisan de la maxime : « Si tu veux réaliser une opération en toute impunité, fais-la exécuter par un autre ! » C'est ainsi que nous nous retrouvons tous compromis jusqu'au cou, et totalement à sa merci. Aucun d'entre nous n'a prise sur lui !

Il se tut, comme s'il s'attendait à une objection, mais, souriant toujours du même air entendu, elle ne souffla mot.

– Aucun d'entre nous, répéta-t-il, songeur. Et pourtant, il est superstitieux, le vieux. Il y a des années, il est allé consulter une voyante. Elle lui a prédit une vie de succès, mais qu'une femme causerait sa perte !

Nadine le regarda, très intéressée maintenant :

– Tiens ! Ça, c'est curieux, très curieux ! Une femme, dites-vous ?

Il haussa les épaules en souriant.

– Maintenant que le voilà retiré des affaires, il va sûrement épouser une jeune beauté du meilleur monde, qui dilapidera sa fortune plus rapidement encore qu'il ne l'a accumulée.

– Non, non, ça ne se passera pas comme cela. Ecoutez, mon ami, demain je pars pour Londres.

– Mais votre contrat, ici ?

– Je ne m'absenterai qu'une nuit. Et je voyagerai incognito, comme une reine. Personne ne saura que j'ai quitté la France. Et pourquoi croyez-vous que j'aille là-bas ?

– Sûrement pas par plaisir, en cette saison. Londres est abominable en janvier, noyé dans le brouillard. Alors, par intérêt ?

– Tout juste ! dit-elle en venant se camper devant lui, avec une grâce hautaine et provocante. Vous venez de dire que personne d'entre nous n'a prise sur le Chef. Vous vous trompez. Moi, j'ai prise sur lui. Moi, une femme, j'ai eu l'astuce et, oui, le courage — car il en fallait — de le doubler. Vous vous rappelez l'affaire des diamants De Beers ?

– Et comment ! L'affaire de Kimberley, juste avant guerre ? Je n'y ai pas été mêlé, et j'en ignore le détail : elle a été étouffée pour je ne sais quelle raison, non ? Un fameux butin, je crois.

– Cent mille livres de diamants ! Deux des nôtres l'ont menée à bien — sous les ordres du « Colonel », évidemment. C'est là que j'ai su profiter de l'occasion. Voyez-vous, la manœuvre consistait à substituer à certains des diamants De Beers d'autres diamants ramenés d'Amérique du Sud par deux jeunes prospecteurs qui se trouvaient alors à Kimberley. Les soupçons devaient donc tomber sur eux.

– Très astucieux, remarqua le comte approbateur.

– Le « Colonel » est toujours astucieux. J'ai donc joué mon rôle dans l'affaire. Mais j'ai pris quelques initiatives que le « Colonel » n'avait pas prévues. J'ai fait main basse sur quelques-uns des diamants d'Amérique du Sud — dont un ou deux assez exceptionnels pour qu'il soit facile de prouver qu'ils ne sont jamais passés entre les mains de De Beers. Avec ces diamants en ma possession, j'ai barre sur notre estimé chef. Une fois les deux jeunes gens innocentés, c'est lui qui devient suspect. Je n'ai pas bougé, pendant des années, satisfaite d'avoir cette arme en poche. Mais maintenant, c'est différent. J'en veux mon prix — un très gros prix, je dirais même un prix stupéfiant.

– Fantastique, dit le comte. Et vous vous promenez sans doute partout avec ces diamants ?

Il balaya du regard le désordre de la loge.

Nadine eut un petit rire :

– Ne croyez pas ça. Je ne suis pas idiote ! Les diamants sont en lieu sûr, là où nul ne songera à les chercher.

– Je ne vous ai jamais prise pour une idiote, ma chère. Mais puis-je me risquer à vous dire que vous êtes un peu imprudente ? Le « Colonel » n'est pas homme à tolérer gentiment qu'on le fasse chanter.

– Il ne me fait pas peur. Le seul homme que j'aie jamais redouté est mort.

Le comte lui jeta un regard intrigué :

– Espérons qu'il ne ressuscitera pas, alors.

– Que voulez-vous dire ? s'écria vivement la danseuse.

Le comte parut étonné.

– Seulement que sa résurrection pourrait vous mettre dans une situation embarrassante, expliqua-t-il. Oh ! Tout juste une plaisanterie stupide.

Elle poussa un soupir de soulagement.

– Oh ! non, il est aussi mort qu'on peut l'être. Mort à la guerre. Un homme qui, un jour, m'a aimée...

– En Afrique du Sud ? s'enquit négligemment le comte.

– Oui, en Afrique du Sud, puisque vous voulez le savoir.

– Votre pays natal, non ?

Elle hocha la tête. Son visiteur se leva et prit son chapeau :

– Je n'ai pas à vous donner de conseils, mais à votre place, je redouterais bien davantage le « Colonel » qu'un amant éconduit. Le « Colonel » est un homme qu'on a trop vite fait de sous-estimer.

Elle eut un rire dédaigneux.

– Comme si, après tant d'années, je ne le connaissais pas !

– Je me le demande, dit-il doucement. Je me le demande vraiment.

– Oh ! je ne suis pas si bête. Je ne me suis pas lancée toute seule dans cette affaire. Demain, un paquebot d'Afrique du Sud accostera à Southampton, avec à son bord un homme qui, après avoir exécuté diverses missions pour mon compte, vient à ma demande.

271

Le « Colonel » n'aura donc pas affaire à une, mais à deux personnes.

– Est-ce bien raisonnable ?

– C'est indispensable.

– Et vous êtes sûre de cet homme ?

La danseuse eut un sourire étrange :

– Tout à fait sûre. Il est remarquablement dépourvu de compétence, mais on peut avoir en lui une confiance absolue.

Après un silence, elle ajouta d'un ton neutre :

– En fait, il s'agit de mon mari.

1

Ce récit m'aura été réclamé à cor et à cri par tous mes amis, des plus célèbres — tels que lord Nasby —, aux plus modestes, à commencer par notre bonne à tout faire, Emily, qui s'exclama, lors de mon dernier séjour en Angleterre : « Pour sûr, Mam'zelle, vous pourriez en tirer un bien beau livre — aussi beau qu'un film de cinéma ! »

Ayant été d'emblée mêlée à l'affaire, entraînée dans tous ses rebondissements et témoin de son dénouement, je m'estime bien placée pour le faire. Par ailleurs, les lacunes que je ne serais pas en mesure de combler pourront l'être grâce au journal intime de sir Eustache Pedler, qu'il a lui-même mis à ma disposition.

Eh bien, allons-y. Moi, Anne Beddingfeld, je vais vous raconter mes aventures.

J'avais toujours rêvé d'aventures. Or, ma vie était d'une monotonie accablante. En matière d'homme primitif, mon père, le Pr Beddingfeld, était la plus grande autorité vivante. Un génie — tout le monde en convenait. En esprit, il habitait le paléolithique. L'ennui, c'est

273

que son corps, lui, habitait le monde moderne. Papa ne s'intéressait pas à l'homme moderne, il n'avait même que mépris pour l'homme du néolithique — un vulgaire gardien de troupeaux — et il fallait remonter jusqu'au moustérien pour soulever son enthousiasme.

Hélas ! il est difficile d'ignorer ses contemporains et il faut bien parfois avoir affaire au boucher, au boulanger, au laitier ou à l'épicier. Ma mère étant morte peu après ma naissance, et mon père se réfugiant dans le passé, je devais me colleter seule avec les réalités de la vie. Je dois l'avouer, j'exècre l'homme du Paléolithique, aurignacien, moustérien, chellien ou autre. Bien que j'aie dactylographié et revu l'œuvre maîtresse de mon père, *L'Homme de Néanderthal et ses prédécesseurs*, l'homme de Néanderthal m'inspire une telle répugnance que je bénis le sort qui le raya jadis de la surface de la terre.

J'ignore si papa avait deviné les sentiments que m'inspirait ce sujet. Probablement pas... D'ailleurs, quel intérêt ? Il était suprêmement indifférent à l'opinion d'autrui. Cette indifférence faisait partie de son génie, comme son détachement des réalités de la vie quotidienne. Il mangeait sans broncher ce qu'il trouvait dans son assiette, mais payer cette nourriture le désolait. Nous n'avions jamais un sou. Sa célébrité n'était pas de celles qui apportent la fortune. Membre de diverses sociétés scientifiques et bardé de titres, il restait ignoré du grand public : ses ouvrages, sans l'atteindre, ne manquaient pas, malgré tout, d'enrichir les connaissances humaines. Il n'attira l'attention sur lui-même qu'une seule fois. Il avait fait, un jour, devant une société savante, une communication sur le petit du chimpanzé. La démonstration était la suivante : le bébé humain a des traits anthropoïdes, tandis que le bébé du chimpanzé a des traits plus humains que le chimpanzé adulte. Ce qui semblerait prouver que nos ancêtres étaient plus simiesques que nous, tandis que les ancêtres du chimpanzé étaient, eux, d'un type supérieur à ceux d'aujourd'hui. En d'autres termes, le chimpanzé aurait dégénéré. Toujours avide de sensationnel, le *Daily Budget* en profita immédiatement pour titrer : « Nous ne descendons pas du singe, mais le singe descend-il de nous ? D'après un savant éminent, le chimpanzé est un homme dégénéré. » Peu après, un reporter vint rendre visite à papa pour lui proposer d'écrire une série d'articles de vulgarisation sur le sujet. J'ai rarement vu mon père dans un tel état de fureur. Il chassa le reporter sans autre forme de procès — à mon vif regret, car nous étions alors dans une passe particulièrement difficile. En fait, j'envisageai même un instant de rattraper le jeune homme pour lui raconter que mon père avait changé d'avis. J'aurais pu aisément rédiger ces articles moi-même, à son insu, car il ne lisait jamais le *Daily Budget*. Mais ç'aurait été trop risqué. Au lieu de quoi, plantant mon meilleur chapeau sur ma tête, je descendis au village pour tâcher de calmer le juste courroux de l'épicier.

A l'exception de l'envoyé du *Daily Budget,* aucun jeune homme n'avait jamais franchi notre porte. Parfois, j'en venais à envier notre petite bonne Emily, qui « sortait » à tout bout de champ avec un grand matelot auquel elle était fiancée. Le reste du temps, histoire de

« garder la main » comme elle disait, elle sortait avec le livreur de l'épicerie ou le préparateur en pharmacie. Moi, je pensais avec tristesse que je n'avais personne avec qui « garder la main ». Tous les amis de papa étaient de vénérables savants, barbus pour la plupart. Il est vrai qu'un jour, le Pr Peterson m'avait serrée affectueusement contre lui en disant que j'avais une « taille de guêpe », et puis il avait essayé de m'embrasser. L'expression suffisait déjà à dater le bonhomme : j'étais encore au berceau qu'aucune femme qui se respectait ne parlait plus de sa « taille de guêpe ».

Moi qui rêvais d'aventures, d'amour et de romanesque, j'étais condamnée à la plus morne des existences. La bibliothèque de prêt de notre village était remplie de livres de fiction en lambeaux. Je vivais donc des aventures et des amours de seconde main, et j'allais me coucher la tête pleine de Rhodésiens farouches et taciturnes, d'hommes forts qui abattaient toujours leur adversaire d'« un simple crochet du droit ». Malheureusement, dans mon entourage, aucun homme ne semblait en mesure d'abattre un adversaire d'un simple crochet du droit, ni même en s'y reprenant à plusieurs fois.

Il y avait aussi le cinéma, où j'allais chaque semaine voir un nouvel épisode des *Aventures de Pamela*. C'était une fascinante jeune femme. Elle avait un cran époustouflant. Elle sautait d'avion, explorait les mers en sous-marin, escaladait les gratte-ciel ou hantait les bas-fonds sans qu'un cheveu se déplace sur sa tête. Elle n'était pas vraiment futée, puisqu'elle retombait continuellement entre les griffes du Roi de la Pègre ; mais comme, apparemment, celui-ci répugnait à lui défoncer carrément le crâne, et la condamnait à périr asphyxiée dans quelque obscure cellule, ou de toute autre manière originale et extraordinaire, le héros pouvait toujours la délivrer au début de l'épisode suivant. Je sortais du cinéma le cerveau en ébullition — et, en rentrant à la maison, je trouvais un avis de la Compagnie du gaz nous menaçant de coupure si la note n'était pas payée de toute urgence.

Et pourtant, sans que je m'en doute, avec chaque seconde qui passait, l'aventure se rapprochait de moi.

Peut-être existe-t-il de par le monde des gens ignorant encore qu'un crâne de primitif a été exhumé des mines de Broken Hill, en Rhodésie. Un beau matin, je descendis de ma chambre pour trouver mon père frisant la crise d'apoplexie à cette nouvelle qu'il me commenta aussitôt.

– Tu comprends, Anne... Ce crâne présente certaines ressemblances avec celui de Java. Mais des ressemblances superficielles... très superficielles. Non, ce que nous tenons là, comme je l'ai toujours soutenu, c'est l'ancêtre du néanderthalien. Tu penses peut-être que le crâne de Gibraltar est le plus primitif des crânes des néanderthaliens ? Pourquoi, diable ? Le berceau de la race est l'Afrique. Ils sont passés en Europe...

– Ne mettez pas de confiture sur vos harengs, papa ! m'exclamai-je en retenant sa main. Vous disiez ?

– Ils sont passés en Europe en...

Là-dessus, il manqua s'étrangler avec une énorme bouchée de hareng.

– Nous devons partir sans tarder, déclara-t-il en se levant sitôt le déjeuner terminé. Il n'y a pas de temps à perdre. Nous devons nous rendre sur les lieux mêmes.

Il y a sans doute d'innombrables découvertes à faire aux alentours. Je serais curieux de voir si les vestiges sont typiques de l'ère moustérienne — sans doute des ossements du bovidé primitif, à mon avis, et non du rhinocéros laineux. Il y aura bientôt toute une armée là-bas. Il faut les devancer. Tu vas écrire aujourd'hui même à l'agence Cook, Anne.

– Et l'argent, papa ? hasardai-je observer aussi délicatement que faire se pouvait.

Il me jeta un regard plein de reproche :

– Ta façon de voir me déprime toujours, mon enfant. Ne soyons pas sordides. Non, quand la science est en jeu, il ne faut pas se montrer sordide.

– Je crains que Cook se montre sordide, papa.

Papa prit un air peiné.

– Ma chère Anne, tu les payeras en liquide.

– Je n'ai pas d'argent liquide, papa.

Il parut exaspéré :

– Ma chère enfant... Je ne peux pas m'occuper de vulgaires histoires d'argent. J'ai reçu quelque chose du directeur de la banque hier, où on disait que j'avais vingt-sept livres !

– Vingt-sept livres de découvert, j'imagine.

– Bon, alors écris à mes éditeurs.

J'acquiesçai sans conviction, les ouvrages de papa lui rapportant plus de célébrité que d'argent, comme je l'ai déjà signalé. Toutefois, l'idée de partir pour la Rhodésie m'enthousiasmait. « Des hommes farouches et taciturnes ! » me disais-je avec émerveillement. Tout à coup, je remarquai quelque chose d'insolite dans l'accoutrement de mon père.

– Vos chaussures sont dépareillées, papa. Enlevez la marron et mettez l'autre noire à la place. Et n'oubliez pas votre écharpe, il fait très froid aujourd'hui.

Papa partit un peu plus tard, bien emmitouflé, avec des chaussures assorties.

Il rentra tard ce soir-là, et, à ma consternation, sans écharpe ni pardessus.

– Je m'en suis débarrassé pour descendre dans la grotte. On s'y salit tellement...

J'approuvai du fond du cœur, me rappelant le jour où papa était revenu moulé des pieds à la tête dans une gangue d'argile du pléistocène.

Nous nous étions installés à Little Hampsly avant tout en raison de la proximité de la célèbre grotte troglodyte de Hampsly, riche en vestiges de la civilisation aurignacienne. Il y avait un petit musée dans le village. Papa et le conservateur y entassaient les restes du rhinocéros laineux et de l'ours des cavernes qu'ils consacraient l'essentiel de leur temps à exhumer.

Mon père toussa toute la soirée, et le lendemain matin, le trouvant fiévreux, j'appelai le médecin.

Pauvre papa... Il n'a jamais eu de chance ! Quatre jours plus tard, une congestion pulmonaire l'emportait.

2

Tout mon entourage me manifesta une bienveillance qui me toucha malgré l'état d'hébétude où je me trouvais. A vrai dire, je n'étais pas accablée de chagrin. Mon père ne m'avait jamais aimée. Je le savais très bien. S'il m'avait manifesté de l'affection, je la lui aurais rendue. Non, nous ne nous aimions pas, mais nous étions liés l'un à l'autre, et j'avais veillé sur lui, admirant en secret sa prodigieuse érudition et son dévouement total à la science. Et dire qu'il était mort à l'heure même où son existence allait prendre un tour passionnant ! Si seulement j'avais pu le faire enterrer dans sa chère grotte, entre les peintures rupestres et les silex taillés, ma peine s'en serait trouvée allégée. Mais, l'opinion publique étant souveraine, il n'eut droit qu'à une banale sépulture, sous une dalle de marbre, dans le vilain petit cimetière du village. Et, si bien intentionnées fussent-elles, les condoléances du pasteur ne me consolèrent pas le moins du monde.

Il me fallut du temps avant de comprendre que je jouissais enfin de ma liberté, objet de tous mes vœux. J'étais orpheline, pratiquement sans le sou, mais libre. Dans le même temps, je mesurais l'extraordinaire bonté de tous ces braves gens. Le pasteur s'évertua à me persuader que son épouse avait besoin d'une demoiselle de compagnie, la bibliothécaire se décida subitement à engager une assistante. Enfin, le médecin passa me voir et, après avoir invoqué des prétextes ridicules pour se justifier de ne pas m'avoir envoyé sa note d'honoraires, il me proposa soudain, après force bredouillements et balbutiements, de devenir sa femme.

J'étais stupéfaite. Plutôt rondouillard, ce brave docteur, qui frisait la quarantaine, ne ressemblait guère au héros des *Aventures de Pamela,* et moins encore aux Rhodésiens farouches et taciturnes de mes rêves. Après un instant de réflexion, je lui demandai pourquoi il désirait m'épouser. Décontenancé par ma question, il finit par bredouiller qu'un généraliste avait besoin des services d'une épouse. Ce qui me parut encore moins romanesque. Et cependant, quelque chose me poussait à accepter. Somme toute, il m'offrait la sécurité. La sécurité et une maison confortable. Rétrospectivement, je crois m'être montrée injuste envers ce petit bonhomme. Il m'aimait réellement mais, par fausse délicatesse, n'avait pas osé mettre les choses sur ce terrain. En tout état de cause, je me laissai emporter par mes penchants romanesques.

– C'est très gentil à vous, lui dis-je, mais c'est impossible. Je ne pourrais jamais épouser un homme sans en être éperdument amoureuse.

– Et vous ne pensez pas que...

– Non. Je ne le pense pas, dis-je fermement.

Il poussa un soupir et poursuivit :

– Mais, ma chère petite, que comptez-vous faire ?

– Voir le monde et courir l'aventure, lui répliquai-je sans la moindre hésitation.

– Miss Anne, vous n'êtes encore qu'une enfant ! Vous ne mesurez pas...

– Les difficultés de la vie ? Oh ! que si, docteur ! Je ne suis pas une gamine sentimentale. Je suis une mégère, têtue et obstinée ! Vous vous en apercevriez vite si vous m'épousiez.

– J'aimerais que vous réfléchissiez encore.

– C'est tout réfléchi.

Il poussa un nouveau soupir.

– J'ai une autre offre à vous faire. L'une de mes tantes, qui vit au Pays de Galles, aurait besoin d'une jeune personne pour l'aider. Cela vous intéresserait-il ?

– Non, docteur. Je pars pour Londres. C'est à Londres que tout se passe. Je veillerai au grain, et quelque chose finira bien par arriver. La prochaine fois que vous entendrez parler de moi, ce sera de Chine ou de Tombouctou !

Je reçus ensuite la visite de Mr Flemming, le notaire de mon père, venu tout spécialement de Londres pour me voir. Passionné d'anthropologie, il vouait une ardente admiration à mon père pour ses travaux. C'était un homme grand et maigre, aux traits émaciés et aux cheveux gris. Comme je le rejoignais dans le salon, il se leva et, prenant mes mains entre les siennes, les tapota affectueusement.

– Ma pauvre enfant ! Ma pauvre, pauvre enfant !

Non sans hypocrisie, je pris une mine d'orpheline éplorée. Son attitude m'y contraignait. Bienveillant et paternel, il me considérait comme une gamine stupide, égarée dans un monde hostile et cruel. Et j'eus aussitôt le sentiment qu'il était inutile de tenter de le convaincre qu'il n'en était rien. Etant donné la suite, j'ai peut-être aussi bien fait.

– Ma chère enfant, vous pensez pouvoir écouter mes explications ?

282

– Oh, oui !

– Comme vous le savez, votre père était un grand homme. La postérité l'appréciera à sa juste valeur. Mais il n'était guère homme d'affaires.

Cela, je le savais aussi bien, sinon mieux, que Mr Flemming, mais je m'abstins de le lui dire.

– Je ne pense pas que vous entendez grand-chose à ces questions, poursuivit-il, mais je vais m'efforcer de vous expliquer la situation, le plus clairement possible.

Il me l'expliqua plus longuement que nécessaire. En conclusion de son discours, je devais affronter l'existence avec quatre-vingt-sept livres, dix-sept shillings et quatre pence en poche. Montant curieusement peu satisfaisant. Non sans inquiétude, j'attendis la suite. Mr Flemming avait certainement en Ecosse une tante qui cherchait une compagne jeune et intelligente. Mais apparemment il n'en était rien.

– Votre avenir, c'est là le problème, poursuivit-il. J'ai cru comprendre que vous n'avez plus aucun parent vivant.

– Je suis seule au monde, fis-je, de nouveau frappée par ma ressemblance avec une héroïne de cinéma.

– Avez-vous au moins des amis ?

– Tout le monde s'est montré très gentil envers moi, répondis-je, avec gratitude.

– Qui ne le serait pas envers une si jeune et si charmante personne ? me répliqua galamment Mr Flemming. Eh bien, mon petit, voyons ce qu'il est possible de faire. (Il hésita un instant.) Et si... et si vous veniez passer quelque temps chez nous ?

Je me jetai sur l'occasion. Londres ! Là où tout se passe !

– C'est très aimable à vous. Je peux ? Vraiment ? Juste le temps de me retourner... Il va falloir que je gagne ma vie, maintenant, vous comprenez.

– Oui, oui, ma chère enfant, je comprends parfaitement. Nous tâcherons de vous trouver quelque chose de... de convenable.

D'instinct, je sentis que Mr Flemming se faisait du mot convenable une idée différant sensiblement de la mienne, mais ce n'était pas le moment d'en débattre.

– Eh bien, c'est entendu. Pourquoi ne viendriez-vous pas aujourd'hui même avec moi ?

– Oh, merci ! Mais qu'est-ce que Mrs Flemming...

– Ma femme sera ravie de vous accueillir.

Je me demande si les hommes connaissent aussi bien leurs épouses qu'ils se le figurent. Si j'avais un mari, j'aurais horreur de le voir revenir avec une orpheline sans m'avoir consultée.

– Nous lui télégraphierons de la gare, ajouta le notaire.

Mes valises furent vite bouclées. J'eus un regard plein de mélancolie pour mon chapeau avant de me l'enfoncer sur la tête. Je l'appelais mon « Marie » parce que c'était le genre de chapeau que les bonnes devraient porter quand elles sortent — et qu'elles ne portent d'ailleurs jamais. Une pauvre chose de paille noire que, sous l'effet d'une inspiration géniale, j'avais soigneusement piétinée et bourrée de coups de poing, avant d'en redresser les bords et d'y piquer une carotte criarde qui évoquait un cauchemar de cubiste. L'effet était du dernier chic. J'avais déjà supprimé la carotte, bien sûr, et je tentais à présent de défaire le reste de mon travail. Quand le « Marie » eut enfin repris sa forme originelle, il était endommagé par-dessus le marché, ce qui le rendait encore plus déprimant qu'avant. Mais autant se conformer à l'idée que les gens se font d'une orpheline. J'appréhendais un peu l'accueil de Mrs Flemming, et je comptais sur mon apparence pour la désarmer.

En fait, Mr Flemming n'était pas moins inquiet que moi. Je m'en aperçus à l'instant où nous gravissions le perron de sa demeure, qui se dressait sur une place du paisible quartier de Kensington. Mrs Flemming me reçut assez aimablement. C'était une femme solide et placide à la fois, incarnation de la bonne épouse et de la bonne mère. Elle me conduisit dans une chambre aux impeccables rideaux de chintz, s'assura que je ne manquais de rien, et avant de m'abandonner à mes réflexions, m'annonça que le thé serait servi dans un quart d'heure.

Cependant, comme elle retournait au salon situé au rez-de-chaussée, je l'entendis élever la voix.

– Enfin, Henry ! Pourquoi, au nom du ciel...

Le reste de ses propos m'échappa, mais l'intonation était suffisamment acerbe pour ne laisser planer aucun doute. D'autant que quelques instants plus tard, me parvint une autre bribe de phrase, émise sur un ton plus acide encore :

– Je suis d'accord avec toi, elle est *très* jolie !

La vie est bien difficile. Les hommes ne sont pas gentils avec vous si vous n'êtes pas jolie et les femmes ne sont pas gentilles avec vous si vous l'êtes.

Avec un profond soupir, je décidai de modifier ma coiffure. J'ai de beaux cheveux. Noirs — du plus beau noir, pas châtain foncé — qui me dégagent le front et couvrent mes oreilles. Je les serrai sans pitié en un affreux chignon. En tant qu'oreilles, mes oreilles sont tout à fait convenables, mais les oreilles sont démodées aujourd'hui, comme « les jambes de la reine d'Espagne », au temps du Pr Peterson. Quand j'en eus fini, j'avais exactement l'allure de ces orphelines qui passent en rangs dans les rues, avec leur capuchon et leur petit bonnet. Lorsque je redescendis, je pus constater que le regard de Mrs Flemming s'attardait avec bienveillance sur mes oreilles. Mr Flemming, quant à lui, parut perplexe. « Comment cette enfant s'est-elle attifée ? » devait-il se demander.

Le reste de la journée se passa sans incident notable. Il fut décidé que je me mettrais sans tarder en quête d'un emploi.

Ce soir-là, avant de me fourrer au lit, je me considérai d'un œil grave dans mon miroir. Etais-je vraiment jolie ? Franchement, ce n'était pas mon avis. Je n'avais ni nez grec, ni bouche en cœur, ni rien de ce qu'il fallait. Il est vrai qu'un curé avait déclaré un jour que mes yeux étaient « comme un rayon de soleil prisonnier de l'obscurité profonde des forêts » — mais les curés connaissent une foule de citations qu'ils sortent à tout propos. Pour moi, j'aurais préféré avoir des yeux bleus, plutôt que vert foncé pailleté de taches jaunes. Encore que le vert convienne plutôt bien à une aventurière.

Je m'entortillai dans une écharpe noire laissant nus mes bras et mes épaules, puis je brossai mes cheveux, les laissai retomber de nouveau sur mes oreilles. Je me poudrai généreusement de façon à ce que ma peau paraisse encore plus blanche. Je retournai toutes mes affaires pour dénicher un vieux rouge à lèvres, et je m'en badigeonnai un kilo sur les lèvres. Puis, à l'aide d'une allumette brûlée, je soulignai mes yeux d'un trait charbonneux. Enfin, je rehaussai d'un ruban rouge mon épaule nue, piquai une aigrette écarlate dans mes cheveux et me glissai une cigarette entre les lèvres. « Anna l'Aventurière ! » déclamai-je à voix haute en saluant mon image dans le miroir. « Anna l'Aventurière, premier épisode : "La maison de Kensington." »

Les filles sont parfois un peu folles.

3

Au cours des semaines suivantes, je m'ennuyai ferme. Mrs Flemming et ses amies me parurent suprêmement inintéressantes. Elles parlaient des heures durant d'elles-mêmes et de leurs enfants, des difficultés qu'elles avaient à se procurer du bon lait, ou de ce qu'elles avaient dit au laitier lorsque le lait n'était pas frais. Après quoi, elles en venaient aux problèmes des domestiques, aux difficultés qu'elles avaient à en trouver de bons, à ce qu'elles avaient dit à la directrice du bureau de placement et à ce que la directrice du bureau de placement leur avait répondu. Apparemment, elles ne lisaient jamais les journaux et ne se préoccupaient pas de ce qui

287

se passait dans le monde. Elles n'aimaient pas voyager. Tout était si différent de l'Angleterre... sauf la Riviera, bien sûr, parce qu'on y rencontrait tous ses amis.

A les écouter, j'avais peine à me contenir. La plupart de ces femmes étaient riches. Elles pouvaient parcourir le monde entier, et elles restaient là, dans ce Londres morne et crasseux, à papoter domestiques et laitier ! En y songeant aujourd'hui, je me dis que je manquais alors de tolérance. Mais elles étaient vraiment stupides, trop bêtes même pour le métier qu'elles avaient choisi : incapables pour la plupart de tenir leur maison ou leurs livres de comptes.

Mes propres affaires n'avançaient guère. La vente de la maison — mobilier compris — avait tout juste couvert les dettes. Et je n'avais pas trouvé d'emploi jusqu'à présent. Sans doute n'y avais-je pas mis trop d'acharnement. J'étais convaincue qu'à force de courir après l'aventure, je finirais par la rencontrer. Ne finit-on pas toujours par obtenir ce qu'on veut ? Telle est du moins ma théorie. Or, cette théorie allait se vérifier.

On était début janvier — le 8 pour être exacte. Je rentrais après une entrevue infructueuse avec une dame qui cherchait soi-disant une secrétaire-dame de compagnie, mais désirait en fait une solide femme de charge disposée à trimer douze heures par jour pour vingt-cinq livres par an. Cette entrevue s'était déroulée à St. John's Wood, et nous nous étions séparées avec une grossièreté à peine déguisée de part et d'autre. Après avoir descendu Edgeware Road et traversé Hyde Park jusqu'à St. George's Hospital, je pris le métro, à destination de Gloucester Road.

J'allai jusqu'au bout du quai, juste pour vérifier qu'il existait bien un passage entre les deux tunnels, à l'entrée de la station, en direction de Down Street. Je fus stupidement ravie de découvrir qu'il en était bien ainsi. Il y avait très peu de monde sur le quai et, à l'extrémité où je me trouvais, un homme seul. En passant devant lui, je reniflais une odeur bizarre. S'il est une odeur que je ne peux pas supporter, c'est bien celle de la naphtaline ! Et le pardessus de cet individu empestait la naphtaline. D'ordinaire, les hommes portent leur pardessus d'hiver bien avant le mois de janvier, l'odeur aurait donc dû s'être dissipée depuis longtemps. Planté au bord du quai, devant moi, l'inconnu semblait perdu dans ses pensées et je pouvais l'observer sans me montrer impolie. Petit, maigrichon, il avait le teint basané, des yeux bleus et une barbiche noire.

« Il arrive de l'étranger, me dis-je. D'où l'odeur de naphtaline. Il vient des Indes. Avec cette barbiche, ce n'est pas un officier — un planteur de thé peut-être. » A cet instant, l'homme se retourna comme s'il s'apprêtait à revenir sur ses pas. Il me jeta un coup d'œil, puis regarda quelque chose derrière moi et changea de visage. Il avait l'air terrorisé, pris de panique. Comme devant un danger imprévu, il eut un mouvement de recul involontaire et, oubliant qu'il se trouvait au bord du quai, tomba à la renverse sur la voie. Il y eut une lueur fulgurante, suivie d'un crépitement électrique. Je poussai un hurlement. Des gens accoururent. Deux employés surgirent d'on ne sait où et prirent la situation en main.

Je restai comme pétrifiée, en proie à une fascination morbide. D'un côté, j'étais terrifiée par cette soudaine catastrophe, de l'autre, je notai d'un œil froid la technique employée pour dégager le corps des rails et le ramener à quai.

– Laissez-moi passer ! Je suis médecin ! lança un homme de grande taille, à la barbe châtaine, qui alla se pencher sur le corps inerte.

Comme il l'examinait, je ressentis une étrange impression d'irréalité. Non, tout cela n'était pas vrai, ne pouvait pas l'être... Finalement, le médecin se releva en secouant la tête.

– Tout ce qu'il y a de plus mort. Rien à faire.

Un employé, furieux, lança aux gens qui s'attroupaient :

– Ne restez pas plantés là ! Ça sert à rien !

Brusquement prise de nausée, je tournai les talons et me ruai vers l'escalier menant aux ascenseurs. C'était trop horrible. J'avais besoin d'air. Le médecin qui venait d'examiner le corps me précédait et, comme un ascenseur allait partir, il se mit à courir. Ce faisant, il laissa tomber un morceau de papier. Je m'arrêtai pour le ramasser et courus après lui. Mais la grille de l'ascenseur se ferma sous mon nez et je restai là, le papier à la main. Quand l'ascenseur suivant me ramena enfin au niveau de la rue, mon gibier avait disparu. « Pourvu qu'il n'ait pas perdu là un papier important », me dis-je en y jetant un coup d'œil. C'était une simple demi-feuille de carnet ne portant que des mots et des chiffres griffonnés au crayon :

Apparemment, ce bout de papier n'avait aucune valeur. J'hésitai pourtant à le jeter. Je le tenais encore entre mes doigts quand une affreuse odeur me fit froncer le nez. Encore cette naphtaline ! Je portai le papier à mes narines. Effectivement, il empestait. Mais en ce cas...

Le repliant avec soin, je le glissai dans mon sac. Puis, je rentrai lentement à pied, tout en retournant ces événements dans ma tête.

J'expliquai à Mrs Flemming que je venais d'être témoin d'un horrible accident dans le métro, que j'étais bouleversée et que je désirais aller m'étendre un peu dans ma chambre. Cette brave femme m'obligea d'abord à prendre une tasse de thé. Après quoi, livrée à moi-même, je me mis en devoir d'exécuter le plan que j'avais mûri en rentrant. Je voulais comprendre pourquoi j'avais éprouvé cette bizarre impression d'irréalité tandis que le médecin examinait le corps. Je commençai par m'étendre sur le plancher dans la même position que le cadavre, puis je posai un traversin à ma place, avant de refaire, pour autant que je puisse me les rappeler, chacun des gestes et des mouvements du médecin. Quand j'en eus terminé, j'avais trouvé. Je demeurai un instant accroupie par terre, à fixer le mur, les sourcils froncés.

Un entrefilet parut dans les journaux du soir, annonçant qu'un homme avait été tué dans le métro. On ignorait s'il s'agissait d'un suicide ou d'un accident. Dès lors, je sus où était mon devoir et Mr Flemming fut du même avis quand je lui racontai mon histoire.

– Vous serez sûrement convoquée par le coroner. Vous dites qu'il n'y avait personne d'autre à proximité ?

– J'ai eu l'impression que quelqu'un arrivait derrière moi, mais je n'en jurerais pas. De toute façon, personne n'était aussi près que moi.

Une enquête fut en effet ouverte. Mr Flemming fit le nécessaire et m'accompagna à l'instruction. Il semblait redouter que cette épreuve ne fût trop pénible pour moi, m'obligeant ainsi à lui dissimuler ma parfaite sérénité.

Le défunt avait été identifié : il s'agissait d'un certain L.B. Carton. Ses poches ne renfermaient qu'une carte d'agence immobilière, autorisant le susdit, domicilié à l'hôtel *Russell,* à visiter une villa à louer, aux alentours de Marlow. A l'hôtel, l'employé de la réception reconnut en lui l'homme qui avait pris une chambre la veille sous ce nom. Il venait de Kimberley, Afrique du Sud. De toute évidence, il avait débarqué tout droit du paquebot.

Quant à moi, j'étais le seul témoin de l'accident.

– Vous pensez que c'est un accident ? me demanda le coroner.

– J'en suis sûre. Quelque chose lui a fait peur, et il a reculé, sans regarder, sans songer à ce qu'il faisait.

– De quoi a-t-il bien pu avoir peur ?

– Je l'ignore. Mais il s'est bel et bien passé quelque chose. Il a eu l'air terrifié.

L'un des jurés suggéra qu'il avait pu voir un chat. Il y a des gens qui ont peur des chats. Cette suggestion

292

ne me sembla pas des plus brillantes, mais elle emporta la conviction des jurés, impatients de rentrer chez eux et trop heureux de pouvoir rendre un verdict d'accident.

– Il me paraît étonnant, déclara le coroner, que le médecin qui a examiné le corps ne se soit pas fait connaître. On aurait dû relever son nom et son adresse. Cette façon de procéder est tout à fait irrégulière.

Je ne pus m'empêcher de sourire par-devers moi. Pour ce qui était du médecin en question, j'avais ma propre théorie. Et, bien décidée à m'y tenir, je résolus de me rendre sans tarder à Scotland Yard.

Mais le lendemain matin me réservait une surprise. Les Flemming étaient abonnés au *Daily Budget,* et le *Daily Budget* avait enfin pu sortir un numéro selon son cœur :

REBONDISSEMENT DANS L'AFFAIRE DE
L'ACCIDENT DU MÉTRO
UNE FEMME TROUVÉE ASSASSINÉE DANS UNE VILLA
INHABITÉE

Je dévorai l'article :

Une découverte macabre a été faite hier à la villa du Moulin à Marlow. Cette villa, appartenant à sir Eustache Pedler, membre du Parlement, était à louer non meublée et la carte de l'agence chargée de la transaction avait été retrouvée dans la poche de l'homme dont on pensait d'abord qu'il s'était suicidé en se jetant sur les voies du métro à Hyde Park Corner. Or hier, une belle jeune femme, vraisemblablement étrangère mais non encore identifiée, a été retrouvée étranglée dans l'une des

pièces de cette villa. La police pense tenir une piste. Le
propriétaire, sir Eustache Pedler, séjourne actuellement
sur la Riviera.

4

Personne ne se présenta pour identifier la femme
assassinée. L'enquête devait établir les faits suivants :

Le 8 janvier, sur le coup de 13 heures, une femme
élégante, s'exprimant avec un léger accent étranger,
avait poussé la porte de l'agence immobilière Butler
& Park, à Knightsbridge. Elle souhaitait louer — ou
acheter — une maison sur la Tamise, facilement accessible de Londres. On lui en proposa plusieurs, dont le
Moulin. Elle avait déclaré se nommer Mme de Castina
et être descendue au *Ritz,* mais personne n'était inscrit
sous ce nom à l'hôtel, et aucun des employés n'avait
reconnu le corps.

Mrs James, épouse du jardinier de sir Eustache Pedler et gardienne de la villa, demeurant dans un pavillon
en bordure de la grand-route, avait fait une déposition.
Aux alentours de 3 heures de l'après-midi, une dame,
nantie d'une carte de l'agence, s'était présentée pour
visiter la propriété. Comme convenu, Mrs James lui
avait remis les clés de la villa, trop éloignée de son
propre pavillon, pour qu'elle prenne la peine d'y accompagner d'éventuels locataires. Quelques instants plus
tard était arrivé un jeune homme, qu'elle avait décrit

ainsi : grand, bronzé, bien découplé, avec des yeux gris, rasé de près et vêtu d'un complet marron. Il lui avait déclaré être un ami de la dame en question et s'être arrêté à la poste pour envoyer un télégramme. Elle lui avait indiqué la maison et n'y avait plus pensé.

Cinq minutes après, il était revenu et lui avait rendu les clés en déclarant que la villa ne leur convenait malheureusement pas. Ne revoyant pas la dame, Mrs James avait supposé que celle-ci était partie la première. Toutefois, elle avait remarqué que le jeune homme avait l'air bouleversé. « Il avait la tête d'un homme qui vient de voir un fantôme. Je croyais qu'il allait se trouver mal. »

Le lendemain, un autre couple venu visiter la villa avait découvert le corps d'une femme gisant sur le plancher d'une des pièces du premier. Mrs James avait reconnu en elle la dame de la veille. Et les agents immobiliers, la prétendue Mme de Castina. Selon le médecin légiste, la femme était morte depuis vingt-quatre heures environ. Le *Daily Budget* en déduisait que l'homme du métro s'était suicidé après avoir assassiné la malheureuse. Toutefois, comme l'accident du métro avait eu lieu à 2 heures et que la femme était encore parfaitement vivante à 3 heures, il s'ensuivait que ces deux affaires n'étaient nullement liées et que la découverte d'une carte de l'agence immobilière dans la poche du mort était une simple coïncidence, comme il arrive souvent dans la vie.

La cour rendit un verdict « d'homicide volontaire contre inconnu ou inconnus ». Il ne restait plus à la police — comme au *Daily Budget* — qu'à retrouver

« l'Homme au complet marron ». Mrs James ayant affirmé que la villa était vide quand la dame y avait pénétré et que nul autre que le jeune homme enquestion n'y avait pénétré jusqu'au lendemain après-midi, une seule conclusion logique s'imposait : « l'Homme au complet marron » était l'assassin de la malheureuse Mme de Castina. Elle avait été étranglée par surprise à l'aide d'un bout de cordelette noire, sans avoir le temps d'appeler au secours. Quant à son sac à main de satin noir, il renfermait : un mouchoir brodé (mais sans initiales), un ticket de retour en première classe pour Londres et une confortable somme d'argent en billets ainsi qu'un peu de menue monnaie. Autrement dit, pas le moindre indice intéressant.

Tels furent les détails publiés par le *Daily Budget*. « Trouvez l'homme au complet marron » était devenu leur cri de guerre quotidien. Le journal recevait environ cinq cents lettres par jour de lecteurs qui déclaraient tous avoir localisé l'assassin ; bon nombre de grands jeunes gens bronzés se mirent à maudire le jour où leur tailleur les avait persuadés d'acheter un complet marron. Quant à l'accident du métro, écarté comme simple coïncidence, il fut rapidement oublié.

Mais était-ce vraiment une coïncidence ? Je n'en étais pas si sûre. Bien entendu, cet accident était mon petit mystère à moi, mais quand même, il me semblait qu'il existait une espèce de lien entre ces deux événements. Dans l'un comme dans l'autre, il y avait un homme bronzé — de toute évidence un Anglais vivant à l'étranger —, et puis il y avait aussi d'autres choses... Ce sont ces autres choses qui me poussèrent finalement à faire ce que je considère comme un pas audacieux. J'allai me présenter à Scotland Yard, et demandai à voir le responsable de l'affaire du Moulin.

Il me fallut quelque temps pour me faire comprendre, car je m'étais adressée par inadvertance au service des objets trouvés. Finalement je fus introduite dans un petit bureau et présentée à un certain inspecteur Meadows.

Meadows était un petit rouquin aux façons exaspérantes. Un quelconque sous-fifre, également en civil, était assis dans un coin.

– Bonjour, fis-je, un peu nerveuse.

– Bonjour. Asseyez-vous. Si je comprends bien, vous désirez m'apprendre quelque chose qui peut nous être utile.

Son ton laissait entendre que cette éventualité était plus qu'invraisemblable. Mon sang ne fit qu'un tour.

– Vous avez entendu parler de l'homme qui a été tué dans le métro ? L'homme qui avait en poche une carte de l'agence immobilière portant l'adresse de la maison de Marlow ?

– Ah ! s'exclama l'inspecteur. Vous êtes la miss Beddingfeld qui a témoigné lors de l'enquête ? Effectivement, l'homme avait cette carte en poche, comme bien d'autres personnes, sans doute, qui n'en sont pas mortes pour autant.

Je rassemblai tout mon courage.

– Vous ne trouvez pas curieux que cet homme n'ait pas eu de ticket sur lui ?

– Rien de plus facile que de perdre un ticket de métro. Cela m'arrive souvent.

– Ni d'argent ?

– Il avait de la monnaie dans la poche de son pantalon.

– Mais pas d'agenda ?

– La plupart des hommes se promènent sans carnet ni agenda.

J'essayai autre chose :

– Vous ne trouvez pas curieux non plus que le médecin ne se soit jamais manifesté ?

– Un médecin débordé ne lit pas forcément les journaux. Il a probablement tout oublié.

– Somme toute, inspecteur, vous êtes décidé à ne rien trouver curieux, dis-je, suavement.

– Ma foi, j'aurais tendance à penser que vous avez un peu trop de goût pour ce mot, miss Beddingfeld. Les jeunes filles sont romanesques, je sais. Elles adorent les mystères et autres fariboles de ce genre. Malheureusement, je suis un homme très occupé et...

Ayant saisi l'allusion, je me levai.

L'homme qui était assis dans le coin dit d'une voix douce :

– Cette jeune personne pourrait peut-être nous expliquer brièvement son opinion sur cette affaire, inspecteur.

Celui-ci se rallia à cette suggestion :

– Oui, allez-y, miss Beddingfeld, ne vous fâchez pas. Vous avez posé des questions, fait des allusions... Dites-nous donc carrément ce que vous avez en tête.

J'hésitai un instant, partagée entre ma dignité outragée et mon ardent désir d'exposer mes théories. Je sacrifiai ma dignité.

– Vous avez affirmé lors de l'enquête qu'il ne pouvait s'agir d'un suicide, reprit-il.

– Oui, j'en suis certaine. Cet homme a eu peur. Peur de quoi ? Pas de moi ! Peut-être de quelqu'un qui venait vers nous — quelqu'un qu'il aura reconnu.

– Vous n'avez vu personne ?

– Non, je ne me suis pas retournée. Mais sitôt que le corps a été hissé sur le quai, un homme se disant médecin s'est précipité pour l'examiner.

– Rien de curieux là-dedans, fit sèchement l'inspecteur.

– Ce n'était pas un médecin.

– Quoi ?

– Ce n'était pas un médecin, répétai-je.

– Comment savez-vous ça, miss Beddingfeld ?

– C'est difficile à dire. Mais j'ai travaillé dans des hôpitaux durant la guerre et j'ai vu les médecins manier les corps. Ils le font avec une espèce de rudesse professionnelle que cet homme n'avait pas. De plus, un médecin ne va pas chercher le cœur à droite, d'habitude.

– Il a fait ça ?

– Oui. Sur le moment, je ne l'ai pas remarqué, j'ai eu simplement l'impression de quelque chose de bizarre. Mais une fois rentrée chez moi, en revoyant la scène, j'ai compris pourquoi il m'avait semblé que ça n'allait pas.

– Hum ! fit l'inspecteur en prenant lentement un stylo et un bloc de papier.

– En passant la main sur sa poitrine, il a eu tout loisir de prendre ce qu'il voulait dans ses poches.

– Cela me paraît peu vraisemblable, objecta

l'inspecteur. Mais enfin... Pourriez-vous nous décrire ce médecin ?

– Grand, bien bâti. Il portait un manteau foncé, des souliers noirs et un melon, des lunettes à monture d'or et une barbiche noire.

– Enlevez-lui son pardessus, sa barbe et ses lunettes, et vous aurez n'importe qui, grommela l'inspecteur. Il lui suffisait de cinq minutes pour changer radicalement d'apparence — ce qu'il aura fait s'il est bien le rusé pickpocket que vous supposez.

Je n'avais rien supposé de tel, mais à compter de cet instant, je compris qu'il n'y avait rien à espérer de l'inspecteur.

– Rien d'autre à nous signaler ? me demanda-t-il comme je me levais pour partir.

– Si, dis-je, mettant à profit cette occasion pour lui décocher une flèche du Parthe. Il était nettement brachycéphale. Et ça, ça n'est pas si facile à changer.

Je notai avec plaisir que la main de l'inspecteur Meadows hésitait. C'était clair : il ne savait pas comment écrire « brachycéphale ».

5

Dans le feu de l'indignation, je sus trouver un courage inattendu pour poursuivre mon entreprise. En me rendant à Scotland Yard, j'avais conçu un vague projet que je gardais en réserve, pour le cas où mon entretien avec l'inspecteur serait décevant — et il avait été plus que décevant. Mon projet, il ne me restait donc plus qu'à trouver le courage de le mettre en œuvre.

Sous le coup de la colère, on ose faire des choses que l'on n'envisagerait jamais d'ordinaire. Sans même prendre le temps de réfléchir, je me précipitai chez lord Nasby.

Lord Nasby, c'était le propriétaire du *Daily Budget.* Millionnaire, à la tête de nombreux autres journaux, il considérait le D. B. comme son enfant chéri. C'est d'ailleurs en tant que patron de ce journal qu'il était connu dans tous les foyers du Royaume-Uni. Or, comme on venait justement de publier l'emploi du temps détaillé de ce grand personnage, je savais précisément où le trouver. C'était l'heure où il dictait son courrier à sa secrétaire, chez lui.

Evidemment, je me doutais bien que la première jeune femme venue ne serait pas admise sans difficulté devant son auguste personne. Mais j'avais trouvé le moyen de contourner l'obstacle. Dans le vestibule des Flemming, j'avais remarqué, parmi diverses cartes de visite, celle d'un des plus célèbres *sportsmen* d'Angleterre, le marquis de Loamsley. Ayant fait main basse sur cette carte, je l'avais soigneusement nettoyée avec de la mie de pain, et j'y avais griffonné : « Je vous prie d'accorder quelques instants à miss Beddingfeld. » Une aventurière qui se respecte ne peut être à cheval sur les principes.

Ce subterfuge me réussit. Un laquais à perruque poudrée s'empara de ma carte. Un secrétaire pâlichon se présenta. Nous croisâmes le fer et il se retira, battu. Il reparut pour me prier de le suivre, ce que je fis. J'entrai dans une grande pièce d'où s'enfuit aussitôt une secrétaire effrayée comme devant un visiteur venu de l'autre monde. La porte se referma, et je me retrouvai face à face avec lord Nasby. Homme imposant. Tête imposante. Traits imposants. Moustache imposante. Ventre imposant... Mais je me repris. Je n'étais pas venue là afin d'apprécier l'importance du ventre de lord Nasby. Il rugissait déjà :

– Eh bien ? Qu'est-ce que c'est ? Que veut Loamsley ? Vous êtes sa secrétaire ? De quoi s'agit-il ?

– Pour commencer, dis-je, aussi tranquillement que possible, je ne connais pas lord Loamsley et il n'a certainement jamais entendu parler de moi. J'ai trouvé sa carte sur un plateau dans le vestibule des gens chez qui j'habite, et c'est moi qui ai écrit ces quelques mots. Il fallait absolument que je vous voie.

Durant un instant, la crise d'apoplexie de lord Nasby se joua à pile ou face. Mais il déglutit à deux reprises et la surmonta.

– J'admire votre sang-froid, jeune femme. Eh bien, vous me voyez. Si vous parvenez à m'intéresser, vous pourrez continuer à me voir pendant deux minutes encore.

– Cela sera amplement suffisant, répliquai-je. Et je suis certaine de vous intéresser. Il s'agit du mystère du Moulin.

– Si vous avez découvert « l'Homme au complet marron », adressez-vous au rédacteur en chef, dit-il précipitamment.

– Si vous m'interrompez, il me faudra plus de deux

302

minutes, remarquai-je gravement. Je n'ai pas encore découvert « l'Homme au complet marron », mais j'ai des chances d'y arriver.

Je lui résumai aussi brièvement que possible les événements du métro et les conclusions que j'en avais tirées. Quand j'eus terminé, il me posa une question inattendue :

– Que savez-vous des crânes brachycéphales ?

Je lui parlai de mon père.

– L'Homme aux singes ? Ma foi, vous me semblez avoir la tête sur les épaules, jeune femme. Mais tout cela est bien mince, vous comprenez. Rien de solide à se mettre sous la dent, rien qui puisse nous servir.

– J'en ai parfaitement conscience.

– Eh bien, alors, qu'est-ce que vous voulez ?

– Je veux être chargée d'enquêter pour le compte de votre journal.

– Impossible. Nous avons déjà un envoyé spécial sur l'affaire.

– Et moi, j'ai des renseignements spéciaux sur l'affaire.

– Ce que vous venez de me raconter, c'est ça ?

– Oh non ! lord Nasby. J'ai gardé des munitions.

– Ah, oui ? Vous m'avez l'air d'une jeune fille pleine de ressources. De quoi s'agit-il ?

– Quand le prétendu médecin est entré dans l'ascenseur, il a laissé tomber un bout de papier. Je l'ai ramassé. Il empestait la naphtaline. Comme le mort. Le médecin, lui, ne sentait rien. J'en ai donc déduit que le médecin l'avait pris sur le mort. On pouvait y lire deux mots et quelques chiffres.

– Faites voir, fit lord Nasby en tendant la main.

– Je n'y tiens pas, répliquai-je en souriant. C'est moi qui l'ai trouvé, vous comprenez.

– Je ne me trompais pas. Vous êtes pleine de ressources. Vous avez raison. Mais la police... ça ne vous gêne pas de ne pas lui remettre le papier ?

– C'est ce que j'avais l'intention de faire ce matin. Mais puisqu'ils persistent à penser que cette histoire n'a pas le moindre rapport avec le crime de Marlow, je ne vois pas pourquoi je le leur donnerais. D'ailleurs, l'inspecteur m'a prise à rebrousse-poil.

– Il a manqué de perspicacité. Eh bien, ma chère enfant, voici tout ce que je peux faire pour vous : creusez cette piste. Et si vous déterrez quelque chose de publiable, envoyez-le-moi et je vous donnerai votre chance. Le talent trouvera toujours place dans les colonnes du *Daily Budget*, mais vous devez d'abord montrer ce que vous savez faire. Vu ?

Je le remerciai et le priai d'excuser mes méthodes.

– N'en parlons plus. J'aime assez qu'une jolie fille ait du culot. A propos, vous aviez exigé deux minutes et vous en avez pris trois, sans les interruptions. Pour une femme, c'est tout à fait remarquable. A mettre sur le compte de votre formation scientifique, sans doute.

Je me retrouvai dans la rue, essoufflée comme si je venais de courir un cent mètres. La fréquentation de lord Nasby n'était pas un exercice de tout repos.

6

En rentrant chez moi, j'exultais. Mon plan avait réussi au-delà de mes espérances. Lord Nasby s'était montré positivement cordial. Il ne me restait plus qu'à montrer ce que je savais faire, comme il disait. Une fois bouclée à double tour dans ma chambre, je sortis le précieux papier pour l'examiner attentivement. Il renfermait la clé du mystère.

Pour commencer, que pouvaient signifier ces chiffres ? Il y en avait cinq, avec un point après les deux premiers. « Dix-sept — cent vingt-deux », murmurai-je.

Cela ne menait nulle part.

J'entrepris donc de les additionner. Cela se pratique très souvent dans les romans policiers, et cela y entraîne parfois même des résultats surprenants.

« Un plus sept égale huit, plus un égale neuf, plus deux égale onze, plus deux égale treize. »

Treize ! Nombre fatal ! Fallait-il y voir un avertissement visant à me dissuader de poursuivre l'affaire ? Peut-être. Mais hormis cet avertissement, ma trouvaille ne paraissait pas d'une grande utilité. Je me refusais à croire qu'un conspirateur, dans la vie réelle, choisirait d'aligner cinq chiffres pour indiquer « treize ». S'il voulait dire « treize », il écrirait treize. Ou « 13 », tout simplement.

Il y avait un léger espace entre le un et le deux. J'essayai donc de soustraire vingt-deux à cent soixante et onze. J'obtins comme résultat cent cinquante-neuf. Je recommençai en obtenant cette fois cent quarante-neuf.

Ces problèmes d'arithmétique constituaient sans doute d'excellents exercices, mais ils semblaient rigoureusement inefficaces pour apporter une solution au mystère. Je laissai tomber l'arithmétique, sans m'attaquer à la division ou à la multiplication, et me tournai vers les mots.

Kilmorden Castle. Ça, au moins, c'était précis. Sans doute un lieu. Probablement le berceau d'une famille aristocratique (héritier disparu ? prétendant au titre ?). Ou peut-être une pittoresque ruine (trésor enfoui ?).

Ma préférence allait à l'hypothèse du trésor enfoui. Les trésors enfouis s'accompagnent toujours de chiffres. Un pas à droite, sept pas à gauche, creuser un mètre, descendre vingt-deux marches. Quelque chose dans ce genre. Je verrais ça plus tard. L'essentiel, c'était de me rendre aussi rapidement que possible à *Kilmorden Castle*.

J'opérai donc une sortie dans le vestibule et en revins chargée d'ouvrages de référence : le *Who's Who,* l'annuaire régional, le *Répertoire des demeures et châteaux de Grande-Bretagne et d'Ecosse*.

Le temps passa. Malgré une exaspération croissante, je poursuivais mes recherches avec obstination. Enfin, je refermai le dernier ouvrage ; j'étais hors de moi : *Kilmorden Castle* n'existait pas.

L'échec était inattendu. *Kilmorden Castle* existait forcément. Qui irait inventer un nom pareil et l'écrire sur un bout de papier ? Ridicule !

Il me vint une autre idée. C'était peut-être une abominable bicoque banlieusarde et de style féodal, que son propriétaire avait baptisée de ce nom pompeux. En ce cas, les recherches promettaient d'être ardues. Très abattue, je me rassis en tailleur par terre (je m'assieds toujours par terre quand je dois faire quelque chose de vraiment important) et me demandai comment diable procéder.

Y avait-il une autre piste à suivre ? Ayant longuement réfléchi, je sautai sur mes pieds, ravie. Bien sûr ! Je devais aller voir « le théâtre du crime »... C'est ce que font tous les grands détectives. Et peu importe combien de temps après : ils trouvent toujours un indice qui avait échappé à la police. Ma route était toute tracée : je devais me rendre à Marlow.

Mais comment m'introduire dans la maison ? J'écartai diverses méthodes, plus ou moins risquées, pour m'en tenir à la plus stricte simplicité. Avant le meurtre, cette villa était à louer. Elle devait l'être encore. Je serais une locataire potentielle.

Je décidai donc de m'adresser à l'agence immobilière locale : le choix y serait moins grand.

Toutefois, j'avais compté sans l'employé qui me reçut. Particulièrement aimable, il me proposa une demi-douzaine de propriétés intéressantes. Je n'eus pas trop de toute mon ingéniosité pour décliner ses offres les unes après les autres. A la fin, je craignis d'avoir fait chou blanc.

– Vous n'avez vraiment rien d'autre ? lui demandai-je en le fixant avec des yeux suppliants. En bordure de la rivière, avec un grand jardin et un petit pavillon, ajoutai-je en récapitulant tous les renseignements fournis par les journaux sur le Moulin.

– Evidemment, il y a la villa de sir Eustache Pedler,

me répondit-il avec un peu d'hésitation. Vous savez, le Moulin...

– Pas... pas celle où... balbutiai-je. (Décidément, balbutier était devenu une spécialité.)

– C'est ça ! Le lieu même du meurtre. Vous n'aimerez sans doute pas...

– Oh ! je ne crois pas que cela me dérangerait, répliquai-je en faisant mine de me raviser. (Ma bonne foi était maintenant solidement établie.) Je pourrais peut-être bénéficier d'un abattement, vu les circonstances.

« Un vrai trait de génie », me félicitai-je intérieurement.

– Ma foi, c'est possible. Inutile de prétendre qu'elle sera facile à louer à présent... Les domestiques et tout ça, vous voyez... Si l'endroit vous convient encore quand vous l'aurez vu, je vous conseille de faire une offre. Voulez-vous que je vous donne un permis de visiter ?

– Oui, s'il vous plaît.

Un quart d'heure plus tard, j'étais devant le pavillon du Moulin. Sitôt que j'eus frappé, la porte s'ouvrit et une grande femme d'âge mûr en bondit comme un diable sort de sa boîte.

– Personne ne peut entrer dans la maison, vous m'entendez ! J'en ai plus qu'assez des journalistes ! Sir Eustache a donné des ordres...

– Je croyais que la villa était à louer, fis-je sur un ton glacial en lui tendant mon permis de visiter. Evidemment, si elle n'est plus libre...

– Oh ! veuillez m'excuser, mademoiselle ! Mais les journalistes n'ont pas cessé de m'empoisonner. Pas une seconde de paix. Non, la villa n'est pas louée, et elle n'est pas près de l'être.

– Y aurait-il des problèmes de tuyauterie ? chuchotai-je avec angoisse.

– Seigneur, mademoiselle ! Les tuyaux sont parfaits. Mais vous avez sûrement entendu parler de cette étrangère qui a été assassinée ici.

– Je crois avoir lu quelque chose là-dessus dans les journaux, fis-je sur un ton indifférent.

Cette brave femme en fut piquée au vif. Si j'avais manifesté le moindre intérêt, elle se serait sûrement fermée comme une huître. Mais en l'occurrence, elle ne put se contenir.

– Je pense bien, mademoiselle ! C'était dans tous les journaux. Le *Daily Budget* essaie de trouver celui qui a fait le coup. D'après eux, notre police ne serait bonne à rien. Enfin, j'espère qu'ils l'attraperont — un jeune homme qui avait l'air bien sympathique, pourtant. Une espèce de militaire — peut-être bien qu'il a été blessé à la guerre, ça les rend un peu bizarres quelquefois. Comme mon neveu, par exemple. Mais elle lui en avait peut-être fait voir — ces étrangères, elles ne valent pas cher... Enfin, elle était bien belle, celle-là. Elle se tenait à la même place que vous en ce moment.

– Blonde ou brune ? risquai-je. Avec ces photos de presse, c'est difficile à dire...

– Brune, et le teint très pâle — trop pâle pour être naturel, à mon avis — et les lèvres d'un rouge, mais d'un rouge... Moi, je n'aime pas ça. Un peu de poudre de temps en temps, c'est autre chose.

Nous bavardions comme deux vieilles amies à présent. Je risquai une autre question.

– Elle vous avait paru nerveuse, bouleversée ?

– Absolument pas. Elle souriait, comme si quelque chose l'amusait. Même que j'en suis tombée à la renverse quand, le lendemain, ces gens se sont rués ici pour appeler la police parce qu'un meurtre avait été commis. Jamais je ne m'en remettrai. Quant à remettre les pieds dans cette maison, une fois la nuit tombée... ça, jamais ! Oh ! là ! là ! Je ne serais même pas restée ici. Il a fallu que sir Eustache me supplie à genoux...

– Mais je croyais que sir Eustache Pedler se trouvait à Cannes ?

– Effectivement, mademoiselle. Mais il est revenu en Angleterre sitôt qu'il a appris la nouvelle ; et quand je disais à genoux, c'était façon de parler. C'est son secrétaire, Mr Pagett, qui nous a offert de doubler notre salaire pour qu'on reste. Et comme mon John dit toujours : de nos jours, un sou est un sou.

J'approuvai de tout cœur la remarque on ne peut plus originale de John.

– Mais le jeune homme, dit Mrs James en revenant au début de notre conversation, lui, il était agité. Ses yeux, des yeux clairs, ça m'avait frappée, étaient brillants. Bien nerveux, je me suis dit. Mais je ne pensais pas à quelque chose d'anormal. Même quand il est ressorti, avec une drôle de tête.

– Combien de temps est-il resté à l'intérieur ?

– Bah ! cinq minutes, tout au plus !

– Vous diriez qu'il était grand ? Autour d'un mètre quatre-vingts ?

310

– Oui, à peu près.

– Sans barbe ni moustache ?

– Oui, mademoiselle. Pas même une petite brosse à dents sur la lèvre.

– Avait-il le menton luisant par hasard ? demandai-je, cédant à une impulsion subite.

Mrs James me dévisagea, impressionnée :

– Mais oui, maintenant que vous le dites, mademoiselle. Comment le savez-vous ?

– C'est curieux, mais les assassins ont souvent le menton luisant, expliquai-je.

Mrs James ne mit pas en doute cette information.

– Vraiment, mademoiselle ? Je n'avais jamais entendu parler de cela !

– Quel genre de tête avait-il ? Vous n'y avez pas fait attention ?

– Une tête tout ce qu'il y a de plus ordinaire, mademoiselle. Je vais vous chercher les clés ?

Elle me les donna et je me rendis à la villa. Jusque-là, mes hypothèses se révélaient justes. Entre l'homme décrit par Mrs James et mon « docteur » du métro, les différences n'étaient pas essentielles : un pardessus, une barbe et des lunettes à monture d'or. Le « médecin » m'avait paru d'âge mûr, mais il s'était penché sur le corps avec des mouvements de jeune homme.

La victime de l'accident — ou l'homme à la naphta-line, comme je l'avais baptisé — devait avoir rendez-vous au Moulin avec l'étrangère, Mme de Castina, ou Dieu sait quel était son vrai nom. C'est ainsi que je reconstituais les choses. Parce qu'ils avaient peur d'être surveillés ou pour tout autre raison, ils avaient décidé de

311

s'y rendre chacun de leur côté, sous prétexte de visiter la maison. Grâce à quoi leur rencontre aurait toutes les apparences du hasard.

J'étais convaincue également que la rencontre dans le métro de l'homme à la naphtaline avec le « docteur » avait été inattendue pour le premier et l'avait effrayé. Que s'était-il passé ensuite ? Le « docteur » s'était débarrassé de son accoutrement pour rejoindre l'étrangère à Marlow. En arrachant en hâte sa fausse barbe, il avait peut-être laissé des traces de colle sur son menton. D'où la question que j'avais posée à Mrs James.

Tout en réfléchissant, j'étais arrivée devant la vieille porte du Moulin. Je l'ouvris et j'entrai. Bas de plafond, le vestibule était sombre et la maison, abandonnée, sentait le moisi. Involontairement, je frissonnai. L'étrangère qui était entrée là en souriant quelques jours auparavant n'avait-elle pas éprouvé une prémonition ? me demandai-je. Son sourire ne s'était-il pas effacé tandis qu'une angoisse indéfinissable lui étreignait le cœur ? Ou était-elle montée, toujours souriante, à la rencontre de son destin ? Mon cœur se mit à battre plus vite. La maison était-elle réellement déserte ? Pour la première fois, je saisis le sens du terme si galvaudé d'« atmosphère ». Sur cette demeure, pesait en effet une atmosphère menaçante, maléfique et funeste.

7

Surmontant le sentiment qui m'oppressait, je grimpai vivement l'escalier. Je trouvai sans difficulté le lieu du drame. Le jour où le corps avait été découvert, il avait plu et le parquet était resté maculé en tous sens d'empreintes de bottes boueuses. Je me demandai si l'assassin en avait laissé lui aussi, le jour précédent. La police n'en avait évidemment pas parlé. Mais, en réfléchissant, je compris que c'était peu vraisemblable : il avait fait beau et sec ce jour-là.

En elle-même, la pièce ne présentait aucun intérêt. C'était une chambre presque carrée, avec deux grandes baies, des murs chaulés et un parquet nu, sali tout autour de ce qui avait été l'emplacement du tapis. J'eus beau chercher, je ne trouvai même pas une épingle. Notre jeune et géniale détective ne semblait pas près de relever un indice négligé par la police...

J'avais pris avec moi un carnet et un crayon. Il n'y avait pas grand-chose à noter, mais histoire d'atténuer le dépit que m'inspirait cet échec, je fis un relevé sommaire des lieux. Quand je voulus ensuite ranger mon crayon dans mon sac, il m'échappa et roula sur le plancher.

Comme dans toutes les maisons anciennes, le plancher était incliné. Mon crayon alla rouler jusqu'à l'une des deux fenêtres. Dans le renfoncement de chacune d'elles se trouvait une large banquette, fermée en dessous par une porte. Mon crayon alla buter contre cette porte. Il me vint à l'esprit qu'il serait passé sous la banquette si cette porte avait été ouverte. Je l'ouvris et le crayon fila aussitôt jusque dans le coin le plus reculé. Faute de lumière, je le récupérai en tâtonnant. Mis à part mon crayon, l'endroit était vide. Mais comme je suis d'un naturel méthodique, je décidai d'aller explorer l'autre banquette.

A première vue, l'endroit était également vide. Je me mis cependant à fouiller consciencieusement, et j'en fus récompensée quand ma main se referma sur un petit cylindre — du mica ? — qui avait roulé dans un creux, tout au fond. Je compris aussitôt qu'il s'agissait d'un rouleau de pellicule. Ça, c'était une trouvaille !

Evidemment, ce rouleau aurait pu appartenir à sir Eustache Pedler et avoir été oublié là depuis. Mais ce n'était pas mon avis. Le papier rouge qui l'entourait avait l'air trop neuf, sous une couche de poussière si mince qu'elle remontait à deux ou trois jours tout au plus — soit au jour même du meurtre. S'il était demeuré là très longtemps, il aurait été recouvert d'une couche plus épaisse.

Qui l'avait perdu ? L'homme ou la femme ? Je me rappelai que le contenu du sac de la femme avait paru intact. Si le rouleau s'en était échappé au cours de la lutte, il en serait également tombé de la monnaie. Non, ce n'était pas la femme qui avait perdu cette pellicule.

Je reniflai soudain. L'odeur de naphtaline était-elle devenue une obsession, chez moi ? J'aurais juré que le rouleau empestait lui aussi la naphtaline. Je me le mis sous le nez. Outre son odeur propre, je détectai celle que j'avais en horreur. Et je découvris aussitôt sa provenance. Un brin de tissu était accroché au rouleau et c'est ce brin de tissu qui était imprégné de naphtaline. A un moment donné, ce film s'était donc trouvé dans la poche du mort du métro. Etait-ce lui qui l'avait laissé tomber ici ? Peu probable...

Non, c'était l'autre, le prétendu « médecin ». Il avait dû s'emparer du rouleau en même temps que du bout de papier, et c'était lui qui l'avait perdu dans sa lutte avec la femme.

Je tenais mon indice ! Ce film, une fois développé, m'indiquerait la marche à suivre.

Transportée de joie, je quittai la maison, rendis les clés à Mrs James et regagnai rapidement la gare. Une fois dans le train, je ressortis le papier et l'examinai de nouveau. Soudain ces chiffres prirent un sens pour moi. Et si c'était une date ? 17 1 22. 17 janvier 1922, c'était cela, bien sûr ! Fallait-il être bête pour ne pas y avoir songé plus tôt ! Mais dans ce cas, je devais absolument découvrir de toute urgence où se trouvait *Kilmorden Castle*, car nous étions déjà le 14. Il ne me restait que trois jours, autant dire fort peu de temps, quand on ne sait où chercher.

Comme il était trop tard pour donner mon film à développer, je me hâtai de rentrer à Kensington pour ne pas manquer le dîner. Il me vint alors à l'esprit que je pouvais aisément vérifier la justesse de mes déductions. Je demandai à Mr Flemming si un appareil photo avait été retrouvé parmi les affaires du mort du métro. Je savais qu'il s'intéressait à ce fait divers et était au courant de tous ses détails.

Je fus fort surprise et contrariée d'apprendre qu'il n'en était rien. Toutes les affaires de Carton avaient été soigneusement fouillées, dans l'espoir d'y découvrir un indice de nature à faire la lumière sur son état d'esprit. Non, aucune espèce de matériel photographique n'y figurait.

Ma théorie s'en trouva fortement ébranlée. S'il n'avait pas d'appareil, pourquoi transportait-il un rouleau de pellicule ?

Dès le lendemain matin, je courus faire développer mon précieux film. J'y tenais tant, que j'allai jusqu'au centre Kodak, dans Regent Street, et je demandai un tirage de chaque cliché. L'employé finit tranquillement d'emballer dans des rouleaux métallisés un lot de pellicules vierges destinées aux tropiques, prit enfin mon rouleau et me regarda :

– Vous avez fait une erreur, je crois, dit-il en souriant.

– Oh, non ! dis-je. Sûrement pas.

– Vous m'avez donné le mauvais rouleau, celui-ci n'est pas impressionné.

Je ressortis, l'air aussi digne que possible. Je me dois d'avouer qu'il est bon, de temps à autre, de prendre la mesure de sa propre stupidité. Mais personne n'y trouve du plaisir.

Comme je passais devant les bureaux d'une grande compagnie de navigation, je m'arrêtai net. Il y avait en vitrine une magnifique maquette de l'un des paquebots de la compagnie, le *Kenilworth Castle*... Une idée folle me traversa l'esprit. Je poussai la porte, j'entrai et j'allai droit au comptoir. D'une voix cette fois vraiment balbutiante, je murmurai :

– *Kilmorden Castle* ?

316

– Départ de Southampton le 17. Pour Le Cap ? Première ou seconde classe ?

– C'est combien ?

– En première classe, quatre-vingt-sept livres...

Je l'interrompis. La coïncidence était trop forte. Le montant exact de mon héritage ! J'allais mettre tout mes œufs dans le même panier...

– Première classe.

L'aventure commençait pour de bon.

8

Extraits du journal intime de sir Eustache Pedler, membre du Parlement

C'est inouï, je ne peux jamais avoir la paix !

Je suis pourtant un homme de tempérament paisible. J'apprécie mon club, ma partie de bridge, un bon repas et un bon vin. J'apprécie l'Angleterre en été et la Côte d'Azur en hiver. Les événements sortant de l'ordinaire n'ont aucun attrait pour moi — même si, de temps à autre, j'aime les voir relatés dans les journaux que je savoure au coin du feu. Mais jamais je n'irais plus loin, car je privilégie par-dessus tout mon confort et j'y consacre une large part de mes réflexions et de ma fortune. Hélas, pas toujours avec bonheur. S'il ne m'arrive pas de mésaventures personnelles, il en arrive à ceux qui

317

m'entourent. Je m'y trouve fréquemment mêlé malgré moi, et je déteste ça.

Tout cela pour dire que Guy Pagett a surgi ce matin dans ma chambre avec une mine de six pieds de long, en agitant un télégramme.

Guy Pagett est mon secrétaire particulier. Méthodique, plein de zèle et travailleur, ce jeune homme est digne de tous les éloges. C'est également l'être le plus ennuyeux de la terre. Depuis une éternité, je me creuse la cervelle afin de trouver un moyen de m'en débarrasser. Mais allez donc renvoyer un secrétaire sous prétexte qu'il préfère travailler plutôt que se distraire, qu'il aime se lever aux aurores et qu'il n'a pas le moindre défaut ! Il n'y a qu'une seule chose drôle chez ce garçon, c'est sa tête. Il a tout d'un empoisonneur du *Quattrocento* — d'un sbire à la solde des Borgia.

Pagett me porterait moins sur les nerfs s'il ne me forçait à travailler moi aussi. Dans mon esprit, le travail doit être pris à la légère et expédié de même. Mais je doute que Pagett ait jamais rien expédié à la légère de toute son existence. Il prend tout au sérieux, et c'est bien ce qui le rend si pénible à vivre.

La semaine dernière, j'ai eu la brillante idée de l'expédier à Florence. Il ne cessait de parler de cette ville et de l'envie qu'il avait d'y aller.

– Mon garçon, me suis-je exclamé, vous irez dès demain ! Je réglerai tous vos frais.

D'ordinaire, personne ne va à Florence en janvier, mais, pour Pagett, c'était tout un. Je pouvais l'imaginer arpentant religieusement tous les musées, son guide à la main. Ce n'était pas cher payer pour une semaine de liberté.

La semaine a été divine. J'ai fait tout ce que je voulais et rien fait de ce que je ne voulais pas. Malheureusement, en ouvrant les yeux et en découvrant Pagett planté devant mon lit à une heure aussi invraisemblable que 9 heures du matin, je compris que ma liberté avait touché à son terme.

– Mon brave Pagett, lui ai-je demandé, a-t-on déjà procédé à l'enterrement, ou est-ce pour cet après-midi ?

Pagett n'a pas le sens de l'humour. Il m'a regardé fixement :

– Vous êtes donc au courant, sir Eustache ?

– Au courant de quoi ? fis-je, furieux. A voir votre mine, j'ai tout lieu de croire que l'un de vos proches doit être inhumé aujourd'hui même.

Pagett n'a pas relevé cette boutade :

– Je me disais bien que vous ne pouviez pas être au courant, dit-il en brandissant un télégramme. Je sais que vous avez horreur que l'on vous réveille tôt — mais il est déjà 9 heures ! (Pour Pagett, 9 heures, c'était déjà la mi-journée.) Et j'ai pensé que, vu les circonstances...

Il agitait de nouveau son télégramme.

– Qu'est-ce que c'est que cette chose ? demandai-je.

– C'est un télégramme émanant de la police de Marlow. On a trouvé une femme assassinée dans votre maison.

Cette fois-ci, je ne plaisantai plus.

– Quel incroyable culot ! Pourquoi dans *ma* maison ? Et d'abord, qui l'a assassinée ?

– Le télégramme ne le dit pas. Je pense que nous

319

devons rentrer immédiatement en Angleterre, sir Eustache ?

– Vous n'avez rien à penser de tel ! Pourquoi devrions-nous rentrer ?

– Mais la police...

– Qu'ai-je à faire de la police ?

– Eh bien... il s'agit de votre maison.

– Il semble que ce soit un malheur plutôt qu'une faute.

Guy Pagett secoua tristement la tête.

– Cela fera certainement le plus mauvais effet sur vos électeurs, dit-il, lugubre.

Je ne sais pas pourquoi, j'ai l'impression qu'en ces matières, l'instinct de Pagett ne le trompe jamais. A première vue, pourtant, pourquoi un membre du Parlement se montrerait-il moins efficace parce qu'une jeune femme égarée est venue se faire assassiner dans une maison déserte qui lui appartient ? Mais les respectables électeurs britanniques réagissent à leur façon.

– Et ce qui ne fait qu'aggraver les choses, c'est une étrangère, poursuivit sombrement Pagett.

Là encore, je crains qu'il n'ait raison. Il est déjà mal vu de trouver une femme assassinée chez soi, mais une étrangère ! Une autre idée me frappa :

– Seigneur ! J'espère que cette affaire ne va pas tournebouler Caroline ?

Caroline est la personne qui me fait la cuisine. Accessoirement, c'est l'épouse de mon jardinier. Je ne sais pas quelle sorte d'épouse elle est, mais c'est une excellente cuisinière. En revanche, James est un piètre jardinier ;

320

mais j'entretiens sa paresse et je le loge pour bénéficier des talents de cordon-bleu de Caroline.

– Je doute qu'elle veuille rester après ça, fit remarquer Pagett.

– Toujours aussi encourageant, Pagett.

Je crains qu'il ne me faille rentrer en Angleterre. Pagett me l'a clairement laissé entendre. Et il faut apaiser Caroline.

Trois jours plus tard

Je ne puis croire que les gens qui en ont les moyens ne fuient pas l'Angleterre en hiver. Le climat est abominable. Et toute cette affaire est bien ennuyeuse. A en croire mes agents immobiliers, il sera quasi impossible de louer la maison désormais. J'ai calmé Caroline... en doublant ses gages. On aurait aussi bien pu lui annoncer l'heureuse nouvelle par un simple télégramme sans avoir à quitter Cannes. En fait, comme je n'ai pas arrêté de le dire, il ne servait à rien de venir. Je regagnerai Cannes dès demain.

Le lendemain

Il m'est arrivé plusieurs choses curieuses. Pour commencer, j'ai rencontré Augustus Milray, qui est sans doute le plus parfait exemple de vieux crétin que notre gouvernement ait jamais produit. Avec force mystères, il m'a pris à part dans un coin retiré du club et m'a longuement entretenu de l'état de l'industrie sud-africaine, des rumeurs de grève risquant de secouer le Rand et des causes cachées qui pourraient être à l'origine de cette grève. Je l'ai écouté aussi patiemment que possible. Pour finir, il m'a confié à voix basse qu'il faudrait remettre certains documents entre les mains du général Smuts.

– Vous avez sûrement raison, ai-je dit en étouffant un bâillement.

– Mais comment pouvons-nous le joindre ? Notre position dans cette affaire est délicate... très délicate.

– Pourquoi ne pas utiliser la poste ? ai-je suggéré gaiement. Mettez ces documents dans une enveloppe avec un timbre de deux pence et jetez-les dans la boîte à lettres la plus proche.

Cette idée a paru l'horrifier.

– Mon cher Pedler ! Par le courrier ordinaire !

Je me suis toujours demandé pourquoi le gouvernement croit nécessaire d'employer des messagers et d'accorder une pareille attention à ses documents confidentiels.

– Si vous n'aimez pas la poste, envoyez donc l'un de vos jeunes subalternes. Il sera enchanté de faire le voyage.

– Impossible, a décrété Milray en branlant du chef. Il y a des raisons qui s'y opposent, mon cher Pedler, je vous assure qu'il y a des raisons.

– Eh bien, ai-je dit en me levant, tout cela est passionnant, mais je dois partir...

– Un instant, mon cher Pedler, un instant, je vous prie. Entre nous, est-il vrai que vous comptez vous rendre en Afrique du Sud prochainement ? Je sais que vous avez de gros intérêts en Rhodésie. Le ralliement de ce pays à l'Union sud-africaine est une question vitale pour vous.

– Ma foi, je pense y aller dans un mois environ.

– Vous ne pourriez pas partir plus tôt ? Ce mois-ci ? Cette semaine, même.

– Ce serait possible, ai-je répondu en le considérant avec plus d'intérêt. Mais je ne crois pas en avoir particulièrement envie...

– Vous rendriez un grand service au gouvernement... un très grand service. Et il saura ne pas se montrer, euh... ingrat.

– Somme toute, vous voudriez que je vous serve de messager ?

– Tout juste. Votre position n'a rien d'officiel, ce sera un vrai voyage. Pour la satisfaction de tous.

– Ma foi, ai-je dit lentement, je n'y vois pas d'inconvénient. Tout ce qui m'importe, c'est de quitter l'Angleterre aussi rapidement que possible.

– En Afrique du Sud, le climat est délicieux, absolument délicieux.

– Mon cher, je connais bien ce climat. Je me trouvais là-bas juste avant la guerre.

– Je vous suis fort obligé, Pedler. Je vous ferai parvenir le paquet par messager. A remettre en mains propres au général Smuts. C'est entendu ? Le *Kilmorden Castle* — un excellent paquebot — lève l'ancre samedi.

Je lui ai fait un bout de conduite le long de Pall Mall avant de le quitter. Il m'a longuement serré la main tout en me remerciant avec effusion. Je suis rentré chez moi en méditant sur les curieux méandres de la politique gouvernementale.

Le lendemain soir, Jarvis, mon majordome, m'a averti qu'un monsieur désirait me voir pour raison privée, mais refusait de décliner son nom. Comme je crains toujours d'être persécuté par des assureurs, j'ai dit à Jarvis que je ne pouvais le recevoir. Malheureusement, Pagett, qui aurait pu se rendre utile pour une fois, était au lit avec une crise de foie. Ces jeunes gens sérieux et travailleurs à l'estomac fragile sont tous sujets aux crises de foie.

– Ce monsieur m'a prié de vous dire, sir Eustache, qu'il vient de la part de Mr Milray, m'a dit Jarvis en revenant à la charge.

Voilà qui changeait tout ! Quelques instants plus tard, j'ai reçu mon visiteur dans la bibliothèque. C'était un jeune homme bronzé, bien découplé. Une cicatrice, allant de la tempe à la mâchoire, défigurait son beau visage, à l'expression téméraire.

– Eh bien, lui ai-je demandé, de quoi s'agit-il ?

– Je suis dépêché par Mr Milray, sir Eustache, pour vous accompagner en Afrique du Sud en qualité de secrétaire.

– Mais mon cher, j'ai déjà un secrétaire. Je n'en ai pas besoin d'un autre.

– Je pense que si, sir Eustache. Où se trouve votre secrétaire en ce moment ?

– Il est alité, avec une crise de foie, expliquai-je.

– Vous êtes sûr que c'est seulement une crise de foie ?

– Evidemment ! Il y est sujet.

Mon visiteur a souri.

– Peut-être est-ce une crise de foie, peut-être pas. L'avenir nous le dira. Ce que je puis vous affirmer, sir Eustache, c'est que Mr Milray ne serait pas étonné que l'on tente d'écarter votre secrétaire. Oh ! vous n'avez rien à craindre pour vous-même, ajouta-t-il.

324

(J'avais dû avoir une expression alarmée.) Vous n'êtes pas menacé. Mais une fois votre secrétaire écarté, vous seriez plus facilement accessible. En tout état de cause, Mr Milray désire que je vous accompagne. Bien entendu, mes frais seront pris en charge, mais vous devrez vous occuper de mon passeport, comme si vous aviez décidé qu'il vous fallait un deuxième secrétaire.

Il me paraissait extrêmement déterminé. Nous nous sommes affrontés du regard, mais j'ai fini par baisser les yeux.

– Très bien, ai-je concédé.

– Et vous ne confierez à personne que je dois vous accompagner.

– Très bien, ai-je répété.

Après tout, peut-être était-il préférable qu'il m'accompagne. Toutefois, j'avais le sentiment d'aller au-devant de graves ennuis. Juste quand je croyais avoir trouvé enfin la paix !

Comme il me quittait, je l'ai arrêté.

– Il vaudrait peut-être mieux que je connaisse le nom de mon nouveau secrétaire, lui ai-je lancé, non sans ironie.

Il a réfléchi un instant.

– Harry Rayburn me paraît convenir, a-t-il déclaré.

Quelle curieuse façon de s'exprimer...

– Très bien, ai-je répété pour la troisième fois.

9

Suite des aventures d'Anne

Une héroïne qui se respecte ne devrait pas être sujette au mal de mer. Dans les romans, plus le navire roule ou tangue, et mieux elle s'en trouve. Quand tous les autres passagers sont malades, elle arpente seule le pont, bravant les éléments et savourant la tempête. Hélas ! je dois en convenir, sitôt que le *Kilmorden* se mit à tanguer, je blêmis et gagnai rapidement l'entrepont. Un sympathique steward me conseilla les toasts et le ginger ale.

Je passai trois jours à gémir dans ma cabine. J'avais oublié pourquoi j'étais là. Je ne songeais plus à résoudre des mystères. Je n'avais plus rien de la fière héroïne qui avait quitté les bureaux de la compagnie maritime pour rentrer en jubilant à South Kensington.

Je souris aujourd'hui en pensant à la façon dont j'avais fait irruption dans le salon de Mrs Flemming. Elle s'y trouvait seule.

– C'est vous, ma petite Anne ? Il y a une chose dont je désirerais vous entretenir.

– Oui, dis-je en dominant mon impatience.

– Miss Emery nous quitte (miss Emery était la gouvernante) et comme vous n'avez pas encore trouvé de situation, je me demandais si vous voudriez... ce serait si gentil que vous restiez tout à fait avec nous...

J'en fus touchée. Je savais bien qu'elle ne voulait pas de moi. Elle me faisait cette offre par pure charité chrétienne. Du coup, je me reprochai de l'avoir jugée trop sévèrement. Je me levai et courus me jeter à son cou.

– Vous êtes un amour ! m'écriai-je, un amour, un amour, un amour ! Merci infiniment. Mais la question est réglée, je pars samedi pour l'Afrique du Sud.

Ma brusque sortie stupéfia cette brave femme. Déjà interloquée par mes débordements d'affection, elle le fut encore plus par ma déclaration.

– Pour l'Afrique du Sud ? Ma chère Anne, ce genre de choses exige qu'on y réfléchisse posément.

C'était justement ce que je ne voulais pas. Je lui expliquai que j'avais déjà pris mon billet et que, sitôt arrivée, je comptais chercher un emploi de femme de chambre. C'est la seule idée qui me vint sur l'instant. On avait un énorme besoin de femmes de chambre en Afrique du Sud, lui assurai-je. Je me sentais parfaitement capable de me débrouiller seule. A la fin, avec un soupir de soulagement à l'idée d'être débarrassée de ma présence, elle se rallia à mon projet sans poser d'autres questions. Lorsque je quittai la maison, elle me glissa une enveloppe dans la main. Elle contenait cinq billets tout neufs de cinq livres et un petit mot : « J'espère que vous ne vous sentirez pas offensée et que vous les accepterez avec mon affection. » C'était une bonne et brave femme. Je n'aurais pas pu vivre avec elle plus longtemps, mais je lui reconnaissais beaucoup de mérite.

Je me retrouvai donc, avec vingt-cinq livres en poche, confrontée au monde et cherchant l'aventure.

Au bout du quatrième jour de traversée, la femme de chambre m'obligea à monter sur le pont. Persuadée que j'avais plus de chances d'y mourir, j'avais obstinément refusé jusque-là de quitter ma couchette. Elle réussit à me tenter, en m'annonçant que nous arrivions à Madère. Mon cœur se gonfla d'espoir. Je pourrais quitter le bateau, gagner la terre et m'engager comme gouvernante là-bas. N'importe quoi pourvu que ce soit sur la terre ferme.

Emmitouflée de vestes et de plaids, flageolant comme un chaton sur mes jambes, je me laissai hisser et déposer, comme une masse inerte, sur une chaise longue. Je restai là, les yeux fermés, maudissant l'existence. Le commissaire de bord, un jeune homme blond au visage lunaire, vint s'asseoir à côté de moi.

– Hello ! Vous faites piteuse mine, hein ?

– Oui, répliquai-je en le maudissant, lui aussi.

– Bah ! d'ici un jour ou deux, vous aurez tout oublié. Nous avons essuyé un coup de tabac, mais ça va s'arranger. Demain nous jouerons ensemble au palet.

Je ne répondis pas.

– Vous pensez sans doute que vous ne récupérerez jamais, hein ? J'en ai connu de bien plus malades que vous... deux jours après, ils étaient devenus les boute-en-train du *Kilmorden*. Vous verrez !

Faute de trouver la force de le traiter ouvertement de menteur, je chargeai mon regard de le lui exprimer. Il bavarda encore quelques minutes et, Dieu merci, finit par s'en aller. Couples prenant l'air, gamins remuants et jeunes gens rieurs passaient et repassaient tandis que quelques autres épaves gisaient comme moi sur leurs transats.

L'air vif et le soleil éclatant me ragaillardirent peu à peu. Je commençai à m'intéresser aux passagers.

Notamment à une femme d'une trentaine d'années, de taille moyenne, très blonde, au visage rond, tout creusé de fossettes, et aux yeux très bleus. Malgré leur simplicité, quelque chose d'indéfinissable dans la coupe de ses vêtements trahissait Paris. Avec une grâce et une assurance remarquables, elle allait et venait sur le pont comme chez elle.

Les stewards s'empressaient de satisfaire ses moindres désirs. Elle avait droit à une chaise longue spéciale et à une quantité inépuisable de coussins. Elle changea trois fois de place. Toujours charmante, toujours séduisante. Elle faisait partie de ces êtres d'exception qui savent ce qu'ils veulent et l'obtiennent, sans se montrer jamais blessants. Je me dis que, si jamais je me remettais — hypothèse évidemment absurde —, je prendrais plaisir à bavarder avec elle.

Nous touchâmes Madère vers midi. Encore trop faible pour bouger, je m'amusai néanmoins à regarder les marchands ambulants étaler leurs marchandises sur le pont. Comme ils vendaient aussi des fleurs, j'enfouis mon nez dans un énorme bouquet de violettes fraîches et je me sentis indéniablement mieux. En fait, j'envisageais même de survivre jusqu'à la fin de la traversée. Quand le steward me proposa un bouillon de volaille, je protestai mollement et l'avalai avec plaisir. La séduisante passagère était descendue à terre. Elle revint escortée d'un gaillard brun et bronzé, à l'allure martiale, que j'avais déjà vu arpenter le pont dans la matinée. Je l'avais immédiatement catalogué comme un de ces Rhodésiens farouches et taciturnes. Frisant la quarantaine, les tempes grisonnantes, c'était, et de loin, le plus bel homme à bord.

Quand le steward m'apporta un plaid supplémentaire, je lui demandai qui était cette dame si jolie.

– Une dame du meilleur monde, Mrs Clarence Blair. Vous avez dû voir son nom dans les journaux.

J'opinai tout en l'observant avec plus d'intérêt encore. Mrs Blair était effectivement connue comme l'une des femmes les plus élégantes du moment. Je remarquai avec amusement qu'elle était un véritable centre d'attraction. Sous prétexte que les formalités d'usage sont abolies sur un bateau, certains essayaient même de faire sa connaissance. Elle les décourageait avec une courtoisie qui força mon admiration. Elle semblait avoir pris pour chevalier servant le Rhodésien farouche et taciturne — et il paraissait très sensible à ce privilège.

Le lendemain matin, à ma vive surprise, après quelques allées et venues sur le pont avec son cavalier, Mrs Blair s'arrêta devant moi :

– Vous allez mieux, ce matin ?

Je la remerciai et lui répondis que je me sentais un peu plus proche de l'être humain.

– Vous aviez l'air bien mal en point hier. Le colonel Race et moi pensions même avoir le plaisir d'assister à des funérailles en mer. Quelle déception !

J'éclatai de rire :

– Le grand air m'a fait du bien.

– Rien de tel que l'air frais, dit le colonel Race en souriant.

– L'atmosphère confinée des cabines tuerait n'importe qui, dit Mrs Blair en se laissant choir dans un fauteuil à côté de moi et en libérant son compagnon d'un signe de tête. Vous avez une cabine avec hublot, j'espère ? Non ? Ma pauvre enfant ! Pourquoi ne pas en changer ? Il y en a de libres. De nombreux passagers sont descendus à Madère et le paquebot n'est plus complet. Parlez-en donc au commissaire de bord. C'est un garçon charmant. Comme ma cabine ne me plaisait pas, il m'en a donné une superbe. Parlez-en donc avec lui, quand vous descendrez déjeuner.

Je frémis à cette idée.

– Je me sens incapable de bouger !

– Ne soyez pas ridicule ! Levez-vous et venez vous promener avec moi.

Elle m'adressa un sourire encourageant. Je me sentis d'abord très faible sur mes jambes, mais à force d'aller et de venir, je retrouvai un peu d'entrain.

Nous avions fait un ou deux tours quand le colonel Race nous rejoignit :

– De l'autre côté, on aperçoit le pic de Ténériffe.

– Ah oui ? Vous croyez que je peux réussir une photo ?

– Non, mais ce n'est pas ce qui vous dissuadera d'en rater quelques-unes.

– Vous êtes injuste, dit Mrs Blair en riant. Certaines de mes photos sont très bonnes.

– Oui, dans une proportion de trois pour cent...

Nous passâmes à bâbord : le sommet enneigé apparut, blanc et étincelant, enveloppé d'un brouillard rose. Je poussai un cri de ravissement. Mrs Blair courut chercher son appareil photo.

Sans se laisser abattre par les sarcasmes du colonel Race, elle mitrailla vigoureusement le pic.

– Et voilà, c'est la fin du rouleau. Oh ! s'écria-t-elle, tout à coup désolée : je l'avais laissé en position « flash »...

– J'adore voir les enfants s'amuser avec un *nouveau jouet*, murmura le colonel.

– Vous êtes odieux. Mais j'ai encore une pellicule !

Elle la tira triomphalement de la poche de son cardigan. Mais à cet instant, déstabilisée par le roulis, elle manqua perdre l'équilibre, se rattrapa au bastingage, et laissa échapper le rouleau.

– Oh ! s'écria-t-elle, comiquement désespérée, en se penchant par-dessus la rambarde. Vous pensez qu'il est tombé à l'eau ?

– Non. Vous avez peut-être eu la chance d'assommer un malheureux steward qui passait sur le pont inférieur.

Un petit mousse, que nous n'avions pas vu approcher, donna soudain un coup de trompe assourdissant.

– Le déjeuner ! déclara Mrs Blair. Je n'ai rien pris depuis le petit déjeuner, sinon deux tasses de consommé. Vous venez déjeuner, miss Beddingfeld ?

– Ma foi, fis-je avec quelque hésitation, j'ai plutôt faim...

– Parfait ! Vous serez à la table du commissaire de bord. Parlez-lui de votre cabine.

Je gagnai la salle à manger, commençai par picorer et finis par engloutir un plantureux repas. Mon ami de la veille me félicita d'avoir repris le dessus, m'annonça que tout le monde allait changer de cabine et me promit que mes affaires seraient installées dans l'une de celles qui disposaient d'un hublot. Nous n'étions que quatre à notre table : deux vieilles dames, moi-même et un missionnaire qui parlait sans cesse de « nos pauvres frères de couleur ».

Je regardai autour de moi. Mrs Blair était à la table du capitaine, en compagnie du colonel Race, lui-même assis à côté d'un monsieur distingué et grisonnant. J'avais déjà aperçu sur le pont la plupart des gens que je voyais, à l'exception d'un personnage qui ne s'était pas encore montré, sans quoi je n'aurais pu manquer de le remarquer. Grand et brun, il avait l'air si menaçant que j'en fus saisie. Poussée par la curiosité, j'interrogeai le commissaire à son sujet.

– Celui-là ? Oh ! c'est le secrétaire de sir Eustache Pedler. Il a été tellement malade, le pauvre garçon, qu'il ne s'était pas encore manifesté. Sir Eustache est accompagné de deux secrétaires, qui n'ont ni l'un ni l'autre le pied marin. L'autre ne s'est toujours pas montré. Celui-ci s'appelle Pagett.

Ainsi donc, le propriétaire du Moulin, sir Eustache Pedler, se trouvait à bord... Une coïncidence sans doute. Et cependant...

– Et voilà sir Eustache assis à côté du capitaine, poursuivit mon informateur. Une vieille baderne...

Plus je dévisageais son secrétaire, et moins sa tête me revenait. Son teint livide, ses lourdes paupières, son crâne curieusement aplati, tout en lui m'inspirait de l'aversion et m'inquiétait.

Comme je quittais la salle à manger derrière lui pour gagner le pont, je saisis quelques bribes des propos qu'il échangeait avec sir Eustache :

– Je vais m'occuper tout de suite de la cabine. Impossible de travailler dans la vôtre, au milieu de toutes vos malles.

– Mon cher ami, répliqua sir Eustache, ma cabine est censée servir : a) à dormir et b) à me changer. Je n'ai jamais eu l'intention de vous laisser vous y étaler pour y faire un bruit infernal avec votre machine à écrire.

– C'est justement ce que je disais, sir Eustache, il nous faut un endroit pour travailler...

Là-dessus je les quittai et descendis voir où en était mon déménagement. Le steward était en train de s'en occuper :

– Une très jolie cabine, mademoiselle. Sur le pont D, n° 13.

– Oh non ! m'exclamai-je. Pas la 13 !

Le chiffre 13 est ma seule superstition. Pourtant la cabine était très agréable. Je l'inspectai, hésitai, mais ma stupide superstition l'emporta. J'allai trouver le steward, les larmes aux yeux :

– Vous ne pouvez pas m'en trouver une autre ?

Le steward réfléchit un instant.

– Il y a bien la 17, à tribord. Elle était encore libre ce matin, mais je crois qu'elle a été attribuée depuis. Enfin, puisque les affaires du monsieur en question n'y sont pas encore et que les messieurs sont généralement moins superstitieux que les dames, il ne verra sans doute pas d'inconvénient à vous la céder.

J'acceptai sa proposition avec gratitude et il partit demander l'autorisation du commissaire de bord. Il revint tout sourire.

– C'est d'accord, mademoiselle. Nous pouvons y aller.

Il me conduisit à la cabine n° 17. Elle était plus petite que la 13, mais tout à fait satisfaisante.

– Je vais chercher vos affaires, mademoiselle, me dit le steward.

Mais, à cet instant précis, apparut l'homme à la mine patibulaire — comme je l'avais surnommé.

– Excusez-moi, dit-il, mais cette cabine est réservée à sir Eustache Pedler.

– C'est arrangé, monsieur, expliqua le steward. Vous aurez le n° 13 à la place.

– Non, je devais avoir le n° 17 !

– La 13 est préférable, monsieur. Elle est plus grande.

– J'avais spécialement réservé la 17, et le commissaire de bord était d'accord.

– Je regrette, dis-je froidement, la 17 m'a été attribuée.

– Je ne peux pas l'accepter.

Le steward s'en mêla à nouveau :

– Mais l'autre cabine est identique, elle est même mieux.

– Je veux le n° 17.

– Que se passe-t-il ? fit une nouvelle voix. Steward, installez mes affaires ici, cette cabine est la mienne.

C'était mon voisin de table, le révérend Edward Chichester.

– Je vous demande pardon, dis-je, mais cette cabine est la mienne !

– Pas du tout ! Elle a été attribuée à sir Eustache Pedler ! dit Mr Pagett.

Nous commencions à nous échauffer.

– Désolé de vous contredire, déclara Chichester avec un doux sourire dissimulant mal sa volonté de l'emporter.

Les hommes les plus doux sont toujours les plus obstinés, je l'ai souvent remarqué.

Il essaya de se glisser dans la cabine.

– Vous avez la 28 à bâbord, dit le steward. Une excellente cabine, monsieur.

– Je crains de devoir insister. On m'avait promis la 17.

Nous nous trouvions dans une impasse. Aucun de nous ne voulait céder. En ce qui me concernait du moins, j'aurais pu me retirer de la lutte et simplifier les choses en proposant de prendre la cabine 28. Du moment qu'on ne m'attribuait pas le n° 13, le reste m'était égal. Mais excédée comme je l'étais, je n'avais nullement l'intention de céder la première. D'ailleurs, je détestais Chichester. Il faisait du bruit avec son râtelier en mangeant. On peut haïr pour moins que cela.

Nous reprîmes les mêmes arguments. Le steward nous assura derechef, avec encore plus de force, que les deux autres cabines étaient meilleures. Personne ne lui prêta la moindre attention.

Pagett commençait à perdre son flegme. Chichester conservait sa sérénité. Au prix de violents efforts, j'y parvenais aussi. Mais pas un de nous ne voulait céder d'un pouce.

Un clin d'œil et un mot que me souffla le steward m'indiquèrent la solution. Je m'éclipsai discrètement et j'eus la bonne fortune de croiser presque aussitôt le commissaire de bord.

– Oh, je vous en prie ! Vous m'avez bien dit que je pouvais avoir la cabine 17 ? Les autres ne veulent pas s'en aller, Mr Chichester et Mr Pagett. Vous allez me la donner, n'est-ce pas ?

Comme je le dis toujours, rien n'égale la galanterie des officiers de marine. Mon petit commissaire se montra à la hauteur. Fonçant sur les lieux, il informa les plaideurs que la 17 m'avait été attribuée et qu'ils pouvaient soit prendre les cabines 13 et 28, soit rester où ils étaient. Au choix.

Du regard, je lui fis comprendre qu'il était un héros, et je pris possession de mon nouveau domaine. Ce petit affrontement m'avait fait le plus grand bien. La mer était étale, l'air se réchauffait. Mon mal de mer n'était plus qu'un mauvais souvenir.

Je montai sur le pont, où je m'initiai aux mystères du jeu de palet. Je m'inscrivis à diverses activités sportives. Le thé fut servi sur le pont et je mangeai de bon appétit. Je fis ensuite une partie — non plus de palet mais de galet — avec de charmants jeunes gens. Ils se montrèrent extraordinairement gentils avec moi. Je commençais à trouver que la vie valait la peine d'être vécue.

La sonnerie de trompe du dîner me prit par surprise. Je me précipitai dans ma cabine. Le steward m'y attendait, l'air désolé.

– Il y a une horrible odeur dans votre cabine, mademoiselle. Je ne vois pas d'où cela peut venir, mais vous ne pourrez pas y dormir. Il y a encore une cabine libre sur le pont C, je crois. Vous pourriez vous y installer, ne serait-ce que pour une nuit.

Effectivement l'odeur était atroce, à vous lever le cœur. Je déclarai au steward que j'allais réfléchir à la question tout en me changeant. Je me dépêchai de m'habiller, en reniflant avec dégoût...

Quelle était l'origine de cette puanteur ? Un rat crevé ? Non, c'était pire... Cette odeur, je la connaissais ! C'était quelque chose que j'avais déjà senti. Quelque chose... Ah ! mais oui ! L'assa-foetida ! J'avais travaillé quelque temps dans un hôpital pendant la guerre et je m'étais familiarisée avec l'odeur nauséabonde de divers médicaments.

Sans aucun doute, c'était de l'assa-foetida. Mais comment diable... ? Je compris soudain et me laissai tomber sur ma couchette. Quelqu'un avait mis une pincée d'assa-foetida dans ma cabine. Mais pourquoi ? Pour m'en chasser ? Pourquoi était-on si désireux de m'en voir partir ? Je revis avec des yeux différents la scène de l'après-midi. Qu'avait donc de particulier cette cabine 17 pour attirer tant de monde ? Les deux autres étaient bien plus agréables ; pourquoi ces deux passagers tenaient-ils tant à avoir la 17 ?

17, ce nombre ne cessait de revenir ! C'était le 17 que je m'étais embarquée de Southampton. C'était le 17... Je m'arrêtai, le souffle coupé. J'ouvris vivement ma valise, et en tirai le précieux papier que j'avais caché parmi mes bas, roulé en boule.

17.1 22 : j'avais pris cela pour une date, celle du départ du *Kilmorden Castle*. Et si je m'étais trompée ? A y repenser, qui jugerait nécessaire, en notant une date, de préciser, non seulement le mois, mais l'année ? Et si le 17 signifiait cabine 17 ? En ce cas, que signifie-

338

rait le 1 ? L'heure — 1 heure ! Du coup, le 22 devait représenter la date. Je consultai mon petit calendrier.

Le 22, c'était demain !

10

J'étais surexcitée, certaine d'être enfin sur la bonne piste. Une chose m'apparaissait clairement : je ne devais pas quitter ma cabine. Il fallait supporter l'assa-foetida. Je repassai tous les faits en mémoire.

Le 22 tombait le lendemain et, soit à 1 heure du matin, soit à 1 heure de l'après-midi, quelque chose devait se produire. Je penchais pour 1 heure du matin. Il était 7 heures du soir. Dans six heures, je serais fixée.

La soirée me parut interminable. Je me retirai assez tôt dans ma cabine. J'avais déclaré au steward qu'ayant attrapé un rhume, les odeurs ne me gênaient pas. Il paraissait quand même très ennuyé, mais je tins bon.

La soirée n'en finissait pas. J'allai enfin me coucher, pantoufles aux pieds, enveloppée dans une épaisse robe de chambre de flanelle. Ainsi accoutrée, j'étais prête à sauter du lit et à prendre une part active à tout ce qui pouvait arriver.

Que pouvait-il bien arriver ? Je n'en avais pas la moindre idée. Les hypothèses les plus invraisemblables me traversaient l'esprit. Mais de ceci j'étais bien convaincue : à 1 heure, il se passerait *quelque chose*.

A diverses reprises, j'entendis des passagers regagner leurs cabines. Des fragments de conversations, des bonsoirs entrecoupés de rires me parvenaient par l'imposte. Puis ce fut le silence. Presque toutes les lumières s'éteignirent. Il en restait cependant une dans la coursive qui éclairait vaguement ma cabine. La cloche piqua minuit. L'heure qui suivit me parut la plus longue que j'aie jamais connue. Je consultais subrepticement ma montre pour m'assurer que je ne me trompais pas. Si mes déductions étaient fausses, s'il ne se passait rien à 1 heure, je me serais ridiculisée et j'aurais dépensé jusqu'à mon dernier sou pour rien... Mon cœur cognait dans ma poitrine.

La cloche piqua deux coups : 1 heure ! Toujours rien. Mais... qu'est-ce que c'était que ça ? Un bruit de pas... on courait dans la coursive.

Subitement, ma porte s'ouvrit à la volée et un homme faillit tomber en entrant comme une bombe dans ma cabine.

– Sauvez-moi ! fit-il d'une voix rauque. Ils sont après moi.

Ce n'était pas le moment de discuter ni de demander des explications. J'entendais des pas approcher. J'avais environ quarante secondes pour agir. J'avais bondi sur mes pieds et je m'étais plantée devant l'étranger, au milieu de la cabine.

Il n'y a pas trente-six endroits où cacher un homme d'un mètre quatre-vingt-dix dans une cabine de bateau. Je tirai ma malle et il se glissa derrière, sous ma couchette. D'une main, je soulevai le couvercle et, de l'autre main, j'attrapai la cuvette. En deux temps trois mouvements, je me fis un petit chignon, très peu artistique d'un côté, suprêmement artistique de l'autre : qui diable irait soupçonner d'abriter un fugitif une femme aux cheveux tirebouchonnés en un vilain chignon, en train de sortir de sa malle une savonnette avec laquelle elle compte, de toute évidence, se laver le cou ?

Quelqu'un frappa à la porte et l'ouvrit sans attendre qu'on lui dise d'entrer. J'ignore ce que je m'attendais à voir : peut-être Mr Pagett brandissant un revolver, ou mon missionnaire armé d'une matraque ou de quelque arme meurtrière... mais certainement pas une femme de chambre, l'air interrogateur, et l'incarnation même de la respectabilité.

– Veuillez m'excuser, mademoiselle, j'ai cru que vous aviez appelé.

– Non, dis-je. Pas du tout.

– Je suis désolée de vous avoir dérangée.

– Il n'y a pas de mal. Comme je ne pouvais pas dormir, j'ai pensé qu'un brin de toilette me ferait du bien.

A m'entendre, on aurait pu croire que ce n'était pas dans mes habitudes.

– Je suis désolée, mademoiselle, répéta la femme de chambre. Mais il y a un monsieur passablement ivre qui traîne dans les parages et nous avons peur qu'il effraie les dames en entrant dans leurs cabines.

– Quelle horreur ! dis-je, sur un ton faussement alarmé. Vous croyez qu'il va venir ici ?

– Oh non ! je ne pense pas, mademoiselle. Mais n'hésitez pas à sonner, en ce cas. Bonne nuit.

– Bonne nuit.

J'ouvris la porte et jetai un coup d'œil dans la coursive. Mais hormis la femme de chambre qui s'éloignait, je ne vis personne.

Ivre ! C'était l'explication... J'avais déployé en vain mes talents de comédienne. Tirant la malle un peu plus, je lançai d'une voix acerbe :

– Sortez d'ici immédiatement, s'il vous plaît.

Pas de réponse.

Je risquai un œil sous la couchette. Mon visiteur ne bougeait pas. Il avait l'air endormi. Je lui tapai sur l'épaule. Il ne bougea toujours pas.

« Ivre mort, songeai-je, vexée. Qu'est-ce que je vais faire de lui ? » Soudain je remarquai quelque chose qui me coupa le souffle : une petite tache rouge sur le plancher.

En y mettant toutes mes forces, je parvins à le tirer jusqu'au milieu de la cabine. A sa pâleur cadavérique, je compris qu'il était évanoui. Et la cause de son évanouissement était assez claire : il avait reçu un coup de couteau sous l'omoplate gauche. Une vilaine blessure, assez profonde, que j'entrepris de panser, après l'avoir débarrassé de sa veste et de sa chemise.

Au contact de l'eau froide, il reprit conscience et s'assit.

– Restez tranquille, s'il vous plaît, lui dis-je.

C'était un de ces hommes qui récupèrent rapidement. Il se remit sur pied, un peu chancelant :

– Merci. Je n'ai besoin de rien.

Il avait l'air méfiant, presque agressif. Pas un mot de remerciement, de simple gratitude !

– C'est une vilaine blessure, laissez-moi la panser.

– Vous ne ferez rien de pareil.

Il me jeta ces mots à la figure comme si j'avais imploré une faveur. N'étant pas d'un naturel placide, mon sang ne fit qu'un tour.

– Je n'ai pas lieu de vous féliciter de vos manières, dis-je froidement.

– Je peux en tout cas vous débarrasser de ma présence.

Il alla vers la porte, mais vacilla aussitôt. D'un mouvement brusque, je le fis tomber sur la couchette.

– Ne soyez pas stupide, dis-je sans cérémonie. Vous voulez répandre votre sang sur tout le bateau ?

Apparemment sensible à l'argument, il se tint tranquille, tandis que je bandais sa blessure de mon mieux.

– Et voilà, dis-je en contemplant mon ouvrage. Cela devrait suffire dans l'immédiat. Etes-vous de meilleure humeur à présent, êtes-vous disposé à me dire ce qui se passe ?

– Je suis désolé de ne pouvoir satisfaire une curiosité bien naturelle.

– Et pourquoi pas ? fis-je, contrariée.

Il eut un sourire déplaisant.

– Si vous voulez qu'une nouvelle soit diffusée, confiez-la à une femme. Sinon, n'ouvrez pas la bouche.

– Vous pensez que je suis incapable de garder un secret ?

– Je ne pense pas. Je sais.

Il se remit sur ses pieds.

– En tout cas, j'ai déjà de quoi alimenter la rumeur avec les événements de la soirée, répliquai-je, histoire de me venger.

– Je ne doute pas un instant que vous le fassiez, remarqua-t-il avec indifférence.

– Comment osez-vous... ? criai-je, furieuse.

Nous nous affrontâmes, nous foudroyant mutuellement du regard, comme deux ennemis mortels. Pour la première fois, je le dévisageai, remarquant ses cheveux bruns coupés ras, la cicatrice barrant sa joue bronzée, et ses yeux d'un curieux gris clair, plantés dans les miens avec une expression ironique et intrépide, difficile à décrire. Il y avait chez lui quelque chose d'inquiétant.

– Vous ne m'avez pas encore remerciée de vous avoir sauvé la vie, fis-je remarquer avec une douceur feinte.

Piqué au vif, il accusa le coup. Je compris intuitivement que la simple idée qu'il me devait la vie lui faisait horreur. Mais je m'en moquais. Je voulais le blesser. Je n'avais jamais eu pareille envie de blesser quelqu'un.

– Si seulement vous aviez eu la bonne idée de vous abstenir ! J'aurais préféré mourir et en être quitte ! s'écria-t-il.

– Ravie que vous reconnaissiez votre dette. Mais vous ne pourrez pas vous en tirer comme ça. Je vous ai sauvé la vie et j'attends que vous me disiez merci.

Si un regard pouvait tuer, il m'aurait tuée sur-le-champ. Il me bouscula pour passer.

A la porte, il tourna la tête :

– Je ne vous remercierai pas, ni maintenant ni jamais ! Mais je reconnais ma dette. Un jour, je m'en acquitterai.

Il disparut, me laissant les poings serrés et le cœur battant à tout rompre.

11

Le reste de la nuit se déroula sans incident. Le lendemain matin, je pris mon petit déjeuner au lit et me levai tard. J'étais à peine arrivée sur le pont que Mrs Blair me hélait :

– Bonjour, petite bohémienne ! Venez donc vous asseoir à côté de moi. Vous m'avez l'air d'avoir mal dormi.

– Pourquoi m'appelez-vous ainsi ? lui demandai-je en obéissant.

– Cela vous déplaît ? Ça vous va bien, pourtant. Je vous ai baptisée ainsi, du jour où je vous ai vue. Vous avez un côté bohème qui vous rend bien différente des autres. J'ai décidé que vous étiez la seule personne à bord, avec le colonel Race, que je pourrai fréquenter sans mourir d'ennui.

– C'est drôle, j'ai pensé la même chose de vous... mais c'est plus compréhensible. Vous êtes... vous êtes le raffinement incarné.

– Pas mal tourné, fit Mrs Blair en hochant la tête. Racontez-moi tout, petite bohémienne. Pourquoi vous rendez-vous en Afrique du Sud ?

Je lui parlai de l'œuvre de mon père.

– Vous êtes la fille de Charles Beddingfeld ? Je savais bien que vous ne pouviez être une banale petite provinciale. Vous allez à Broken Hill pour exhumer d'autres crânes ?

– Pourquoi pas ? répondis-je prudemment. Mais j'ai aussi d'autres projets.

– Quelle petite cachottière vous faites ! Vous m'avez l'air bien fatiguée, ce matin. Vous avez mal dormi ? Moi, je n'arrive pas à rester éveillée sur un bateau. On dit qu'un idiot a besoin de dix heures de sommeil. Moi, il m'en faudrait presque vingt !

Elle bâilla comme un petit chat.

– Un imbécile de steward m'a réveillée au milieu de la nuit pour me rendre le rouleau de pellicule que j'avais perdu hier. Et de quelle façon ! Il a passé le bras par le hublot et me l'a jeté sur le ventre. J'ai cru qu'il s'agissait d'une bombe !

– Voici votre colonel ! dis-je en avisant la silhouette martiale du colonel Race qui venait d'apparaître sur le pont.

– Pourquoi *mon* colonel ? En fait, c'est vous qu'il admire, petite bohémienne. Alors, ne vous sauvez pas.

– Je vais juste m'attacher les cheveux avec un foulard. Je me sentirai mieux qu'avec un chapeau.

Je m'éclipsai aussitôt. Sans que je sache pourquoi, le colonel Race me mettait mal à l'aise. C'était une des rares personnes capables de m'intimider.

Je descendis donc dans ma cabine et cherchai quelque chose pour discipliner mes boucles rebelles. Je suis quelqu'un d'ordonné, qui range toujours tout au même endroit. Dès que j'ouvris mon tiroir, je sus que quelqu'un avait fouillé dans mes affaires. Tout avait été tourné et retourné. Je jetai un coup d'œil dans l'autre tiroir, ainsi que dans le petit placard. Le tableau était le même. Comme si quelqu'un avait hâtivement fouillé ma cabine, sans résultat.

Je m'assis sur ma couchette, l'air grave. Qui avait fouillé ma cabine et pour y chercher quoi ? Mon bout de papier, avec ses mystérieuses indications ? Non, je secouai la tête. C'était de l'histoire ancienne, maintenant. Mais alors quoi ?

Je m'obligeai à réfléchir. Pour trépidante qu'elle eût été, la nuit passée ne m'avait guère renseignée. Qui était le garçon qui s'était introduit si brusquement dans ma cabine ? Je ne me rappelais pas l'avoir vu à bord, ni sur le pont, ni au salon. Etait-ce un passager ou bien un membre du personnel navigant ? Qui lui avait porté ce coup de couteau ? Et pourquoi, au nom du ciel, la cabine 17 jouait-elle un rôle si important ? Quoi qu'il en soit, il se passait de bien curieux événements à bord du *Kilmorden Caste* !

Sur les doigts de la main, je fis le compte des passagers sur lesquels je devais avoir l'œil.

Excluant momentanément de cette liste mon visiteur de la nuit — mais déterminée à ce que la journée ne s'achève pas sans que je l'aie trouvé à bord —, je me concentrai sur les personnes suivantes :

1) Sir Eustache Pedler. C'était le propriétaire du Moulin, et sa présence à bord du *Kilmorden Castle* était une curieuse coïncidence.

2) Mr Pagett, le secrétaire à la mine patibulaire qui avait tant insisté pour se faire attribuer la cabine 17.

N.B. : tâcher de savoir s'il avait accompagné sir Eustache à Cannes.

3) Le révérend Edward Chichester. Tout ce que j'avais contre lui, c'était son obstination à occuper la

cabine 17, mais peut-être n'était-ce là qu'un effet de son caractère. Les gens sont si têtus, parfois.

Mais une petite conversation avec Mr Chichester ne serait pas superflue. Je nouai vivement un foulard sur mes cheveux et montai résolument sur le pont. La chance était avec moi. Mon gibier était accoudé au bastingage, une tasse de bouillon à la main. J'allai me planter devant lui.

– J'espère que vous ne m'en voulez plus pour la cabine 17, lui dis-je avec mon plus charmant sourire.

– Le pardon est la première des vertus chrétiennes, répondit Mr Chichester d'un ton glacial. Mais le commissaire de bord m'avait promis cette cabine.

– Ces gens-là sont si occupés... répondis-je évasivement. Il est normal qu'ils commettent des oublis de temps en temps.

Mr Chichester ne répondit pas.

– C'est votre premier voyage en Afrique ? repris-je sur le ton de la conversation.

– En Afrique du Sud, oui. Mais je viens de passer deux ans en mission auprès des tribus cannibales d'Afrique orientale.

– Comme c'est excitant ! Et vous avez été souvent sur le point d'y passer ?

– D'y passer ?

– D'être mangé, je veux dire.

– Vous ne devriez pas traiter aussi légèrement les sujets sacrés, miss Beddingfeld.

– Je ne savais pas que le cannibalisme était un sujet sacré, rétorquai-je, piquée.

348

Mais en même temps, une idée venait de me frapper. Si Mr Chichester avait vraiment passé deux ans au cœur de l'Afrique, pourquoi n'était-il pas bronzé ? Il avait la peau aussi rose et blanche que celle d'un bébé. Il y avait là quelque chose de louche. Et pourtant, son ton, ses manières étaient tout à fait *ça*. Un peu trop, peut-être ? Jouait-il ou non l'homme d'Eglise ?

J'essayai de me remémorer les ecclésiastiques que j'avais connus à Little Hampsley. Certains m'avaient plu, les autres, non, mais aucun ne ressemblait à Mr Chichester. Ils étaient des hommes — celui-là incarnait un modèle.

Je réfléchissais à tout ça lorsque sir Eustache Pedler passa sur le pont. En arrivant devant Mr Chichester, il se baissa et ramassa un bout de papier qu'il lui tendit.

– Vous avez laissé tomber quelque chose...

Sir Eustache continua son chemin sans remarquer comme moi le trouble qui s'emparait de Mr Chichester. Quoi qu'il ait perdu, le retrouver l'avait beaucoup agité. Il devint vert et roula le morceau de papier en boule. Mes soupçons s'en trouvèrent accrus au centuple.

Saisissant mon regard, il s'empressa de se justifier :

– C'est... c'est le sermon que je suis en train de rédiger, fit-il avec un pâle sourire.

– Ah, oui ? fis-je poliment.

« Un sermon, vraiment ! Non, Mr Chichester. L'explication est un peu facile ! »

Il me quitta rapidement après avoir marmonné une excuse. Ah ! si seulement j'avais pu ramasser ce papier à la place de sir Eustache Pedler ! En tout cas, il n'était

plus question de rayer Chichester de la liste des suspects. Je l'aurais même volontiers mis en tête de liste.

Après le déjeuner, comme j'allais prendre le café au
salon, j'y trouvai sir Eustache et Pagett en compagnie de
Mrs Blair et du colonel Race. Mrs Blair m'invita d'un
sourire à me joindre à eux. Ils parlaient de l'Italie.

– La langue est trompeuse ? déclara Mrs Blair. *Aqua
calda* devrait être l'eau froide, pas l'eau chaude.

– Vous n'êtes pas très ferrée en latin, remarqua
sir Eustache en souriant.

– Les hommes sont tellement fiers de leur latin !
s'écria Mrs Blair. N'empêche que quand on leur
demande de traduire les inscriptions latines qu'on
trouve dans les vieilles églises, ils en sont incapables. Ils
bafouillent et se débrouillent pour ficher le camp.

– Très juste, dit le colonel Race. C'est toujours ce que
je fais.

– Mais j'adore les Italiens ! poursuivit Mrs Blair. Ils
sont obligeants au point d'en devenir parfois gênants !
Si vous leur demandez votre chemin, au lieu de vous
répondre : première à droite, deuxième à gauche — ou
de vous donner une direction à suivre —, ils déversent
sur vous un tel flot d'indications que vous n'y comprenez plus rien. Alors, ils vous prennent gentiment par le
bras et vous conduisent eux-mêmes à destination.

– En a-t-il été de même pour vous à Florence,
Pagett ? demanda sir Eustache.

Pour quelque obscure raison, cette question parut
plonger le secrétaire dans l'embarras.

– Oh ! tout à fait, oui... euh... tout à fait, bredouilla-
t-il en rougissant.

Il bégaya une vague excuse, se leva et quitta la table.

– Je commence à soupçonner Pagett d'avoir commis un noir forfait à Florence, déclara sir Eustache en le regardant s'éloigner. Dès qu'on parle de Florence ou de l'Italie, il change de sujet ou disparaît précipitamment.

– Il a peut-être assassiné quelqu'un là-bas, lança Mrs Blair, pleine d'espoir. Je ne voudrais pas vous blesser, sir Eustache, mais je lui trouve vraiment une tête d'assassin.

– Oui, du pur *Cinquecento*. Parfois, cela m'amuse, surtout quand on sait, comme moi, à quel point ce pauvre garçon est respectable et respectueux des lois.

– Vous l'employez depuis longtemps, n'est-ce pas ? demanda le colonel Race.

– Six ans, répondit sir Eustache avec un profond soupir.

– Il doit vous être très précieux, déclara Mrs Blair.

– Oh ! très précieux, oui, très précieux, répliqua le pauvre homme sur un ton encore plus accablé, comme si la valeur de Mr Pagett était pour lui une souffrance. Mais sa tête devrait vous inspirer confiance, chère madame, ajouta-t-il plus gaiement. Aucun malfaiteur qui se respecte ne se permettrait d'avoir une tête d'assassin. Je crois que Crippen, par exemple, était un garçon des plus séduisants.

– Il a été précisément arrêté à bord d'un paquebot, non ? murmura Mrs Blair.

J'entendis un bruit dans mon dos et me retournai vivement. Mr Chichester venait de laisser tomber sa tasse de café.

Nous nous séparâmes bientôt. Mrs Blair descendit se coucher et je montai prendre l'air sur le pont. Le colonel Race me suivit.

– Vous êtes insaisissable, miss Beddingfeld. Je vous ai cherchée partout hier soir pour vous inviter à danser.

– Je me suis couchée de bonne heure, expliquai-je.

– Comptez-vous disparaître également ce soir, ou accepterez-vous de danser avec moi ?

– Je serais ravie de danser avec vous, murmurai-je timidement. Mais Mrs Blair...

– Notre amie Mrs Blair n'aime pas danser.

– Et vous, vous aimez ça ?

– Moi, j'aimerais danser avec vous.

– Oh ! fis-je, un rien nerveuse.

Le colonel Race me faisait un peu peur. Néanmoins, je m'amusais beaucoup. Cela ne valait-il pas mieux que de discuter de crânes fossiles avec de vieux professeurs ? Le colonel Race incarnait à merveille le Rhodésien farouche et taciturne de mes rêves. J'allais peut-être l'épouser ? Il est vrai qu'il ne me l'avait pas demandé, mais comme disent les scouts : « Toujours prêt. » Sans vraiment y croire, les femmes ne voient-elles pas toutes, en chaque homme qu'elles rencontrent, un mari possible, pour elles ou pour leur meilleure amie ?

Je dansai plusieurs fois avec lui ce soir-là. Il dansait bien. Quand nous eûmes épuisé toutes les danses, et alors que je songeais à aller me coucher, il me proposa une promenade sur le pont. Après avoir fait trois tours, nous nous installâmes dans des transats. Il n'y avait personne d'autre en vue.

– Savez-vous, miss Beddingfeld, que je crois avoir

rencontré votre père ? Un homme fort intéressant, dans un domaine qui m'a toujours fasciné. Je m'y suis un peu frotté moi-même, en amateur. Ainsi, quand j'étais en Dordogne...

Notre conversation devint technique. Le colonel n'avait pas menti. Il connaissait bien le sujet. Toutefois, il lui échappa une ou deux erreurs curieuses, que j'aurais prises pour des lapsus s'il ne s'était empressé de m'emboîter le pas et de les faire oublier. Ainsi, il parla une fois du moustérien comme succédant à l'aurignacien — erreur absurde pour quiconque a la moindre idée de la question.

Il était minuit quand je regagnai ma cabine. Je pensais encore à ces étranges erreurs. Etait-il possible qu'il ne connaisse rien à l'anthropologie ? Qu'il ait monté ça de toutes pièces pour la circonstance ? Je secouai la tête, peu satisfaite par cette hypothèse.

J'allais sombrer dans le sommeil, quand je me rassis d'un bond : une nouvelle idée venait de me traverser l'esprit. Et si c'était *lui* qui m'avait mise à l'épreuve ? Ces légères erreurs ne visaient peut-être qu'à sonder mes propres connaissances en la matière ? Autrement dit, il me soupçonnait de n'être pas réellement Anne Beddingfeld...

Mais pourquoi ?

12

Extraits du journal intime
de sir Eustache Pedler

La vie à bord offre au moins un avantage : la tranquillité. Mes cheveux gris me dispensent heureusement d'indignités telles que d'essayer d'attraper avec les dents des pommes flottant sur l'eau, de courir sur le pont avec des œufs et des pommes de terre, ou de m'adonner à des sports encore plus douloureux. Que les gens éprouvent du plaisir à exercer ces pénibles activités, ce sera toujours pour moi un mystère. Il y a beaucoup d'idiots de par le monde. Que Dieu soit loué pour leur existence et m'écarte de leur chemin.

Par bonheur, j'ai le pied marin, ce qui n'est pas le cas de ce malheureux Pagett. Il a verdi, sitôt en haute mer. Quant à mon second secrétaire, il doit lui aussi souffrir du mal de mer. Toujours est-il qu'il ne s'est pas encore montré. Mais peut-être est-ce simplement de sa part de la haute diplomatie ? L'essentiel, c'est que *je* ne sois pas importuné par lui.

Dans l'ensemble, les passagers sont plutôt minables. A part deux joueurs de bridge à peu près convenables et une femme assez présentable — Mrs Clarence Blair. Je l'avais déjà rencontrée à Londres, bien sûr. C'est la seule femme que je connaisse qui ne manque pas d'humour. J'ai plaisir à bavarder avec elle, et j'en aurais plus encore, n'était le grand type taciturne, qui se cramponne à elle comme une moule à son rocher. Je ne peux pas croire que le colonel Race l'amuse vraiment. Il n'est pas mal dans son genre, mais ennuyeux comme la pluie. Un de ces hommes farouches et silencieux qui font les délices des jeunes filles et des romancières sur le retour.

Sitôt quitté Madère, Guy Pagett s'est hissé jusqu'au pont pour m'entretenir, d'une voix creuse, de travail. Qui diable a envie de travailler à bord d'un bateau ? Il est vrai que j'ai promis à mon éditeur de livrer mes *Mémoires* avant l'été, mais quoi ? Qui lit encore des *Mémoires* ? Les vieilles dames de banlieue. Et d'ailleurs, de quoi sont faits mes *Mémoires* ? Au cours de mon existence, je me suis heurté à un certain nombre de soi-disant célébrités. Avec l'aide de Pagett, j'invente des anecdotes insipides à leur sujet. L'ennui, c'est que Pagett est trop honnête pour ce travail. Il ne me laisse pas inventer des anecdotes à propos de gens, que j'aurais pu, mais que je n'ai pas rencontrés.

J'ai essayé la bienveillance :

– Vous avez une tête à faire peur, mon cher ami. Une chaise longue au soleil, voilà ce qu'il vous faut. Non, pas un mot. Le travail attendra.

A la suite de quoi, j'ai appris qu'il cherchait à se faire attribuer une cabine supplémentaire. « Il n'y a pas de place pour travailler dans la vôtre, sir Eustache. Elle est pleine de malles. »

A l'entendre, on aurait pu croire que mes malles étaient d'horribles cafards qui n'avaient aucune raison de se trouver là.

Je lui ai expliqué, pour le cas où il ne l'aurait pas remarqué, que les gens ont l'habitude d'emporter du linge de rechange quand ils voyagent. Il m'a gratifié du sourire las que lui arrachent toujours mes plaisanteries, et il est revenu à son idée.

– Et nous ne pouvons pas travailler dans mon petit trou.

Je connais les « petits trous » de Pagett : il obtient toujours la plus belle cabine du bateau.

– Désolé que le capitaine ne se soit pas mis en quatre pour vous cette fois-ci, persiflai-je. Vous voulez peut-être déposer vos excédents de bagages dans ma cabine ?

Il est dangereux de plaisanter avec un homme comme Pagett. Son visage s'est éclairé aussitôt :

– Eh bien, si je pouvais me débarrasser de la machine à écrire et de la malle contenant la papeterie…

Cette malle pèse plusieurs tonnes. Elle nous cause des ennuis sans fin avec les porteurs, et Pagett ne songe qu'à me la refiler. C'est un sujet de perpétuelle dispute entre nous. Il a l'air de considérer qu'elle est ma propriété personnelle. Et moi, j'estime que la seule utilité d'un secrétaire, c'est justement de prendre cet objet en charge.

– Eh bien, demandons une cabine supplémentaire, dis-je précipitamment.

La chose semblait simple, mais Pagett adore les mystères. Le lendemain, je l'ai vu arriver avec une tête de conspirateur de la Renaissance.

– Vous m'avez bien dit de me faire attribuer la cabine 17 pour qu'elle nous serve de bureau ?

– Oui, et alors ? La malle aux papiers est restée coincée dans la porte ?

– Toutes les portes ont la même dimension, répliqua

Pagett. Mais laissez-moi vous dire, sir Eustache, que cette cabine 17 a quelque chose de très bizarre.

– Si vous voulez dire par là qu'elle est hantée, comme nous n'avons pas l'intention d'y dormir, je ne pense pas que cela soit gênant. Les fantômes ne troublent pas les machines à écrire.

Pagett m'a déclaré qu'il n'y avait pas de fantôme, et que, d'ailleurs, il n'avait pas obtenu la cabine n° 17. Il m'a raconté une histoire longue et embrouillée. Il semblerait qu'un certain Mr Chichester, une certaine demoiselle Beddingfeld et lui-même en soient presque venus aux mains à propos de cette cabine. Inutile de dire que c'est la demoiselle qui l'a emporté, au vif mécontentement de Pagett. « Les cabines 13 et 28 sont bien meilleures », répétait-il, mais ils n'ont même pas voulu y jeter un coup d'œil.

– Ma foi, vous non plus, mon cher Pagett, lui ai-je fait remarquer en étouffant un bâillement.

– Mais vous m'aviez dit de prendre la 17, m'a-t-il rétorqué avec un regard plein de reproche.

Pagett a un côté petit garçon en détresse.

– Mon cher, lui ai-je déclaré, agacé, si j'ai parlé de la cabine 17, c'est qu'elle était libre. Mais je ne vous ai jamais dit de vous battre jusqu'à la mort pour l'obtenir. La 13 ou la 28 faisait aussi bien l'affaire.

Il a paru blessé.

– Mais ce n'est pas tout, a-t-il insisté. C'est miss Beddingfeld qui a eu la cabine. Or, ce matin, j'ai vu Chichester en sortir furtivement.

Je l'ai fixé d'un œil sévère.

– Si vous tentez de créer un horrible scandale autour

de Chichester — un individu ignoble, mais un mission-naire — et de la charmante Anne Beddingfeld, je n'en croirai pas un mot, lui ai-je dit. Anne Beddingfeld est une fille très gentille — avec des jambes particuliè-rement bien faites. J'irai même jusqu'à dire que ce sont de loin les jambes les mieux faites à bord.

Pagett n'a pas apprécié que je fasse allusion aux jambes d'Anne Beddingfeld. C'est le genre d'homme qui ne remarque jamais les jambes... ou qui, s'il les remarque, préférerait mourir plutôt que d'en convenir. Il considère que mes jugements sont frivoles. Mais comme j'adore le contrarier, j'ai poursuivi malicieuse-ment :

– D'ailleurs, puisque vous avez fait sa connaissance, invitez-la donc de ma part à dîner demain soir à notre table. Il y aura bal masqué. A propos, passez donc chez le barbier pour me choisir un déguisement.

– Vous ne comptez tout de même pas vous déguiser ? me répliqua-t-il, horrifié.

J'ai bien vu que cette éventualité lui semblait incom-patible avec l'idée qu'il se fait de ma dignité. Il a eu l'air choqué et peiné. Jusque-là, je n'avais pas l'intention de me déguiser, mais je n'ai pas pu résister à l'envie d'assis-ter à sa totale déconfiture :

– Que voulez-vous dire ? Bien sûr que je vais me déguiser ! Et vous aussi. Allez donc vous en occuper, ai-je dit.

Pagett frémit.

– Je ne pense pas qu'il y ait des tailles hors norme, murmura Pagett en me mesurant du regard.

Sans mauvaise intention, Pagett peut parfois se montrer vexant.

– Et retenez une table pour six, ajoutai-je. Nous aurons le capitaine, la fille aux jolies jambes, Mrs Blair...

– Elle ne viendra pas sans le colonel Race, glissa Pagett. Je sais qu'il l'a déjà invitée à dîner.

Pagett sait toujours tout. J'en ai été contrarié, à juste titre.

– Mais qui est donc ce Race ? lui ai-je demandé, exaspéré.

Comme je viens de le dire, Pagett sait toujours tout — ou croit tout savoir. Il a repris ses airs mystérieux.

– Le bruit court qu'il fait partie des Services secrets, sir Eustache. Ce serait même une huile. Mais évidemment, je n'en suis pas sûr.

– Voilà bien la façon d'agir de notre gouvernement ! Il se trouve à bord un homme dont le travail consiste à transporter des documents secrets, et il faut qu'on aille les confier à un paisible individu, qui ne demandait rien à personne.

Prenant des airs plus mystérieux encore, Pagett m'a glissé en se rapprochant de moi :

– Si vous voulez mon avis, toute cette affaire est fort étrange, sir Eustache. Prenez l'indisposition qui m'a frappé à la veille de notre départ...

Je l'ai interrompu brutalement :

– Mon cher Pagett, c'était une crise de foie. Et des crises de foie, vous en avez sans arrêt.

Pagett a légèrement tiqué :

– Ce n'était pas une crise de foie ordinaire. Cette fois-ci...

– Pour l'amour du ciel ! Ne me décrivez pas vos symptômes en détail, Pagett. Je ne tiens pas à les entendre.

– Très bien, sir Eustache. Mais je suis persuadé d'avoir été délibérément *empoisonné*.

– Ah ! vous avez parlé à Rayburn.

Il ne l'a pas nié.

– En tout cas, sir Eustache, c'est ce qu'*il* pense. Et *il* est bien placé pour le savoir.

– A propos, où est-il passé ? Je ne l'ai pas aperçu depuis que nous avons embarqué.

– Il se prétend malade et ne quitte pas sa cabine, sir Eustache. (Pagett baissa de nouveau la voix.) Mais je suis sûr que c'est un *camouflage*. Pour veiller plus tranquillement.

– Pour veiller ?

– Sur votre sécurité, sir Eustache, pour le cas où l'on voudrait attenter à votre vie.

– Vous êtes toujours si réconfortant, Pagett ! Vous vous laissez emporter par votre imagination. A votre place, je me déguiserais pour le bal masqué en squelette ou en bourreau. Rien ne siérait mieux à votre sinistre genre de beauté.

Cela lui a cloué provisoirement le bec. Je suis monté sur le pont. La petite Beddingfeld était en grande conversation avec Chichester, le missionnaire. Les femmes sont toujours à papillonner autour des ecclésiastiques.

Quoiqu'il soit fort désagréable de se baisser pour un homme de ma corpulence, j'ai néanmoins eu la courtoisie de ramasser un morceau de papier traînant aux pieds du missionnaire.

Il n'a pas eu un mot pour me remercier d'avoir pris cette peine. En fait, je n'avais pas pu m'empêcher de voir ce qui était écrit. C'était une simple phrase.

N'essayez pas de faire cavalier seul, ou vous ne l'emporterez pas au paradis.

Qu'est-ce qu'une chose pareille fait dans les mains d'un ecclésiastique ? Qui est ce Chichester, je me le demande. Il a l'air doux comme du miel. Mais les apparences sont trompeuses. Il faudra que j'interroge Pagett à son sujet. Pagett sait toujours tout.

Tout en déplorant que le clergé ne soit plus ce qu'il était, je me suis laissé gracieusement tomber sur ma chaise longue à côté de Mrs Blair, interrompant ainsi son tête-à-tête avec Race. Puis, j'ai invité Mrs Blair à dîner pour le soir du bal masqué. Je ne sais comment, Race s'est arrangé pour être inclus dans l'invitation.

La petite Beddingfeld est venue nous rejoindre pour le café. J'avais raison à propos de ses jambes. Ce sont les mieux faites du bateau. Je compte bien l'inviter également à dîner.

J'aimerais bien savoir quelle bêtise Pagett a pu commettre à Florence. Sitôt qu'on évoque l'Italie, il se décompose. Si je n'étais certain de sa respectabilité, je le soupçonnerais d'un amour inavouable...

Après tout, qui sait ? Même les hommes les plus respectables... Cette éventualité me réjouirait beaucoup.

Pagett... Pagett et son secret honteux ! Merveilleux !

361

13

Ce fut une curieuse soirée. Dans le magasin du barbier, je n'avais trouvé qu'un costume de Teddy Bear à ma taille. J'aurais volontiers joué les ours avec de charmantes jeunes filles par un soir d'hiver, en Angleterre, mais ce n'était pas la tenue idéale sous l'Equateur. Quoi qu'il en soit, je me suis taillé un certain succès de fou rire et j'ai décroché le premier prix des déguisements « apportés à bord », dénomination absurde pour un costume loué pour la soirée. Mais personne ne se souciant de ce qui avait été fait sur place ou apporté, c'était sans importance.

Mrs Blair a refusé de se déguiser. Elle partage apparemment le point de vue de Pagett sur ce chapitre. Le colonel Race a suivi son exemple. Anne Beddingfeld s'était confectionné un costume de bohémienne qui lui allait à merveille. Pagett a invoqué une migraine pour éviter de se montrer. J'ai invité un curieux personnage du nom de Reeves à prendre sa place. C'est un membre éminent du Parti travailliste d'Afrique du Sud. Un horrible petit bonhomme, mais je dois le ménager, car il me fournit des informations utiles. Je tiens à connaître les deux points de vue sur l'affaire du Rand.

La danse est un exercice échauffant. J'ai dansé deux fois avec Anne Beddingfeld, qui a fait semblant d'y trouver plaisir. J'ai dansé une fois avec Mrs Blair, qui n'a pas éprouvé le besoin de faire semblant. Et j'ai fait quelques autres victimes, des demoiselles qui m'avaient favorablement impressionné.

Puis nous sommes allés souper. J'avais commandé du champagne et accepté le Veuve Cliquot 1911 proposé par le sommelier. J'avais tapé dans le mille. C'était apparemment la seule chose capable de délier la langue du colonel Race. Loin d'être taciturne, il s'est montré particulièrement loquace. Cela m'a d'abord amusé, puis je me suis rendu compte que ce n'était plus moi, que c'était lui maintenant l'âme de la soirée. A la fin, il m'a taquiné à propos de mon journal...

– Un de ces jours, Pedler, toutes vos indiscrétions paraîtront à la lumière...

– Mon cher Race, je ne suis peut-être pas tout à fait l'imbécile que vous croyez. Je peux commettre des indiscrétions, mais je ne les couche pas noir sur blanc. Après ma mort, mes exécuteurs testamentaires connaîtront mon opinion sur beaucoup de gens, mais je doute qu'ils trouvent de quoi confirmer ou infirmer leur opinion sur *moi*. Un journal sert à noter les travers d'autrui, non les siens propres.

– On peut se trahir inconsciemment, c'est fréquent.

– Aux yeux du psychanalyste, tout est abject, répliquai-je sentencieusement.

– Vous devez avoir eu une vie passionnante, colonel Race, lança soudain miss Beddingfeld en le dévisageant avec de grands yeux brillants.

Voilà comment s'y prennent les jeunes filles ! Othello a séduit Desdémone en lui racontant des histoires, mais Desdémone n'a-t-elle pas séduit Othello par la manière dont elle l'a écouté ?

En tout cas, Race était lancé. Il a commencé à raconter des histoires de lions. L'homme qui a abattu un grand nombre de lions jouit d'un injuste avantage sur les autres. Il m'a semblé qu'il était temps que, moi aussi, je raconte une histoire de lion. Mais en un peu plus enlevé.

— A propos, dis-je, cela me rappelle quelque chose d'assez extraordinaire que j'ai entendu. Un de mes amis était parti chasser quelque part en Afrique noire. Un soir, il sort de sa tente pour Dieu sait quelle raison, et il est surpris par un rugissement sourd. Il se retourne brusquement : un lion se ramasse, prêt à bondir. Il avait bien entendu laissé sa carabine dans sa tente. Vif comme l'éclair, il se baisse et le lion saute par-dessus sa tête. Contrarié de voir sa proie lui échapper, l'animal rugit et s'apprête à bondir encore. Mon ami se baisse de nouveau, et de nouveau le lion saute par-dessus sa tête. Puis une troisième fois. Mais comme il se trouve maintenant près de l'entrée de sa tente, il se rue à l'intérieur et empoigne son arme. Quand il ressort, carabine en main, le lion a disparu. Cela l'intrigue grandement. Il fait le tour de sa tente et marche jusqu'à la petite clairière, juste derrière. Et là, en effet, il retrouve le lion. Et que croyez-vous qu'il était en train de faire, ce brave lion ? Il s'entraînait à faire des sauts... des sauts beaucoup moins hauts.

Cela me valut un tonnerre d'applaudissements. J'ai bu un peu de champagne.

— A une autre occasion, mon ami a fait encore une curieuse expérience. Il voyageait à travers le pays. Comme il voulait arriver à destination avant qu'il ne fasse trop chaud, il ordonna à ses porteurs d'atteler pendant qu'il faisait encore nuit. Ce ne fut pas une mince affaire, les mules étaient rétives, mais enfin ils y parvinrent et la colonne s'ébranla. Les mules filèrent comme le vent. Au lever du jour ils comprirent pourquoi. Dans l'obscurité, les boys avaient attelé un lion juste derrière la mule de queue.

Cette anecdote fut également bien accueillie. Les rires ont fusé autour de la table. Mais je crois que le plus grand hommage m'a été rendu par mon ami, le membre du Parti travailliste, qui était resté silencieux jusque-là.

– Mon Dieu, fit-il d'une voix angoissée. Et qui s'est chargé de les dételer ?

– Il faut que j'aille en Rhodésie, déclara Mrs Blair. Après ce que vous nous avez raconté, colonel Race, il le faut absolument. Mais cinq jours de train, quelle horrible voyage !

– J'espère que vous me ferez l'honneur de partager mon compartiment privé, ai-je dit galamment.

– Oh, sir Eustache ! Comme c'est aimable à vous ! Vous parlez sérieusement ?

– Si je parle sérieusement ! m'exclamai-je d'un ton de reproche en vidant une nouvelle coupe de champagne.

– Dire que d'ici une semaine, nous serons en Afrique du Sud ! soupira Mrs Blair.

– Ah ! l'Afrique du Sud, fis-je, avec émotion. Et je me suis mis à citer des passages de mon dernier discours à l'Institut colonial. « Que peut montrer au monde l'Afrique du Sud ? Oui, quoi donc ? Ses fruits et ses fermes, sa laine et ses cardeuses, ses troupeaux et ses cuirs, son or et ses diamants... » Je parlais sans m'arrêter, sachant que si j'avais le malheur de le faire, Reeves s'empresserait d'intervenir pour déclarer que les peaux n'avaient aucune valeur parce que les animaux s'accrochaient aux barbelés ou pour une autre raison de ce genre, dénigrerait tout le reste et terminerait sur les dures épreuves des mineurs du Rand. Et je n'étais pas d'humeur à me faire traiter de sale capitaliste ! Toutefois, l'interruption est venue d'ailleurs, provoquée par le mot magique : « diamant ».

– Ses diamants ! soupira Mrs Blair, en extase.

– Ses diamants ! souffla miss Beddingfeld.

– Vous êtes sans doute déjà allé à Kimberley ? demandèrent-elles en chœur au colonel Race.

Moi aussi, j'étais allé à Kimberley, mais elles ne me laissèrent pas le temps de le leur apprendre. Elles submergeaient Race de questions : à quoi ressemblaient les mines ? Etait-il vrai que les indigènes n'avaient pas le droit d'en sortir ? Et ainsi de suite.

Race a répondu à toutes leurs questions en montrant une bonne connaissance du sujet. Il a décrit les cantonnements des indigènes, les fouilles auxquelles ils étaient régulièrement soumis et les diverses précautions prises par la De Beers.

– Alors, il doit être pratiquement impossible de voler des diamants, déclara Mrs Blair, l'air aussi déçu que si elle avait entrepris cette croisière dans ce seul but.

– Rien n'est impossible, Mrs Blair, décréta Race. Il arrive qu'il y ait des vols. Je vous ai déjà raconté l'histoire du Kafir qui avait dissimulé un diamant dans sa blessure.

– Oui, mais sur une plus grande échelle ?

– C'est arrivé une fois ces dernières années. En fait, juste avant la guerre. Vous devez vous en souvenir, Pedler, vous étiez en Afrique du Sud, à l'époque.

J'acquiesçai.

– Oh, je vous en prie ! Racontez-nous cela, colonel ! s'écria miss Beddingfeld.

– Très bien, fit Race en souriant, voici donc l'histoire. Je suppose que vous avez tous entendu parler de sir Laurence Eardsley, le grand industriel d'Afrique du Sud ? Il possédait des mines d'or, mais c'est à cause de son fils qu'il s'est trouvé mêlé à l'affaire. Vous vous souvenez sans doute qu'avant-guerre circulaient certaines rumeurs : on pensait à l'époque que le sous-sol rocheux des jungles de la Guyane anglaise constituait un nouveau Kimberley. D'après ce qu'on racontait, deux jeunes explorateurs étaient revenus de là avec des diamants bruts dont certains d'une taille considérable. Des diamants de petite taille avaient déjà été découverts aux alentours des fleuves Essequibo et Mazaruni ; mais ces deux jeunes gens, John Eardsley et son ami Lucas, prétendaient avoir découvert des gisements diamantifères à la source commune des deux fleuves. Il y avait des diamants de toutes les couleurs : roses, bleus, champagne, verts, noirs ou du blanc le plus pur. Eardsley et Lucas vinrent à Kimberley faire expertiser leurs pierres. Au même moment, on découvrait un vol sensationnel chez De Beers. Afin d'être expédiés en Angleterre, les diamants sont mis dans des sachets. On les garde à l'intérieur d'un grand coffre, dont les deux clefs sont confiées à deux personnes différentes et la combinaison à une troisième. Ils sont ensuite confiés à la banque et c'est la banque qui les expédie en Angleterre. Chaque sachet vaut, environ, cent mille livres.

» A cette occasion-là, la banque fut frappée par un détail inhabituel dans la fermeture d'un sachet. On l'ouvrit : il contenait des petits morceaux de sucre !

» J'ignore comment les soupçons se portèrent sur John Eardsley. On se rappela que, du temps où il était à Cambridge, il avait été un fort mauvais sujet, et que son père avait dû plus d'une fois payer ses dettes. Quoi qu'il en soit, le bruit courut bientôt que l'histoire du champ diamantifère en Amérique du Sud était une pure invention. John Eardsley fut arrêté et l'on trouva en sa possession certains des diamants de chez De Beers.

» L'affaire ne fut toutefois jamais portée devant les tribunaux. Sir Laurence Eardsley versa une somme égale à la valeur des diamants manquants et De Beers arrêta les poursuites. Nul ne sut jamais comment avait pu être commis le vol. Mais le vieil homme, le cœur brisé d'apprendre que son fils était un voleur, eut peu après une attaque. Quant à John, il bénéficia en un sens d'un destin plus clément. Il s'enrôla, partit pour le front, se battit comme un lion et mourut en première ligne, lavant ainsi l'honneur de sa famille. Quant à sir Laurence, il est mort il y a environ un mois, après une troisième attaque. Il est mort intestat et son immense fortune est échue à son plus proche parent, un homme qu'il connaissait à peine.

Le colonel marqua une pause. Un concert d'exclamations et de questions s'ensuivit. Quelque chose parut attirer l'attention de miss Beddingfeld, qui se retourna sur son siège. Comme un petit cri lui échappait, je me retournai également.

Mon nouveau secrétaire, Rayburn, était sur le seuil. Sous son hâle, il avait le visage blême de quelqu'un qui vient d'apercevoir un fantôme. De toute évidence, l'histoire du colonel Race l'avait profondément remué.

S'avisant soudain que nous le dévisagions, il a tourné les talons et a disparu.

– Savez-vous qui c'est ? m'a demandé Anne Beddingfeld.

– C'est mon autre secrétaire, Mr Rayburn. Il était patraque, jusqu'à présent.

Elle tripotait un morceau de pain.

– Il y a longtemps qu'il est à votre service ?

– Pas très longtemps, répondis-je, prudent.

Mais à quoi bon la prudence avec une femme ? Plus vous êtes réticent, plus elle insiste. Anne Beddingfeld y est allée carrément.

– Depuis combien de temps ?

– Eh bien, euh... Je l'ai engagé juste avant d'appareiller. Sur la recommandation d'un vieil ami.

Sans plus rien ajouter, elle est tombée dans un silence pensif. Estimant que c'était mon tour de manifester quelque intérêt pour son histoire, je demandai à Race :

– A propos, qui est le plus proche parent de sir Laurence ? Vous le connaissez ?

– Je devrais, m'a-t-il répondu en souriant. C'est moi !

14

Suite des aventures d'Anne

Le soir du bal costumé, je jugeai le moment venu de me confier à quelqu'un. Jusque-là, j'avais joué en franc-tireur — et non sans plaisir. Mais maintenant, tout avait brusquement changé. Je ne me fiais plus à mon propre jugement. Pour la première fois, j'éprouvais un sentiment de solitude et d'abandon.

Toujours déguisée en bohémienne, je m'assis sur le rebord de ma couchette pour examiner la situation. Je songeai d'abord au colonel Race. Il semblait avoir de la sympathie pour moi. Il m'écouterait sûrement avec bienveillance. Et il était loin d'être bête. Mais en y réfléchissant, j'hésitai. Il avait un tempérament de meneur d'hommes. Il prendrait aussitôt tout en main. Mais c'était mon mystère ! D'autres raisons aussi, que je ne voulais pas m'avouer, me dissuadaient de me confier à lui.

Puis je songeai à Mrs Blair. Elle aussi m'avait témoigné beaucoup de gentillesse. Cependant, je ne pouvais m'empêcher de penser que cela ne voulait rien dire. Je ne représentais pour elle qu'un caprice du moment. Néanmoins, il était en mon pouvoir de l'intéresser. C'était une femme qui avait éprouvé la plupart des sensations ordinaires de l'existence. Moi, j'étais en mesure de lui en procurer d'extraordinaires. De plus, je l'aimais bien. J'aimais son aisance, son absence de sentimentalisme, son refus de toute affectation.

Ma décision était prise. J'irais la chercher séance tenante. Elle ne devait pas être encore couchée.

Sur ces entrefaites, il me revint que j'ignorais le numéro de sa cabine. Mais la femme de chambre qui s'était montrée si aimable l'autre nuit pourrait sans doute me renseigner.

Je sonnai. Quelques instants plus tard, un steward se présenta, qui me fournit obligeamment l'information désirée. La cabine de Mrs Blair était la 71. Il s'excusa d'avoir tardé à répondre à mon appel mais, comme il me l'expliqua, il était seul pour s'occuper de toutes les cabines.

– Mais où est la femme de chambre ? demandai-je.

– Elles terminent toutes leur service à 22 heures.

– Non, je veux parler de celle qui est de service la nuit.

– Il n'y a pas de femmes de chambre de service la nuit, mademoiselle.

– Mais... mais il y en a une qui est venue l'autre jour... vers 1 heure du matin...

– Vous avez dû rêver, mademoiselle. Il n'y a pas de femmes de chambre de service après 22 heures.

Il se retira, me laissant digérer cette information. Qui était donc la femme qui était entrée dans ma cabine la nuit du 22 ? Je prenais conscience de la ruse et de l'audace dont faisaient preuve mes adversaires anonymes. Puis, je me ressaisis et quittai ma cabine pour me rendre chez Mrs Blair. Je frappai à sa porte.

– Qui est là ? lança-t-elle.

– C'est moi, Anne Beddingfeld.

– Oh ! entrez, petite bohémienne.

371

J'entrai. Au milieu d'un fouillis de toilettes, je trouvai Mrs Blair drapée dans un des plus jolis kimonos que j'aie jamais vu. Noir, orange et or, il me faisait venir l'eau à la bouche.

– Madame, lui déclarai-je de but en blanc, je voudrais vous raconter l'histoire de ma vie... du moins s'il n'est pas trop tard et si cela ne vous ennuie pas.

– Mais pas le moins du monde. J'ai horreur d'aller au lit, répondit-elle avec un de ces sourires qui lui plissaient le visage de manière si charmante. Et je serais ravie d'entendre le récit de votre vie. Vous êtes un drôle de phénomène, petite bohémienne ! Personne d'autre ne songerait à faire irruption chez moi à 1 heure du matin pour me raconter sa vie. Surtout après avoir tenu en échec ma curiosité naturelle durant des semaines, comme vous l'avez fait. Je n'ai pas l'habitude d'être tenue en échec. C'était une nouveauté assez plaisante. Installez-vous sur le sofa et videz votre cœur.

Je lui racontai tout. Cela prit un certain temps car je n'omis aucun détail. Quand j'en eus fini, elle poussa un profond soupir et me fit une réflexion inattendue.

– Savez-vous, Anne, dit-elle avec un petit rire, que vous n'êtes pas ordinaire ! Connaissez-vous le doute ?

– Le doute ? fis-je, perplexe.

– Oui, le doute, l'inquiétude, l'hésitation ! Partir ainsi toute seule, quasiment sans un sou ! Que ferez-vous quand vous vous retrouverez sans ressource dans un pays étranger ?

– Inutile de se faire du souci à l'avance. Il me reste plein d'argent. Je n'ai pratiquement pas touché aux vingt-cinq livres de Mrs Flemming. Et hier, j'ai gagné à la loterie. Ce qui me fait encore quinze livres. Quarante livres ! Vous voyez, j'ai un argent fou.

– Un argent fou ! Seigneur ! murmura Mrs Blair. Moi, je ne pourrais pas le faire, Anne, et pourtant, à ma façon, je ne manque pas de cran. Je ne pourrais pas partir gaiement, avec quelques livres en poche, sans savoir où je vais ni ce que je vais faire.

– Mais c'est justement ça qui est amusant ! m'écriai-je. C'est ce qui vous donne le sentiment de l'aventure !

Elle me regarda, hocha la tête et sourit.

– Heureuse Anne ! Il n'y a pas beaucoup de gens, sur cette terre, qui réagissent comme vous !

– Eh bien, fis-je impatiemment, que pensez-vous de tout ça, Mrs Blair ?

– Je pense que c'est l'histoire la plus excitante que j'aie jamais entendue. Mais pour commencer, vous allez cesser de m'appeler Mrs Blair. Suzanne fera beaucoup mieux l'affaire. C'est d'accord ?

– J'en serai ravie, Suzanne.

– Parfait. Et maintenant, revenons à notre histoire. Vous prétendez que le secrétaire de sir Eustache — pas l'homme à la triste figure, ce Pagett, non, l'autre... serait l'individu qui est venu se réfugier dans votre cabine après avoir été poignardé ?

J'acquiesçai d'un signe de tête.

– Nous avons là deux chaînons qui relient sir Eustache à l'intrigue. La femme a été assassinée dans *sa* maison et c'est *son* propre secrétaire qui s'est fait poignarder à 1 heure du matin, heure fatidique. Sans aller jusqu'à soupçonner sir Eustache en personne, tout cela ne peut être pure coïncidence. Il y a forcément un lien quelque part, même s'il n'en a pas conscience. Et puis il y a cette bizarre histoire de femme de chambre... poursuivit-elle pensivement. A quoi ressemblait-elle ?

– Je n'y ai guère fait attention. J'étais si tendue, si énervée et une femme de chambre, c'était quelque chose de tellement terre à terre... Mais... oui, je crois que j'ai pensé qu'elle ne m'était pas inconnue. Ce qui est normal si je l'avais déjà vue à bord.

– Elle ne vous était pas inconnue, répéta Suzanne. Vous êtes sûre que ce n'était pas un homme ?

– Elle était très grande, dus-je admettre.

– Hum ! Sans doute pas sir Eustache ni Mr Pagett... Attendez !

Elle s'empara d'une feuille de papier et se mit à crayonner fièvreusement. Puis, la tête penchée, elle contempla le résultat.

– Voici un croquis assez ressemblant du révérend Edward Chichester. Avec quelques détails supplémentaires... (Elle me tendit le papier.) Est-ce là votre femme de chambre ?

– Mais Dieu, oui, Suzanne ! m'écriai-je. Que vous êtes astucieuse !

D'un geste négligent, elle écarta le compliment.

– J'ai toujours soupçonné ce Chichester. Vous vous rappelez qu'il a laissé tomber sa tasse et qu'il est devenu vert, l'autre jour, quand nous parlions de Crippen ?

– Et il a essayé d'obtenir la cabine 17.

– Oui, jusque-là tout concorde. Mais quel est le *sens* de tout ça ? Que devait-il réellement se produire à 1 heure du matin dans la cabine 17 ? Pas l'attaque du secrétaire avec un couteau. On ne voit pas pourquoi on

374

l'aurait programmée à une heure précise, un jour précis, en un lieu précis. Non, il devait se rendre à un rendez-vous quand il s'est fait poignarder. Mais qui allait-il retrouver ? Sûrement pas vous. Peut-être Chichester. Ou peut-être Pagett.

– C'est peu vraisemblable. Ils peuvent se voir n'importe quand.

Nous restâmes silencieuses un instant, puis Suzanne repartit sur une autre piste.

– A-t-on pensé que quelque chose pouvait se trouver caché dans la cabine ?

– C'est le plus vraisemblable. Cela expliquerait pourquoi mes affaires ont été fouillées le lendemain matin. Mais je suis sûre qu'il n'y avait rien.

– Le jeune homme n'aurait pas pu glisser quelque chose dans un tiroir, la veille ?

Je secouai la tête :

– Je l'aurais vu faire.

– Ils cherchaient peut-être votre précieux bout de papier ?

– C'est possible, mais cela n'aurait pas beaucoup de sens. Il ne portait qu'une heure et qu'une date. Et toutes deux étaient déjà révolues à ce moment-là.

– Evidemment. Ce n'était donc pas le papier. A propos, vous l'avez sur vous ? J'aimerais bien le voir.

Je m'en étais munie comme pièce à conviction n° 1. Je le lui tendis.

Elle l'examina attentivement.

– Il y a un point après le 17. Dans ce cas, pourquoi n'y en a-t-il pas après le 1 ?

– Mais il y a un espace, remarquai-je.

– Effectivement il y a un espace, mais...

Se levant soudain, elle scruta le papier à la lumière de la lampe. On la sentait très excitée.

– Anne, ce n'est pas un point ! C'est un défaut du papier ! Un défaut du papier, vous comprenez ? Il n'y a donc que les espaces qui comptent. Seulement les espaces !

Je me levai et regardai à mon tour. Je lus les chiffres comme je les voyais maintenant :

– 1 71 22.

– Voyez-vous, dit Suzanne, c'est presque pareil, mais pas tout à fait. On a toujours 1 heure du matin et le 22, mais c'est la cabine 71 ! *Ma* cabine, Anne !

Nous nous regardions, si enchantées de notre découverte, si transportées d'excitation qu'on aurait pu croire que nous tenions la clé du mystère. Je retombai brusquement sur terre.

– Mais, Suzanne, il n'est rien arrivé ici, à 1 heure du matin, le 22 ?

Sa mine s'allongea.

– Non... rien...

Une autre idée vint me frapper :

– Mais ce n'est pas votre cabine, Suzanne ? Je veux dire, ce n'est pas celle que vous aviez retenue ?

– Non, le commissaire de bord me l'a changée pour celle-ci.

– Je me demande si elle avait été retenue avant le départ par quelqu'un, qui n'aurait pas embarqué. On doit pouvoir le savoir.

– Inutile, petite bohémienne ! s'exclama Suzanne. Je le sais déjà. Je le tiens du commissaire de bord. La

376

cabine était retenue au nom de Mrs Grey — pseudonyme de Nadine — une célèbre danseuse russe. Elle ne s'est jamais produite à Londres, mais elle était la coqueluche de Paris pendant la guerre. Une femme peu recommandable, je crois, mais très séduisante. Quand il m'a donné sa cabine, le commissaire de bord a déploré son absence de la façon la plus sincère. Et par la suite, le colonel Race m'a longuement parlé d'elle. Il courait toutes sortes de bruits sur son compte à Paris. On l'a soupçonnée d'espionnage mais on n'a rien pu prouver. Je pense que le colonel Race a suivi l'affaire de près. Il m'a appris des choses très intéressantes. Il existait une bande organisée, qui n'avait rien d'allemand à l'origine. Elle était dirigée par un homme, qui se fait appeler le « Colonel », supposé être anglais mais dont on n'a jamais pu établir l'identité. Mais il est certain qu'il est à la tête d'une énorme organisation d'escrocs internationaux. Espionnage, coups de main, cambriolages, tout lui est bon. Et il s'arrange en général pour fournir une innocente victime qui paye pour les autres. Un homme d'une ingéniosité diabolique ! On soupçonnait cette femme d'être un de ses agents, sans jamais réussir à le prouver. Oui, Anne, nous sommes sur la bonne piste. Nadine est exactement le genre de femme susceptible de tremper dans ce genre d'affaire. Et à l'aube du 22, quelqu'un devait venir la retrouver dans cette cabine. Mais où est-elle ? Pourquoi n'a-t-elle pas embarqué ?

La lumière se fit dans mon esprit.

– Elle en avait pourtant l'intention, dis-je lentement.

– Alors pourquoi ne l'a-t-elle pas fait ?

– *Parce qu'elle est morte.* Nadine, c'est la femme qui a été assassinée à Marlow !

Je revis la chambre vide, la maison déserte et je ressentis de nouveau une indéfinissable impression de menace et de maléfice. Un souvenir me revint : celui du crayon tombé à terre et du rouleau de pellicule que j'avais découvert. Un rouleau de pellicule ? Cela me rappelait aussi quelque chose de plus récent. Où avais-je entendu parler d'un rouleau de pellicule ? Et pourquoi cela me faisait-il penser à Mrs Blair ?

Soudain, surexcitée, je me précipitai sur elle et la secouai :

– Votre rouleau de pellicule ! Celui qui vous a été lancé par le hublot ? Est-ce que ce n'était pas le 22 ?

– Celui que j'avais perdu ?

– Comment savez-vous que c'est le même ? Pourquoi vous l'aurait-on rendu de cette façon, au beau milieu de la nuit ? C'est une idée folle. Non, c'était un message. On a retiré le film de la boîte et mis quelque chose à la place. Vous l'avez encore ?

– Je m'en suis peut-être servie. Non, le voilà. Je me rappelle l'avoir posé sur l'étagère, derrière la couchette.

Elle me le tendit.

C'était un cylindre de métal, de ceux qu'on utilise pour protéger les films sous les tropiques. Je le pris d'une main tremblante, et le cœur me manqua. Il était bien plus lourd qu'il n'aurait dû.

J'arrachai la bande adhésive qui le scellait, je fis sauter l'opercule, et un flot de cailloux ternes et vitreux roula sur le lit.

– Des cailloux ! fis-je, profondément déçue.

– Des cailloux ? s'écria Suzanne.

Sa voix vibrait d'une excitation contagieuse.

– Des cailloux ? Non, Anne, pas des cailloux ! Des *diamants* !

15

Des diamants !

Fascinée, je contemplais les cailloux vitreux entassés sur la couchette. J'en ramassai un qui, mis à part son poids, ressemblait à un fragment de bouteille cassée.

– Vous en êtes sûre, Suzanne ?

– Oh ! oui, mon petit. J'ai vu trop de diamants bruts pour pouvoir en douter ! Ils sont superbes. Certains même doivent être uniques. Ils cachent sûrement une histoire.

– L'histoire que nous avons entendue ce soir, m'exclamai-je.

– Vous voulez dire... ?

– Celle du colonel Race. Cela ne peut pas être une coïncidence. Il l'a racontée exprès.

– Afin de voir l'effet qu'elle produirait ?

J'acquiesçai d'un signe de tête.

– Sur sir Eustache ?

– Oui.

Au même instant, je fus saisie d'un doute. L'histoire était-elle destinée à sir Eustache, ou à moi ? Je me rappelai avoir eu l'impression qu'il me sondait. Pour une raison quelconque, le colonel Race me suspectait. Mais quel était son rôle dans l'affaire ? Comment y était-il mêlé ?

– Mais *qui* est le colonel Race ? demandai-je à Suzanne.

– C'est la question. Il a la réputation d'être un grand chasseur de fauves et, comme vous l'avez entendu dire hier, il est aussi le lointain cousin de sir Laurence Eardsley. Mais je ne l'avais jamais rencontré. Il se rend souvent en Afrique. On pense en général qu'il fait partie des Services secrets. Je ne sais pas si c'est vrai. C'est un personnage assez mystérieux.

– Je suppose que la mort de sir Laurence Eardsley lui a rapporté pas mal d'argent ?

– Ma chère Anne, il doit rouler sur l'or. Vous savez, ce serait un excellent parti pour vous !

– Tant que vous serez à bord, je n'ai aucune chance avec lui, répliquai-je en riant. Oh, ces femmes mariées !

– Nous exerçons une attraction certaine, convint Suzanne. Mais tout le monde sait que je suis la plus fidèle des épouses. Rien n'est plus plaisant, moins dangereux que de courtiser une femme fidèle.

– Cela doit être bien agréable d'être marié à une femme comme vous.

– Oh ! je ne suis pas très facile à vivre ! Enfin, Clarence peut toujours aller se réfugier dans son bureau, au Foreign Office, son monocle sur l'œil, et s'endormir dans son fauteuil. Nous pourrions lui demander par télégramme tout ce qu'il sait sur le compte du colonel Race. J'adore envoyer des télégrammes. Et cela exaspère tellement Clarence ! Il dit toujours qu'une simple lettre aurait fait l'affaire. Néanmoins, je ne pense pas qu'il nous raconterait grand-chose. Il est d'une horrible discrétion. C'est ce qui le rend si difficile à supporter à la longue. Mais revenons à nos projets de mariage. Je suis sûre que le colonel Race vous trouve très attirante, Anne. Coulez-lui deux ou trois de vos regards coquins et l'affaire est faite. Tout le monde se fiance sur les bateaux. Il n'y a rien d'autre à faire.

– Mais je ne veux pas me marier !

– Vraiment ! Pourquoi ? Moi, j'adore être mariée. Même à Clarence !

Je ne relevai pas cette remarque irrévérencieuse.

– Ce que j'aimerais savoir, repris-je avec obstination, c'est en quoi le colonel Race se trouve mêlé à cette affaire. Il y joue un rôle, c'est évident.

– Vous ne pensez pas qu'il a pu nous raconter cette histoire par hasard ?

– Non, dis-je résolument. Il surveillait nos réactions ! Souvenez-vous, certains des diamants ont été retrouvés, d'autres non... Ceux-ci sont peut-être les diamants manquants. Ou peut-être...

– Peut-être quoi ?

Je ne répondis pas directement.

– J'aimerais bien savoir ce qu'il est advenu de l'autre jeune homme. Pas Eardsley, mais... Comment s'appelle-t-il, déjà ? Lucas !

– En tout cas, nous commençons à y voir plus clair. Tous ces gens courent après ces diamants. C'est pour les récupérer que « l'Homme au complet marron » a tué Nadine.

– Ce n'est pas lui qui l'a tuée, dis-je vivement.

– Bien sûr que si ! Sinon qui d'autre ?

– Je ne sais pas. Mais je suis sûre qu'il ne l'a pas tuée.

– Il est entré dans la maison trois minutes après elle et en est ressorti blanc comme un linge !

– Parce qu'il l'a trouvée morte !

– Mais personne d'autre n'est entré !

– Ou bien le meurtrier se trouvait déjà dans la maison, ou bien il y est entré par un autre chemin. Il n'avait pas besoin de passer par chez le gardien. Il pouvait escalader le mur.

Suzanne me jeta un regard aigu.

– « L'Homme au complet marron », fit-elle sur un ton pensif. Je me demande... En tout cas, il correspond au signalement du médecin du métro. Il aurait eu tout le temps de se démaquiller et de suivre la femme jusqu'à Marlow. Elle avait rendez-vous là avec Carton, et ils avaient chacun un permis de visite pour que cette rencontre ait l'air accidentelle. Ils n'auraient jamais pris tant de précautions s'ils n'avaient craint d'être suivis. Et pourtant, Carton ne savait pas que c'était « l'Homme au complet marron » qui le suivait. Quand il l'a reconnu, le choc a été si grand qu'il a perdu la tête ; il a reculé et est tombé sur la voie. Tout cela semble assez clair, non, Anne ?

Je ne répondis pas.

– Oui, je crois que les choses ont bien dû se passer ainsi. Il aura dérobé le papier au mort, et l'aura laissé tomber en s'enfuyant. Ensuite, il a suivi la femme à Marlow. Mais qu'a-t-il fait ensuite, après l'avoir tuée ou, selon vous, l'avoir trouvée morte ? Où est-il allé ?

Je ne répondis pas davantage :

– Je me demande maintenant... poursuivit Suzanne. Serait-il possible qu'il ait persuadé sir Eustache Pedler de l'amener à bord en tant que secrétaire particulier ? C'était sa seule chance de fuir l'Angleterre et d'esquiver les poursuites. Mais comment aurait-il bien pu circonvenir sir Eustache ? Il faudrait qu'il ait prise sur lui.

– Ou sur Pagett, soufflai-je malgré moi.

– Vous ne semblez pas porter Pagett dans votre cœur, Anne. D'après sir Eustache, c'est un garçon capable et travailleur. En vérité, pour ce que nous en savons, il peut aussi bien être contre lui. Bon. Je reprends mes conjectures : Rayburn est « l'Homme au complet marron ». Il a lu le papier qu'il a perdu ensuite. Induit comme vous en erreur par le prétendu point entre le 17 et le 1, il essaie d'aller à 1 heure du matin, le 22, dans la cabine 17, après avoir tenté de se la faire attribuer grâce à Pagett. Mais sur son chemin, quelqu'un le poignarde.

– Mais qui ?

– Chichester. Oui, tout concorde. Télégraphiez à lord Nasby que vous avez percé l'identité de « l'Homme au complet marron », et votre fortune est faite, Anne !

– Vous avez négligé plusieurs détails.

– Lesquels ? Je sais bien que Rayburn a une cicatrice assez voyante, mais rien n'est plus facile à imiter ! Il a la taille et la carrure correspondantes. Comment appelez-vous cette forme de tête, avec laquelle vous les avez tous pulvérisés, à Scotland Yard ?

Je ne pus m'empêcher de trembler. Suzanne était une femme cultivée, mais je priai pour qu'elle ne s'y connaisse pas en termes d'anthropologie.

– Dolichocéphale, dis-je avec légèreté.

Suzanne me jeta un regard dubitatif.

– C'était bien ce mot-là ?

– Oui. Une tête allongée. Une tête dont la largeur est de 75 % inférieure à la longueur, expliquai-je.

Un silence suivit. Je recommençais à respirer librement, quand Suzanne demanda soudain :

– Et le contraire ?

– Que voulez-vous dire par « le contraire » ?

– Il doit bien y avoir un contraire. Comment appelez-vous une tête dont la largeur est de 75 % supérieure à la longueur ?

– Brachycéphale, murmurai-je à contrecœur.

– Voilà. Je crois que c'est ce que vous aviez dit.

– Ah bon ? Ma langue a dû fourcher, alors. Je voulais dire dolichocéphale, affirmai-je avec toute l'assurance dont j'étais capable.

Suzanne me dévisagea. Puis elle éclata de rire.

– Vous mentez très bien, petite bohémienne. Mais maintenant, racontez-moi tout, cela nous épargnera pas mal de temps et d'ennuis.

– Il n'y a rien à raconter, répondis-je de mauvaise grâce.

– Vraiment ? répliqua Suzanne avec gentillesse.

– Après tout, je vais vous le dire. Je n'ai pas à en rougir. On n'a pas à rougir de ce qui... de quelque chose qui vous arrive comme ça. C'est ce qui s'est passé. Il s'est montré odieux — grossier, ingrat —, mais je crois com-

384

prendre pourquoi. Un chien qui a toujours été maltraité ou enchaîné mordrait n'importe qui. Il était amer, agressif. J'ignore pourquoi il m'intéresse, mais c'est un fait. Il m'intéresse terriblement. Dès que je l'ai vu, ma vie a basculé. Je l'aime. Je le veux. Je traverserais l'Afrique, pieds nus s'il le faut, jusqu'à ce que je le retrouve et je l'obligerai à s'intéresser à moi. Je suis prête à mourir pour lui. Je travaillerai, je serai son esclave, je volerai pour lui, j'irai même jusqu'à mendier ou à emprunter de l'argent pour lui. Voilà, maintenant, vous savez tout !

Suzanne me regarda longuement.

– Décidément, vous n'avez rien d'une Anglaise, petite bohémienne, déclara-t-elle enfin. Vous n'êtes pas sentimentale pour deux sous. Je n'ai encore jamais rencontré personne d'aussi passionné et réaliste à la fois ! Je n'aimerai jamais personne comme ça — Dieu soit loué ! Et pourtant, je vous envie, petite bohémienne. C'est quelque chose de pouvoir s'attacher ainsi. La plupart des gens en sont incapables. Mais quelle chance pour votre petit docteur de ne pas vous avoir épousée ! Il ne semble pas être le genre d'homme à stocker de la dynamite sous son toit. Donc, il n'y aura pas de télégramme pour lord Nasby ?

Je secouai la tête.

– Et pourtant, vous le croyez innocent ?

– Je crois aussi que les innocents peuvent être pendus.

– Hum... évidemment. Mais, ma petite Anne, vous devez voir les choses en face et convenir dès à présent qu'en dépit de tout ce que vous dites, il a peut-être assassiné cette femme.

– Non, il ne l'a pas fait.

– Vous faites du sentiment.

– Mais non ! Il aurait pu la tuer. Et même la suivre jusqu'à la maison avec cette idée en tête. Mais il n'aurait pas pris un bout de cordon noir pour l'étrangler. Il l'aurait étranglée à mains nues.

Suzanne frissonna :

– Hum... Anne, je commence à comprendre pourquoi vous trouvez ce jeune homme si séduisant !

16

Le lendemain matin, j'eus l'occasion de questionner le colonel Race. Au terme d'une vente aux enchères, nous arpentions le pont.

– Comment va notre petite bohémienne, ce matin ? Elle regrette la terre ferme et sa roulotte ?

– Non. A présent que la mer se conduit de manière plus civilisée, j'aimerais voguer pour l'éternité.

– Quel enthousiasme !

– C'est que le temps est splendide, aujourd'hui !

Nous nous accoudâmes au bastingage. Sous le ciel transparent, s'étendait une mer d'huile, avec de grandes taches de couleur bleu, vert pâle, émeraude, violine et orange foncé, pareille à une peinture cubiste. Des éclairs argentés signalaient la présence de poissons volants. L'air était humide et chaud, un peu moite. Il soufflait comme une caresse parfumée.

– Vous nous avez raconté une histoire très intéressante, hier, lançai-je, rompant le silence.

– Quelle histoire ?

– Celle des diamants !

– Les histoires de diamants passionnent toujours les femmes.

– Bien sûr ! A propos, qu'est donc devenu l'autre jeune homme ? Vous avez dit qu'ils étaient deux.

– Le jeune Lucas ? Ma foi, comme il eût été difficile d'incriminer l'un sans l'autre, il en est sorti indemne, lui aussi.

– Qu'est-ce qui lui est arrivé... je veux dire, après ? Est-ce que quelqu'un le sait ?

Le colonel Race regardait droit devant lui. Son visage était comme un masque, parfaitement dénué d'expression, mais j'avais le sentiment que mes questions lui déplaisaient. Néanmoins, il y répondit sans se faire prier.

– Il est parti pour le front et s'est conduit bravement. Il a été porté blessé et disparu — sans doute tué au combat.

C'était tout ce que je voulais savoir. J'arrêtai là mes questions. Mais plus que jamais, je me demandais ce que pouvait savoir le colonel Race. Son rôle dans cette affaire ne cessait de m'intriguer.

Je fis encore autre chose. J'allais interroger le steward de nuit. A l'aide d'un petit encouragement financier, je lui déliai la langue.

– Cette dame n'a tout de même pas eu peur, miss ? Ça m'avait l'air d'une blague inoffensive... la suite d'un pari, d'après ce que j'ai compris.

Peu à peu, je lui soutirai toute l'histoire. Lors de la traversée du Cap en Angleterre, un passager lui avait confié un rouleau de pellicule, en lui enjoignant de le lancer au retour, vers 1 heure du matin, le 22 janvier, sur la couchette de la cabine 71. L'homme lui avait présenté la chose comme un pari. Je supposai que le steward avait été largement récompensé pour son rôle dans l'opération. La cabine devait être occupée par une dame. Aussi, quand Mrs Blair alla directement occuper la cabine 71, après avoir parlé avec le commissaire de bord, le steward ne douta pas avoir affaire à la dame en question. Le passager qui avait manigancé cette histoire s'appelait Carton, et sa description correspondait exactement à celle du mort du métro.

L'un des mystères se trouvait résolu, et de toute évidence, les diamants constituaient la clé de toute l'affaire.

Les derniers jours à bord du *Kilmorden* passèrent très vite. Au fur et à mesure que nous approchions du Cap, je mettais mes plans plus soigneusement au point. J'avais tellement de gens à surveiller : sir Eustache, son secrétaire, Mrs Chichester, et... oui, même le colonel Race ! Comment faire ? Naturellement, mon attention se portait surtout sur Chichester. J'allais même écarter de ma liste de suspects sir Eustache et Mr Pagett, quand une conversation surprise par hasard éveilla en moi de nouveaux doutes.

Je n'avais pas oublié l'incompréhensible émotion que le mot Florence avait provoquée chez Pagett. Au cours de notre dernière soirée à bord, nous nous trouvions tous assis, sur le pont, quand sir Eustache posa à son secrétaire une question des plus anodines. J'ai oublié de quoi il s'agissait exactement — quelque chose concernant les sempiternels retards de trains en Italie — mais je remarquai aussitôt qu'elle éveillait chez Pagett le même malaise. Quand sir Eustache invita Mrs Blair à danser, je m'installai à sa place, à côté du secrétaire. J'étais décidée à aller au fond des choses :

– J'ai toujours rêvé d'aller en Italie, dis-je. Tout particulièrement à Florence. Votre séjour là-bas vous a plu ?

– Bien sûr, miss Beddingfeld. A présent, si vous voulez bien m'excuser, j'ai du courrier à faire pour sir Eustache qui...

Je le retins fermement par la manche :

– Oh, ne vous enfuyez pas ! m'écriai-je, jouant la coquette comme une douairière. Je suis certaine que sir Eustache ne verrait pas d'un bon œil que vous m'abandonniez, sans personne avec qui bavarder. On dirait que vous ne voulez jamais parler de Florence ! Oh ! Mr Pagett, je suis sûre que vous nous cachez un inavouable secret !

Comme je ne lui avais pas encore lâché le bras, je le sentis sursauter.

– Mais pas du tout, miss Beddingfeld, pas du tout, répondit-il avec sérieux. J'aimerais vous en parler longuement, mais j'ai des télégrammes...

– Oh ! Mr Pagett, quelle piètre excuse ! Je vais dire à sir Eustache...

Je m'en tins là. Il avait de nouveau sursauté. Ses nerfs étaient dans un état épouvantable.

– Que voulez-vous savoir ?

Je ne pus m'empêcher de sourire, en mon for intérieur, de son ton de martyr résigné.

– Mais tout ! Les tableaux, les oliviers...

Je m'arrêtai, à court d'imagination.

– Vous parlez italien, sans doute ? repris-je.

– Pas un traître mot, malheureusement. Mais vous savez, avec les portiers et les guides...

– Très juste, me hâtai-je de répliquer. Et quel est votre tableau préféré ?

– Oh, euh... La Madone... euh, Raphaël, vous savez...

– Chère vieille Florence, murmurai-je avec émotion. Si pittoresque, sur les rives de l'Arno... Un fleuve superbe ! Et le Duomo, vous vous souvenez du Duomo ?

– Bien sûr, bien sûr !

– Un autre fleuve superbe, n'est-ce pas ? hasardai-je. Presque plus beau que l'Arno ?

– C'est mon avis aussi.

Enhardie par le succès de mon petit piège, je poussai mon avantage. Il n'y avait plus lieu d'en douter. Chaque mot qu'il prononçait le livrait entre mes mains : Mr Pagett n'avait jamais vu Florence de sa vie.

Mais s'il n'était pas à Florence, où se trouvait-il au moment du mystère du Moulin ? En Angleterre ? Je décidai de payer d'audace.

– Le plus curieux, c'est que j'ai l'impression de vous avoir déjà vu quelque part. Mais je dois me tromper, puisque vous étiez à Florence à ce moment-là. Et cependant...

Je ne le quittais pas des yeux. Il avait un regard de bête traquée. Il passa sa langue sur ses lèvres desséchées.

– Où ça... Où... ?

– Où je pense vous avoir vu ? A Marlow. Vous connaissez Marlow ? Mais bien sûr, que je suis bête ! Sir Eustache a une maison là-bas !

Ma victime bredouilla une excuse, se leva et s'enfuit.

Le soir même, surexcitée, j'étais chez Suzanne.

– Voyez-vous, Suzanne, dis-je en terminant mon récit, il était en Angleterre, à Marlow, le jour du meurtre. Etes-vous toujours aussi sûre de la culpabilité de « l'Homme au complet marron » ?

– Je ne suis sûre que d'une chose, répliqua Suzanne avec un clin d'œil inattendu.

– Et de quoi ?

– C'est que « l'Homme au complet marron » doit être plus beau à voir que ce pauvre Mr Pagett. Non, Anne, ne vous fâchez pas. Je ne faisais que vous taquiner. Asseyez-vous. Plaisanterie mise à part, je pense que vous venez de faire une découverte importante. Jusqu'à présent, nous considérions que Pagett disposait d'un alibi. Maintenant, nous savons qu'il n'en a pas.

– Exactement. Nous devons garder l'œil sur lui.

– Comme sur tous les autres, poursuivit-elle tristement. C'est une des choses dont je voulais vous parler. De ça... et d'argent. Non, ne prenez pas votre air offensé. Je sais combien vous êtes ridiculement fière et indépendante. Mais sur ce chapitre, il faut prêter l'oreille au bon sens. Nous sommes associées. Je ne vous proposerais pas un sou parce que vous m'êtes sympathique ou parce que vous vous trouvez sans appui. Mais je cherche le frisson et je suis disposée à payer pour ça. Nous allons mener cette affaire sans regarder à la dépense. Et pour commencer, vous allez descendre

391

avec moi, à mes frais, à l'hôtel *Mont-Nelson,* et nous dresserons un plan de campagne.

Ce dernier point donna lieu à une longue discussion. Je finis par céder. Mais cela ne me plaisait pas. Je tenais à garder la haute main sur cette affaire.

– Bon, c'est décidé, décréta Suzanne en se levant et s'étirant. Je suis épuisée par ma propre éloquence. A présent, passons à nos victimes. Mr Chichester part pour Durban. Sir Eustache va descendre à l'hôtel *Mont-Nelson* au Cap, en attendant de partir pour la Rhodésie. L'autre soir, dans un moment d'expansion, après sa quatrième coupe de champagne, il m'a offert une place dans son compartiment privé. Bien sûr, c'était une proposition de pure forme, mais il peut difficilement se dédire si je le prends au mot.

– Bien, approuvai-je. Vous surveillerez sir Eustache et Pagett, et moi, je m'occuperai de Chichester. Et le colonel Race ?

Suzanne me regarda d'un drôle d'œil :

– Anne, vous n'allez tout de même pas soupçonner...

– Mais si ! Je soupçonne tout le monde ! Je suis dans l'état d'esprit de celui qui soupçonne de préférence la personne qui paraît la plus innocente.

– Le colonel Race doit aussi se rendre en Rhodésie, déclara Suzanne pensivement. Si nous pouvions nous débrouiller pour que sir Eustache l'invite également...

– Vous pourriez lui obtenir ça. Vous seriez capable d'obtenir n'importe quoi.

– J'adore la pommade, ronronna Suzanne.

Nous nous séparâmes après être convenues que Suzanne s'emploierait à tirer le meilleur parti de ses dons de séductrice.

J'étais trop excitée pour aller me coucher. C'était ma dernière nuit à bord. Nous devions arriver à la baie de Table le lendemain, de bonne heure.

Je grimpai sur le pont. La brise était douce et fraîche. Le paquebot tanguait légèrement sur une mer un peu agitée. Le pont était noir et désert. Il était plus de minuit.

Accoudée au bastingage, je contemplais le sillage d'écume phosphorescente. Devant nous, s'étendait l'Afrique, vers laquelle nous voguions à travers les eaux sombres. Je me sentais seule dans un monde merveilleux. Entourée d'une paix étrange, j'étais là, perdue dans mes rêveries, oublieuse du temps qui passe.

Et tout à coup, j'eus la curieuse sensation qu'un danger me menaçait. Je n'avais rien entendu, mais je me retournai d'instinct. Une ombre venait de se glisser derrière moi. Au moment où je pivotais sur mes talons, elle bondit. Une main me serra la gorge, étouffant le cri que j'aurais pu pousser. Je luttais désespérément, mais je n'avais aucune chance. A demi étranglée par une main de fer, je mordais, je me cramponnais, je griffais, de la façon la plus typiquement féminine. L'homme devait à tout prix m'empêcher de crier, ce qui compliquait sa tâche. S'il m'avait eue par surprise, il m'aurait expédiée sans peine par-dessus le bastingage. Les requins auraient pris soin du reste.

J'avais beau me débattre, je me sentais faiblir. Mon agresseur le sentit aussi. Il y alla de toutes ses forces.

C'est alors que, courant vite et sans bruit, une autre ombre nous rejoignit. D'un seul coup de poing, elle envoya mon adversaire s'écraser de tout son long sur le pont. Libérée, je retombai contre le bastingage, épuisée et tremblante.

Mon sauveur se tourna vivement vers moi :

– Vous êtes blessée !

Son ton avait quelque chose de sauvage — de menaçant envers celui qui avait osé lever la main sur moi. Avant même qu'il n'ait ouvert la bouche, je l'avais reconnu. C'était mon homme, l'homme à la cicatrice.

Ce bref instant où il avait reporté sur moi son attention avait suffi à mon ennemi. Vif comme l'éclair, il s'était remis sur pied et avait pris ses jambes à son cou. Avec un juron, Rayburn se lança à ses trousses.

Je n'ai jamais pu supporter de rester sur la touche. Je me joignis à la chasse, bonne troisième. Nous courûmes jusqu'à bâbord. A l'entrée du bar, un homme était écroulé, Rayburn était penché sur lui.

– Vous l'avez de nouveau frappé ? lançai-je, hors d'haleine.

– Je n'ai pas eu besoin de le faire, répliqua-t-il d'un air sombre. Je l'ai trouvé effondré devant la porte. A moins qu'il n'ait pas pu l'ouvrir et qu'il ne fasse semblant d'être évanoui. Nous allons bien voir. Et nous allons savoir aussi qui il est.

Le cœur battant, je m'approchai. J'avais vu tout de suite que mon agresseur était plus grand que Chichester. De toute façon, Chichester était une créature flasque qui pouvait jouer du couteau le cas échéant, mais qui devait être sans force les mains nues.

Rayburn craqua une allumette. Nous poussâmes tous les deux une exclamation. C'était Guy Pagett.

Rayburn parut stupéfait par cette découverte.

– Pagett ! ! Ça, par exemple ! Pagett !

Je ne pus m'empêcher d'éprouver un léger sentiment de supériorité.

– Vous semblez surpris.

– Je le suis, dit-il lentement. Je n'aurais jamais cru... (Il se tourna soudain vers moi :) Et vous ? Vous n'êtes pas surprise ? Vous l'aviez sans doute reconnu quand il vous a attaquée ?

– Non, je ne l'avais pas reconnu. Et pourtant, je n'en suis pas surprise.

Il me jeta un regard soupçonneux.

– Comment se fait-il que vous soyez mêlée à cette histoire ? Et que savez-vous, au juste ?

Je souris :

– Pas mal de choses, monsieur... euh... Lucas.

Il m'empoigna par le bras et le serra sans s'en rendre compte avec une violence qui me tira une grimace.

– D'où tenez-vous ce nom ? fit-il d'une voix rauque.

– Ce n'est pas le vôtre ? demandai-je gentiment. Ou préférez-vous qu'on vous appelle « l'Homme au Complet Marron » ?

Effaré, il me lâcha et recula d'un pas :

– Etes-vous une femme ou une sorcière ?

– Une amie, dis-je en faisant un pas vers lui. Je vous ai offert mon aide une fois, je vous l'offre à nouveau. Voulez-vous l'accepter ?

La brutalité de sa réponse m'abasourdit.

– Non. Je ne veux rien avoir à faire, ni avec vous ni avec une autre femme. Fichez le camp.

Comme la première fois, mon sang ne fit qu'un tour.

– Vous ne vous rendez peut-être pas compte que vous êtes en mon pouvoir. Un mot de moi au commandant...

– Eh bien, dites-le, ce mot, grinça-t-il, sarcastique. (Il fit un pas en avant.) Mais quitte à se rendre compte, vous rendez-vous compte, ma chère petite, qu'en cet instant c'est vous qui êtes en mon pouvoir ? Je pourrais vous prendre la gorge, comme ceci... (Il joignit le geste à la parole. Je sentis ses deux mains se refermer autour de mon cou et serrer... un tout petit peu.) Comme ceci... et en expulser toute vie. Après quoi, avec plus de succès que notre ami inconscient, je pourrais vous jeter en pâture aux requins. Que dites-vous de ça ?

Je ne dis rien. Je ris. Et pourtant, je savais que le danger était réel. En cet instant, il me haïssait. Mais j'aimais le danger, j'aimais sentir ses mains sur ma gorge. Je n'aurais pas échangé ce moment contre tout autre moment de ma vie.

Avec un rire bref, il me relâcha.

– Comment vous appelez-vous ? demanda-t-il brusquement.

– Anne Beddingfeld.

– Vous n'avez donc peur de rien, Anne Beddingfeld ?

– Oh ! si, dis-je en affectant un flegme que j'étais loin d'éprouver. J'ai peur des guêpes, des femmes sarcastiques, des très jeunes gens, des cafards et des vendeuses qui cherchent à vous en imposer.

Il eut à nouveau le même rire bref. Puis, du pied, il remua du pied le corps de Pagett, toujours inconscient.

– Qu'allons-nous faire de ce pantin ? Le flanquer par-dessus bord ? demanda-t-il négligemment.

– Si vous voulez, répliquai-je sur un ton tout aussi calme.

– J'admire vos profonds instincts sanguinaires, miss Beddingfeld. Mais nous allons le laisser reprendre ses esprits. Il n'est pas sérieusement blessé.

– Je vois que vous reculez devant un second meurtre, fis-je, suave.

– Un second meurtre ?

Il avait l'air sincèrement stupéfait.

– La femme de Marlow, lui rappelai-je, en surveillant l'effet de mes paroles.

Son visage prit une expression effrayante, absente. Il semblait avoir oublié ma présence.

– J'aurais pu la tuer, déclara-t-il. Parfois je me dis que j'en avais l'intention...

Je sentis monter en moi une violente haine pour cette femme. Si je l'avais tenue, je crois que je l'aurais tuée moi-même à cet instant-là. Car il avait dû l'aimer, oh oui ! l'aimer, pour éprouver des sentiments pareils.

Je me ressaisis et déclarai d'une voix normale :

– Il me semble que nous nous sommes dit tout ce que nous pouvions nous dire, hormis bonne nuit.

– Bonne nuit et adieu, miss Beddingfeld.

– Au revoir, Mr Lucas !

A nouveau, ce nom le fit tiquer. Il s'approcha de moi.

– Pourquoi dites-vous ça ? J'entends : « au revoir » ?

– Parce que j'ai dans l'idée que nous nous reverrons.

– Pas si je peux l'éviter !

Malgré l'énergie qu'il avait mise dans sa réplique, je ne me sentis pas offensée. J'en éprouvai au contraire une secrète satisfaction. Je ne suis pas complètement idiote !

– Néanmoins, dis-je gravement, je pense que nous nous reverrons.

– Pourquoi ?

Je secouai la tête, incapable d'expliquer ce qui m'avait poussée à l'affirmer.

– Moi, j'espère bien que ça n'arrivera jamais ! me lança-t-il tout à coup avec violence.

Cette déclaration était de la dernière grossièreté, mais je ne fis qu'en rire et m'éclipsai dans les ténèbres.

Il commença par me suivre, s'arrêta, et un mot arriva jusqu'à moi. Je crois avoir entendu : « sorcière ! »

17

Extraits du journal intime de sir Eustache Pedler

Hôtel Mont-Nelson. Le Cap

C'est un grand soulagement pour moi de quitter le *Kilmorden*. Durant toute la traversée, j'ai eu l'impression d'être pris dans un réseau d'intrigues. Pour couronner le tout, il a fallu que la nuit dernière Guy Pagett se trouve mêlé à une rixe d'ivrognes. Car, en dépit de ses explications, il ne peut s'agir que de cela. Que penser d'un homme qui vous revient avec une bosse grosse comme un œuf sur la tempe et un œil qui affiche toutes les couleurs de l'arc-en-ciel ?

Comme de bien entendu, Pagett en fait un nouveau mystère. A l'en croire, c'est par pur dévouement envers moi qu'il aurait écopé d'un œil poché. Il m'aura fallu un temps fou pour démêler l'histoire extraordinairement vague et décousue qu'il m'a racontée.

Pour commencer, il aurait remarqué un homme au comportement suspect. Ce sont les propres paroles de Pagett. Il les a sorties tout droit d'un roman d'espionnage allemand. Il ne sait pas lui-même ce qu'il entend par « comportement suspect ». Je le lui ai dit.

– Au beau milieu de la nuit, cet individu se déplaçait de façon furtive, sir Eustache.

– Mais, et vous-même ? Pourquoi n'étiez-vous pas au lit, endormi comme tout bon chrétien ? lui ai-je rétorqué, agacé.

– Je venais de coder vos télégrammes, sir Eustache, et de mettre votre journal à jour.

Faites confiance à Pagett. Toujours dans son droit, et martyr par-dessus le marché !

– Et alors ?

– Je voulais juste faire un tour de guet avant d'aller me coucher, sir Eustache. J'ai été alerté par l'allure furtive de cet individu qui venait de votre coursive. J'ai pensé qu'il y avait du louche. Il a pris l'escalier près du bar. Je l'ai suivi.

– Mon cher Pagett, pourquoi ce pauvre homme n'aurait-il pas le droit de grimper sur le pont sans qu'on lui emboîte le pas ? Il y a des tas de gens qui dorment sur le pont. J'ai d'ailleurs toujours pensé que ce devait être très inconfortable. On vous balaie de là avec le reste à 5 heures du matin, dis-je en frissonnant à cette idée. En tout cas, si vous êtes allé chercher des poux à un pauvre diable souffrant d'insomnie, je ne m'étonne pas qu'il vous ait assommé.

Pagett ne perdit pas patience.

– Si vous vouliez bien m'écouter jusqu'au bout, sir Eustache. J'étais convaincu que cet homme rôdait autour de votre cabine, alors qu'il n'avait rien à y faire. Au bout de la coursive, il n'y a que deux cabines : la vôtre, et celle du colonel Race.

– Race doit pouvoir se débrouiller sans votre aide, Pagett, ai-je fait en allumant mon cigare avec soin. Et moi aussi, d'ailleurs, ai-je ajouté après réflexion.

Pagett s'est rapproché de moi en respirant bruyamment, comme à chaque fois qu'il veut vous confier un secret.

– Voyez-vous, sir Eustache, j'ai pensé — et maintenant, j'en suis sûr — que c'était Rayburn.

– Rayburn ?

– Oui, sir Eustache.

Je secouai la tête :

– Rayburn est bien trop sensé pour vouloir me réveiller en pleine nuit.

– Très juste, sir Eustache. Aussi, je pense qu'il venait voir le colonel Race. Un rendez-vous secret pour recevoir ses instructions.

– Ne me sifflez pas dans les oreilles, Pagett, fis-je en reculant, et ne soufflez pas comme ça. Votre idée est absurde ! Pourquoi se donneraient-ils des rendez-vous secrets en pleine nuit ? S'ils avaient quoi que ce soit à se dire, ils pouvaient le faire tout naturellement, autour d'une tasse de thé !

Pagett n'était pas du tout convaincu.

– Il s'est passé *quelque chose* la nuit dernière, sir Eustache. Sinon, pourquoi Rayburn m'aurait-il attaqué si brutalement ?

– Vous êtes certain que c'était Rayburn ?

Pagett en était persuadé. C'était le seul point sûr de son histoire.

– Tout cela est extrêmement louche, dit-il. Et pour commencer, où est passé Rayburn ?

Il est exact que Rayburn n'a pas reparu depuis que nous avons accosté. Il n'est pas descendu au même hôtel que nous. Je me refuse à croire que ce soit par peur de Pagett.

Néanmoins, toute cette histoire est bien contrariante. L'un de mes secrétaires s'est évaporé dans la nature, et l'autre a l'air d'un boxeur malheureux. Je ne peux pas le traîner avec moi dans cet état. Je serais la risée du Cap. J'ai rendez-vous en fin de journée, pour remettre à qui de droit le billet doux de ce vieux Milray, mais je n'emmènerai pas Pagett avec moi. Qu'il aille au diable, lui et ses façons de rôdeur !

Tout cela m'a mis de fort mauvaise humeur. J'ai eu un petit déjeuner infect, servi par un personnel infect. Des serveuses hollandaises aux chevilles épaisses ont mis une demi-heure à m'apporter un méchant petit bout de poisson ! Sans compter cette façon grotesque de vous faire lever à 5 heures du matin en arrivant au port, et de vous obliger à tenir les mains au-dessus de la tête devant un médecin aux yeux papillonnants ! J'en ai assez.

Plus tard

Il est arrivé une chose très grave. Je suis allé remettre au Premier ministre le pli cacheté que m'avait remis Milray. L'enveloppe semblait intacte, mais elle ne renfermait qu'une feuille de papier blanc !

Me voilà dans de beaux draps ! Je ne comprends pas comment j'ai pu me laisser entraîner dans cette histoire par ce vieil imbécile de Milray.

Pagett est un consolateur de premier ordre. Il affiche un air sombrement satisfait qui me rend fou. Et il a profité de mon désarroi pour m'imposer la malle aux papiers. S'il n'y prend garde, le prochain enterrement auquel il assistera sera le sien.

Toutefois, j'ai bien été obligé de finir par l'écouter.

– Supposons, sir Eustache, que Rayburn ait surpris quelques mots de votre conversation avec Mrs Milray. N'oubliez pas que vous n'avez aucune recommandation écrite de sa part. Vous n'avez que la parole de Rayburn !

– Alors, vous pensez que Rayburn est un escroc ?

Pagett le pensait, en effet. Je ne sais dans quelle mesure cette opinion était influencée par le ressentiment que lui inspirait son œil poché. Cependant, il m'a exposé l'accusation de manière assez convaincante. Même sa dernière apparition plaiderait contre Rayburn. En ce qui me concerne, je préférerais laisser tomber. Quand un homme s'est conduit comme un imbécile, il n'a pas envie de le crier sur les toits.

Mais Pagett, avec une énergie que n'avaient pas entamée ses récentes mésaventures, penchait pour des
mesures draconiennes. Bien entendu, il n'en a fait qu'à
sa tête. Il s'est précipité au poste de police, a envoyé
d'innombrables télégrammes, et a ramené tout un trou-
peau d'officiels anglais et hollandais, auxquels il a offert
des whiskies-soda à mes frais.

Nous avons reçu cet après-midi la réponse de Milray.
Il ignore tout de mon secrétaire ! C'est la seule nouvelle
réconfortante pour l'instant.

– En tout cas, dis-je à Pagett, vous n'avez pas été
empoisonné. Vous avez eu une de vos crises de foie
habituelles.

Il a accusé le coup. C'est le seul point que j'ai pu mar-
quer.

Plus tard

Pagett est dans son élément. Son cerveau scintille
littéralement d'idées lumineuses. Il est maintenant persuadé que Rayburn n'est autre que le fameux « Homme
au complet marron ». Il a sans doute raison. Comme
d'habitude. Mais tout cela devient très déplaisant. Plus
tôt je partirai pour la Rhodésie, mieux cela vaudra. J'ai
prévenu Pagett qu'il ne m'accompagnerait pas.

– Voyez-vous, mon cher ami, il faut que vous restiez
ici, sur place. On peut avoir besoin de vous dans l'instant, pour identifier Rayburn. En outre, je dois songer
à protéger ma dignité de membre du Parlement. Je ne
peux pas promener avec moi un secrétaire qui a l'air
d'avoir trempé dans une rixe d'ivrognes.

Pagett a accusé le coup. Pour un garçon aussi soucieux de sa respectabilité, l'aspect qu'il offre actuellement est une véritable souffrance.

– Mais comment ferez-vous pour votre courrier, et pour préparer vos allocutions, sir Eustache ?

– Je me débrouillerai, lançai-je avec désinvolture.

– Votre wagon particulier sera attelé demain mercredi, au train de 11 heures du matin, poursuivit Pagett. Tout est déjà arrangé. Mrs Blair compte-t-elle emmener une femme de chambre ?

– Mrs Blair ?

– Elle m'a dit que vous l'aviez invitée.

En effet, maintenant que j'y pensais... La nuit du bal masqué. J'avais même insisté pour qu'elle vienne. Mais je n'aurais jamais cru qu'elle me prendrait au mot. Aussi charmante qu'elle soit, je ne suis pas sûr d'avoir envie de la compagnie de Mrs Blair jusqu'en Rhodésie, et retour. Les femmes réclament tant d'attentions. Et elles sont parfois si encombrantes !

– Ai-je encore invité quelqu'un d'autre ? demandai-je alors, très inquiet.

On a quelquefois de ces impulsions !

– Mrs Blair a l'air de penser que vous auriez également offert une place au colonel Race.

– Je devais être saoul pour avoir invité Race, grommelai-je. Oui, complètement saoul, même. Un bon conseil, Pagett ; que cet œil poché vous serve de leçon. Ne vous laissez plus aller à la boisson !

– Vous savez bien, sir Eustache, que je suis membre de la ligue anti-alcoolique.

– Mieux vaut faire vœu de tempérance en effet, si l'on

a une faiblesse de ce côté-là. Je n'ai invité personne d'autre, n'est-ce pas, Pagett ?

– Pas à ma connaissance, monsieur.

J'ai poussé un soupir de soulagement.

– Il y a aussi miss Beddingfeld, dis-je pensivement. Elle veut aller en Rhodésie pour déterrer des os, si j'ai bien compris. J'ai envie de lui proposer de me servir de secrétaire, à titre temporaire. Je sais qu'elle tape à la machine. Elle me l'a dit.

A ma surprise, Pagett s'est opposé avec véhémence à cette idée. Il n'aime pas Anne Beddingfeld. Depuis la fameuse nuit qui lui a valu un œil poché, il ne supporte plus qu'on prononce son nom. Pagett ou l'homme aux mystères.

Rien que pour l'embêter, je vais inviter cette fille. Comme je l'ai déjà dit, elle a de très jolies jambes.

18

Suite des aventures d'Anne

Tant que je vivrai, je n'oublierai jamais l'instant où j'ai découvert la montagne de la Table. Je m'étais levée horriblement tôt, et j'étais montée tout droit sur le pont des embarcations, ce qui est un épouvantable délit. Je m'y étais risquée, cherchant la solitude. Nous allions entrer dans la baie. Des nuages blancs et floconneux couronnaient la montagne, tandis qu'à flanc de coteau, juste au bord de la mer, la ville était nichée, endormie, dorée et fascinante sous le soleil levant.

J'en restai le souffle coupé. J'éprouvais cette curieuse douleur qui vous creuse parfois le ventre devant trop de beauté. Je ne saurais très bien l'exprimer, mais j'avais compris que je venais de trouver, ne fût-ce que l'espace d'un instant, ce que je cherchais depuis mon départ de Little Hampsley. Quelque chose de nouveau, d'inimaginable jusque-là, quelque chose qui venait combler mon horrible faim de romanesque.

Dans un silence absolu, ou qui, du moins, me paraissait tel, le *Kilmorden* approchait de plus en plus près. Tout à fait comme en rêve. Mais comme tous les rêveurs, je ne pouvais pas me contenter de rêver. Pauvres humains que nous sommes : nous avons tellement peur de rater quelque chose !

« C'est l'Afrique du Sud, ne cessai-je de me répéter. L'Afrique du Sud, l'Afrique du Sud ! Tu découvres le monde. C'est ça, le monde. Le voilà. Rends-toi compte, Anne Beddingfeld ! Tu découvres le monde ! »

Je me croyais seule sur le pont. Mais, à cet instant, je remarquai quelqu'un, accoudé comme moi au bastingage, et qui comme moi était plongé dans la contemplation de la ville. Avant même qu'il n'ait tourné la tête, je sus qui c'était. Dans la douce lumière du matin, la scène de la nuit précédente paraissait irréelle et mélodramatique. Qu'avait-il dû penser de moi ? Je rougis en y songeant. Croyais-je ou non à ce que je lui avais dit à ce moment-là ?

Je détournai résolument la tête, les yeux fixés sur la montagne de la Table. Si Rayburn était venu là afin d'être seul, je n'allais pas le déranger en lui signalant ma présence.

Mais à ma vive surprise, j'entendis des pas légers approcher derrière moi, puis une voix agréable et normale :

– Miss Beddingfeld ?

– Oui ?

Je me retournai.

– Je voudrais vous présenter mes excuses. Je me suis conduit comme un rustre, la nuit dernière.

– Ce... c'était une nuit un peu particulière, m'empressai-je de dire.

Ce n'était pas très brillant, mais il ne m'était rien venu de mieux à l'esprit.

– Me pardonnerez-vous ?

Sans un mot, je lui tendis la main. Il la prit.

– Je veux vous dire encore autre chose, me déclarat-il sur un ton plus grave. Vous ne le savez sans doute pas, miss Beddingfeld, mais vous vous trouvez mêlée à une affaire dangereuse.

– C'est ce que j'avais cru comprendre.

– Non. Vous ne pouvez pas le savoir. Je tiens à vous mettre en garde. Laissez tomber cette histoire. Elle ne vous concerne pas. N'allez pas fourrer votre nez dans les affaires des autres par pure curiosité. Non, je vous en prie, ne vous fâchez pas encore une fois. Je ne parle pas de moi. Mais vous n'avez aucune idée des gens auxquels vous allez vous heurter. Des hommes impitoyables. Des hommes que rien n'arrête. Vous êtes déjà en danger, songez à la nuit dernière. Ils se figurent que vous savez quelque chose. Votre seule chance serait de les persuader qu'ils se trompent. Mais soyez prudente, soyez toujours sur vos gardes. Et si jamais vous tombiez entre leurs mains, n'essayez pas de jouer au plus fin, dites-leur la vérité : c'est votre seule chance.

– Vous me donnez la chair de poule, Mr Rayburn, dis-je — et ce n'était pas tout à fait faux. Mais pourquoi prenez-vous la peine de m'avertir ?

Il ne répondit pas tout de suite. Enfin il dit à voix basse :

– C'est peut-être la dernière chose que j'aurai pu faire pour vous. Une fois à terre, je serai hors de danger, mais je ne parviendrai peut-être jamais à terre.

– Quoi ? m'écriai-je.

– Voyez-vous, je crains que vous ne soyez pas la seule personne ici à savoir que je suis « l'Homme au Complet Marron ».

– Si vous croyez que j'ai parlé... dis-je avec feu.

Il me rassura d'un sourire :

– Je ne doute pas de vous, miss Beddingfeld. Si je l'ai dit, j'ai menti. Non, mais il y a une autre personne à bord qui le sait. Il n'a qu'à parler et mon compte est bon. Mais il ne parlera peut-être pas.

– Pourquoi ?

– Parce qu'il aime faire cavalier seul. Si la police mettait la main sur moi, je lui deviendrais inutile, alors qu'en liberté... Enfin, d'ici une heure, nous serons fixés.

Il eut un petit rire moqueur, mais je vis ses traits se durcir. S'il jouait avec le destin, il n'était pas mauvais joueur. Il savait perdre avec le sourire.

– En tout cas, fit-il sur un ton léger, je ne crois pas que nous nous reverrons.

– Non, dis-je lentement. En effet.

– Eh bien... adieu.

– Adieu.

Il me serra la main très fort, fixa sur moi un instant son regard curieusement clair, mais brûlant, puis il tourna les talons et me planta là. J'entendis ses pas résonner sur le pont. Et leur écho, encore et encore. J'avais l'impression que je les entendrais toujours. Des pas sortant de ma vie.

Je dois avouer que les deux heures qui suivirent n'eurent rien d'agréable. Ce ne fut qu'une fois à quai, en ayant fini avec les ridicules formalités que les bureaucrates vous imposent, que je respirai de nouveau librement. Il n'y avait pas eu d'arrestation, il faisait un temps superbe, et je mourais de faim. Je rejoignis Suzanne. De toute façon, j'allais passer au moins une nuit dans le même hôtel qu'elle. Il n'y avait pas de bateau pour Port Elisabeth et Durban avant le lendemain matin. Nous prîmes un taxi qui nous emmena au *Mont-Nelson*.

Tout était divin : l'air, le soleil, les fleurs, tout était divin ! Quand je pensais à Little Hampsley en janvier — à la boue qui vous monte jusqu'aux genoux, à la pluie qui va tomber à coup sûr — je me félicitais d'être là. Mais Suzanne était loin d'être aussi enthousiaste. Elle avait déjà beaucoup voyagé. Et elle n'était pas du genre à s'enthousiasmer avant le petit déjeuner. Comme je poussais un cri d'émerveillement devant un liseron bleu géant, elle me morigéna sévèrement.

A propos, je voudrais qu'il soit bien établi dès maintenant que cette histoire ne sera pas une histoire sud-africaine. Je ne garantis pas la couleur locale, une dizaine de mots en italique à chaque page, ce genre de choses-là. J'admire beaucoup cela, mais j'en suis incapable. Dans les mers du Sud, par exemple, vous devez faire immédiatement allusion à la *bêche-de-mer*. Je ne sais pas ce qu'est une *bêche-de-mer*, je ne l'ai jamais su et je ne le saurai sans doute jamais. En Afrique du Sud, vous devez aussitôt parler de *stoep*. Ça, je sais ce que c'est. C'est une chose qui entoure la maison et où vous pouvez vous asseoir. Dans d'autres parties du monde, on appelle ça une *véranda*, une *piazza* ou un *ha-ha*. Et puis il y a les *papayes*. J'ai tout de suite compris ce que c'était parce que j'en ai trouvé une en plein devant moi au petit déjeuner. J'ai d'abord pensé qu'il s'agissait d'un melon pourri. La servante hollandaise m'a convaincue d'y goûter de nouveau en y ajoutant du sucre et du jus de citron. J'ai été enchantée de faire connaissance avec une papaye. Pour moi, ce mot se trouvait vaguement associé au *hula-hula* qui, je crois, mais je peux me tromper, est une espèce de jupe de paille que portent les danseuses hawaïennes. Non, je crois que je confonds, ça c'est un *lava-lava*.

Quoi qu'il en soit, ce sont des choses plutôt gaies après l'Angleterre. Je ne peux pas m'empêcher de penser que notre froide vie d'insulaires serait illuminée si on pouvait avoir du *bacon-bacon* au petit déjeuner et se mettre un *blazer-blazer* sur le dos pour aller ensuite jouer aux courses.

Après le petit déjeuner, Suzanne s'apprivoisa un peu. J'occupais la chambre voisine, avec une vue splendide sur la baie. Je m'absorbai dans sa contemplation, tandis que Suzanne partait à la chasse de je ne sais quelle crème de jour. Après l'avoir trouvée et avoir aussitôt commencé à se l'appliquer, elle devint capable de m'écouter.

– Avez-vous vu sir Eustache ? lui demandai-je. Il sortait de la salle à manger quand nous sommes entrées. On lui avait donné un poisson ou je ne sais quoi de mauvais, et il était en train d'expliquer au maître d'hôtel ce qu'il en pensait. Et puis il a jeté une pêche par terre, histoire de lui prouver à quel point elle était dure, seulement elle n'était pas aussi dure qu'il le croyait et elle s'est écrabouillée.

Suzanne sourit.

– Apparemment, sir Eustache n'aime pas plus que moi se lever de bonne heure. Mais, Anne, avez-vous vu Mr Pagett ? Je l'ai croisé dans le couloir, il a un œil au beurre noir. Qu'est-ce qu'il a pu faire ?

– Il a simplement tenté de me jeter par-dessus bord, répliquai-je avec nonchalance.

Je marquai un point. Abandonnant sa joue à moitié ointe, Suzanne exigea des détails. Je les lui donnai.

– Le mystère s'épaissit ! s'écria-t-elle. Je me figurais que surveiller sir Eustache serait un travail de tout repos, et qu'avec le révérend Chichester, tout le plaisir serait pour vous. A présent, j'en suis moins sûre. J'espère que Pagett ne profitera pas de l'obscurité pour me pousser hors du train.

– A mon avis, vous êtes encore au-dessus de tout soupçon, Suzanne. Mais si le pire arrivait, je télégraphierais à Clarence.

– Cela me fait penser... Passez-moi un formulaire de télégramme. Voyons, que vais-je mettre ? *Impliquée dans le plus passionnant des mystères prière de m'envoyer d'urgence mille livres Suzanne.*

Je lui pris le formulaire des mains et lui fis remarquer qu'elle pouvait supprimer « le plus », « des » et même « prière de », si elle ne craignait pas d'être impolie. Mais en matière d'argent, Suzanne n'était pas timorée. Au lieu de suivre mes conseils d'économie, elle ajouta deux mots encore : *m'amuse énormément.*

Suzanne devait déjeuner avec des amis qui passèrent la chercher à l'hôtel vers 11 heures. Je me retrouvai livrée à moi-même. Je sortis par les jardins de l'hôtel, puis traversai les voies du tramway et pris une avenue ombragée qui m'amena jusqu'à la rue principale. Je marchais en flânant, regardant tout, ravie de sentir le soleil, de voir autour de moi les visages noirs des vendeurs de fleurs et de fruits. Je découvris aussi quelque part des glaces délicieuses. Pour finir, j'achetai un panier de pêches de six pence et regagnai mon hôtel.

A mon heureuse surprise, j'y trouvai un message. Il émanait du conservateur du Muséum d'histoire naturelle. Il avait lu dans un journal que la fille de feu le Pr Beddingfeld venait de débarquer du *Kilmorden*. Il avait vaguement connu mon père et avait une grande admiration pour lui. Sa femme, continuait-il, serait ravie si j'acceptais de venir prendre le thé avec eux cet après-midi, à leur villa de Muizenberg. Il m'indiquait en outre comment m'y rendre.

Cela me faisait plaisir de voir qu'on se souvenait encore de mon pauvre papa avec autant d'estime. Je prévoyais déjà que je ne pourrais pas échapper à une visite guidée du Muséum avant mon départ du Cap, mais je décidai de prendre le risque. La plupart des gens auraient d'ailleurs considéré ça comme une fête, mais on se lasse des meilleures choses quand on en a été gavé matin, midi et soir.

Je mis mon plus beau chapeau (un laissé pour compte de Suzanne), mon linge le moins chiffonné et partis aussitôt après le déjeuner, pris l'express et arrivai une demi-heure plus tard à Muizenberg. Le trajet fut très agréable. A allure réduite, nous longeâmes le pied de la montagne de la Table, tapissé de fleurs ravissantes. Mes notions de géographie étant très approximatives, je ne m'étais jamais avisée que le Cap se trouvait sur une péninsule ; aussi fus-je très étonnée, en descendant du train, d'être de nouveau face à la mer. On s'y baignait, c'était charmant. Des gens arrivaient, chevauchant les vagues sur de courtes planches incurvées. Il était beaucoup trop tôt pour le thé. Je décidai d'aller me baigner et quand on me proposa une planche de surf, je dis : « Oui, s'il vous plaît ». Le surf, ça a l'air très facile. Ça ne l'est *pas*. Je n'en dirai pas plus. Je finis par me mettre en colère et faillis envoyer ma planche au diable. Néanmoins, je décidai de faire une nouvelle tentative, à la première occasion. Je refusais de m'avouer vaincue. Tout à coup, par le plus grand des hasards, je réussis un bout de course sur ma planche et je sortis de là, délirante de joie. C'est ça, le surf : ou vous poussez des jurons, ou vous êtes stupidement content de vous.

Je trouvai la villa Medgee sans trop de mal. Elle se dressait à flanc de coteau, isolée des autres. Je sonnai et un boy kafir, souriant, vint m'ouvrir.

– Mrs Raffini ? demandai-je.

Il me fit entrer, me précéda dans le couloir et m'ouvrit une autre porte. Au moment d'entrer, j'hésitai, saisie d'une soudaine appréhension. Dès que je l'eus franchie, la porte se referma vivement derrière moi.

L'homme, qui était assis derrière un bureau, se leva et avança, la main tendue.

– Ravi d'avoir pu vous persuader de nous rendre visite, miss Beddingfeld.

Il était grand, visiblement hollandais, avec une barbe orange flamboyante. Il ne ressemblait pas le moins du monde à un conservateur de musée. En un éclair, je compris que je m'étais laissé berner.

J'étais entre les mains de l'ennemi.

19

Cela me rappela irrésistiblement l'épisode III des *Aventures de Pamela*. Combien de fois, assise à ma place à six pence, et grignotant une tablette de chocolat au lait à deux pence, n'avais-je pas rêvé que pareille mésaventure m'arrive ! Eh bien, voilà qu'elle m'arrivait pour de bon ! Je ne sais pas pourquoi, mais ce n'était pas aussi amusant que je me l'étais imaginé. C'est parfait sur un écran de cinéma quand on a la réconfortante certitude qu'un épisode IV est prévu. Mais dans la vie réelle, rien ne me garantissait que les *Aventures d'Anne* ne se termineraient pas brusquement à la fin de n'importe quel épisode.

Oui, j'étais dans une situation difficile. Tout ce que m'avait dit Rayburn ce matin-là me revint à l'esprit avec une déplaisante netteté. « Dites la vérité », m'avait-il conseillé. Ma foi, je pouvais toujours le faire, mais cela m'aiderait-il ? Pour commencer, croirait-on à mon histoire ? Jugerait-on vraisemblable ou même possible que j'aie pu me lancer dans cette folle équipée à cause d'un bout de papier empestant la naphtaline ? Cela sonnait comme un conte invraisemblable à mes propres oreilles. A la lumière de la froide raison, saisie de nostalgie pour Little Hampsley et son paisible ennui, je me traitai d'incurable idiote en quête de mélodrame.

Toutes ces idées me traversèrent l'esprit en moins de temps qu'il n'en faut pour le dire. Instinctivement, je reculai vers la porte et mis la main sur la poignée. Mon ravisseur se contenta de sourire.

– Vous êtes ici et vous y resterez, remarqua-t-il sur un ton facétieux.

Je m'efforçai de faire bonne figure :

– J'ai été invitée par le conservateur du Muséum du Cap. Si j'ai fait une erreur...

– Une erreur ? Oh ! oui, une grave erreur ! déclara-t-il avec un gros rire.

– De quel droit me retenez-vous ici ? J'irai à la police...

– Ouah, ouah, ouah ! On dirait un petit chien mécanique ! fit-il en riant toujours.

Je m'assis.

– J'en conclus que vous devez être fou ! fis-je froidement.

– Vraiment ?

– Je tiens à vous faire remarquer que mes amis savent très bien où je suis allée et qu'ils ne manqueront pas de venir me chercher si je ne suis pas rentrée ce soir. Vous comprenez ?

– Ainsi vos amis savent où vous êtes ? Quels amis ?

Ainsi mise au défi, je calculai mes chances en un éclair. Fallait-il citer sir Eustache ? Il était très connu, son nom pèserait peut-être d'un certain poids. Mais si ces gens-là étaient en cheville avec Pagett, ils sauraient que je mentais. Je préférai ne pas risquer sir Eustache.

– Mrs Blair, par exemple, lançai-je. L'amie avec laquelle je suis descendue à l'hôtel.

– Je ne pense pas, répondit mon interlocuteur en secouant sa tête orange d'un air sournois. Vous ne l'avez pas revue depuis 11 heures ce matin. Et vous avez trouvé le message vous invitant à venir ici à midi.

Ces paroles montraient qu'ils étaient au courant de tous mes mouvements, mais je n'allais pas renoncer sans me battre.

– Vous n'êtes pas bête, dis-je. Mais peut-être avez-vous entendu parler de cette invention très utile connue sous le nom de téléphone ? Mrs Blair m'a appelée après le déjeuner, alors que je me reposais dans ma chambre. C'est là que je lui ai dit où j'allais cet après-midi.

A ma vive satisfaction, je vis une ombre d'inquiétude passer sur son visage. De toute évidence, il n'avait pas envisagé que Suzanne pût me téléphoner. J'aurais bien voulu qu'elle l'ait vraiment fait !

– En voilà assez, fit-il brusquement en se levant.

– Que comptez-vous faire de moi ? lui demandai-je, essayant toujours de paraître calme.

– Vous installer dans un endroit où vous ne serez pas dangereuse, au cas où vos amis viendraient effectivement vous chercher.

Cela me glaça le sang, mais la suite me rassura :

– Demain, vous aurez à répondre à certaines questions. Après quoi, nous saurons quoi faire de vous. Et je peux vous assurer, jeune personne, que nous avons plus d'un moyen pour faire parler les petites idiotes entêtées.

Il n'y avait pas de quoi pousser des cris de joie, mais c'était au moins un répit. J'avais jusqu'au lendemain. Cet homme n'était, de toute évidence, qu'un subalterne, chargé d'exécuter les ordres de son supérieur. Ce supérieur serait-il par hasard Pagett ?

Il appela deux Kafirs, qui m'obligèrent à monter à l'étage. J'eus beau me débattre, ils me bâillonnèrent et me déposèrent pieds et poings liés dans une mansarde poussiéreuse, apparemment inoccupée depuis longtemps. Le Hollandais me fit un salut moqueur et se retira en fermant la porte derrière lui.

J'étais réduite à l'impuissance. J'avais beau me tourner et me retourner, je n'arrivais pas à desserrer mes liens, et mon bâillon m'empêchait d'appeler à l'aide. Quand bien même quelqu'un serait passé près de la maison, je ne pouvais rien faire pour attirer son attention. J'entendis une porte se fermer en bas. Le Hollandais venait sans doute de sortir.

J'étais hors de moi de ne pouvoir rien faire. Je forçai encore sur mes liens, mais les nœuds tenaient bon. Finalement, je renonçai et je m'évanouis — ou m'endormis. Quand je repris conscience, j'avais mal partout. La nuit était tombée et devait même être assez avancée, car la lune était haute dans le ciel et éclairait ma mansarde à travers la tabatière poussiéreuse. Mon bâillon m'étouffait et mes membres étaient si raides et si douloureux que c'en était insupportable.

Tout à coup, mon regard tomba sur un petit morceau de verre cassé, abandonné dans un coin. Je l'avais aperçu grâce au rayon de lune qui le faisait briller. Il me vint une idée.

Je ne pouvais remuer ni les bras ni les jambes, mais je pouvais sûrement rouler... Lentement, maladroitement, je me mis en mouvement. Ce n'était pas facile. Non seulement je m'abîmais la figure car je ne pouvais pas la protéger avec mes bras, mais je ne pouvais pas non plus contrôler ma direction.

Je roulais en tous sens, sauf dans le bon. Je finis quand même par atteindre mon objectif. Je le touchais presque de mes mains liées.

Ce n'était pas gagné pour autant. Il me fallut une éternité pour pousser le bout de verre, par à-coups, jusqu'au mur et arriver à le caler, de façon à pouvoir y frotter mes liens de haut en bas. La procédure fut longue et difficile, et je faillis désespérer. Mais, à la fin, je réussis à entamer les cordes qui me liaient les mains. Le reste fut une question de temps. Après m'être vigoureusement massé les poignets, la circulation du sang fut rétablie, et je pus défaire mon bâillon. Et quand j'eus respiré une ou deux fois à pleins poumons, je me sentis mieux.

Après avoir défait le dernier nœud, je ne parvins pas tout de suite à me lever. Quand j'y parvins enfin, j'agitai les bras pour combattre l'ankylose et n'eus bientôt plus qu'un seul désir : trouver quelque chose à me mettre sous la dent.

Je patientai environ un quart d'heure, afin de m'assurer que j'avais récupéré mes forces. Après quoi, je me glissai sur la pointe des pieds jusqu'à la porte. Comme je l'avais espéré, elle n'était pas fermée à clé. Je l'ouvris et risquai un œil dehors.

Tout était tranquille. Le rayon de lune qui filtrait par la fenêtre m'éclairait un escalier aux marches nues et poussiéreuses. Avec précaution, je m'y engageai. Toujours pas le moindre bruit. Mais en arrivant sur le palier, j'entendis un murmure de voix. Je m'arrêtai net et restai un certain temps sans bouger. Une horloge sonna, me signalant qu'il était passé minuit.

J'étais tout à fait consciente des risques que je prendrais en m'aventurant plus bas, mais la curiosité fut la plus forte. Le cœur battant, j'entrepris mon exploration. Je descendis sans bruit la dernière volée de marches et me retrouvai dans une entrée carrée. Je regardai autour de moi et étouffai un cri : un boy kafir était assis à côté de la porte d'entrée. Il ne m'avait pas vue et, à en juger par sa respiration, il était profondément endormi.

Devais-je battre en retraite ou au contraire aller de l'avant ? Les voix venaient de la pièce où l'on m'avait introduite à mon arrivée. L'une était celle de mon ami hollandais, l'autre, je ne la reconnaissais pas, bien qu'elle me parût vaguement familière.

Je finis par décider que j'avais le devoir d'écouter tout ce qui pouvait se dire, au risque de réveiller le Kafir. Je traversai sans bruit le vestibule et m'accroupis devant la porte du bureau. Je n'entendis pas mieux. Les voix me parvenaient avec plus de force, mais je ne distinguais pas les paroles.

Au lieu d'écouter, j'appliquai mon œil au trou de la serrure. Comme je l'avais deviné, l'un de mes interlocuteurs était bien le gros Hollandais, mais l'autre échappait à mon champ de vision.

Soudain, il se leva pour se servir à boire. J'aperçus son dos, noir et digne. Avant qu'il ne se retourne, je l'avais reconnu.

Mr Chichester !

Maintenant je commençais à distinguer les mots.

– Tout de même, c'est dangereux. Et si ses amis venaient la chercher ?

C'était le grand qui venait de parler. Chichester lui répondit, mais sans rien de l'onction du missionnaire. Pas étonnant que je ne l'aie pas reconnu plus tôt !

– C'est du bluff ! Ils n'ont pas la moindre idée de l'endroit où elle se trouve.

– Elle semblait très sûre d'elle.

– C'est bien possible. Mais nous n'avons rien à craindre, je m'en suis assuré. D'ailleurs, ce sont les ordres du « Colonel ». Vous n'avez pas l'intention de vous y opposer, j'imagine ?

Le Hollandais lâcha un mot dans sa langue, sans doute une vive dénégation.

– Pourquoi ne pas lui donner un bon coup sur la tête, alors ? gronda-t-il. Le bateau est prêt. Nous pourrions l'emmener en mer.

– Oui, dit Chichester d'un ton pensif, c'est ce que je devrais faire. Elle en sait trop, c'est certain. Mais le « Colonel » mène ses affaires en solitaire, les autres n'en ont pas le droit. (Un souvenir pénible sembla lui revenir.) Il veut tirer des informations de la fille.

Avant de prononcer le mot « informations », il avait fait un petit arrêt, ce qui n'avait pas échappé au Hollandais.

– Des informations ?

– Quelque chose comme ça.

« Les diamants ! » me dis-je.

– Et maintenant, poursuivit Chichester, donnez-moi les listes.

Leur conversation me devint tout à fait incompréhensible. Il était question d'énormes quantités de légumes. Ils donnaient des prix, des dates, des noms de lieux qui m'étaient inconnus. Ces vérifications et ces calculs les occupèrent une bonne demi-heure.

– Bon, dit Chichester tandis que je percevais le raclement d'un siège qu'on repousse. Je vais aller montrer ces chiffres au « Colonel ».

– Quand comptez-vous partir ?

– A 10 heures demain matin, je pense.

– Vous voulez voir la fille avant ?

– Non. Les ordres sont formels, personne ne doit la voir avant l'arrivée du « Colonel ». Elle va bien ?

– Elle dormait quand j'y suis allé avant le dîner. Et pour la nourriture ?

– Une petite diète ne lui fera pas de mal. Le « Colonel » sera là demain dans la journée. Affamée, elle répondra mieux à ses questions. D'ici là, il vaut mieux que personne ne l'approche. Elle est bien ligotée ?

Le Hollandais se mit à rire.

– Qu'est-ce que vous croyez ?

Ils se mirent à rire encore tous les deux. J'en fis de même, sous cape. Mais comprenant qu'ils s'apprêtaient à sortir de la pièce, je battis vivement en retraite. Juste à temps. Je n'avais pas plus tôt grimpé l'escalier que j'entendis la porte du bureau s'ouvrir et le Kafir s'agiter. Je ne pouvais plus songer à m'échapper par la porte d'entrée. Je regagnai prudemment mon grenier, rassemblai mes liens autour de moi et me rallongeai sur le sol, pour le cas où ils se mettraient en tête de venir jeter un coup d'œil.

Ils n'en firent rien, cependant. Au bout d'une heure environ, je descendis les escaliers à pas de loup. Mais le Kafir était à la porte, éveillé, et chantonnait en sourdine. J'étais impatiente de sortir de cette maison, mais je ne voyais pas du tout comment m'y prendre.

Je finis par regagner encore une fois mon grenier. De toute évidence, le Kafir était de garde pour la nuit. J'écoutai sans broncher le bruit des préparatifs matinaux. Les hommes prirent leur petit déjeuner dans l'entrée. Leurs voix me parvenaient distinctement. Je commençais à perdre mon courage. Comment diable s'échapper de cette maison ?

Je m'efforçais de rester calme. Un geste inconsidéré risquait de tout gâcher. Après le petit déjeuner, j'entendis partir Chichester. A mon grand soulagement, le Hollandais l'accompagna.

J'attendais, la respiration coupée. On desservit, on fit le ménage... Enfin, toute activité sembla cesser. Une fois de plus, je sortis de mon antre. Multipliant les précautions, je descendis l'escalier. L'entrée était déserte. En un clin d'œil, je la traversai, ouvris la porte et me retrouvai dehors, au soleil. Je dévalai l'allée comme une possédée.

Dans la rue, je repris un pas normal. Les gens me dévisageaient, ce qui n'avait rien d'étonnant. J'avais dû me couvrir de poussière en me roulant par terre dans le grenier. J'arrivai enfin devant un garage. J'entrai.

– Je viens d'avoir un accident, déclarai-je. Il me faut une voiture pour aller immédiatement au Cap. Je dois attraper le bateau pour Durban.

Je n'attendis pas longtemps. Dix minutes après, je fonçais en direction du Cap. Il fallait que je découvre si Chichester était à bord. Je ne savais pas si je devais embarquer ou non moi-même, mais finalement, je décidai de le faire. Chichester ne pouvait pas savoir que je l'avais vu à la villa de Muizenberg. Il me tendrait sans doute d'autres pièges, mais je serais sur mes gardes. Et c'était lui, l'homme que je cherchais, l'homme lancé à la poursuite des diamants pour le compte du mystérieux « Colonel ». Hélas ! quand j'arrivai sur les quais, le *Kilmorden Castle* filait vers le large. Et je n'avais aucun moyen de savoir si Chichester se trouvait ou non à bord.

20

Je retournai à l'hôtel. N'apercevant personne de connu dans le hall, je montai quatre à quatre et frappai à la porte de Suzanne. Elle me cria d'entrer. En me voyant, elle se jeta à mon cou :

– Anne, mon petit ! où étiez-vous passée ? Je me suis fait un sang d'encre ! Que vous est-il arrivé ?

– Des aventures, répondis-je. *Les Aventures de Pamela,* Épisode III.

Je lui racontai toute l'histoire. Quand j'eus fini, elle poussa un profond soupir.

– Pourquoi faut-il que ces choses-là tombent toujours sur vous ? s'exclama-t-elle sur un ton plaintif. Pourquoi est-ce qu'on ne me bâillonne pas, pourquoi est-ce qu'on ne m'attache pas les pieds et les mains, à moi aussi ?

– Cela ne vous plairait pas du tout, lui assurai-je. Pour vous dire la vérité, je n'ai plus tellement soif d'aventures, moi non plus. Un petit peu à la fois, c'est suffisant.

Suzanne ne parut pas convaincue. Bâillonnée et ficelée pendant une heure ou deux, elle aurait vite changé d'avis. Suzanne aime les frissons mais déteste l'inconfort.

– Qu'allons-nous faire à présent ? demanda-t-elle.

– Je n'en sais rien, dis-je pensivement. Vous partez toujours pour la Rhodésie, bien sûr, pour garder un œil sur Pagett.

– Et vous ?

C'était bien là le problème. Chichester était-il ou non à bord du *Kilmorden* ? Comptait-il toujours se rendre à Durban ? A en juger par l'heure à laquelle il avait quitté Muizenberg, il semblait que la réponse fût « oui » aux deux questions. En ce cas, je pouvais aller à Durban par le train. J'arriverais peut-être même avant le bateau. D'un autre côté, si on lui avait télégraphié que je m'étais enfuie, et aussi que j'avais quitté le Cap pour Durban, il lui serait facile de débarquer à Port Elisabeth ou à East London, et de m'échapper définitivement.

Le problème était plutôt épineux.

– En tout état de cause, nous allons nous renseigner sur les trains à destination de Durban, dis-je.

– Il n'est pas trop tard pour le thé du matin, dit Suzanne. Nous le prendrons au salon.

A la réception, on m'informa que le prochain train pour Durban partait ce soir, à 20 h 15. Sans rien décider encore, je rejoignis Suzanne au salon pour un thé du matin un peu retardé.

– Croyez-vous que vous pourriez vraiment reconnaître encore Chichester, sous un autre déguisement, j'entends ? me demanda Suzanne.

Je secouai la tête d'un air piteux.

– Sans votre croquis, jamais je ne l'aurais reconnu, déguisé en femme de chambre.

– C'est un acteur professionnel, j'en suis sûre, décréta Suzanne. Il n'a pas son pareil pour se grimer. Il peut débarquer en marin ou en Dieu sait quoi, et vous serez incapable de le repérer.

– Vous êtes très encourageante !

A cet instant, le colonel Race entra par la porte-fenêtre, et vint nous rejoindre.

– Que fait donc sir Eustache ? s'enquit Suzanne. Je ne l'ai pas vu de la journée.

Une curieuse expression passa sur les traits du colonel.

– Il a quelques petits problèmes personnels qui le tiennent occupé.

– Racontez-nous ça !

– Vous me prenez pour qui !

– Voyons, racontez-nous un petit quelque chose — quitte à l'inventer pour nous distraire.

– Eh bien, nous avons voyagé avec le fameux « Homme au Complet Marron ». Que dites-vous de cela ?

– *Quoi ?*

Le sang se retira de mon visage, puis afflua de nouveau. Par bonheur, le colonel Race ne me regardait pas.

– C'est un fait. Tous les ports étaient en alerte, mais il a embobiné Pedler qui l'a embauché comme secrétaire !

– Ce n'est quand même pas Mr Pagett ?

– Non, pas lui, l'autre. Celui qui se fait appeler Rayburn.

– Est-ce qu'on l'a arrêté ? demanda Suzanne, en me serrant la main sous la table.

J'attendis la réponse, la respiration coupée.

– Il semble s'être volatilisé.

– Comment sir Eustache le prend-il ?

– Comme une insulte personnelle du destin.

Un peu plus tard, dans la journée, sir Eustache eut l'occasion de nous exposer lui-même son point de vue. Nous faisions une petite sieste quand un chasseur nous apporta un mot. Il nous priait, en termes attendrissants, de lui faire le plaisir de lui tenir compagnie pour le thé, dans son salon.

Le pauvre homme était dans un triste état. Encouragé par les murmures compatissants de Suzanne (elle fait très bien ce genre de choses), il nous confia ses ennuis.

– Tout d'abord, une parfaite étrangère a l'impertinence de se faire assassiner dans ma maison — histoire de m'embêter, j'imagine. Pourquoi ma maison ? Pourquoi diable, de toutes les maisons du Royaume-Uni, aller choisir le Moulin ? Quel mal ai-je fait à cette femme pour qu'elle aille se faire assassiner là-bas ?

Suzanne émit un de ces bruits compatissants et sir Eustache poursuivit, sur un ton encore plus chagriné :

– Et, comme si cela ne suffisait pas, l'individu qui l'a assassinée a l'outrecuidance, la colossale outrecuidance de se faire embaucher par moi comme secrétaire ! Mon secrétaire, rien que ça ! Je suis fatigué des secrétaires, je n'aurai plus jamais de secrétaire ! Quand ce ne sont pas des tueurs déguisés, ce sont des ivrognes querelleurs. Vous avez vu l'œil au beurre noir de Pagett ? Evidemment, vous l'avez vu ! Est-ce que je peux me promener avec un secrétaire pareil ? Sans compter sa figure qui est d'un jaune affreux — la couleur qui va le plus mal avec un œil poché ! J'en ai fini avec les secrétaires — à moins de trouver une fille... une jolie fille aux yeux humides, qui me prendra la main, quand je suis énervé. Qu'en dites-vous, miss Anne ? Le poste vous tente-t-il ?

– Tous les combien de temps devrai-je vous prendre la main ? demandai-je en riant.

– Tout le jour durant, répliqua galamment sir Eustache.

– Dans ce cas, je ne taperai pas grand-chose à la machine !

– Aucune importance. C'est Pagett qui invente tout ce travail. Il me ferait travailler à mort ! J'attends avec impatience de le laisser au Cap.

– Il va rester derrière vous ?

– Oui, la perspective de filer Rayburn l'enthousiasme. C'est le genre de chose qui lui va comme un gant ! Il adore les complots. Mais mon offre est des plus sérieuses. Voulez-vous venir avec moi ? Mrs Blair ferait un parfait chaperon et vous pourriez avoir une demi-journée de temps en temps pour aller déterrer vos os.

– Merci infiniment, sir Eustache, dis-je prudemment, mais je compte partir ce soir pour Durban.

– Allons, ne soyez pas si têtue ! N'oubliez pas qu'il y a beaucoup de lions en Rhodésie. Vous les aimerez. Toutes les filles aiment les lions.

– S'entraînent-ils à sauter très bas ? lui lançai-je en riant. Non, merci infiniment, mais je dois aller à Durban.

Sir Eustache me regarda, poussa un profond soupir, alla ouvrir la porte de la chambre communicante, et appela Pagett.

– Si vous avez fini votre petite sieste, mon cher ami, vous pourriez peut-être travailler un peu, pour changer.

Guy Pagett apparut. Il s'inclina devant nous, sans avoir pu réprimer un léger sursaut à ma vue, puis répliqua d'un ton mélancolique :

– J'ai passé tout l'après-midi à taper ce mémorandum, sir Eustache.

– Eh bien, arrêtez de taper, alors. Filez donc à la Bourse du commerce, à la chambre d'agriculture, au service des Mines, ou à un de ces endroits-là et demandez-leur de me prêter une secrétaire quelconque pour m'accompagner en Rhodésie. Elle doit avoir, de préférence, des yeux humides, et accepter que je lui tienne la main.

– Oui, sir Eustache. Je vais leur demander une bonne sténodactylo.

– Il est redoutable, ce Pagett ! dit sir Eustache, sitôt celui-ci parti. Je suis prêt à parier qu'il va me trouver une créature au visage en lame de couteau — rien que pour m'embêter. Ah ! il faut qu'elle ait aussi de jolies jambes — j'ai oublié de le mentionner.

Très agitée, je saisis Suzanne par la main, je la traînai presque jusque dans sa chambre.

– Suzanne, il nous faut dresser un plan d'action, et vite ! Vous avez entendu ? Pagett va rester ici !

– Oui. Cela signifie sans doute que je ne pourrai pas aller en Rhodésie, ce qui me contrarie beaucoup. Je *veux* aller en Rhodésie ! Quel ennui !

– Vous irez, n'ayez pas peur. Je ne vois pas comment vous pourriez vous dédire au dernier moment sans éveiller de graves soupçons. D'autre part, sir Eustache peut convoquer Pagett à tout instant — auquel cas, il vous sera encore plus difficile de le suivre.

– Cela ne serait guère convenable, dit Suzanne en souriant. Je serais obligée de faire semblant d'être follement amoureuse de lui !

– En revanche, si vous êtes déjà sur place quand il arrivera, cela paraîtra tout à fait naturel. D'ailleurs, je crois que nous ne devrions pas perdre de vue les deux autres.

– Oh ! Anne, vous ne soupçonnez quand même pas le colonel Race ou sir Eustache ?

– Je soupçonne tout le monde, répliquai-je, l'air sombre. Si vous aviez lu des romans policiers, Suzanne, vous sauriez que le coupable est toujours celui qu'on ne soupçonnait pas. Les criminels gras et joyeux comme sir Eustache ne se comptent plus.

– Le colonel Race n'est ni particulièrement gras, ni particulièrement gai.

– Ils sont parfois maigres et taciturnes, rétorquai-je. Non que je les suspecte sérieusement l'un ou l'autre — mais après tout, c'est dans la maison de sir Eustache que cette femme a été assassinée...

– Bon, bon, nous n'allons pas encore revenir là-dessus. Je le surveillerai pour vous, Anne, et si je le vois devenir encore plus gros et encore plus joyeux, je vous télégraphierai aussitôt : *Embonpoint de sir E. hautement suspect Venez vite.*

– Vraiment, Suzanne, m'écriai-je, vous semblez croire que tout cela n'est qu'un jeu !

– Je sais bien, fit Suzanne, sans se démonter. C'est l'impression que j'ai, c'est votre faute, Anne. Je me suis laissé gagner par votre désir d'aventures. Cela n'a pas l'air réel du tout. Seigneur ! Si Clarence apprenait que je traque de dangereux criminels à travers l'Afrique, il en aurait une attaque.

– Pourquoi ne lui enverriez-vous pas un câble pour l'en avertir ? suggérai-je, sarcastique.

Dès qu'il est question d'expédier un câble, Suzanne perd tout son humour. Elle prit ma suggestion au sérieux.

– Je pourrais, évidemment. Mais il faudrait qu'il soit très long, remarqua-t-elle, son regard s'illuminant à cette perspective. Non, il ne vaut mieux pas. Les maris vous gâchent toujours les distractions les plus inno-centes !

– Bon, dis-je pour résumer la situation, vous garderez l'œil sur sir Eustache et sur le colonel Race...

– Je sais pourquoi je dois surveiller sir Eustache, dit Suzanne, m'interrompant. C'est à cause de sa silhouette et à cause de sa conversation amusante. Mais il me semble que c'est aller un peu loin que de soupçonner le colonel Race. Il a même quelque chose à voir avec les Services secrets ! Vous savez, Anne, je crois que nous ferions bien de nous confier à lui, et de lui raconter toute l'histoire.

Je m'opposai vigoureusement à cette proposition déloyale. Je reconnaissais bien là un des effets du mariage. Combien de fois n'ai-je pas entendu une femme, par ailleurs fort intelligente, affirmer comme s'il s'agissait d'un argument irréfutable : « Edgar dit que... ». Alors que vous tenez cet Edgar pour un parfait imbécile. En raison de son statut de femme mariée, Suzanne éprouvait le besoin de s'appuyer sur un homme, quel qu'il fût.

Toutefois, elle promit de ne pas souffler mot de notre histoire au colonel Race, et nous nous remîmes à échafauder nos plans.

– Il est clair que je dois rester, dis-je, et surveiller Pagett. La meilleure façon de m'y prendre, c'est de faire semblant de partir ce soir pour Durban, de descendre mes bagages et d'aller m'installer dans un petit hôtel quelconque. Quand il se croira débarrassé de moi et que je me serai un peu changée — en mettant une perruque blonde et une de ces épaisses voilettes blanches, par exemple —, j'aurai plus de chances de voir clair dans son jeu.

Suzanne approuva chaudement ce plan. Nous nous livrâmes ostensiblement à tous les préparatifs nécessaires, je bouclai mes valises et j'allai demander encore une fois les horaires des trains.

Nous descendîmes déjeuner au restaurant. Le colonel Race ne se montra pas, mais sir Eustache et Pagett occupaient leur table, à côté de la fenêtre. Pagett s'éclipsa au beau milieu du déjeuner, ce qui me contraria, car j'avais prévu de lui faire mes adieux. Cependant, sir Eustache ferait aussi bien l'affaire. Je me dirigeai vers lui, sitôt mon dîner terminé.

– Au revoir, sir Eustache, lui dis-je. Je pars ce soir pour Durban.

Il poussa un profond soupir :

– C'est ce que j'ai entendu dire. Vous ne voulez pas que je vous accompagne, non ?

– J'en serais ravie.

– Charmante enfant ! Vous êtes bien sûre que vous ne voulez pas changer d'avis et venir voir les lions en Rhodésie ?

– Tout à fait sûre.

– Ce doit être un très beau garçon, gémit sir Eustache. Un jeune freluquet de Durban, j'imagine, qui rejette loin dans l'ombre mes charmes mûrissants. A propos, Pagett descend en ville avec la voiture dans quelques minutes. Il pourra vous déposer à la gare.

– Oh ! non, merci, dis-je précipitamment. Mrs Blair et moi avons déjà commandé un taxi.

Aller à la gare avec Pagett, c'était tout ce que je ne voulais pas ! Sir Eustache me regarda attentivement.

– Je crois que vous n'avez pas beaucoup de sympathie

432

pour Pagett. Je ne vous le reproche pas. On chercherait en vain un pareil âne, aussi zélé et se mêlant de tout ; il se promène partout avec des airs de martyr et fait tout ce qu'il peut pour m'exaspérer !

– Qu'a-t-il encore fait ? demandai-je avec curiosité.

– Il m'a trouvé une secrétaire. Vous n'avez jamais vu une femme pareille ! La quarantaine bien sonnée, avec un pince-nez, des chaussures compensées et un air d'efficacité qui sera ma mort. En plus, comme je l'avais prévu, elle a le visage en forme de brise-glace !

– Est-ce qu'elle vous tiendra la main ?

– J'espère bien que non ! s'exclama sir Eustache. Ce serait le comble ! Eh bien, adieu, yeux humides ! Si j'abats un lion, je ne vous donnerai pas la peau étant donné l'ignoble façon dont vous m'avez abandonné !

Il me serra chaleureusement la main et nous nous quittâmes. Suzanne m'attendait dans le hall. Elle devait m'accompagner à la gare.

– Filons en vitesse, dis-je, en faisant signe au portier de héler un taxi.

Une voix me fit sursauter.

– Excusez-moi, miss Beddingfeld, mais je descends justement dans le centre. Je peux vous déposer à la gare, Mrs Blair et vous.

– Oh ! merci, dis-je vivement, mais je ne voudrais pas vous déranger. Je...

– Cela ne me dérange pas du tout, je vous assure. Portier, chargez les bagages !

Que faire ? J'aurais pu continuer à protester, mais un discret coup de coude de Suzanne m'incita à la prudence.

– Je vous remercie, Mr Pagett, dis-je sèchement.

Nous montâmes tous dans la voiture. Tandis que nous roulions vers la ville, je me creusai vainement la cervelle pour trouver quelque chose à dire. A la fin, Pagett rompit le silence :

– J'ai trouvé une secrétaire très compétente pour sir Eustache. Miss Pettigrew.

– Il ne délire pas d'enthousiasme à son sujet, remarquai-je.

Pagett me regarda froidement.

– C'est une excellente sténodactylo, fit-il sur un ton définitif.

Nous nous arrêtâmes devant la gare. Il allait sûrement nous laisser là. Je lui tendis la main. Mais non...

– Je vais vous accompagner. Il est juste 8 heures. Votre train part dans un quart d'heure.

Il donna des instructions au porteur. Je restai sans réaction, n'osant pas même regarder Suzanne. Cet homme avait des soupçons. Il était décidé à s'assurer que je partais bien par ce train. Que faire ? Rien. Je me voyais déjà, un quart d'heure plus tard, quittant la station, tandis que Pagett, planté sur le quai, me ferait des gestes d'adieu. Il avait habilement retourné la situation. Son comportement envers moi s'était modifié. Il affectait à présent une cordialité forcée qui lui seyait mal et qui me levait le cœur. Il était mielleux et hypocrite. D'abord, il essayait de me tuer et maintenant, il me faisait des compliments. Se figurait-il que je ne l'avais pas reconnu, cette nuit-là, sur le bateau ? Non, c'était une comédie, une comédie qu'il me forçait de jouer, en se moquant de moi en son for intérieur.

434

Comme un agneau qu'on mène à l'abattoir, j'obéissais sans broncher. On entassa mes bagages dans le wagon-lit — je disposais de deux couchettes pour moi toute seule. Il était 8 h 12. Dans trois minutes, le train s'ébranlerait.

Mais Pagett avait compté sans Suzanne.

– Anne, vous allez traverser des contrées torrides, me déclara-t-elle soudain. Surtout demain, dans le Karou. Vous n'avez pas oublié de prendre de l'eau de Cologne ou de la lavande, j'espère ?

Je renvoyai la balle aussitôt.

– Mon Dieu ! m'écriai-je. J'ai laissé mon eau de Cologne sur la coiffeuse, à l'hôtel.

Suzanne a l'habitude de se faire obéir.

– Vite, Mr Pagett ! s'écria-t-elle d'un ton impérieux. Vous avez juste le temps. Il y a une pharmacie devant la gare. Anne ne peut pas partir sans eau de Cologne !

Il hésita, mais résister à Suzanne, c'était trop lui demander. Suzanne est un autocrate-né. Il partit. Suzanne le suivit des yeux jusqu'à ce qu'il ait disparu.

– Vite, Anne ! descendez de l'autre côté pour le cas où il nous surveillerait du bout du quai. Tant pis pour vos bagages. Vous enverrez un télégramme demain à ce sujet. Oh! pourvu que le train parte à l'heure !

J'ouvris la portière donnant sur l'autre quai et je descendis. Personne ne m'observait. Je voyais Suzanne, là où je l'avais laissée, la tête levée, apparemment en conversation avec moi. Sur un coup de sifflet, le train s'ébranla. J'entendis des pas précipités sur le quai. Je me dissimulai dans l'ombre complice d'un kiosque pour observer la scène.

Suzanne arrêta d'agiter son mouchoir en direction du train.

– Trop tard, Mr Pagett, dit-elle sur un ton enjoué. Elle est partie ! C'est l'eau de Cologne ? Quel dommage de ne pas y avoir pensé plus tôt !

Ils passèrent tout près de moi pour sortir de la gare. Guy Pagett était en nage. Il avait dû aller jusqu'à la pharmacie et retour en courant.

– Dois-je vous appeler un taxi, Mrs Blair ?

Suzanne joua son rôle à la perfection.

– Oui, je vous en prie. Puis-je vous déposer quelque part ? Vous avez beaucoup à faire pour sir Eustache ? Ah ! j'aurais aimé qu'Anne soit des nôtres demain. L'idée qu'une jeune fille comme elle voyage seule ne me plaît pas du tout. Mais elle n'a pas voulu en démordre. Il faut croire que quelque chose l'attire là-bas...

Je n'entendis pas la suite. Astucieuse Suzanne ! Elle m'avait sauvée...

Je laissai passer quelques minutes et sortis à mon tour de la gare. Ce faisant, je faillis heurter quelqu'un, un homme à l'aspect déplaisant et au nez démesurément grand.

21

Mes plans ne rencontrèrent plus d'obstacles. Dans une rue éloignée du centre, je trouvai un petit hôtel, je pris une chambre, versai des arrhes car je n'avais pas de bagages, et allai gentiment me coucher. Le lendemain, je me levai de bonne heure et sortis acheter une modeste garde-robe. Je ne comptais rien faire avant le départ du train de 11 heures pour la Rodhésie qui emmènerait à peu près tout le monde. D'ici là, Pagett se tiendrait sans doute tranquille. Je sautai donc dans un tram pour aller me promener en dehors de la ville. Il faisait relativement frais et j'étais heureuse de pouvoir me dégourdir les jambes après cette longue traversée et mon emprisonnement à Muizenberg.

Le destin dépend souvent de petites choses. Mon lacet s'étant défait, je m'arrêtai pour le renouer. Je venais de tourner le coin d'une rue. J'étais pliée sur ma chaussure quand un homme arriva, faillit me heurter. Il souleva son chapeau, murmura une vague excuse et poursuivit son chemin. Son visage me parut vaguement familier, mais je l'oubliai aussitôt. Je jetai un coup d'œil à ma montre. Le temps avait passé. Je décidai de regagner le Cap.

Un tram allait partir. Je me suis mise à courir. J'entendis courir derrière moi. Je sautai dans le tram, l'autre aussi. Je le reconnus immédiatement. C'était l'homme qui avait failli me heurter quand je renouais mon lacet, et en un éclair, je compris pourquoi ses traits me paraissaient familiers. C'était le petit homme au gros nez que j'avais bousculé la veille en sortant de la gare.

La coïncidence était plutôt ahurissante. Etait-il possible que cet homme me suive délibérément ? Je décidai d'en avoir le cœur net sur-le-champ. Je tirai la cloche et descendis au premier arrêt. L'homme resta dans le tram. Je me cachai dans l'ombre d'un porche et attendis. L'homme descendit à l'arrêt suivant, et revint en arrière dans ma direction.

Le doute n'était plus permis. J'étais suivie. Je m'étais félicitée trop tôt. Ma victoire sur Pagett prenait un nouvel aspect. Je hélai le tram suivant, et comme je le pensais, mon poursuivant monta derrière moi. Je me mis à réfléchir sérieusement.

C'était clair, j'avais mis le pied sur quelque chose de plus important que je ne l'avais cru. Le meurtre de Marlow n'était pas un acte isolé commis par un individu isolé. J'avais affaire à un gang et, grâce aux révélations que le colonel Race avait faites à Suzanne, grâce aux propos que j'avais surpris à Muizenberg, je commençais à entrevoir quelques-unes de ses multiples activités. Activités criminelles, organisées par celui que ses hommes appelaient « Le Colonel ». Certains des propos que j'avais entendus à bord me revinrent, à propos de la grève du Rand qui aurait été fomentée par une organisation secrète. C'était l'œuvre du « Colonel ». Ses émissaires agissaient selon un plan soigneusement ourdi. Il n'intervenait jamais lui-même, d'après ce que j'avais entendu dire, il ne faisait qu'organiser et diriger. Il se réservait le travail noble — à d'autres le travail dangereux. Mais il pouvait lui arriver d'aller lui-même sur le terrain et de mener des opérations depuis une position tout à la fois stratégique et insoupçonnable.

C'est ce qui expliquait sans doute la présence du colonel Race à bord du *Kilmorden*. Il traquait un grand criminel. Tout semblait concorder. Haut placé dans les Services secrets, Race était chargé d'épingler le « Colonel ».

Je hochai la tête. Tout me devenait clair. Mais, et moi dans cette affaire ? Où intervenais-je ? Ces gens convoitaient-ils simplement les diamants ? C'était peu probable. Quelle que fût la valeur de ces diamants, elle ne pouvait justifier les tentatives désespérées faites pour m'éliminer. Non, je représentais plus que ça. D'une certaine façon, que j'ignorais, j'étais pour eux une menace, un danger ! Je savais quelque chose ou ils me soupçonnaient de savoir quelque chose qui les rendait anxieux de se débarrasser de moi — et ce quelque chose avait un rapport avec les diamants. Une seule personne était capable de m'éclairer — s'il y consentait ! C'était Harry Rayburn, « l'Homme au complet marron ». Il connaissait, lui, l'autre moitié de l'histoire. Malheureusement, il s'était évanoui dans la nuit, c'était une créature pourchassée. Selon toutes probabilités, nous ne nous reverrions jamais...

Je revins brusquement à la réalité. Je ne devais pas faire du sentiment à propos de Harry Rayburn. Dès la première minute, il m'avait témoigné la plus vive antipathie. Ou du moins... Mais voilà que je recommençais à rêver. Le vrai problème, c'était : que faire *maintenant* ?

Moi qui me faisais fort de filer les autres, j'étais filée à mon tour. Et j'avais peur ! Pour la première fois, je commençais à perdre mon sang-froid. J'étais le petit grain de sable qui risquait d'entraver le fonctionnement de la grosse machine — et j'avais dans l'idée que la machine trouverait un moyen expéditif pour se débarrasser du grain de sable. Harry Rayburn m'avait déjà tirée d'affaire une fois et je m'étais moi-même tirée d'affaire une autre fois, mais j'avais soudain l'impression que les chances étaient contre moi. J'étais cernée de toutes parts par des ennemis qui se rapprochaient inexorablement. Si je continuais à faire cavalier seul, j'étais perdue.

Non sans effort, je me ressaisis. Après tout, que pouvaient-ils faire ? Je me trouvais dans une ville civilisée, avec des agents de police à chaque coin de rue. Il suffisait que je reste sur mes gardes. Je ne devais pas me laisser prendre au piège comme à Muizenberg.

A ce point de mes méditations, le tram arrivait à Adderley. Je descendis. Ne sachant où aller, je remontai lentement la rue du côté gauche. Je ne pris pas la peine de me retourner pour voir si j'étais suivie. Je savais que je l'étais. J'entrai dans un café et commandai deux cafés glacés pour me soutenir les nerfs. Un homme aurait sans doute pris un whisky bien tassé, mais les filles tirent un grand réconfort du café glacé. J'aspirai avidement le liquide froid avec ma paille. Il me procura un véritable bien-être. Je poussai de côté le premier verre, vide.

Je m'étais installée au comptoir, sur un tabouret. Du coin de l'œil, je vis mon suiveur arriver et s'asseoir discrètement à une table, près de l'entrée. Je terminai mon deuxième café glacé et en commandai un troisième. Je peux avaler une quantité pratiquement illimitée de cafés glacés.

Soudain, à ma grande surprise, je vis l'homme se lever et sortir. S'il comptait m'attendre dehors, pourquoi ne pas l'avoir fait tout de suite ? Je me laissai glisser de mon siège et j'allai avec précaution à la porte. Je me reculai vivement dans l'ombre. Le type était en train de parler à Guy Pagett !

Si j'avais eu encore des doutes, ils se seraient dissipés. Pagett tira sa montre et la consulta. Ils échangèrent quelques mots, puis Pagett repartit vers la gare. De toute évidence, il venait de donner ses ordres. Mais lesquels ?

Soudain, j'eus un coup au cœur. L'homme qui m'avait suivie traversa la rue et s'adressa à un agent. Il lui parla longuement, en gesticulant, lui montrant le café. Je compris aussitôt son plan : me faire arrêter, sous un prétexte ou un autre, pour vol à la tire peut-être. Quoi de plus facile pour eux que de monter une petite affaire de ce genre ! Je pourrais toujours protester de mon innocence ! Ils auront tout prévu. Harry Rayburn, dont l'innocence me semblait indubitable, n'avait pas pu se disculper de l'accusation de vol des diamants De Beers. Quelle chance avais-je, moi, de me défendre contre un coup monté par le « Colonel » ?

Machinalement, je jetai un coup d'œil à l'horloge, et aussitôt, je vis l'incident sous un jour nouveau. Je compris pourquoi Pagett avait consulté sa montre. Il était presque 11 heures et à 11 heures, le train postal partait pour la Rhodésie, emportant tous les amis influents susceptibles de me venir en aide. Voilà pourquoi j'étais encore saine et sauve. Jusqu'à 11 heures ce matin, j'avais été en sûreté, mais à présent, le filet allait se resserrer autour de moi.

J'ouvris mon sac en hâte pour régler mes consommations... et mon cœur s'arrêta. Dans mon sac, il y avait un portefeuille, bourré de billets de banque. On avait dû

441

l'y glisser adroitement lorsque j'étais descendue du tram.

Je perdis la tête. Je me ruai hors du café, au moment où le petit type au gros nez et l'agent traversaient la chaussée. En me voyant, le petit type, tout excité, me désigna à l'agent. Je pris mes jambes à mon cou. Cet agent de police n'avait pas l'air d'être un rapide. Je devais me lancer. Sans aucun plan en tête. Je dévalai simplement Adderley Street pour sauver ma peau. Les gens me regardaient. L'un d'eux n'allait pas tarder à m'arrêter.

Une idée me traversa soudain l'esprit.

– La gare ? demandai-je, hors d'haleine.

– Un peu plus loin, à droite.

Je fonçai. Il est permis de courir pour attraper un train. Je venais de me ruer dans la gare, quand j'entendis des pas derrière moi. Le petit bonhomme au gros nez était un sprinter de première classe. Il allait me rejoindre avant que je ne trouve le quai que je cherchais. Je jetai un coup d'œil à l'horloge : il était 11 heures moins une. Mon plan pouvait encore réussir.

Je m'étais précipitée dans la gare par la grande entrée, j'en ressortis tout aussi vite, par une autre issue. En face, se trouvait une entrée latérale de la poste, dont la porte principale se situait également sur Adderley Street.

Comme je m'y attendais, au lieu de me suivre à l'intérieur, mon poursuivant dévala la rue pour me barrer la route quand je sortirais de la poste, ou pour demander à l'agent de police de le faire.

En un rien de temps, je retraversai la rue et rentrai dans la gare. Je courais comme une folle. Il était 11 heures juste. Le train s'ébranlait quand je déboulai sur le quai. Un porteur tenta de me retenir, mais je m'arrachai à lui et sautai sur le marchepied. Je grimpai les deux marches et ouvris la portière. J'étais sauvée !

Le train prit de la vitesse. Nous passâmes devant un homme, planté tout seul au bout du quai. J'agitai la main.

– Au revoir, Mr Pagett ! lui criai-je.

Je n'ai jamais vu quelqu'un d'aussi ahuri. Il avait l'air d'avoir aperçu un fantôme.

Quelques instants après, le contrôleur voulut me créer des difficultés, mais je le pris de haut.

– Je suis la secrétaire de sir Eustache Pedler, fis-je sur un ton plein de morgue. Veuillez me conduire à son compartiment privé.

Suzanne et le colonel Race se trouvaient sur l'impériale. A ma vue, ils poussèrent tous les deux un cri de surprise.

– Salut ! miss Anne, me lança le colonel. D'où sortez-vous ? Je vous croyais partie pour Durban ! Quelle surprenante personne vous faites !

Suzanne ne dit rien, mais ses yeux posaient mille questions.

– Je dois me présenter à mon patron, déclarai-je sans me démonter. Où se trouve-t-il ?

– Dans le bureau — le compartiment du milieu —, occupé à dicter une foule de lettres à cette pauvre miss Pettigrew.

– Ce goût du labeur me semble bien soudain, fis-je remarquer.

– Hum ! fit le colonel Race, je crois qu'il a dans l'idée de lui donner suffisamment de travail pour l'enchaîner à sa machine à écrire le restant de la journée.

J'éclatai de rire. Suivie par les deux autres, je partis à la recherche de sir Eustache. Il allait et venait dans l'espace exigu, déversant un flot de paroles sur l'infortunée secrétaire que je voyais pour la première fois. C'était une grande femme massive à l'air efficace, habillée de gris et portant lorgnon. A voir sa grimace et la façon dont son crayon volait, j'eus l'impression qu'elle avait du mal à suivre le rythme de sir Eustache.

J'entrai dans le compartiment.

– Au rapport, monsieur ! lançai-je crânement.

Sir Eustache s'arrêta net au milieu d'une phrase alambiquée sur la situation du monde du travail, et me fixa, abasourdi. Malgré son air efficace, miss Pettigrew devait avoir les nerfs fragiles, car elle fit un bond comme si on lui avait tiré dessus.

– Dieu vous bénisse ! s'exclama sir Eustache. Et le jeune homme de Durban ?

– C'est vous que je préfère, soufflai-je.

– Chère petite ! Vous pouvez commencer à me tenir la main dès maintenant.

Miss Pettigrew toussota, et sir Eustache retira précipitamment la main qu'il me tendait.

– Ah ! oui, fit-il. Voyons, où en étions-nous ? Oui : Tylman Roos, dans son discours à... — Eh bien, que se passe-t-il ? Pourquoi ne notez-vous pas ?

– Je crois, dit le colonel Race aimablement, que miss Pettigrew a cassé son crayon.

Il le lui prit des mains et se mit à le tailler. Sir Eustache et moi, nous le regardâmes, étonnés. Il y avait quelque chose, dans le ton du colonel Race, que je ne comprenais pas.

22

Extraits du journal intime de sir Eustache Pedler

J'ai envie d'abandonner mes Mémoires. A la place, j'écrirai un court article intitulé : « Mes secrétaires » En ce qui concerne les secrétaires, je n'ai vraiment pas de chance. Ou je n'en ai pas du tout, ou j'en ai trop. A l'heure actuelle, je m'achemine vers la Rhodésie avec une meute de femmes. Naturellement, Race s'est réservé les deux plus jolies, et m'a laissé le canard boiteux. C'est toujours comme ça. Et pourtant, c'est *mon* wagon privé, pas celui de Race.

Anne Beddingfeld m'accompagne aussi en Rhodésie, à titre de secrétaire intérimaire. Mais elle a passé tout l'après-midi sur la plate-forme, avec Race, à admirer le paysage. Je lui avais dit, il est vrai, que son principal devoir serait de me tenir la main. Mais elle ne fait même pas ça ! Elle a peut-être peur de miss Pettigrew. Ce n'est pas moi qui l'en blâmerai. La demoiselle en question manque totalement de charme. C'est une femelle repoussante aux grands pieds, plutôt masculine.

Cette Anne Beddingfeld a quelque chose de très mystérieux. Elle a sauté dans le train à la dernière minute, soufflant comme une locomotive, comme si elle venait de disputer une course, alors que Pagett m'avait dit l'avoir vue partir pour Durban la veille au soir. De deux choses l'une : ou Pagett avait encore bu, ou cette fille joue de son corps astral.

Et elle ne s'explique jamais. Personne n'explique rien. Oui. « Mes secrétaires »... Numéro 1 : un meurtrier fuyant la justice. Numéro 2 : un alcoolique honteux qui mène des intrigues louches en Italie. Numéro 3 : une fille ravissante qui possède la très utile faculté de se trouver en deux lieux à la fois. Numéro 4 : miss Pettigrew, un dangereux malfaiteur travesti, j'en suis sûr. Probablement un ami italien de Pagett. Je ne serais pas étonné d'apprendre un jour que Pagett a grossièrement trompé son monde. Somme toute, le meilleur de la bande était encore Rayburn. Il ne m'a jamais gêné ni contrarié. Quant à Pagett, il a eu le culot de faire entreposer la malle aux papiers dans mon compartiment. On ne peut plus faire un pas sans buter dessus.

Je suis allé sur la plate-forme, espérant être accueilli avec des cris de joie. Mais Race tenait les deux dames sous son charme avec une de ses histoires de voyages. Ce wagon devrait être étiqueté non pas « sir Eustache et invités », mais « colonel Race et harem ».

Mrs Blair s'est mis en tête de prendre de ridicules photos. Chaque fois que nous abordons un virage dangereux, tandis que nous grimpons de plus en plus haut, elle prend une photo de la locomotive.

– Comprenez ! s'est-elle exclamée, ravie. Il faut un tournant pour pouvoir photographier de l'arrière la tête du train ! Et avec les montagnes dans le fond, ça aura l'air terriblement dangereux !

Je lui ai fait remarquer que personne ne verra que cette photo a été prise du train même. Elle m'a regardé avec pitié.

– J'écrirai dessous : « Prise du train. Locomotive abordant un tournant. »

– Mais vous pourriez écrire cela sous n'importe quel cliché de train ! lui ai-je fait remarquer.

Les femmes ne pensent jamais à ces choses simples.

– Je suis contente de traverser cette région en plein jour, s'exclama Anne Beddingfeld. Je n'aurais rien vu de tout ça si j'étais partie pour Durban la nuit dernière.

– Sûrement pas, dit le colonel Race en souriant. Vous vous seriez réveillée demain matin au beau milieu du désert brûlant et rocailleux du Karou.

– Je me félicite d'avoir changé d'avis, fit Anne avec un soupir d'aise en regardant autour d'elle.

Il faut reconnaître que la vue était sublime. Nous tournions en zigzag, nous nous hissions de plus en plus haut dans les immenses montagnes qui nous entouraient.

– Est-ce le meilleur train de la journée pour la Rhodésie ? demanda Anne Beddingfeld.

– De la journée ? a répété Race en riant. Mais, chère mademoiselle, il n'y a que trois trains par semaine, le lundi, le mercredi et le samedi. Vous rendez-vous compte que nous n'arriverons pas aux Chutes avant samedi prochain ?

– Comme nous nous connaîtrons bien d'ici là ! glissa malicieusement Mrs Blair. Combien de temps comptez-vous rester aux Chutes, sir Eustache ?

– Cela dépendra, ai-je répondu prudemment.

– De quoi ?

– De ce qui se passe à Johannesburg. J'avais prévu de rester deux ou trois jours aux Chutes — que je n'ai encore jamais vues, bien que ce soit mon troisième séjour en Afrique —, puis de pousser jusqu'à Johannesburg pour étudier la situation dans le Rand. Chez nous, vous savez, je fais autorité en matière de politique sud-africaine. Mais d'après les rumeurs qui courent, d'ici une semaine, il ne fera pas bon séjourner à Johannesburg. Je n'ai aucune envie d'étudier la situation en pleine révolution.

Race m'a gratifié d'un sourire supérieur.

– Je crois que vos craintes sont exagérées, sir Eustache. Vous ne courrez pas grand danger à Johannesburg.

Les femmes l'ont aussitôt regardé comme un héros. Cela m'agace énormément. Je suis au moins aussi courageux que Race, mais je n'ai pas sa prestance. Ces hommes grands, minces et bronzés, tout leur sourit.

– Je suppose que vous y serez, vous-même ? lui ai-je dit avec froideur.

– C'est très possible. Nous pourrons voyager ensemble.

– Je resterai peut-être quelque temps aux Chutes, lui ai-je répondu sans m'engager.

Pourquoi Race tient-il tant à me voir partir pour Johannesburg ? Sans doute parce qu'il a jeté son dévolu sur la petite Anne.

– Et vous, miss Anne, quels sont vos projets ?

– Cela dépend, a-t-elle répondu avec une circonspection égale à la mienne.

– N'êtes-vous pas ma secrétaire ?

– Oh ! mais j'ai été supplantée par miss Pettigrew. Vous avez passé tout l'après-midi à lui tenir la main.

– Quoi que j'aie fait, je peux jurer que ce n'était pas ça, lui ai-je assuré.

Jeudi soir

Nous venons de quitter Kimberley. Une fois de plus, les dames ont prié Race de raconter l'histoire du vol des diamants. Pourquoi les femmes sont-elles si émoustillées par tout qui touche aux diamants ?

Anne Beddingfeld a enfin levé son voile de mystère. Il semblerait qu'elle travaille pour un journal. Elle a envoyé un interminable télégramme depuis De Aar, ce matin. A en juger par le baragouinage qui s'est prolongé presque toute la nuit dans le compartiment de Mrs Blair, elle a dû lui lire à haute voix la totalité des articles qu'elle a rédigés pour les années à venir.

Il semblerait en outre qu'elle soit depuis longtemps sur les traces de « l'Homme au complet marron ». Apparemment, elle ne l'avait pas repéré à bord du *Kilmorden Castle* — en fait, elle n'en a pas eu l'occasion —, mais maintenant elle télégraphie à son journal : *Comment j'ai voyagé avec l'assassin*, et elle invente des histoires du genre : *Ce qu'il m'a déclaré*, etc. Je sais comment on s'y prend. Je le fais moi-même dans mes Mémoires, quand Pagett m'en laisse le loisir. Bien entendu, un de ces efficaces rédacteurs de Nasby rajoutera encore des détails, si bien que lorsque l'article paraîtra enfin dans le *Daily Budget*, lui-même ne pourra pas se reconnaître.

Néanmoins, cette petite ne manque pas de finesse. Toute seule, elle a apparemment réussi à établir l'identité de la femme assassinée dans ma maison. Une danseuse russe, connue sous le nom de Nadine. J'ai demandé à Anne Beddingfeld si elle en était sûre. Elle m'a répondu — tout à fait à la manière de Sherlock Holmes — que c'était une simple déduction. Cependant, j'imagine qu'elle a télégraphié la nouvelle à Nasby comme un fait avéré. Les femmes ont parfois de ces intuitions ! Seulement, un peu de simplicité, que diable ! Même si je ne mets pas en doute qu'Anne Beddingfeld ait deviné juste, appeler ça une déduction, c'est absurde.

Comment elle est parvenue à se faire embaucher par le *Daily Budget*, je ne peux pas l'imaginer. Mais c'est le genre de choses dont elle est capable. Impossible de lui résister. Elle a des façons enjôleuses qui dissimulent une invincible détermination. Il suffit de voir comment elle s'est introduite dans mon wagon !

Je commence d'ailleurs à me douter pourquoi. Race a laissé entendre que la police soupçonnait Rayburn de se trouver en Rhodésie. Il aurait pris le train lundi. Je suppose que toutes les gares ont été alertées par télégraphe. On n'a trouvé personne correspondant à son signalement, mais cela ne signifie pas grand-chose. Ce jeune homme est malin et il connaît l'Afrique. Il s'est sûrement habilement travesti en vieille femme kafir, tandis que la police continue à rechercher un beau jeune homme avec une cicatrice, habillé à la dernière mode européenne. Pour ma part, je n'ai jamais cru à cette cicatrice.

En tout cas, Anne Beddingfeld est sur ses traces. Elle aspire à la gloire de le découvrir, pour elle et son journal. De nos jours, les jeunes femmes ont un sang-froid étonnant. Je lui ai laissé entendre que ces façons de faire n'étaient pas très féminines. Elle m'a ri au nez et m'a assuré que si elle l'attrapait, sa fortune était faite. Cela ne plaît pas non plus à Race, je le vois bien. Rayburn se trouve peut-être à bord de ce train. En ce cas, nous risquons tous d'être assassinés dans nos couchettes. Je l'ai fait remarquer à Mrs Blair — qui a eu l'air enchantée à cette idée. Elle m'a dit que mon assassinat serait un scoop sensationnel pour Anne. Un scoop sensationnel pour Anne ! Charmant !

Demain, nous traverserons le Bechuanaland, la poussière sera effroyable. A chaque arrêt, des petits Kafirs vont nous proposer de curieuses statuettes en bois, sculptées de leurs propres mains, ainsi que des calebasses et des paniers. Je crains que Mrs Blair en perde la tête. Ces jouets ont un charme primitif qui doit agir sur elle.

Vendredi soir

C'est bien ce que je craignais. Mrs Blair et Anne ont acheté quarante-neuf petits animaux en bois !

23

Suite des aventures d'Anne

Je prenais un immense plaisir à ce voyage vers la Rhodésie. Chaque jour nous apportait quelque chose de nouveau et d'excitant. D'abord le merveilleux paysage de la vallée du Hew, puis les immensités désolées du Karou, l'horizon plat du Bechuanaland, et ces adorables jouets que nous proposaient les indigènes. A chaque station — si tant est qu'on puisse appeler ça des stations — nous manquions de rater le train, Suzanne et moi. Ce train donnait l'impression de stopper quand l'envie lui en prenait, et sitôt fait, une horde d'indigènes surgissait du désert, nous tendant des calebasses pleines de bouillie de maïs, des cannes à sucre, des pagnes et d'adorables petits animaux sculptés dans du bois. Suzanne commença aussitôt une collection. Je suivis son exemple. Ils coûtaient un *tiki* (trois pence) et ils étaient tous différents. Il y avait des girafes, des tigres, des serpents, des élans au regard mélancolique et de ridicules petits guerriers noirs. Cela nous plaisait énormément.

Sir Eustache essaya en vain de nous modérer. C'est un miracle si nous ne sommes pas restées dans l'une des oasis de la ligne. En Afrique du Sud, les trains ne sifflent pas, on ne s'agite pas quand ils vont démarrer. Ils s'ébranlent en douceur alors que vous êtes en plein marchandage, et il ne vous reste plus qu'à prendre vos jambes à votre cou.

On peut imaginer avec quelle stupeur Suzanne m'avait vue sauter dans le train, en gare du Cap. Notre première soirée avait été consacrée à un examen exhaustif de la situation. Nous avions parlé jusqu'au milieu de la nuit.

Désormais, il me semblait nécessaire de prévoir une stratégie défensive aussi bien qu'offensive. Tant que je voyagerais avec sir Eustache et ses invités, j'étais à peu près en sécurité. Sir Eustache et le colonel Race étaient des protecteurs puissants, et mes ennemis n'allaient pas venir se fourrer dans un tel guêpier. En outre, tant que j'étais près de sir Eustache, je restais plus ou moins en rapport avec Guy Pagett — et Pagett était au cœur du mystère. Je demandai à Suzanne si elle pensait que Pagett pouvait être le mystérieux « Colonel ». Sa position subalterne rendait la chose improbable, pourtant j'avais remarqué que sir Eustache, en dépit de ses manières autocratiques, était très influencé par son secrétaire. C'était un homme facile à vivre, et un individu adroit pouvait le mener par le bout du nez. En outre, la relative obscurité de la position de secrétaire pouvait être un écran très utile.

Suzanne n'était pas de cet avis. Elle se refusait à voir en Pagett le cerveau de l'affaire. Le vrai chef, le « Colonel », devait tout diriger dans l'ombre et se trouver déjà en Afrique avant notre arrivée.

Cette idée paraissait plausible, encore qu'elle ne me satisfît pas totalement. Car à chaque événement suspect, on retrouvait Pagett comme un mauvais génie, dirigeant les opérations. Il est vrai qu'il paraissait manquer de la détermination et de l'assurance propres aux grands criminels. Mais après tout, selon le colonel Race, le mystérieux chef se contentait d'échafauder des plans, et le génie créatif va souvent de pair avec une faible constitution et un tempérament timoré.

– C'est la fille du professeur qui parle, déclara Suzanne quand je fus arrivée à ce point de mes déductions.

– Cela n'empêche pas que ce soit vrai. D'un autre côté, Pagett n'est peut-être que le grand vizir de Sa Majesté. Enfin, j'aimerais bien savoir d'où sir Eustache tire son argent, ajoutai-je d'un ton rêveur, après un instant de réflexion.

– Vous le soupçonnez donc de nouveau ?

– Suzanne, j'en suis arrivée à un point où je soupçonne tout le monde ! Je ne le soupçonne pas sérieusement... mais, après tout, il est le patron de Pagett, et le propriétaire du Moulin !

– J'ai toujours entendu dire qu'il refuse d'expliquer d'où il tient sa fortune, répondit pensivement Suzanne. Mais cela n'implique pas forcément un crime. Il s'est peut-être enrichi en vendant des clous ou des lotions capillaires !

A contrecœur, je dus en convenir.

– J'espère, fit Suzanne dubitative, que nous ne courons pas le mauvais lièvre ! Que nous ne nous trompons pas du tout au tout en tablant sur la complicité de Pagett ! Et s'il était on ne peut plus honnête ?

– Je ne peux pas le croire, dis-je après un temps de réflexion.

– Après tout, il a toujours justifié le moindre de ses faits et gestes.

– Peut-être, mais pas de façon très convaincante. Par exemple, pour la nuit où il a tenté de m'expédier par-dessus bord, il prétend avoir suivi Rayburn sur le pont, et que Rayburn s'est retourné et l'a assommé ! Mais maintenant nous savons que c'est faux !

– Effectivement, me concéda Suzanne. Mais nous avons entendu l'histoire racontée par sir Eustache. Racontée par Pagett lui-même, ce serait peut-être différent. Vous savez que personne ne rapporte rien sans le déformer un peu.

Je retournai cet argument dans ma tête.

– Non, dis-je enfin, l'hypothèse est insoutenable. Pagett est coupable. On ne peut pas nier qu'il ait tenté de me faire passer par-dessus bord, et tout le reste concorde. Pourquoi tenez-vous tellement à cette nouvelle idée ?

– A cause de sa tête.

– Sa tête ? Mais...

– Oui, je sais ce que vous allez dire. Il a une tête à faire peur. Eh bien, justement. Un homme affligé d'une tête pareille ne peut pas être un homme à faire peur. Il ne peut s'agir que d'une immense farce de la Nature !

L'argument de Suzanne ne me convainquit pas. Je connais bien les premiers âges de la Nature. Si elle a le sens de l'humour, elle ne le montre pas souvent ! Suzanne est bien du genre à revêtir la Nature de ses propres attributs !

Nous passâmes à l'élaboration d'un plan d'action. D'abord, il était clair que je ne pouvais pas continuer à me dérober à toutes les questions. Il me fallait un état social quelconque. J'avais la solution à portée de la main,

mais je n'y pensai pas tout de suite : le *Daily Budget* !
Que je parle, ou que je me taise, Harry Rayburn ne s'en
trouverait pas davantage compromis. S'il était considéré
comme étant « l'Homme au complet marron », je n'y
étais pour rien. Peut-être même serais-je mieux en
mesure de lui venir en aide du camp adverse. Le « Colonel » et sa bande ne devaient pas soupçonner qu'il existait un lien entre moi et celui qu'ils avaient choisi pour
servir de bouc émissaire dans le meurtre de Marlow.
Pour autant que je sache, la femme assassinée n'avait
toujours pas été identifiée. J'allais télégraphier à lord
Nasby, lui suggérer qu'il s'agissait peut-être de
« Nadine », la fameuse danseuse russe qui avait si longtemps enchanté Paris. Il me semblait incroyable qu'elle
n'ait pas encore été identifiée. C'est plus tard seulement
que j'ai compris pourquoi.

Nadine n'était jamais venue en Angleterre. Elle poursuivait à Paris sa brillante carrière et était inconnue du
public londonien. D'autre part, les photos de la victime
de Marlow qui avaient paru dans la presse étaient si
floues que personne n'aurait pu la reconnaître. Enfin,
Nadine avait tenu secret son projet de se rendre en
Angleterre. Et le lendemain du meurtre, son agent avait
reçu une prétendue lettre d'elle, lui annonçant qu'elle
retournait en Russie pour affaire privée urgente, et le
priant de régler au mieux sa rupture du contrat.

Bien entendu, j'appris tout cela beaucoup plus tard.
Avec l'entière approbation de Suzanne, j'envoyai de
De Aar un long télégramme. Il arriva à un moment psychologique. (Cela aussi, je l'appris plus tard, bien évidemment.) Le *Daily Budget* était à court de nouvelles

sensationnelles. Après vérification, ma supposition s'étant révélée exacte, le *Daily Budget* tenait le scoop de son existence : *La victime du Moulin identifiée par notre envoyée spéciale.* Et ainsi de suite. *Notre envoyée spéciale voyage avec le meurtrier. L'Homme au complet marron. Ce qu'il est en réalité.*

Bien entendu, on télégraphia les faits principaux aux journaux d'Afrique du Sud, mais c'est bien plus tard seulement que j'ai pu lire mes articles dans leur intégralité. Je reçus des compliments et des instructions par câble, à Bulawayo. Désormais, je faisais partie de l'équipe du *Daily Budget,* et je reçus un petit mot de félicitations de lord Nasby en personne. J'étais définitivement autorisée à traquer le meurtrier, moi qui savais, et qui étais seule à savoir, que le meurtrier n'était pas Harry Rayburn ! Mais que le monde entier reste dans l'erreur ! Cela valait mieux pour le moment.

24

Nous arrivâmes à Bulawayo de bonne heure le samedi matin. L'endroit me déçut. La chaleur était terrible et je détestai l'hôtel. En outre, sir Eustache était ce que j'appellerai d'humeur archi-maussade. Je pense que nos petits animaux en bois l'agaçaient, en particulier la grande girafe. C'était une girafe colossale, à l'œil doux, au cou invraisemblable et à la queue de travers. Elle avait du caractère. Elle avait du charme. Nous nous disputions déjà pour savoir à qui elle appartenait — à moi ou à Suzanne. Nous avions donné chacune un *tiki* pour son acquisition. Suzanne arguait de son droit d'aînesse et de son statut de femme mariée pour l'emporter, et moi du fait que j'avais été la première à remarquer sa beauté.

Je dois toutefois admettre qu'en attendant, cela occupait une bonne part de notre espace tridimensionnel. Transporter quarante-neuf statuettes de bois très cassant, aux formes les plus bizarres, pose un véritable problème. Nous en avions confié un lot à deux porteurs, mais l'un d'eux laissa aussitôt tomber un ravissant groupe d'autruches, qui y perdirent la tête. Mises en alerte par cet incident, Suzanne et moi nous chargeâmes de tout ce qui était possible, avec l'aide du colonel Race, et je fourrai la grande girafe dans les bras de sir Eustache. Même la sévère miss Pettigrew ne put y échapper et obtint en partage un gros hippopotame et deux guerriers noirs. J'avais l'impression que miss Pettigrew ne m'aimait pas. Elle me prenait sans doute pour une effrontée gourgandine. Toujours est-il qu'elle m'évitait autant que possible. Et le plus curieux, c'est que ses traits me rappelaient vaguement quelqu'un, sans que je puisse dire qui.

Après nous être reposés une bonne partie de la matinée, nous nous rendîmes en voiture sur la tombe de Rhodes, dans le Matoppos. C'était du moins notre projet quand, au dernier moment, sir Eustache changea d'avis. Il était d'humeur presque aussi massacrante que le jour où nous étions arrivés au Cap, et qu'il avait jeté par terre une pêche qui s'était écrasée. De toute évidence, arriver quelque part de bonne heure le matin ne convient pas à son tempérament. Il injuria les portiers, il injuria le garçon au petit déjeuner, il injuria la direction de l'hôtel, il aurait volontiers injurié miss Pettigrew qui voltigeait autour de lui avec son crayon et son bloc, mais même sir Eustache n'osait pas injurier miss Pettigrew. Elle était l'image même de la secrétaire parfaite. J'arrivai juste à temps pour sauver notre chère girafe. J'avais senti que sir Eustache se retenait de l'écraser sur le sol.

Pour en revenir à notre expédition, sitôt que sir Eustache y eut renoncé, miss Pettigrew déclara qu'elle resterait sur place, pour le cas où il aurait besoin d'elle. Et à la dernière minute, Suzanne nous fit dire qu'elle avait la migraine. Je partis donc seule avec le colonel Race.

C'est un homme étrange. Cela ne se remarque pas au milieu des autres. Mais en tête à tête, on est presque subjugué par sa personnalité. Il est encore plus taciturne, mais son silence semble plus éloquent que des paroles.

C'était ainsi, ce jour-là, tandis que nous roulions entourés de broussailles jaune ocre, en direction du Matoppos. Tout paraissait étrangement silencieux — hormis notre voiture, sans doute la première Ford jamais construite par l'homme ! La garniture partait en lambeaux, et même moi, qui ne connais rien aux moteurs, je devinais que dans ses intérieurs, tout n'allait pas comme il le devrait.

Peu à peu, le paysage se modifia. De gros rochers empilés, aux formes fantastiques, apparurent. J'eus soudain le sentiment de me retrouver dans des temps primitifs. Un instant, les hommes de Néanderthal prirent autant de réalité pour moi qu'ils en avaient eu pour mon père. Je me tournai vers le colonel Race :

– Ce pays devait être peuplé de géants, fis-je rêveusement. Et leurs enfants jouaient avec des cailloux, comme les enfants d'aujourd'hui, ils les entassaient et les jetaient ensuite par terre, et plus ils étaient habiles à les faire tenir en équilibre, plus ils étaient contents. Si je devais donner un nom à cet endroit, je le baptiserais « Le Pays des Enfants Géants ».

– Vous ne croyez peut-être pas si bien dire, déclara gravement le colonel Race. Simple, primitive, immense, c'est ça, l'Afrique.

Je hochai la tête :

– Vous l'aimez beaucoup, n'est-ce pas ?

– Oui. Mais si l'on y vit trop longtemps, on devient... on devient cruel. On prend la vie et la mort à la légère.

– Oui, dis-je, en pensant à Harry Rayburn. Mais pas cruel envers les faibles ? ajoutai-je.

– Tout dépend de ce qu'on appelle faible, miss Anne.

Il avait dit ça sur un ton si sérieux que j'en fus saisie. Je me rendis compte que je le connaissais, au fond, bien peu.

– Je pensais aux enfants et aux chiens.

– Je peux dire sans mentir que je ne me suis jamais montré cruel envers un enfant ou un chien. Ainsi vous ne classez pas les femmes parmi les êtres faibles ?

Je réfléchis un instant.

– Non, je ne crois pas... encore qu'elles le soient, sans doute... enfin, de nos jours. Mais il fut un temps, disait mon père, où les hommes et les femmes parcouraient

460

le monde ensemble — de force égale, comme lions et tigres...

– Et girafes ? glissa malicieusement le colonel Race.

Je ris. Tout le monde se moquait de notre girafe.

– Et girafes... Ils étaient nomades, voyez-vous. C'est seulement quand ils se sont installés pour vivre en communauté et qu'ils se sont partagé les tâches que les femmes sont devenues faibles. Mais en profondeur bien sûr, elles sont restées les mêmes — elles se sentent les mêmes — et c'est pourquoi les femmes admirent la force physique chez les hommes : c'est ce qu'elles ont eu jadis et qu'elles ont perdu...

– Un culte ancestral, alors ?

– Quelque chose comme ça.

– Et vous y croyez ? Vous pensez vraiment que les femmes adorent la force ?

– Si l'on est honnête, on doit le reconnaître. On s'imagine admirer des qualités morales, mais quand on tombe amoureuse, on régresse jusqu'à cet état primitif où seul compte le physique. Seulement, je ne crois pas que cela s'arrête là ; si l'on vivait dans des conditions primitives, ce serait parfait, mais comme ce n'est pas le cas, en fin de compte, le reste l'emporte. Ce sont toujours les choses qu'on a cru conquérir qui remportent la victoire, non ? Et de la seule façon qui importe. Comme on parle dans la Bible de perdre sa vie pour la trouver.

– En définitive, dit le colonel Race d'un air songeur, on s'éprend de quelqu'un... et puis on se déprend, si je vous comprends bien ?

– Pas exactement, mais on peut le formuler ainsi.

– Je ne pense pas que vous vous soyez jamais déprise, miss Anne.

– Non, effectivement, admis-je franchement.

– Ni que vous vous soyez jamais éprise, non plus ?

Je ne répondis pas.

Nous arrivions à destination, notre conversation prit fin. Nous descendîmes de voiture et commençâmes notre lente ascension. Ce n'était pas la première fois que je me sentais mal à l'aise avec le colonel Race. Il dissimulait si bien ses pensées derrière ses impénétrables yeux noirs ! Il me faisait un peu peur. Il m'avait toujours fait peur. Je ne savais jamais sur quel pied danser avec lui.

Nous grimpâmes en silence jusqu'à l'endroit où gisait Rodhes, sous la garde de géants de pierre. Lieu étrange, à l'écart des hommes, qui chante un hymne sans fin à la beauté sauvage. Nous restâmes assis un moment sans rien dire, puis nous redescendîmes, mais en nous éloignant un peu du chemin. Nous étions parfois obligés de nous frayer un passage des pieds et des mains. Une fois, nous nous trouvâmes devant une pente rocheuse, presque à pic.

Le colonel Race passa le premier, puis se retourna pour m'aider.

– Autant vous porter, dit-il soudain en me soulevant vivement du sol sans effort.

Il me reposa à terre et me lâcha. Un homme de fer, aux muscles d'acier trempé... Une fois de plus, il me fit peur — d'autant que, loin de s'écarter, il resta planté devant moi, à me dévisager.

– Que faites-vous ici en réalité, Anne Beddingfeld ?
me demanda-t-il brusquement.

– J'erre de par le monde, comme une bohémienne.

– Oui, cela doit être vrai. Le reportage n'est qu'un
prétexte. Vous n'avez pas l'âme du journaliste. Vous
menez votre propre vie. Mais ce n'est pas tout.

Que voulait-il me faire avouer ? J'avais peur. Très
peur. Je le regardai bien en face. Mes yeux ne savent
pas, comme les siens, dissimuler des secrets, mais ils
peuvent porter la guerre en pays ennemi.

– Et que faites-*vous* ici en réalité, colonel Race ? lui
demandai-je carrément.

J'ai cru d'abord qu'il ne répondrait pas. Visiblement,
il était décontenancé. La réponse vint enfin, sardonique :

– Je suis ambitieux, dit-il. Tout simplement ambitieux. Rappelez-vous, miss Beddingfeld, que l'ambition
perdit les anges.

– On prétend, articulai-je lentement, que vous tra-
vaillez pour le gouvernement, que vous êtes dans les
Services secrets.

Etait-ce un effet de mon imagination ou hésita-t-il un
quart de seconde avant de me répondre ?

– Je peux vous assurer, miss Beddingfeld, que je suis
ici à titre privé et que je voyage pour mon propre
plaisir.

En y repensant, par la suite, je fus frappée par l'ambiguïté de cette réponse. C'était peut-être délibéré.

Nous regagnâmes la voiture en silence. A mi-chemin
de Bulawayo, nous nous arrêtâmes pour prendre le thé
dans une cabane plutôt primitive, au bord de la route.

Le propriétaire, qui bêchait son lopin de terre, parut contrarié d'être dérangé, mais il nous promit de faire ce qu'il pouvait. Après une interminable attente, il nous apporta quelques biscuits rassis et du thé tiédasse. Ensuite il s'éclipsa de nouveau dans son jardin.

Il ne fut pas plus tôt parti que nous nous trouvâmes environnés de chats. Six chats miaulant tous à fendre l'âme. Le vacarme était assourdissant. Je leur jetai quelques miettes de biscuits. Ils les dévorèrent avec avidité. Je leur versai tout le lait dans une soucoupe et ils se battirent pour le laper.

– Oh, m'écriai-je, indignée. Ils sont affamés ! C'est honteux ! Je vous en prie, allez commander encore du lait et des biscuits.

Le colonel Race obéit en silence. Les chats avaient recommencé à miauler. Il revint avec une grande cruche de lait que les chats lapèrent jusqu'à la dernière goutte.

Je me levai, absolument décidée.

– Je vais emmener ces chats avec nous. Je ne peux pas les laisser ici !

– Ma chère enfant, ne soyez pas ridicule. Vous ne pouvez pas emporter six chats *et* cinquante animaux en bois.

– Tant pis pour les animaux en bois. Mais les chats sont vivants. Je veux les ramener avec moi.

– Pas question.

Je lui jetai un regard de colère, mais il poursuivit :

– Vous me jugez cruel, mais on ne peut pas vivre en faisant du sentiment à propos de ce genre de choses. Il n'est pas bon de se singulariser. Je ne vous permettrai

464

pas de les emmener. Nous sommes dans un pays primitif et je suis plus fort que vous.

Je sais m'avouer battue. Je regagnai la voiture, les larmes aux yeux.

– Il n'a sans doute pas de quoi leur donner à manger aujourd'hui, m'expliqua le colonel Race pour me consoler. Sa femme a dû aller faire des courses à Bulawayo. Tout ira bien après. De toute façon, vous savez, le monde est plein de chats affamés.

– Oh ! taisez-vous ! répliquai-je avec violence.

– Je veux vous apprendre à voir la vie telle qu'elle est, à être dure et impitoyable comme moi-même... C'est le secret de la force... le secret de la réussite.

– Plutôt la mort ! m'écriai-je.

Nous montâmes dans la voiture et reprîmes notre route. Je me calmai peu à peu. Soudain, à ma vive stupéfaction, le colonel Race me prit la main.

– Anne, me dit-il doucement, voulez-vous m'épouser ?

J'en fus littéralement abasourdie.

– Oh ! non, bredouillai-je, c'est impossible.

– Pourquoi ?

– Je ne vous aime pas de cette façon... Je n'ai jamais pensé à vous comme ça...

– Je vois. C'est la seule raison ?

Je décidai d'être honnête. Je lui devais bien ça.

– Non, dis-je. Voyez-vous... je... je me suis attachée à quelqu'un d'autre.

– Je vois, répéta-t-il. Est-ce le cas depuis le début... quand je vous ai vue la première fois, sur le *Kilmorden* ?

– Non, soufflai-je, c'est arrivé... après.

– Je vois, dit-il pour la troisième fois, mais d'un ton si décidé que je levai les yeux.

Il avait l'air plus sombre que jamais.

– Que... que voulez-vous dire ? balbutiai-je.

Il me regarda, impénétrable, dominateur.

– Seulement... que je sais désormais ce que j'ai à faire.

Ces mots me firent frémir. Ils sous-entendaient une détermination incompréhensible — et cela m'effrayait.

Nous n'échangeâmes plus un mot jusqu'à l'hôtel. J'allai droit chez Suzanne. Elle était allongée en train de lire, et ne semblait pas le moins du monde avoir mal à la tête.

– Le chaperon plein de tact se repose, déclara-t-elle. Voyons, ma petite Anne, qu'y a-t-il ?

Je venais de fondre en larmes.

Je lui racontai seulement les chats. Je trouvais indélicat de lui parler du colonel Race. Mais, fine mouche, Suzanne devina que cela cachait autre chose.

– Vous n'auriez pas attrapé froid, Anne ? Cela paraît absurde par cette chaleur, mais vous n'arrêtez pas de frissonner.

– Ce n'est rien, dis-je. Les nerfs sans doute — je tremble comme une feuille... Et j'ai l'impression qu'il va arriver quelque chose d'épouvantable.

– Ne soyez pas ridicule, dit Suzanne. Parlons d'un sujet plus intéressant, Anne, à propos de ces diamants...

– Oui, eh bien ?

– Je me demande s'ils sont vraiment en sécurité avec moi. Avant, personne n'aurait pensé à les chercher dans mes affaires. Mais à présent que tout le monde sait à quel point nous sommes amies toutes les deux, on va me soupçonner aussi.

– Mais personne ne sait qu'ils sont dans un rouleau de pellicule ! rétorquai-je. C'est une cachette extraordinaire. Je ne peux pas en imaginer une meilleure.

Suzanne accepta de remettre cette discussion jusqu'à ce que nous soyons arrivés aux Chutes.

Notre train partit à 9 heures du matin. Sir Eustache n'était pas de meilleure humeur et miss Pettigrew filait doux. Le colonel Race était égal à lui-même. J'avais l'impression d'avoir rêvé notre conversation de la veille.

Cette nuit-là, sur mon inconfortable couchette, je dormis d'un mauvais sommeil, hanté par des rêves confus et menaçants. Je me réveillai avec la migraine et sortis prendre l'air sur la plate-forme. Il faisait un temps merveilleux, assez frais ; aussi loin que portait le regard s'étendaient des collines boisées. Ce paysage m'enchanta. Il me plaisait plus que tout ce que j'avais jamais vu. J'aurais voulu avoir une petite cabane quelque part au cœur du bush — y vivre toujours, toujours...

Il était presque 2 heures et demie quand le colonel Race sortit du « bureau » pour me montrer un brouillard blanc en forme de bouquet qui planait au-dessus d'un secteur du bush.

– Ce sont déjà les embruns, expliqua-t-il. Nous approchons des Chutes.

J'étais toujours en proie au curieux sentiment d'exaltation qui s'était emparé de moi après cette nuit troublée. J'avais le sentiment d'être arrivée chez moi... Chez moi ! Je n'étais pourtant jamais venue ici — ou alors en rêve ?

Nous nous rendîmes à pied de la gare à l'hôtel, vaste bâtisse blanche, aux fenêtres soigneusement garnies de moustiquaires. Il n'y avait ni route, ni habitation. Nous sortîmes sur le *stoep* et je poussai une exclamation étouffée. Devant nous, à cinq cents mètres, les Chutes étaient là. Je n'avais jamais rien vu — et je ne verrais jamais plus rien — d'aussi grandiose et d'aussi beau.

– Anne, vous avez l'air ensorcelée, déclara Suzanne comme nous allions déjeuner. Je ne vous ai encore jamais vue comme ça.

Elle me regardait avec curiosité.

– Ah bon ? fis-je en riant d'un rire qui ne me sembla pas très naturel. C'est sans doute parce que tout cela m'enchante.

– Non, pas seulement, dit-elle, l'air inquiet avec un petit froncement de sourcils plein d'appréhension.

Oui, j'étais heureuse, mais j'avais en outre l'étrange impression d'attendre quelque chose — quelque chose qui n'allait pas tarder à arriver. J'étais tendue, surexcitée.

Après avoir pris le thé, nous sortîmes faire un tour et grimpâmes dans une draisine que des Noirs souriants poussèrent le long des rails jusqu'au pont.

Merveilleux spectacle que ce gouffre immense au fond duquel bouillonnaient les eaux, sous un voile de brume et d'embruns qui, de temps à autre, se déchirait un bref instant pour laisser entrevoir les cataractes, avant de se refermer sur son impénétrable mystère. Tel a toujours été, à mon sens, le charme fascinant et mystérieux des Chutes. Vous pensez à chaque instant que vous allez les voir... et vous ne les voyez jamais.

468

Nous traversâmes le pont et suivîmes lentement le chemin bordé de pierres blanches qui longeait le précipice. Nous débouchâmes finalement dans une vaste clairière. A gauche, un sentier descendait vers l'abîme.

– Le ravin aux palmiers, précisa le colonel Race. Descendons-nous ou remettons-nous cela à demain ? Cela prendra du temps, et la remontée est assez dure.

– Remettons cela à demain, décida sir Eustache.

J'avais déjà remarqué qu'il n'était pas friand d'exercices physiques.

Il nous fit rebrousser chemin aussitôt. En route, nous croisâmes un bel indigène, suivi d'une femme qui semblait porter toutes leurs possessions — poêle à frire comprise — sur sa tête.

– Je n'ai jamais mon appareil photo quand il le faut, gémit Suzanne.

– Ne craignez rien, Mrs Blair, répliqua le colonel Race. Vous verrez ça encore souvent.

Nous étions de retour sur le pont.

– Voulez-vous traverser la forêt aux arcs-en-ciel, proposa le colonel Race, ou avez-vous peur de l'humidité ?

Suzanne et moi, nous le suivîmes, tandis que sir Eustache rentrait à l'hôtel. Je fus plutôt déçue par cette forêt. Il n'y avait guère d'arcs-en-ciel et nous fûmes trempés jusqu'aux os. Mais de temps à autre, il était possible d'entrevoir les Chutes et d'en apprécier l'immensité. Oh ! ces chutes, comme je les aime, comme je les admire !

Nous rentrâmes à l'hôtel juste à temps pour nous changer avant le dîner. Sir Eustache paraissait avoir définitivement pris en grippe le colonel Race. Suzanne et moi tentâmes de l'égayer, sans grand succès.

Après le dîner, il se retira dans son salon, traînant miss Pettigrew à sa suite. Suzanne et moi bavardâmes un moment avec le colonel Race, puis Suzanne annonça en bâillant qu'elle montait se coucher. Peu désireuse de me retrouver seule avec le colonel, je montai moi aussi.

Mais j'étais beaucoup trop excitée pour dormir. Je ne me déshabillai même pas. Je m'installai dans un fauteuil. Le sentiment ne me quittait pas que quelque chose allait venir, se rapprochait...

Un coup frappé à la porte me fit sursauter. Je me levai et allai ouvrir : un petit boy noir me tendit un message. Il m'était adressé d'une écriture que je ne connaissais pas. Je restai plantée au milieu de la chambre, le message à la main. Je l'ouvris enfin. Il était très court.

Je dois absolument vous voir. Je n'ose pas venir à l'hôtel. Pouvez-vous me rejoindre à la clairière, devant le ravin aux palmiers ? Venez, je vous en prie, en souvenir de la cabine 17. L'homme que vous connaissez sous le nom de Harry Rayburn.

J'avais cessé de respirer. Alors il était là ! Oh ! je le savais, j'en étais sûre ! j'avais senti sa présence. Sans m'en douter, j'avais rejoint sa retraite.

Je nouai un foulard sur ma tête et sortis sur la pointe des pieds. Je devais me montrer prudente. Il était traqué. Personne ne devait me voir avec lui. Je me faufilai devant la chambre de Suzanne. Elle était profondément endormie. J'entendais sa respiration régulière.

470

Et sir Eustache ? Je m'arrêtai devant la porte de son salon. Il était bien là, en train de dicter à miss Pettigrew, qui répétait de sa voix monotone : « Je proposerais donc, si l'on veut s'attaquer au problème du travail des indigènes... » Elle se tut pour le laisser continuer et j'entendis sir Eustache grommeler quelque chose d'un ton irrité.

Je poursuivis mon chemin à pas de loup. Le colonel Race n'était pas dans sa chambre. Je ne le vis pas au bar. C'est lui que je redoutais le plus, mais je ne pouvais pas perdre davantage de temps. Je me glissai hors de l'hôtel et pris le chemin qui menait au pont.

Je le traversai et attendis dans l'ombre. Si quelqu'un m'avait suivie, je le verrais forcément sur le pont. Les minutes passèrent sans que personne n'apparaisse. Je n'avais pas été suivie. J'obliquai vers la clairière. Je n'avais pas fait six pas que je m'arrêtai. J'avais entendu du bruit derrière moi. On ne m'avait pas suivie depuis l'hôtel. C'est donc que quelqu'un était déjà là, et m'attendait... Sans rime ni raison mais avec la sûreté de l'instinct, je compris que c'était moi qui étais menacée. J'éprouvais la même impression qu'à bord du *Kilmorden,* cette fameuse nuit... le sentiment d'un danger imminent.

Je scrutai l'ombre derrière moi. Silence. Je fis quelques pas. J'entendis de nouveau un bruissement. Je continuai à marcher et jetai un coup d'œil en arrière. Une silhouette sortit de l'ombre. Comprenant que je l'avais vu, l'homme se lança à mes trousses.

Il faisait bien trop sombre pour pouvoir reconnaître qui que ce soit. Tout ce que je pus voir, c'est qu'il était grand et que c'était un Européen, pas un indigène. Je pris mes jambes à mon cou et détalai. Je l'entendis qui courait derrière moi. Je courus plus vite, les yeux fixés sur les pierres blanches qui guidaient mes pas, car il n'y avait pas de lune cette nuit-là.

Soudain, mon pied rencontra le vide. J'entendis l'homme éclater d'un rire sinistre, diabolique. Un rire qui me résonna à l'oreille tandis que je tombais la tête la première en bas, tout en bas, jusqu'au fond de l'abîme où m'attendait ma mort.

25

Je repris lentement conscience. J'avais mal à la tête et, dès que j'essayais de bouger, de douloureux élancements dans le bras gauche. Tout me paraissait flou, comme en rêve. Des visions cauchemardesques flottaient devant moi. J'avais l'impression de tomber, de tomber encore. A un moment donné, le visage de Harry Rayburn parut surgir du brouillard. Presque réel. Puis il s'évanouit. Je me souviens aussi qu'à un autre moment quelqu'un me fit boire. Une face noire grimaça, une face qui me parut démoniaque. Je hurlai. Puis les rêves recommencèrent, des rêves agités dans lesquels je cherchais en vain Harry Rayburn pour l'avertir... l'avertir... mais de quoi ? Je l'ignorais moi-même. Mais moi seule pouvais le sauver d'un danger... d'un grand danger...

Puis de nouveau l'obscurité, la miséricordieuse obscurité, et le sommeil.

Je me réveillai enfin moi-même. Le long cauchemar était fini. Je me rappelais exactement tout ce qui s'était passé : ma fuite de l'hôtel pour rencontrer Harry, l'homme tapi dans l'ombre et mon effroyable chute...

Par je ne sais quel miracle, je n'avais pas été tuée. J'étais blessée, je souffrais, j'étais faible, mais j'étais en vie. Mais où ? Je tournai la tête avec effort et regardai autour de moi. J'étais dans une petite case aux murs de bois mal équarri, décorés de peaux de bêtes et de défenses d'éléphants. Je gisais sur un bat-flanc, également couvert de peaux de bêtes, le bras gauche en écharpe, bandé et ankylosé. Je me crus d'abord seule, puis je distinguai, à contre-jour, la silhouette d'un homme assis près de la fenêtre. Il était si immobile qu'on aurait pu le croire taillé dans du bois. Quelque chose dans sa coupe de cheveux me parut familier, mais je refusai de me laisser emporter à nouveau par mon imagination. Subitement, il se retourna et je retins mon souffle. C'était Harry Rayburn. Harry Rayburn, en chair et en os.

Il se leva et s'approcha de moi.

– Ça va mieux ? me demanda-t-il, un peu gêné.

Je fus incapable de répondre. Des larmes m'inondaient le visage. J'étais encore faible, mais je serrai sa main dans les miennes. J'aurais voulu mourir comme ça, lui debout et me regardant avec ce nouveau regard.

– Ne pleurez pas, Anne. Je vous en prie, ne pleurez pas. Vous êtes en sécurité, à présent. Personne ne peut vous faire de mal.

Il alla chercher une tasse qu'il me tendit :

– Buvez un peu de lait.

J'obéis. Il continua à me parler avec douceur, comme on parle à un enfant.

– Ne posez pas de questions maintenant. Dormez. Peu à peu les forces vous reviendront. Je vais m'en aller si vous voulez.

– Non, dis-je d'une voix pressante. Non, non, non.

– Alors, je reste.

Il approcha un petit tabouret, s'assit et posa sa main sur la mienne. Ainsi calmée et réconfortée, je me rendormis.

Quand je me réveillai de nouveau, le soleil était haut dans le ciel. J'étais seule dans la case, mais sitôt que je m'agitai, une vieille indigène accourut. Elle était laide comme le péché, mais elle me fit un sourire qui se voulait réconfortant. Elle m'apporta une cuvette pleine d'eau et m'aida à me laver la figure et les mains. Puis elle m'apporta un grand bol de soupe, que je vidai jusqu'à la dernière goutte. Je lui posai plusieurs questions, mais je n'en tirai que des sourires, des hochements de tête et des jacasseries gutturales, d'où j'en déduisis qu'elle ne parlait pas l'anglais.

Soudain, elle se leva et recula respectueusement devant Harry Rayburn qui entrait. Il la renvoya d'un geste et s'approcha de moi en souriant :

– Vous m'avez l'air d'aller mieux, aujourd'hui !

– Oui, c'est vrai. Mais encore complètement égarée. Où suis-je ?

– Sur une petite île du Zambèze, à six kilomètres en amont des chutes.

– Et... et mes amis... ils savent que je suis là ?

Il fit signe que non.

– Il faut que je les prévienne.

– Vous ferez comme vous voudrez, bien sûr. Mais, à votre place, j'attendrais d'avoir repris quelques forces.

– Pourquoi ?

Comme il ne répondait pas, je demandai encore :

– Depuis combien de temps suis-je ici ?

Sa réponse m'ébahit.

– Presque un mois.

– Mais il faut que je prévienne Suzanne ! m'écriai-je. Elle doit être aux cent coups.

– Qui est Suzanne ?

– Mrs Blair. J'étais descendue à l'hôtel avec elle, sir Eustache et le colonel Race. Mais vous le savez sûrement !

Il secoua la tête :

– Je ne sais rien, sinon que je vous ai « cueillie » inconsciente, un bras démis, entre les branches d'un arbre.

– Mais où se trouvait cet arbre ?

– En surplomb du ravin. Si vos vêtements n'étaient pas restés accrochés aux branches, vous auriez été réduite en bouillie.

Je frissonnai. Puis une idée me frappa :

– Vous dites que vous ne saviez pas que j'étais ici. Et votre message ?

– Quel message ?

– Celui que vous m'avez envoyé pour me donner rendez-vous dans la clairière !

Il me dévisagea :

– Je ne vous ai pas envoyé de message !

Je me sentis rougir jusqu'à la racine des cheveux. Par bonheur, il ne sembla pas le remarquer.

– Mais alors, comment avez-vous fait pour vous trouver là si miraculeusement ? lui demandai-je d'un air aussi dégagé que possible. Et que faites-vous dans un endroit pareil ?

– Je vis ici, répondit-il simplement.

– Sur cette île ?

– Oui. Je m'y suis installé après la guerre. De temps en temps, j'emmène les touristes de l'hôtel faire un tour sur mon bateau. Mais je n'ai pas besoin de grand-chose pour vivre et, la plupart du temps, je fais ce qui me plaît.

– Et vous vivez ici tout seul ?

– Je me passe très bien de relations mondaines, je vous assure, répliqua-t-il froidement.

– Je suis désolée de vous avoir infligé la mienne, rétorquai-je. Il est vrai que je n'ai pas eu grand-chose à dire…

A ma surprise, son œil brilla un instant :

– Rien du tout, oui ! Je vous ai jetée sur mon épaule comme un sac de charbon, et je vous ai transportée sur mon bateau. Comme un homme de l'âge de pierre !

– Mais pour une autre raison, remarquai-je.

Ce fut lui, cette fois, qui rougit sous son hâle.

– Vous ne m'avez pas encore expliqué par quel heureux hasard pour moi vous êtes passé par là, m'empressai-je d'ajouter afin de le tirer d'embarras.

– Je n'arrivais pas à dormir. J'étais agité, troublé, j'avais le sentiment qu'il allait y avoir un pépin. Alors, j'ai pris ma barque, et je suis descendu vers les Chutes ;

j'arrivais juste au ravin des palmiers, quand je vous ai entendue crier.

– Pourquoi n'êtes-vous pas allé chercher de l'aide à l'hôtel, au lieu de me trimballer jusqu'ici ? lui demandai-je.

Il rougit de nouveau.

– Cela vous paraît sans doute une liberté impardonnable, mais je crains que, même maintenant, vous ne mesuriez pas le danger ! Vous pensez que j'aurais dû avertir vos amis ? Jolis amis, qui permettent qu'on vous attire dans un piège mortel ! Non, je me suis juré de veiller sur vous mieux que personne ! Il ne vient pas une âme sur cette île. J'ai demandé à la vieille Batani, que j'ai sauvée jadis des fièvres, de s'occuper de vous. Elle est fidèle. Elle ne soufflera pas mot. Je pourrais vous garder ici des mois, personne n'en saurait jamais rien.

Je pourrais vous garder ici des mois, personne n'en saurait jamais rien ! Comme il y a des mots agréables à entendre !

– Vous avez bien fait, dis-je tranquillement. Et je ne préviendrai personne. Un jour ou deux de plus ne changeront rien. Ce n'est pas comme s'il s'agissait de ma famille. Ce sont de simples relations, même Suzanne. Et celui qui m'a écrit ce message devait savoir... beaucoup de choses ! Ça ne peut pas être le fruit du hasard.

Cette fois, j'étais parvenue à parler de ce message sans rougir.

– Si vous vouliez bien vous laisser guider par moi... dit-il en hésitant.

– Cela m'étonnerait, lui répondis-je avec franchise. Mais dites toujours...

477

– Vous en faites toujours à votre tête, miss Bedding-feld ?

– La plupart du temps, hasardai-je.

A tout autre, j'aurais dit : toujours.

– Je plains votre mari, répliqua-t-il de façon inatten-due.

– Vous auriez tort ! Je n'épouserai qu'un homme dont je serai follement amoureuse. Et une femme n'aime rien tant que de faire tout ce qu'elle n'aime pas faire, pour l'amour de celui qu'elle aime ! Et plus elle est entêtée, plus elle aime ça !

– Je crains de ne pas être de votre avis ! D'ordinaire, c'est la femme qui porte la culotte, lança-t-il d'un ton grinçant.

– Mais oui ! Et c'est bien pourquoi il y a tant de mariages malheureux ! C'est la faute des hommes ! Ou ils cèdent, et les femmes les méprisent, ou ils sont pro-fondément égoïstes, exigent qu'elles se plient à leurs façons de voir, sans jamais les en remercier. Les bons maris obligent leurs femmes à faire exactement ce qu'ils veulent, et s'extasient ensuite de ce qu'elles l'aient fait. Les femmes aiment être dominées, mais elles détestent que leurs sacrifices passent inaperçus ! D'un autre côté, les hommes n'aiment pas que les femmes soient tou-jours gentilles avec eux. Quand je serai mariée, je serai un démon la plupart du temps, puis au moment où mon mari s'y attendra le moins, je lui montrerai quel ange je peux être !

Harry éclata de rire.

– Vous vivrez comme chien et chat !

– Les gens qui s'aiment passent leur temps à se disputer, lui affirmai-je, parce qu'ils ne se comprennent pas. Et quand ils finissent par se comprendre, ils ne s'aiment plus.

– L'inverse serait-il vrai aussi ? Les gens qui se disputent s'aiment-ils forcément ?

– Je... je n'en sais rien, fis-je, décontenancée.

Il se tourna vers la cheminée.

– Encore un peu de soupe ? demanda-t-il d'un ton neutre.

– Oui, s'il vous plaît. Je suis si affamée que je pourrais manger tout un hippopotame !

– Voilà qui est bien.

Je le regardai tisonner le feu.

– Quand je pourrai tenir debout, je vous ferai la cuisine, dis-je.

– Je ne pense pas que vous connaissiez quoi que ce soit à la cuisine.

– Je peux réchauffer des conserves aussi bien que vous ! répliquai-je en lui montrant les boîtes alignées sur la cheminée.

– Touché ! fit-il en s'esclaffant.

Il n'était plus le même quand il riait. Il avait l'air d'un grand gosse heureux... un autre homme, quoi !

Tout en avalant ma soupe avec plaisir, je lui fis remarquer qu'il ne m'avait toujours pas fait part de ses conseils.

– Ah, oui ! voici ce que j'allais vous dire. A votre place, je resterais tranquillement dans ce coin perdu jusqu'à ce que j'aie retrouvé mes forces. Vos ennemis vous croiront morte. Ils ne s'étonneront pas de ne pas retrouver votre corps. Ils penseront que vous vous êtes écrasée sur les rochers et qu'il a été entraîné par le torrent.

Je frissonnai.

– Quand vous serez tout à fait rétablie, vous pourrez tranquillement regagner Beira, et de là, embarquer sur un paquebot qui vous ramènera en Angleterre.

– Ce serait de la lâcheté, dis-je avec mépris.

– Vous parlez comme une gamine stupide !

– Je ne suis pas une gamine stupide ! m'écriai-je. Je suis une femme !

Tandis que je me redressais dans mon lit, rouge d'indignation, il me jeta un regard que je ne compris pas.

– Nom de Dieu ! C'est pourtant vrai ! marmonna-t-il — et il sortit en coup de vent.

Je fus vite remise sur pied. Mes blessures ? Elles se limitaient à une énorme bosse au sommet du crâne et à une entorse au bras — si mauvaise celle-là que mon sauveteur avait cru à une fracture. Mais à y regarder de plus près, c'était moins grave. Si douloureuse que fût cette entorse, je recouvrai vite l'usage de mon bras.

Durant cette étrange période, nous vécûmes coupés du monde, tels Adam et Eve, à une différence près cependant ! La vieille Batani traînait toujours dans les parages, mais nous n'y prêtions guère plus attention qu'à une potiche. J'insistai pour faire la cuisine, autant que me le permettait mon bras unique. Harry était absent une bonne partie du temps, mais nous passions aussi de longues heures à l'ombre des palmiers, à bavarder, à discuter de tout et de rien sous le ciel bleu — nous disputant fréquemment, nous réconciliant aussitôt. Au milieu de nos chamailleries, se noua l'une de ces camaraderies profondes, durables que je n'aurais jamais cru possibles. Une camaraderie, oui... Et puis autre chose, aussi...

Bientôt viendrait pour moi l'heure de m'en aller quand je serais en assez bon état pour le faire. Je le savais et le redoutais à la fois. Me laisserait-il repartir ? Sans un mot ? Sans un signe ? Parfois, il sombrait dans de longs silences, d'interminables périodes d'humeur maussade. Puis il se levait d'un bond et allait se promener tout seul. Un beau soir, ce fut la crise. Nous venions de terminer notre repas, et nous étions assis sur le seuil de sa cabane. Le soleil se couchait.

Comme Harry n'avait pu me trouver d'épingles à cheveux, ma chevelure me descendait jusqu'aux reins. Assise, le menton calé dans les mains et perdue dans mes songes, je sentis que Harry m'observait.

– Vous avez tout d'une sorcière, Anne, dit-il enfin, d'une voix vibrante que je ne connaissais pas.

Il m'effleura les cheveux et je frissonnai. D'un bond, il fut debout.

– Demain, il faut que vous soyez partie, compris ? cria-t-il. Je... je n'en peux plus. Après tout, je suis un homme. Il faut que vous partiez, Anne. Il le faut. Vous n'êtes pas une gamine. Vous comprenez bien que cette situation ne peut pas s'éterniser !

– Non, bien sûr, dis-je lentement. Mais, ç'a été merveilleux, non ?

– Merveilleux ? C'était l'enfer, oui !

– A ce point-là ?

– Pourquoi me tourmentez-vous ? Pourquoi vous

moquez-vous de moi ? Pourquoi me dites-vous ça... tout en pouffant derrière vos cheveux ?

– Je ne riais pas. Et je ne me moque pas de vous. Si vous voulez que je parte, je partirai. Mais si vous voulez que je reste... je resterai.

– Pas de ça ! cria-t-il avec véhémence. Pas de ça ! Ne me tentez pas, Anne ! Rendez-vous compte de ce que je suis : un homme traqué, recherché pour deux meurtres. Ici, où je suis connu sous le nom de Harry Parker, j'ai invoqué une randonnée à l'autre bout du pays pour justifier mon escapade en Angleterre. Mais un de ces jours, la police pourra additionner deux et deux... et alors, gare à moi ! Vous êtes si jeune, Anne ! Si belle !... de cette beauté qui rend les hommes fous. Vous avez l'avenir devant vous — l'amour, la vie... et tout le reste. Tandis que mon avenir, à moi, il est derrière moi, fini, dévasté, gâché... et je n'en garde qu'un goût de cendres.

– Si vous ne voulez pas de moi, je...

– Vous savez bien que je vous veux. Vous savez bien que je vendrais mon âme pour vous prendre dans mes bras et vous garder ici, loin du monde, à jamais. Et vous me tentez, Anne... Vous me tentez avec vos longs cheveux de sorcière et vos yeux pailletés de brun, de vert et d'or, toujours rieurs, même quand votre bouche est grave. Mais je saurai vous protéger de moi... et de vous-même. Vous partirez ce soir. Vous irez à Beira...

– Je n'irai pas à Beira ! l'interrompis-je.

– Oh, si ! Vous irez à Beira, même si je dois vous y traîner en personne et vous jeter sur le bateau. De quoi croyez-vous donc que je sois fait ? Croyez-vous que je veuille me réveiller en sursaut nuit après nuit, dans l'angoisse qu'ils aient remis la main sur vous ? Ne vous figurez pas que les miracles se reproduisent éternellement ! Vous devez retourner en Angleterre, Anne... et... et vous marier et être heureuse.

– Avec un homme raisonnable, capable de m'assurer un foyer ?

– Mieux vaut cela que... que le désastre intégral.

– Et vous ? Qu'allez-vous devenir ?

Ses traits s'assombrirent, son menton se durcit :

– Je sais ce que j'ai à faire. Ne me posez pas de questions. Je crois que vous vous en doutez, mais je peux vous dire une bonne chose : je laverai mon nom, ou j'y laisserai ma peau, et j'étranglerai de mes mains jusqu'à ce que mort s'ensuive l'ignoble individu qui a tenté de vous assassiner l'autre nuit.

– Soyons justes, il ne m'a pas poussée dans le gouffre.

– Il n'avait pas besoin de le faire. Son plan était bien plus malin que ça. Je suis repassé sur ce chemin le lendemain. Tout avait l'air normal. Mais il restait des traces sur le sol et je me suis rendu compte que les pierres qui bordent le chemin avaient été déplacées. L'extrême bord de la falaise est tapissé de buissons, et c'est sur ces buissons qu'avaient été placées en équilibre les pierres délimitant le sentier, pour vous faire croire que vous le suiviez encore, alors même que vous alliez basculer dans l'abîme. C'est pourquoi si cet individu tombe entre mes mains...

Il marqua un temps avant d'ajouter, sur un tout autre ton :

– Nous n'avons encore jamais abordé ces choses,

Anne. Mais l'heure est venue. Je veux vous raconter toute l'histoire... toute *mon* histoire... depuis le début.

– Si revivre ce passé vous fait mal, ne m'en dites rien, soufflai-je.

– Mais je veux que vous sachiez. Jamais je n'aurais cru que je confierais cet épisode de ma vie à quelqu'un. Mais le destin nous joue des drôles de tours, pas vrai ?

Durant quelques instants, il resta silencieux. Le soleil s'était couché et la sombre nuit africaine nous enveloppait, telle une cape de velours.

– Je sais déjà une chose, murmurai-je.

– Que savez-vous ?

– Je sais que votre vrai nom est Harry Lucas.

Il hésitait pourtant encore — évitant de me regarder, les yeux fixés devant lui. Je ne pouvais deviner les pensées contradictoires qui lui traversaient l'esprit. Au bout d'un moment, il hocha la tête comme s'il venait de prendre une décision importante, et il entama son récit.

26

– Vous avez raison. Mon vrai nom est Harry Lucas. Mon père, officier en retraite, était venu s'établir comme fermier en Rhodésie. Il est mort alors que j'étais en deuxième année d'université à Cambridge.

– Vous l'aimiez beaucoup ? lui demandai-je tout à trac.

– Je n'en sais rien.

Puis il rougit, avant de poursuivre, avec une soudaine véhémence :

– Pourquoi ai-je dit cela ? Bien sûr que j'aimais beaucoup mon père. La dernière fois que je l'ai vu, nous avons échangé des propos aigres-doux et nous nous sommes chamaillés au sujet de mes dettes et de mes incartades. Mais je l'aimais bien. Je l'aimais... oh ! maintenant qu'il est trop tard, je sais à quel point, ajouta-t-il plus calmement. C'est à Cambridge que j'avais connu ce garçon...

– Le jeune Eardsley ?

– Oui, Eardsley. Comme vous le savez, son père était l'un des hommes les plus en vue d'Afrique du Sud. Eardsley et moi nous sommes aussitôt liés d'amitié. Nous adorions tous deux notre pays, et nous avions le même goût de l'aventure. Après avoir quitté Cambridge, Eardsley s'est disputé une fois de plus avec son père, qui, ayant réglé ses dettes par deux fois, a refusé de les couvrir à nouveau. Au cours d'une scène pénible, sir Laurence n'a rien voulu faire de plus pour son fils et l'a mis au défi de se débrouiller seul. C'est comme ça que nous sommes partis ensemble pour l'Amérique du Sud, dans le but d'y prospecter les diamants. Je ne vais pas vous raconter ça en détail, mais nous avons passé là des moments merveilleux. Les difficultés, il y en avait à la pelle, cela va de soi, mais c'était une bonne vie, une vie à la dure, hors des sentiers battus — et, après tout, c'est comme ça qu'on apprend à connaître ses amis. Il s'est forgé entre nous des liens que seule la mort a pu rompre. Bref, comme vous l'a raconté le colonel Race, nos efforts ont été couronnés de succès. En pleine jungle de Guyane britannique, nous avons découvert un nouveau Kimberley. Je suis incapable de vous décrire notre enthousiasme. Oh ! ce n'était pas tant le profit que nous pouvions en tirer qui nous exaltait — Eardsley savait ce que c'était que la fortune, tout comme il savait que les millions de son père lui reviendraient un jour. Quant à Lucas, il avait toujours été pauvre et c'était devenu pour lui un état naturel. Non, ce qui comptait pour nous, c'était la pure et simple jouissance de la découverte...

Harry prit un temps avant d'ajouter, comme pour s'excuser :

– Cela ne vous gêne pas que je vous raconte ainsi mon histoire, comme celle d'un autre ? Voyez-vous, avec le recul, quand je pense à ces deux garçons, j'oublie presque toujours que l'un des deux était... Harry Rayburn.

– Racontez-moi votre histoire comme vous voulez, répondis-je.

– Nous sommes donc revenus fiers comme Artaban à Kimberley, avec un magnifique échantillonnage de diamants que nous comptions faire expertiser. Et c'est alors qu'à l'hôtel de Kimberley, nous l'avons rencontrée, elle...

Soudain tendue, je crispai sans le vouloir ma main sur le chambranle de la porte.

– Elle prétendait s'appeler Anita Grünberg. C'était une actrice, jeune, très belle. Elle était née en Afrique du Sud, de mère hongroise, je crois. Il y avait un mystère qui planait autour d'elle et la rendait d'autant plus attirante, pour deux jeunes gens qui revenaient sans transition de la jungle à la civilisation. Elle n'a donc guère eu de mal à se donner. Nous sommes tous deux tombés amoureux d'elle. Mais si c'était le premier nuage sur notre amitié, celle-ci n'a pas été entamée pour autant. Chacun de nous — je le crois sincèrement — était prêt à céder la place à l'autre. Seulement, elle ne l'entendait pas de cette oreille. Souvent, par la suite, je me suis demandé pourquoi. Car après tout, l'unique héritier de sir Laurence Eardsley représentait un beau parti. Mais en fait, elle était déjà mariée à un employé de chez De Beers — ce que personne ne savait. Elle se prétendait passionnée par notre découverte, si bien que nous lui avons tout raconté. Nous avons même été jusqu'à lui montrer les pierres. Elle aurait pu s'appeler Dalila, tant ce rôle était taillé pour elle !

» Sitôt que l'affaire De Beers a éclaté, la police est tombée sur nous et a fait main basse sur nos diamants. Pour commencer, nous n'avons fait qu'en rire — cela nous paraissait si absurde ! Mais les pierres ont été produites au tribunal — et il est apparu que c'étaient bien celles volées chez De Beers. Entre-temps, Anita Grünberg avait disparu, après avoir habilement procédé à la substitution. Et quand nous avons raconté que nous n'avions jamais eu ces pierres en notre possession, la police nous a ri au nez.

» Sir Laurence Eardsley jouissait d'une énorme influence. Il a pu faire classer l'affaire. Cependant, cette sale affaire laissait deux garçons ruinés et déshonorés aux yeux du monde. Sir Laurence ne put se remettre de voir accolé le qualificatif infamant de voleurs aux noms de son fils et de l'ami de celui-ci. Il a eu une effroyable entrevue avec son fils, qu'il a alors accablé de tous les reproches imaginables. Et, après avoir fait de son mieux pour sauver leur nom, il a renié son enfant. Ainsi désavoué, ce garçon a refusé par fierté juvénile de se disculper. Il est sorti furieux de l'entrevue pour rejoindre son ami qui l'attendait. Une semaine plus tard, la guerre éclatait et les deux jeunes gens s'engageaient ensemble. Vous connaissez la suite : le meilleur ami qu'ait jamais pu avoir un homme a été tué en se jetant follement au-devant du danger. Il a trouvé ainsi une mort qu'il appelait de ses vœux, mais son nom est resté entaché à jamais...

» Je vous assure, Anne, que la haine que j'ai vouée à cette femme m'était surtout inspirée par le souvenir de cet ami. Il l'avait aimée bien plus profondément que moi. Moi, j'avais éprouvé pour elle une passion dévorante au point de lui faire peur parfois — mais lui l'aimait d'un amour plus tendre et plus profond. Cette femme était devenue le centre de son univers et une telle trahison lui a ôté toute envie de vivre. Sous le choc, il est resté anéanti, paralysé.

Harry fit une pause avant de poursuivre.

– Comme vous le savez, j'ai été porté sur la liste des « Disparus, présumés tués ». Je ne me suis jamais donné le mal de faire rectifier cette erreur. J'ai pris le nom de Parker et suis venu me réfugier sur cette île que je connaissais depuis longtemps. Au tout début de la guerre, j'avais eu l'envie folle de prouver mon innocence. Désormais, ce désir s'était éteint. A quoi bon ? me disais-je. Mon ami était mort. Ni lui ni moi n'avions plus de parents pour s'en soucier. J'étais censé être mort, moi aussi. Les choses pouvaient en rester là. Je menais donc ici une existence paisible, ni heureux ni malheureux — inaccessible à tout sentiment. Je me rends compte aujourd'hui — et ce n'était pas le cas à l'époque — que cette indifférence n'était que l'une des séquelles de la guerre.

» Et puis un jour, un incident est venu me tirer de ma torpeur. Je devais emmener un groupe de touristes en promenade sur le fleuve et je me trouvais sur le ponton pour les aider à embarquer, quand l'un des hommes a poussé un cri de surprise. C'était un petit type mince et barbu qui me fixait de tous ses yeux, comme si j'étais un spectre. Il paraissait si bouleversé que ma curiosité a été éveillée. Je suis allé à l'hôtel pour y obtenir des renseignements sur son compte. Et là j'ai appris qu'il s'agissait d'un certain Carton, employé chez De Beers à Kimberley.

» Toutefois, je n'y ai pratiquement rien découvert de plus. J'ai alors décidé de forcer Carton à parler. J'avais pris mon revolver sur moi, car dès que je l'avais entrevu, j'avais compris que c'était un lâche. Nous ne nous sommes pas plutôt retrouvés face à face que j'ai bien vu qu'il avait peur de moi. Et je l'ai obligé à m'avouer en vitesse tout ce qu'il savait. Il avait en partie manigancé le vol et Anita Grünberg était sa femme. Il nous avait aperçus un jour, mon ami et moi, alors que nous dînions avec elle à l'hôtel. Et, ayant lu dans les journaux que j'étais mort, il avait été bouleversé de me voir réapparaître en chair et en os aux Chutes. Anita et lui s'étaient mariés très jeunes, mais elle avait eu tôt fait de le quitter. J'ai appris qu'elle était entrée dans une bande de malfaiteurs. Et c'est ainsi que j'ai entendu pour la première fois parler du « Colonel ». Quant à Carton lui-même, il n'avait jamais été mêlé à une affaire louche en dehors de celle-là. C'est du moins ce qu'il m'a juré sur sa propre tête. Et j'ai été tenté de le croire. De toute évidence, il n'était pas de l'étoffe dont sont faits les grands criminels.

» Je sentais néanmoins qu'il me cachait encore quelque chose. Pour en avoir le cœur net, je l'ai menacé de l'abattre sur-le-champ, quelles que puissent en être les conséquences. Terrorisé, il a fini par tout avouer. Apparemment, Anita Grünberg n'avait pas une confiance totale dans le « Colonel ». Aussi, tout en prétendant lui remettre la totalité des pierres qu'elle avait dérobées à l'hôtel, elle en avait gardé certaines en sa possession. Orfèvre en la matière, Carton lui avait précisé lesquelles mettre de côté : des pierres d'une couleur et d'une eau si aisément identifiables que les experts de De Beers conviendraient forcément ne jamais les avoir eues en main. Dans un sens, la thèse de la substitution s'en trouverait confirmée, mon nom lavé de tout soupçon et le véritable criminel confondu. En effet, contrairement à son habitude, il semblait qu'en cette occasion, le « Colonel » s'était lui-même compromis dans l'affaire. Anita était dès lors assurée d'avoir barre sur lui, si nécessaire. Carton m'a donc proposé de négocier avec Anita Grünberg — ou plutôt Nadine, comme elle se faisait désormais appeler. Il estimait qu'en échange d'une somme appréciable, elle accepterait de me rendre les diamants et de trahir son ancien patron. Carton m'a quitté ce soir-là sur la promesse de lui télégraphier sans tarder.

» Pourtant je me défiais encore de lui. C'était un homme facile à terroriser, mais capable, sous l'empire de la terreur, de mentir à un point tel qu'il n'était pas facile de démêler le vrai du faux. J'ai donc regagné mon hôtel et patienté jusqu'au lendemain soir, où j'estimais qu'il devrait avoir reçu une réponse à son télégramme. Quand je suis repassé chez lui, on m'a dit qu'il s'était absenté pour revenir le lendemain. Soupçonnant un coup fourré, j'ai découvert qu'il était en réalité monté à bord du *Kilmorden Castle* qui devait quitter le Cap deux jours plus tard pour l'Angleterre. Cela me laissait le temps de rallier le Cap et d'embarquer sur le même paquebot.

» Je n'avais pas la moindre envie de mettre la puce à l'oreille de Carton en révélant ma présence à bord. Je me suis grimé en individu barbu et dans la quarantaine. Cela m'était d'autant plus facile que du temps où j'étais à Cambridge, j'avais fait un peu de théâtre. Durant toute la traversée, je suis resté cloîtré dans ma cabine, sous prétexte de mal de mer, pour éviter Carton.

» Une fois à Londres, je n'ai eu aucun mal à le suivre. Il était descendu dans un hôtel dont il n'est pas ressorti avant le lendemain, aux alentours de 1 heure de l'après-midi. Je l'ai filé jusqu'à une agence de location de Knightsbridge, où il s'est déclaré intéressé par une villa située au bord de la Tamise.

» Je me faisais moi-même donner des renseignements quand j'ai soudain vu entrer Anita Grünberg, ou Nadine, comme il vous plaira. Superbe, insolente, et presque aussi belle que par le passé. Seigneur ! Comme je la détestais ! Elle était là, devant moi, cette femme qui avait brisé mon existence, ainsi que celle du meilleur des amis. A ce moment-là, j'aurais pu mettre mes mains autour de son cou et l'étrangler ! Pendant quelques instants, j'ai vu rouge. Au point de ne même plus comprendre ce que me disait l'agent immobilier. Puis j'ai entendu sa voix, haute et claire, affectant un accent étranger parfaitement exagéré :

» — Le Moulin à Marlow, propriété de sir Eustache Pedler ? Peut-être cette maison pourrait-elle en effet me convenir. Enfin... Je vais toujours la visiter.

» L'agent immobilier lui a donné une carte et elle a fait une sortie remarquée. Rien ne laissait à penser qu'elle avait reconnu Carton. Et pourtant, j'étais sûr que leur rencontre n'était pas fortuite. Aussitôt, j'en ai tiré certaines conclusions. Ignorant que sir Eustache Pedler se trouvait à Cannes, j'ai cru que toute cette histoire de visite était un pur prétexte pour le retrouver au Moulin. Et sachant, sans l'avoir jamais vu, qu'il se trouvait en Afrique du Sud à l'époque du vol, j'en ai aussitôt déduit qu'il devait être le mystérieux « Colonel » dont j'avais tant entendu parler.

» J'ai donc suivi mes deux suspects le long de Knightsbridge. Nadine a pénétré dans le *Hyde Park Hotel*. J'ai accéléré le pas et l'ai imitée ; mais la voyant entrer au restaurant, j'ai décidé de ne pas prendre le risque d'être reconnu par elle, afin de continuer à pister Carton. J'espérais qu'il allait récupérer les diamants. Et je comptais, en me manifestant au moment où il s'y attendrait le moins, lui extorquer la vérité. Je l'ai suivi jusque dans la station de métro de Hyde Park Corner. Il se trouvait planté seul au bout du quai. Une jeune fille se tenait à proximité, mais personne d'autre. J'ai décidé d'accoster Carton sur-le-champ. Vous savez ce qui est alors arrivé ; en voyant apparaître un homme qu'il croyait encore en Afrique du Sud — et, en lâche qu'il était —, il a perdu la tête et il est tombé sur les rails. En me faisant passer pour médecin, j'ai réussi à lui faire les poches. J'y ai trouvé un portefeuille renfermant quelques billets et une ou deux lettres sans intérêt, plus un rouleau de pellicule que j'ai dû perdre ailleurs, plus tard, ainsi qu'un bout de papier indiquant qu'il avait rendez-vous le 22 à bord du *Kilmorden Castle*. Pressé de ficher le camp avant qu'on ne me demande mon témoignage, j'ai laissé tomber ce papier. Par bonheur, les chiffres étaient déjà gravés dans ma mémoire.

» Dans les premières toilettes venues, je me suis débarrassé de ma fausse barbe. Je ne tenais pas à être arrêté pour avoir détroussé un mort. Puis je suis revenu au *Hyde Park Hotel*, où Nadine n'avait pas terminé de déjeuner. Inutile de vous décrire en détail comment je l'ai suivie jusqu'à Marlow, puis dans la villa. En déclarant à la gardienne que je l'accompagnais, il m'était facile d'y entrer derrière elle.

Là, Harry s'arrêta et un lourd silence s'ensuivit.

– Vous allez me croire, Anne ? Je jure devant Dieu que je vais vous dire la vérité. Je suis entré dans cette maison presque résolu à la tuer et je l'y ai trouvée morte. Je l'ai découverte dans une chambre, au premier. Seigneur ! C'était horrible ! Morte, alors que je venais d'arriver moins de trois minutes après elle ! Sans compter que la maison semblait déserte ! J'ai compris aussitôt dans quel pétrin je m'étais fourré. Celui qu'elle avait voulu faire chanter venait magistralement de se débarrasser d'elle. Et moi, je serais le bouc émissaire à qui l'on imputerait ce crime. Je reconnaissais là la main du « Colonel », dont, pour la deuxième fois, j'allais être la victime. Fallait-il que je sois bête pour m'être jeté dans cette souricière !

» C'est à peine si j'ai eu conscience de ce qui s'est passé ensuite. J'ai réussi à ressortir de cette villa aussi naturellement que possible. Mais je savais que sous peu le crime serait découvert et que mon signalement ne tarderait pas à être diffusé à travers tout le pays. Pendant quelques jours, je me suis terré sans oser bouger. Puis, sur ces entrefaites, la chance m'a souri. En pleine rue, j'ai surpris la conversation de deux messieurs, dont l'un se révéla être sir Eustache Pedler. Mettant à profit ce que j'avais entendu de cette conversation, j'ai aussitôt décidé de me faire embaucher par lui comme secrétaire. Je n'étais plus si certain que sir Eustache était le « Colonel ». Quant aux deux autres, ils s'étaient peut-être donné rendez-vous dans sa villa par hasard ou pour Dieu sait quelle raison qui m'échappait.

– Est-ce que vous savez, lui demandai-je, que Guy Pagett se trouvait à Marlow, le jour du meurtre ?

– Si c'est exact, l'affaire est limpide. Je le croyais à Cannes en compagnie de sir Eustache.

– Il était censé se trouver à Florence, mais il n'y a sûrement jamais mis les pieds. Et je suis sûre et certaine qu'il était à Marlow. Mais je serais bien incapable de le prouver.

– Et dire que jamais un instant je n'ai soupçonné Pagett, jusqu'au soir où il a tenté de vous faire passer par-dessus bord. Ce type est un acteur hors pair.

– Ça, oui, alors !

– Voilà pourquoi ils auront choisi le Moulin ! Pagett pouvait sûrement y pénétrer et en ressortir sans être vu. Et bien entendu, s'il ne s'est pas opposé à ce que j'accompagne sir Eustache durant la traversée, c'est qu'il ne tenait pas à ce que je sois arrêté tout de suite. Voyez-vous, contrairement à leurs espérances, Nadine n'est sûrement pas venue au rendez-vous avec les diamants en poche. J'imagine que Carton les avait dissimulés quelque part à bord du *Kilmorden Castle* : tel était son rôle. Les autres se sont figuré alors que je saurais où ils étaient cachés. Tant qu'il n'aurait pas récupéré les diamants, le « Colonel » restait en danger ; d'où son obstination à remettre la main dessus, à n'importe quel prix. Mais où diable Carton a-t-il pu les cacher — s'il les a effectivement cachés ? Je n'en ai pas la moindre idée !

– Ça, fis-je, c'est une autre histoire. La mienne, et je vais vous la conter à mon tour.

27

Harry écouta attentivement toutes les péripéties de l'odyssée relatées à travers ces pages. Ce qui le stupéfia plus que tout ? Que les diamants soient depuis belle lurette en ma possession, ou plutôt en celle de Suzanne.

Il ne s'en était jamais douté. Bien entendu, après avoir entendu son récit, je compris mieux pourquoi Carton, ou plutôt Nadine — car c'était sûrement elle qui avait conçu tout le plan —, avait pris de telles précautions. Même en cas d'attaque surprise lancée contre elle et son mari, les diamants restaient en sûreté. Elle était seule à connaître son secret, et le « Colonel » ne risquait pas de deviner que les diamants avaient été confiés au steward d'une compagnie maritime !

Harry allait être en mesure de se disculper de l'accusation de vol qui pesait sur lui. Mais il en restait une autre, plus grave, qui entraverait notre action. Etant donné la situation, il ne pouvait apparaître au grand jour pour prouver son innocence.

Sans cesse, nous en revenions donc au même problème : l'identité du « Colonel ». Etait-ce ou non Guy Pagett ?

– Je dirais volontiers que c'est oui, si un détail ne clochait, me déclara Harry. Il semble à peu près certain que c'est Pagett qui a assassiné Anita Grünberg à Marlow — ce qui donnerait du poids à l'hypothèse selon laquelle il serait le « Colonel ». En effet, Anita ne se serait pas dérangée pour traiter avec un subalterne. Non, ce qui ne colle pas, c'est la tentative d'assassinat dont vous avez été victime, le soir même de votre arrivée ici. Vous avez vu Pagett obligé de rester au Cap. Or, jamais il n'aurait pu trouver le moyen d'arriver ici avant le mercredi suivant. Il est peu vraisemblable qu'il ait des comparses dans ce coin perdu. Par-dessus le marché, son plan consistait à se débarrasser de vous au Cap même. Sans doute aurait-il pu télégraphier de nouvelles instructions à un complice de Johannesburg qui aurait pris le train à Mafeking pour la Rhodésie. Mais encore aurait-il fallu que ses instructions soient assez détaillées pour que l'on puisse vous adresser le fameux message !

Nous demeurâmes silencieux un instant. Puis Harry reprit, en pesant ses mots :

– Vous me dites que, quand vous avez quitté l'hôtel, Mrs Blair dormait et sir Eustache dictait son courrier à miss Pettigrew. Mais où se trouvait le colonel Race ?

– Je ne l'ai vu nulle part.

– Avait-il des raisons de croire que... que vous et moi puissions être amis ?

– C'est possible, répondis-je pensivement en me remémorant notre conversation sur le chemin de retour des Mattopos. Il a une forte personnalité, poursuivis-je, mais qui ne correspond pas du tout à l'idée que je me fais du « Colonel ». D'ailleurs, cette idée ne tient pas debout : il fait partie des Services secrets.

– Comment savons-nous qu'il en fait vraiment partie ? Rien de plus facile que de laisser courir ce genre de bruit. Car si personne ne vient le contredire, il se propagera jusqu'à ce que chacun y croie comme parole d'Evangile. Cela permet de se livrer à toutes sortes d'agissements louches. Anne, est-ce que vous aimez bien le colonel Race ?

– Oui et non. J'éprouve à la fois de l'attirance et de la répulsion pour lui. Mais ce qu'il y a de sûr, c'est qu'il me fait un peu peur.

– Vous saviez qu'il se trouvait en Afrique du Sud, à l'époque du vol de Kimberley ? énonça lentement Harry.

– C'est pourtant lui qui a appris à Suzanne l'existence du « Colonel », avant de lui raconter qu'il l'avait traqué jusqu'à Paris !

– Manœuvre d'intoxication particulièrement habile !

– Mais alors, que viendrait faire Pagett là-dedans ? Il serait à la solde de Race ?

– Peut-être qu'il ne vient précisément rien faire là-dedans, comme vous dites, avança Harry d'un air songeur.

– Comment ça ?

– Réfléchissez, Anne. Avez-vous jamais entendu Pagett raconter lui-même ce qui s'est passé au cours de la fameuse nuit à bord du *Kilmorden* ?

– Non, mais j'ai entendu sir Eustache rapporter sa version.

Je la rapportai à Harry qui m'écouta avec attention.

– Il aurait donc vu un homme arriver du côté de la cabine de sir Eustache et l'aurait suivi sur le pont. C'est bien ce qu'il prétend ? Or, qui avait la cabine en face de celle de sir Eustache ? Le colonel Race. Supposons que le colonel Race se soit glissé sur le pont et, mis en déroute par mon attaque, se soit enfui pour tomber sur Pagett, qui sortait justement du salon. Il l'assomme et se réfugie à l'intérieur du salon en refermant la porte derrière lui. Et quand nous arrivons sur ces entrefaites, nous trouvons Pagett gisant sur le pont. Que dites-vous de ça ?

– Vous oubliez qu'il affirme avoir été assommé par vous.

– Supposons qu'à l'instant même où il reprenait conscience, il m'ait vu m'éloigner. N'en conclurait-il pas que je suis son agresseur ? D'autant qu'il croyait bien me filer depuis le début.

– C'est possible, oui, convins-je. Mais ça bouleverse toutes nos hypothèses. Et puis il y a une foule d'autres détails.

– La plupart s'expliquent facilement. L'homme qui vous filait au Cap a parlé à Pagett et celui-ci a regardé sa montre. Peut-être tout simplement parce que cet homme venait de lui demander l'heure !

– Simple coïncidence, d'après vous ?

– Non, pas exactement. Il y a là toute une série d'indices qui concordent pour que Pagett se trouve mêlé à l'affaire. Pourquoi avoir choisi d'assassiner cette femme au Moulin ? Parce que Pagett se trouvait à Kimberley à l'époque où a été commis le vol ? N'aurait-il pas servi, *lui,* de bouc émissaire si je ne m'étais pas trouvé là providentiellement ?

– Ainsi, il pourrait être parfaitement innocent ?

– Ça m'en a tout l'air. Mais si c'est le cas, il faut découvrir ce qu'il faisait à Marlow. S'il peut fournir une explication qui se tienne, nous sommes sur la bonne piste.

Il se leva.

– Il est minuit passé. Allez vous coucher, Anne, et tâchez de dormir. Peu avant l'aube, je vous emmènerai en pirogue. Vous prendrez le train à Livingstone. J'ai là-bas un ami qui pourra vous cacher jusqu'à l'heure du départ. De là, vous irez à Bulawayo, où vous attraperez la correspondance pour Beira.

– Beira ? murmurai-je.

499

– Oui, Anne, Beira. Cette affaire est une affaire d'hommes. Laissez-moi faire.

Tant que nous démêlions la situation, nous avions joui d'un certain répit. Mais à présent, de nouveau étreints par l'émotion, nous n'osions même plus nous regarder.

– Très bien, dis-je — et je rentrai dans la case.

Je m'allongeai sur le bat-flanc couvert de peaux de bêtes, mais ne pus trouver le sommeil. J'entendis au-dehors Harry Rayburn marcher de long en large toute la nuit. Il finit par m'appeler :

– Allons, Anne, il est temps de partir.

Je me levai et sortis docilement. Il faisait encore nuit noire, mais je savais l'aube proche.

– Nous allons prendre la pirogue, pas le canot à moteur...

Soudain Harry se tut et resta sans bouger.

– Chut ! Qu'est-ce que c'est ?

J'eus beau prêter l'oreille, je n'entendis rien. A force de vivre en pleine nature, il avait l'ouïe plus exercée que moi. Mais au bout d'un moment, je distinguai, venant de la rive droite du fleuve, un bruit de rames fendant l'eau et se rapprochant rapidement de notre ponton.

En scrutant l'obscurité, nous distinguâmes la masse sombre d'un canot, puis soudain, la lueur brève d'une allumette ; je reconnus une seule silhouette, celle du Hollandais roux de la villa de Muizenberg. Il était entouré d'indigènes.

– Vite, à la case !

Harry m'entraîna avec lui à l'intérieur. Il décrocha du mur deux fusils et un revolver :

– Vous savez charger une arme ?

– Je ne l'ai jamais fait. Montrez-moi.

J'eus vite fait d'apprendre. Nous barricadâmes la porte et Harry se posta près de la fenêtre, d'où il pouvait couvrir le ponton. Le canot allait aborder.

– Qui va là ? lança Harry d'une voix sonore.

Les doutes que nous pouvions nourrir quant aux intentions de nos visiteurs furent rapidement levés. Une rafale de balles s'écrasa autour de nous. Heureusement, nous ne fûmes atteints ni l'un ni l'autre. Harry pointa son fusil, qui claqua et fit mouche à plusieurs reprises. J'entendis deux cris de souffrance et le bruit d'un corps tombant à l'eau.

– Voilà qui devrait les faire réfléchir, grommela-t-il d'un air sombre en s'emparant du second fusil. Bon sang ! Anne, ne vous exposez pas et rechargez en vitesse.

Il y eut une autre rafale. Une balle effleura la joue de Harry. Sa riposte n'en parut qu'encore plus meurtrière. J'avais déjà rechargé le second fusil quand il voulut le prendre. Me serrant contre lui de son bras gauche, il me vola un baiser sauvage avant de retourner à la fenêtre. Soudain, il poussa un cri :

– Ils décampent ! Ils ont leur compte ! Sur l'eau, ils font une cible épatante et ils ne savent pas combien nous sommes. Pour l'instant ils détalent, mais ils vont revenir. Autant nous préparer à les accueillir.

Jetant son arme, il se tourna vers moi.

– Anne, ma belle, ma merveille, ma princesse ! Mon petit cœur de lion ! Ma sorcière aux noirs cheveux !

Il m'étreignit à nouveau dans ses bras. Il baisa mes cheveux, mes yeux, mes lèvres.

– Et maintenant, au boulot ! dit-il en me relâchant soudain. Passez-moi ces boîtes de paraffine.

Je m'exécutai. Il s'affaira à l'intérieur de la case, puis grimpa sur le toit où il rampa en tenant quelque chose serré contre lui. Quelques instants plus tard, il me rejoignit.

– Filez jusqu'à la pirogue. Nous devrons la porter de l'autre côté de l'île.

Comme je m'éclipsais, il ramassa la paraffine.

– Les voilà qui reviennent ! soufflai-je, en voyant l'embarcation se détacher de la rive opposée.

Il me rejoignit à toutes jambes :

– Juste à temps ! Mais où est passée la pirogue ?

La pirogue et le canot à moteur avaient disparu, lâchés au fil du courant. Harry siffla entre ses dents.

– Nous sommes dans de beaux draps. Pas trop peur ?

– Pas avec vous.

– Mourir ensemble, on pourrait imaginer des trucs plus drôles. Mais nous allons essayer de nous en tirer. Regardez ! Cette fois, ils viennent à deux pirogues. Ils vont accoster en deux endroits différents. Voyons ce que donne mon petit effet scénique.

Comme il parlait, une flamme immense s'éleva de la case, illuminant deux silhouettes accroupies sur le toit.

– Mes vieux vêtements — rembourrés avec des nattes —, mais ils ne vont pas faire illusion très longtemps. Allons, Anne, risquons le tout pour le tout.

Main dans la main, nous traversâmes l'îlot en courant. De ce côté-ci, seul un chenal étroit le séparait de l'autre berge.

– Il va falloir nager. Vous savez nager ? Aucune

502

importance, d'ailleurs. J'arriverai bien à vous sortir de là. C'est le mauvais côté pour un canot : trop de rochers. Mais c'est le bon pour nager. Et c'est aussi le bon pour filer jusqu'à Livingstone.

– J'ai déjà nagé plus loin que ça. C'est quoi, le danger, Harry ? ajoutai-je en voyant son air soucieux. Des requins ?

– Non, petite dinde, les requins vivent dans la mer. Mais il y a des crocos dans les parages.

– Des crocodiles ?

– Oui, mais n'y pensez pas — ou faites une prière, à votre guise.

Nous plongeâmes. Ma prière dut avoir l'effet escompté, car nous touchâmes l'autre rive sans encombre, pour nous effondrer, ruisselants, sur la berge.

– Et maintenant, en route pour Livingstone ! La route sera dure. Et plus pénible encore avec ces frusques trempées. Mais il faut y aller.

Ce fut une équipée de cauchemar. Ma jupe trempée me battait les mollets et mes bas furent bientôt déchiquetés par les épineux. Je finis par m'arrêter, complètement épuisée. Harry revint sur ses pas :

– Courage, ma chérie ! Je vais vous porter.

Et c'est ainsi que je fis mon entrée dans Livingstone : sur son épaule, comme un sac de charbon. Comment il a réussi à tenir bon et à parcourir tout ce chemin, je n'en sais rien. L'ami de Harry était un jeune homme d'une vingtaine d'années qui tenait une boutique d'artisanat local. Il s'appelait Ned. Peut-être avait-il un nom de famille, mais je ne l'ai jamais su. Il ne sembla pas le moins du monde surpris de voir entrer Harry trempé jusqu'aux os et tenant par la main une jeune femme tout aussi trempée. Les hommes sont merveilleux.

Il nous offrit de quoi manger et du café chaud. Et il fit sécher nos vêtements tandis que nous étions emmitouflés dans des couvertures aux couleurs invraisemblables, tout droit venues de, Manchester. Il nous laissa cachés dans l'arrière-boutique pour aller vérifier si certains des invités de sir Eustache ne se trouveraient pas encore à l'hôtel.

De mon côté, j'en profitai pour déclarer à Harry que rien ne pourrait me forcer à rejoindre Beira. Je n'en avais d'ailleurs jamais eu l'intention. Et désormais je ne voyais plus aucune raison de le faire. La manœuvre aurait visé à persuader mes ennemis que j'étais bien morte. Du moment qu'ils me savaient en vie, qu'irais-je faire à Beira ? Ils pourraient m'y suivre sans problème et se débarrasser tranquillement de moi. Je n'y aurais personne pour me défendre. En définitive, il fut convenu que je tâcherais de rejoindre Suzanne — où qu'elle se trouve — et que je consacrerais toute mon énergie à me protéger. Je ne devrais chercher l'aventure sous aucun prétexte — et encore bien moins tenter de contrer le « Colonel ».

Je resterais tranquillement en compagnie de Suzanne à attendre des instructions de Harry. Quant aux diamants, ils seraient déposés à la banque de Kimberley, sous le nom de Parker.

— Il reste un détail, murmurai-je. Autant convenir d'un code. Inutile de nous laisser piéger une nouvelle fois avec des messages truqués.

– Rien de plus facile. Dans tous mes messages, je bar-rerai le mot « et »...

– Méfiez-vous des imitations, murmurai-je. Mais les télégrammes ?

– Je signerai les miens « Andy ».

– Le train va partir, glissa Ned en passant la tête par la porte et en la retirant aussitôt.

Je me levai.

– Est-ce que je dois toujours épouser un homme rai-sonnable si j'en déniche un ? demandai-je malicieuse-ment.

Harry s'approcha de moi.

– Bon Dieu ! Anne, si vous en épousez jamais un autre que moi, je lui tordrai le cou. Et quant à vous...

– Oui ? fis-je, ravie.

– J'irai vous chercher par la peau du cou et je vous flanquerai une bonne raclée à tout casser !

– Quel charmant mari je me suis trouvé là ! raillai-je. Vous ne trouvez pas que vous changez d'avis comme de chemise ?

28

Extraits du journal intime
de sir Eustache Pedler

Comme je l'ai déjà noté, je place ma tranquillité au-dessus de tout et n'aspire qu'à une existence paisible. Hélas ! je vis perpétuellement dans l'agitation et les tourments. Je suis certes bien soulagé d'être débarrassé de Pagett, toujours avide de nouveaux mystères, et ravi des services de miss Pettigrew. Cette femme sait se montrer utile, et sans rien avoir d'une houri, elle a d'autres qualités. Il est exact que, souffrant d'une crise de foie, je me suis conduit comme un ours à Bulawayo. Il se trouve que j'avais passé une mauvaise nuit à bord du train, car aux alentours de 3 heures du matin, un jeune homme déguisé en cow-boy avait fait irruption dans mon compartiment pour me demander quelle était ma destination. Négligeant mon premier balbutiement : « Du thé — et, par pitié, ne le bourrez pas de sucre », il avait réitéré sa question, m'expliquant qu'il n'était pas steward mais agent de l'Immigration. Je parvins à le persuader que je ne souffrais d'aucune maladie contagieuse, que j'étais venu en Rhodésie pour les motifs les plus purs, et lui déclinai mes nom et lieu de naissance. Après quoi, je tentai de repiquer un petit somme, hélas interrompu vers 5 heures et demie par un individu qui m'apportait une tasse de sirop de sucre qu'il baptisait « thé ». Si je ne le lui ai pas jeté à la figure, ce n'est pas que l'envie m'en ait manqué. Vers 6 heures, il m'apporta du thé non sucré, mais complètement froid, après quoi je me rendormis, épuisé, jusqu'à l'arrivée du train à Bulawayo, où je me retrouvai chargé d'une gigantesque girafe, au cou et aux jambes démesurés !

Toutefois, ces contretemps exceptés, notre arrivée se déroula sans encombre... Mais de nouvelles calamités m'attendaient.

Le soir même de notre arrivée aux Chutes, je dictais du courrier à miss Pettigrew quand Mrs Blair déboula dans ma suite sans crier gare, et dans une tenue plutôt compromettante.

– Où est passée Anne ? nous lança-t-elle.

Charmante question ! Comme si j'étais responsable de cette fille ! Qu'allait penser miss Pettigrew ? Que j'avais coutume de tirer Anne Beddingfeld de ma poche, sur le coup de minuit ? Tout cela était fort compromettant pour un homme dans ma position.

– Au lit, je suppose, répliquai-je avec froideur.

Et m'éclaircissant la gorge, je jetai un coup d'œil à miss Pettigrew, afin de lui signifier que nous n'allions pas nous interrompre pour si peu dans notre travail. J'espérais que Mrs Blair, comprenant à demi-mot, s'éclipserait aussitôt. Elle n'en fit rien. Tout au contraire, elle se laissa tomber dans un fauteuil, en faisant danser sa mule au bout de son pied.

– Elle n'est pas dans sa chambre. J'en viens. J'avais fait un cauchemar, un affreux cauchemar, où elle courait un énorme danger. Histoire d'en avoir le cœur net, je suis allée dans sa chambre. Non seulement elle n'y était pas, mais son lit n'était même pas défait !

Elle me jeta un regard implorant :

– Qu'est-ce que je peux faire, sir Eustache ?

Réprimant l'envie de lui répondre : « Allez vous coucher sans vous inquiéter de rien ; une jeune femme dégourdie comme Anne Beddingfeld est parfaitement capable de se débrouiller toute seule », je fronçai les sourcils.

– Qu'en pense Race ?

Après tout, je ne vois pas pourquoi Race aurait la part si belle : s'il jouit des avantages qu'offre la société des femmes, qu'il en assume au moins les inconvénients !

– Je ne le trouve nulle part.

Apparemment, Mrs Blair comptait passer la nuit sur cette affaire. Avec un soupir, je me carrai dans un fauteuil :

– Je ne vois pas très bien pourquoi vous êtes si agitée.

– Mais mon cauchemar...

– Je l'imputerais au curry que nous avons mangé ce soir.

– Oh, sir Eustache !

Elle manifestait une indignation sans bornes.

Chacun sait pourtant que les cauchemars sont généralement liés aux excès de table.

– Après tout, poursuivis-je sur un ton persuasif, pourquoi Anne Beddingfeld et le colonel Race ne pourraient-ils pas sortir faire un tour sans jeter la perturbation dans tout l'hôtel ?

– Vous croyez qu'ils sont simplement sortis faire un tour ensemble ? Mais il est minuit passé !

– C'est le genre de bêtise que l'on peut faire quand

on est jeune, marmonnai-je. Encore que Race soit trop vieux pour ça !

– Vous pensez vraiment ce que vous dites ?

– Je dirais même qu'ils ont filé pour se marier en cachette, poursuivis-je pour la rassurer, tout en ayant conscience de faire là une suggestion stupide. (Après tout, où peut-on bien « filer » dans ce trou perdu ?)

J'aurais pu faire encore un certain nombre de remarques aussi ineptes ; mais sur ces entrefaites, le colonel Race en personne fit son apparition. Il s'avérait que je ne m'étais pas trompé sur un point : Race était bien sorti faire un tour, mais sans Anne. En revanche, je n'avais pas su faire face à la situation comme le fit Race, qui, en trois minutes, mit tout l'hôtel sens dessus dessous. Je n'avais jamais vu un homme aussi bouleversé.

Cet incident est des plus extraordinaires. Où a bien pu passer cette jeune fille ? Habillée de pied en cap, elle a quitté l'hôtel aux environs de 11 h 10, et elle n'a pas été revue depuis. Connaissant la jeune personne, impossible de songer à un suicide. Elle est en effet de ces jeunes femmes énergiques qui adorent la vie et ne manifestent jamais la moindre tentation d'y renoncer. Mais d'un autre côté, aucun train ne s'arrêtant ici avant demain midi, elle n'a pu quitter l'endroit. Alors, où diable est-elle passée ?

Le malheureux Race semble quasiment hors de lui. Pauvre garçon, il aura fait retourner jusqu'aux moindres pierres. Tous les commissaires régionaux — si c'est bien comme ça qu'on les appelle — ont été mis sur le pied de guerre à deux cents kilomètres à la ronde. Les pisteurs indigènes ont scruté le terrain à quatre pattes. Tout ce qui pouvait être entrepris l'a été — et pas d'Anne Beddingfeld ! D'après l'hypothèse la plus vraisemblable, elle serait sortie dans un accès de somnambulisme. Des traces de pas, sur le sentier menant au pont, semblent attester qu'elle serait tombée dans l'abîme. Si c'est le cas, elle sera sans doute allée s'écraser sur les rochers. Par malheur, ses empreintes ont été brouillées par celles d'une bande de touristes passés dans les parages le lundi matin.

Je ne sais si cette théorie paraît plausible. Dans mon jeune temps, on disait que les somnambules ne risquaient jamais de se faire mal, protégés qu'ils étaient par un sixième sens. D'ailleurs Mrs Blair ne semble pas convaincue par cette hypothèse.

Je ne comprends rien à cette femme, qui a totalement changé d'attitude vis-à-vis de Race. Elle le surveille désormais comme un chat guette une souris, et elle se force même à rester polie avec lui. Dire qu'ils étaient tellement amis ! Cela étant, elle n'est plus la même : elle est nerveuse, tendue, elle sursaute et tressaille au moindre bruit. Je commence à me dire qu'il est grand temps pour moi de gagner Johannesburg.

Hier, Race s'est montré bouleversé par une rumeur selon laquelle un homme et une jeune femme vivraient sur une île mystérieuse, en amont du fleuve. Il apparut toutefois que c'était une fausse piste. L'homme, qui vit là depuis des années, est bien connu du directeur de l'hôtel. Durant la saison, il emmène des touristes sur le fleuve pour leur faire voir des crocodiles et des hippopotames. Je me suis même laissé dire qu'il aurait apprivoisé un hippopotame qui, de temps à autre, fait mine de s'attaquer à sa pirogue, jusqu'à ce qu'il le chasse à coups de gaffe, histoire de procurer aux touristes le frisson de l'exotisme. Quant à la fille, nul ne sait depuis quand elle est là, mais il me semble clair que ce ne peut être Anne. En outre, il est un peu délicat de se mêler des affaires d'autrui. A la place de ce jeune homme, je chasserais Race à coups de pied, s'il venait s'occuper de ma vie sexuelle.

Plus tard

Voilà qui est décidé : je pars demain pour Johannesburg. Race me presse de le faire. A ce que j'apprends, la situation empire là-bas, mais autant y aller avant qu'elle ne se soit totalement détériorée ! En tout cas, j'espère bien ne pas être abattu par un gréviste ! Mrs Blair, qui s'apprêtait à m'accompagner, a changé d'avis au tout dernier moment et a décidé de rester sur les lieux. Il semblerait qu'elle ne veuille pas perdre Race de vue. Elle est venue ce soir me demander timidement de lui rendre un service : celui de me charger des divers souvenirs dont elle a fait l'acquisition.

– Pas de vos statuettes ? demandai-je, inquiet.

J'ai redouté de me retrouver tôt ou tard chargé de trimbaler ces maudites bestioles. Finalement, nous sommes parvenus à un compromis. Je me suis chargé de deux petites boîtes de bois renfermant des objets fragiles. Quant aux fameuses statuettes, elles seront emballées par les soins du commerçant local et acheminées par rail jusqu'au Cap, où Pagett devra les réceptionner.

Selon l'expéditeur, ces statuettes ont des formes si extravagantes qu'il va falloir les emballer dans des caisses spéciales. J'ai fait remarquer à Mrs Blair que le jour où elles arriveront en Angleterre, chacune de ces bestioles lui aura coûté une livre au minimum.

Pagett est si impatient de venir me rejoindre à Johannesburg qu'il me faudra prétexter ces fameuses caisses pour le retenir au Cap. Je l'ai prié par lettre de les réceptionner et de les mettre en lieu sûr, car elles renferment des pièces rares, d'une valeur immense.

Tout est donc arrangé. Miss Pettigrew et moi-même allons partir ensemble à l'aventure. Mais quiconque a vu miss Pettigrew conviendra volontiers qu'il n'y a rien là que de très respectable.

29

Johannesburg, 6 mars

La situation ici est assez préoccupante. Pour employer une expression que j'ai bien souvent lue sous différentes plumes : nous dansons sur un volcan. Des bandes de grévistes — ou prétendus tels — écument les rues en invectivant les passants avec la dernière brutalité, sans doute afin de repérer les gros capitalistes qu'ils ont l'intention de massacrer. Impossible de prendre un taxi, sous peine de s'en voir extrait *manu militari*, et les hôteliers vous laissent aimablement entendre qu'une fois leurs provisions épuisées, ils vous flanqueront dehors.

Hier soir, j'ai retrouvé Reeves — le député travailliste du *Kilmorden*. Je n'ai jamais vu pareil froussard. Comme tous ceux de son espèce, il prononce toujours, à des fins exclusivement politiques, des harangues interminables et enflammées qu'il déplore ensuite. Et à l'heure actuelle, il se promène partout en protestant n'avoir jamais rien fait de tel. Quand je l'ai trouvé, il s'apprêtait à partir pour le Cap où il comptait faire un nouveau et tout aussi interminable discours. En expliquant à loisir que les propos qu'il avait tenus avaient été mal interprétés, il espérait se dédouaner. Je suis ravi de ne pas avoir à m'asseoir sur les bancs de l'Assemblée législative d'Afrique du Sud. Il est déjà assez pénible de siéger à la Chambre des communes ; mais au moins nous exprimons-nous tous dans la même langue, et tenons-nous des discours limités en longueur. Avant de quitter le Cap, je me suis rendu à l'Assemblée, où j'ai dû subir les interventions d'un monsieur grisonnant à moustache tombante, qui ressemblait fort à la Fausse Tortue d'*Alice au pays des merveilles*. Il laissait tomber ses phrases d'un air accablé, en y intercalant de temps à autre d'une voix forte quelque chose sonnant à peu près comme : Platt Skeet. Et à chaque fois qu'il prononçait ces mots, la moitié de l'Assemblée hurlait : « Wouf ! Wouf ! », équivalent hollandais de « Oyez ! oyez ! », tirant ainsi d'un sommeil réparateur l'autre moitié de l'Assemblée. On m'a laissé entendre que ce monsieur discourait ainsi depuis plus de trois jours. Il faut croire que les gens sont très patients en Afrique du Sud.

Après avoir inventé mille et un prétextes susceptibles de retenir Pagett au Cap, je me suis trouvé à court d'idées. Aussi doit-il venir me rejoindre demain, dans l'humeur du chien fidèle qui vient mourir aux pieds de son maître. Et cela au moment où j'avançais si bien dans mes Mémoires ! Je venais d'imaginer de toutes pièces les fines réflexions que m'auraient adressées les meneurs des grévistes, et les non moins fines répliques que je leur aurais servies.

Ce matin, j'ai été interrogé par un représentant du gouvernement qui s'est montré tour à tour courtois, persuasif et mystérieux. Pour commencer, après avoir souligné ma position et mon statut élevé, il m'a suggéré de gagner Pretoria au plus vite, de gré ou de force.

– Vous craignez donc des affrontements ?

Sa réponse était formulée de façon à n'avoir aucun sens ; j'en déduisis donc qu'il s'attendait à des troubles sérieux. Je lui glissai que son gouvernement laissait peut-être les choses aller trop loin.

– Il est parfois de bonne politique de donner à un homme assez de corde pour se pendre, sir Eustache.

– Oh ! certes, certes.

– Les fauteurs de troubles ne sont pas les grévistes eux-mêmes, mais une organisation secrète œuvrant en coulisse. La ville regorge d'armes et d'explosifs et nous avons mis la main sur certains documents révélant les méthodes employées pour les introduire ici en contrebande. Ces gens utilisent un code selon lequel pomme de terre signifie « détonateur », chou-fleur, « fusil », et divers autres légumes, différents explosifs.

– Très intéressant, dis-je.

– En outre, sir Eustache, nous avons tout lieu de croire que le cerveau de l'affaire, l'homme qui tire toutes les ficelles en coulisse, se trouverait en ce moment à Johannesburg.

Il me fixait avec tant d'intensité que je me mis à redouter qu'il ne me tienne pour le fauteur des troubles en question. A cette idée, pris de sueurs froides, je commençai à regretter d'avoir jamais conçu le projet d'observer de mes propres yeux une révolution dans l'œuf.

– Il n'y a plus de trains pour Pretoria, poursuivit-il. Mais je peux toujours vous trouver une automobile, ainsi que deux laissez-passer distincts : l'un délivré par le gouvernement de l'Union et l'autre établissant que vous êtes un visiteur anglais n'entretenant aucun lien avec l'Union.

– Un pour les officiels, et un pour les grévistes, c'est bien cela ?

– Absolument.

Ce projet ne me séduisait guère — je sais ce qui risque de se passer en pareil cas. Vous perdez votre sang-froid et vous embrouillez tout. Je tendrai le mauvais laissez-passer à la mauvaise personne et finirai fusillé sommairement, soit par des rebelles assoiffés de sang, soit par l'un de ces défenseurs de la loi et de l'ordre qui parcourent les rues, la pipe au bec, le melon sur la tête et le fusil en bandoulière. D'ailleurs, qu'irais-je faire à Pretoria ? Admirer l'architecture des bâtiments officiels en prêtant l'oreille à l'écho des détonations en provenance de Johannesburg ? Je risquais de me retrouver coincé là une éternité. D'autant que la voie ferrée aurait

515

déjà été minée, semble-t-il. Sans compter qu'il est devenu impossible de boire un verre dans Pretoria, qui vit déjà depuis deux jours le régime de la loi martiale.

– Mon cher ami, dis-je, vous ne semblez pas vous rendre compte que je suis venu étudier la situation régnant actuellement dans le Rand. Comment pourrais-je le faire à partir de Pretoria ? J'apprécie votre sollicitude, mais ne vous inquiétez pas pour moi, je saurai très bien m'en tirer.

– Je vous préviens, sir Eustache, les problèmes de ravitaillement sont déjà préoccupants.

– Un peu de jeûne me fera le plus grand bien, fis-je avec un soupir.

À cet instant, nous avons été interrompus par l'arrivée d'un télégramme dont le contenu devait me stupéfier.

Anne saine et sauve avec moi à Kimberley. Suzanne Blair.

En fait, je crois bien n'avoir jamais cru à cette fable selon laquelle Anne aurait été réduite en bouillie sur les rochers. Cette jeune personne m'a toujours paru particulièrement indestructible — un peu comme ces balles brevetées qu'on donne aux fox-terriers pour qu'ils s'y fassent les dents. Elle a une singulière propension à triompher avec le sourire de toutes les difficultés. Cela dit, je ne m'explique pourtant pas pourquoi elle a quitté notre hôtel en pleine nuit, pour réapparaître subitement à Kimberley, d'autant plus qu'il n'y avait pas de trains. Peut-être a-t-elle volé sur les ailes d'un ange ? Enfin, je doute qu'elle s'en explique jamais. En tout cas pas à moi. Je ne semble pas être du genre à qui on se confie, ce qui me condamne à tout deviner par moi-même. C'est bien lassant, à la longue. Peut-être s'agit-il d'un talent propre aux journalistes : *Comment j'ai descendu les rapides,* par notre envoyée spéciale.

Je repliai le télégramme et me débarrassai du représentant du gouvernement. Je n'apprécie pas la perspective de souffrir de la faim. Mais je ne m'inquiète pas pour ma sécurité personnelle. Smuts est parfaitement capable d'enrayer une révolution. Seulement, je donnerais une fortune pour un verre d'alcool. Je me demande si Pagett aura seulement eu l'idée de glisser une bouteille de whisky dans ses bagages, puisqu'il doit arriver demain.

Je mis mon chapeau et sortis avec l'intention d'acheter quelques souvenirs du pays. Les boutiques de curiosités de Johannesburg sont assez tentantes. J'étais plongé dans la contemplation d'un étalage de pagnes quand je faillis être renversé par un homme qui sortait de la boutique. A ma vive surprise, je reconnus le colonel Race.

Je ne puis prétendre qu'il parut ravi de me voir. En fait, il semblait même contrarié. Toutefois, j'insistai pour le raccompagner à l'hôtel. J'en viens à me lasser de la seule conversation de miss Pettigrew.

– Je ne me doutais absolument pas que vous étiez à Johannesburg, lançai-je. Quand êtes-vous donc arrivé ?

– Hier soir.

– Et où êtes-vous descendu ?

– Chez des amis.

Il paraissait incroyablement taciturne et gêné par mes questions.

– J'espère qu'ils ont une basse-cour, remarquai-je. Car, s'il faut en croire les bruits qui circulent, un régime à base d'œufs frais, agrémenté de temps à autre d'un vieux coq dur comme du bois, sera d'ici peu assez enviable dans cette ville.

Nous atteignîmes l'hôtel.

– A propos, ajoutai-je une fois dans le hall, saviez-vous que miss Beddingfeld est bel et bien vivante ?

Il hocha la tête.

– Elle nous aura fait une belle peur, lançai-je. Mais où diable a-t-elle bien pu aller cette nuit-là, c'est ce que j'aimerais savoir.

– Durant tout ce temps, elle est restée sur l'île.

– Quelle île ? Pas celle où se trouve ce jeune homme ?

– Si.

– Quelle inconvenance ! Pagett en sera très choqué. Il n'a jamais apprécié Anne Beddingfeld. Je suppose qu'il s'agissait du garçon qu'elle comptait retrouver à Durban ?

– Je ne le crois pas.

– Surtout, ne me dites rien de plus que ce que vous souhaitez me dire, hasardai-je, histoire de le pousser à parler.

– J'imagine qu'il s'agit du jeune homme sur lequel nous serions tous ravis de mettre la main.

– Pas possible ! m'écriai-je, tout excité.

– Harry Rayburn, alias Harry Lucas, qui est son vrai nom. Une fois de plus, il nous a échappé. Mais nous n'allons plus tarder à lui passer la corde autour du cou.

– Seigneur Dieu ! soufflai-je, abasourdi.

– La fille n'est pas soupçonnée de complicité, en tout cas. En ce qui la concerne... c'est tout simplement une histoire d'amour.

J'avais toujours soupçonné Race d'être amoureux d'Anne et la façon dont il prononça cette dernière phrase confirma mes soupçons.

– Elle est partie pour Beira, s'empressa-t-il d'ajouter.

– Tiens donc ! dis-je en le fixant. Et comment le savez-vous ?

– Elle m'a écrit de Bulawayo qu'elle comptait y embarquer pour rentrer en Angleterre. C'est le mieux qu'elle puisse faire, la pauvre gosse.

– Je ne sais pas pourquoi, mais je ne l'imagine pas du tout à Beira, fis-je d'un ton pensif.

– Elle se mettait en route quand elle m'a écrit.

J'étais perplexe. De toute évidence, quelqu'un mentait. Sans prendre le temps de songer qu'Anne pourrait avoir d'excellentes raisons de dissimuler la vérité à Race, je me suis offert le plaisir de lui river son clou. Il est toujours tellement sûr de lui ! Tirant le télégramme de ma poche, je le lui ai tendu.

– Alors comment expliquez-vous ceci ?

Il a paru abasourdi.

– Elle disait pourtant qu'elle partait pour Beira, fit-il d'une voix blanche.

Je sais que Race passe pour un homme futé. A mon avis, il serait plutôt du genre stupide. Il ne paraît pas se douter que les jeunes filles ne disent pas toujours la vérité.

– Et à Kimberley, par-dessus le marché ! Que peuvent-elles bien y faire ? a-t-il marmonné.

– Oui, cela m'a étonné. J'aurais plutôt cru que miss Anne tiendrait à venir sur le théâtre des événements, dans l'espoir d'amasser de la copie pour le *Daily Budget*.

– Kimberley, a-t-il répété, apparemment bouleversé. Mais il n'y a rien à voir là-bas. Les mines n'y sont même plus exploitées !

– Vous connaissez les femmes.

Il secoua la tête et s'éloigna. De toute évidence, je venais de lui fournir matière à réflexion.

Il n'avait pas plus tôt tourné les talons que le représentant du gouvernement a réapparu.

– J'espère que vous me pardonnerez de vous déranger à nouveau, sir Eustache, m'a-t-il dit en manière d'excuse. Mais j'aimerais vous poser une ou deux questions.

– Mais volontiers, mon cher. Faites donc, dis-je de fort bonne humeur.

– C'est au sujet de votre secrétaire...

– Je ne sais rien de ce garçon, me suis-je empressé de déclarer. Il s'est imposé à moi à Londres, m'a dérobé divers documents importants — ce qui risque de me valoir des ennuis — et a disparu au Cap. Il est exact que je me trouvais aux Chutes en même temps que lui, mais moi, j'étais à l'hôtel, et lui, sur une île. Et je peux vous assurer que, durant tout le temps de mon séjour, je ne l'ai pas vu.

Sur ce, je m'interrompis pour reprendre haleine.

– Vous m'avez mal compris. Je parlais de votre autre secrétaire.

– Qui ? Pagett ? me suis-je écrié, proprement ébahi.

Il travaille pour moi depuis huit ans... c'est un homme de confiance.

Mon interlocuteur souriait :

– Décidément, vous n'y êtes pas. Je faisais allusion à la demoiselle.

– Miss Pettigrew ?

– Effectivement. On l'a vue ressortir de la boutique de curiosités d'Agrasato.

– Bon sang ! l'interrompis-je. Mais j'y suis passé moi-même, pas plus tard que cet après-midi. Vous auriez aussi bien pu *me* voir en ressortir.

Il semble qu'on ne puisse rien faire à Johannesburg sans être aussitôt suspecté des pires intentions !

– Oh ! Mais elle y a été vue plus d'une fois, et dans des circonstances plutôt louches. En confidence, je peux bien vous le confier, sir Eustache : cette boutique pourrait servir de repaire à l'organisation secrète qui a fomenté ce soulèvement. C'est pourquoi je serais ravi d'apprendre tout ce que vous pourrez me dire sur le compte de cette demoiselle. Dans quelles circonstances l'avez-vous engagée ?

– Ses services m'ont été recommandés par votre propre gouvernement, lui ai-je déclaré froidement.

Il en est resté pétrifié.

30

Suite des aventures d'Anne

Sitôt arrivée à Kimberley, j'ai télégraphié à Suzanne. Elle est venue me rejoindre en toute hâte, en se faisant précéder de divers télégrammes. Moi qui croyais avoir bénéficié d'un simple engouement, je fus ravie de découvrir qu'elle s'était vraiment attachée à moi. En me retrouvant, elle se jeta à mon cou, et versa même quelques larmes.

Quand nous fûmes remises de nos émotions, je m'assis sur le lit et lui contai toute mon histoire de A à Z.

– Vous aviez toujours soupçonné le colonel Race, me dit-elle pensivement, quand j'en eus terminé. Moi pas, jusqu'à la nuit de votre disparition. Jusque-là, j'avais tant d'affection pour lui, et je vous voyais déjà mariés ensemble. Oh ! Anne, ma chérie, ne m'en veuillez pas... Mais enfin, comment pouvez-vous être sûre que ce garçon vous dit la vérité ? Pour vous, tout ce qu'il raconte est parole d'Evangile ?

– Bien sûr que oui ! m'exclamai-je, indignée.

– Mais qu'est-ce que vous lui trouvez donc de si attirant ? Je ne vois vraiment pas... à part, évidemment, son physique d'aventurier casse-cou et ses charmes de fils du Cheik mitigé d'homme de Cro-Magnon.

Je sermonnai vertement Suzanne.

– Tout ça, c'est parce que vous êtes confortablement

installée dans le mariage et que vous vous empâtez ! Vous avez oublié que l'amour existe en ce monde !

– Si vous croyez que je m'empâte, Anne. Je me suis fait tant de mauvais sang pour vous que je dois être maigre comme un clou.

– Vous m'avez l'air en pleine forme, lui rétorquai-je. A vue de nez, vous avez pris trois kilos.

– Et je ne crois pas non plus être confortablement installée dans le mariage, reprit Suzanne, sur un ton mélancolique. Clarence n'a pas cessé de me bombarder de télégrammes m'enjoignant de revenir illico... J'ai fini par ne plus y répondre, et il y a quinze jours que je n'ai pas eu de ses nouvelles.

Je crains de ne pas avoir pris au sérieux les difficultés conjugales de Suzanne. Sitôt qu'elle le désirera, elle fera de Clarence ce qu'elle voudra. J'amenai la conversation sur les diamants.

Suzanne fit une drôle de tête :

– Il faut que je vous explique, Anne. Voyez-vous, sitôt que je me suis mise à soupçonner le colonel Race, je me suis tracassée pour ces diamants. Comme je voulais rester aux Chutes, pour le cas où il vous retiendrait prisonnière dans les environs, je ne savais plus qu'en faire. J'avais peur de les garder avec moi...

Suzanne jeta autour d'elle un regard inquiet, comme si elle redoutait que les murs aient des oreilles. Puis elle me chuchota quelque chose.

– C'était une excellente idée, approuvai-je. Sur le moment, du moins. Mais maintenant, ça devient un peu contrariant. Qu'est-ce qu'a fait sir Eustache de ces caisses ?

– Il a fait expédier les plus grosses au Cap ; c'est ce que m'a appris Pagett en me faisant parvenir un récépissé avant que je ne reparte des Chutes. Quant à Pagett lui-même, il devrait quitter le Cap aujourd'hui pour aller rejoindre sir Eustache à Johannesburg.

– Et les plus petites, où sont-elles ?

– J'imagine que sir Eustache les aura emmenées avec lui.

Je retournai l'information dans ma tête.

– Enfin, convins-je, c'est ennuyeux... mais c'est sans doute prudent. Autant nous abstenir d'agir pour l'instant.

Suzanne me regarda, un petit sourire aux lèvres.

– Vous n'aimez pas beaucoup vous abstenir d'agir, pas vrai, Anne ?

– Pas beaucoup, convins-je.

En tout cas, je pouvais faire une chose : trouver l'indicateur des chemins de fer et vérifier à quelle heure le train de Pagett passerait à Kimberley. Je découvris qu'il arriverait le lendemain après-midi, vers 17 h 40, pour repartir à 18 heures. Je voulais le voir aussi vite que possible. Autant saisir cette occasion car, avec la détérioration du climat dans le Rand, je n'en aurais peut-être pas d'autre de sitôt.

Un seul fait vint éclairer cette journée, à savoir un télégramme apparemment anodin, en provenance de Johannesburg.

Arrivé sans anicroches. Tout va bien. Eric ici. Eustache aussi, mais pas Guy. Restez où vous êtes pour l'instant. Andy.

Eric était le nom de code que nous avions attribué à Race. Je l'avais choisi, car c'est un prénom que je déteste. Je ne pouvais plus rien faire, jusqu'à l'arrivée de Pagett. Suzanne employa son temps à envoyer un interminable télégramme destiné à rassurer son cher Clarence. Elle se révèle de plus en plus sentimentale. A sa façon, elle adore Clarence, même si ce n'est pas ainsi que nous nous aimons, Harry et moi.

– J'aimerais tant qu'il soit là, Anne, me confia-t-elle. Il y a si longtemps que je ne l'ai pas vu.

– Mettez-vous donc un peu de crème sur la figure, fis-je, pour lui changer les idées.

Elle en mit un peu au bout de son joli petit nez.

– Je serai bientôt à court, et il n'y a qu'à Paris que je peux en trouver. Ah, Paris ! soupira-t-elle.

– Suzanne, dis-je, sous peu, vous en aurez assez de l'Afrique et des aventures.

– J'achèterais bien un joli petit chapeau, admit-elle. Pourrai-je venir avec vous demain pour voir Guy Pagett ?

– Je préfère y aller seule. Il sera trop intimidé pour parler devant nous deux.

C'est ainsi que, le lendemain après-midi, je me retrouvai devant l'hôtel, me débattant avec une ombrelle qui refusait de s'ouvrir, tandis que Suzanne gardait la chambre, avec un livre et une corbeille de fruits.

Aux dires du portier, le train devait arriver peu ou prou à l'heure prévue, même s'il semblait peu vraisemblable qu'il pût poursuivre sur Johannesburg. En effet, le portier m'assura d'une voix grave que la ligne venait de sauter. Dans le genre bonne nouvelle !

Le train entra en gare avec dix minutes de retard. Les voyageurs envahirent le quai, qu'ils se mirent à arpenter fiévreusement. Je repérai Pagett sans difficulté, et m'empressai d'aller l'accoster. Comme toujours, il sursauta en me voyant — et encore plus ostensiblement que d'ordinaire.

– Seigneur ! Miss Beddingfeld ! Je vous croyais disparue !

– Eh bien, j'ai fait ma réapparition, lui déclarai-je. Comment allez-vous, Mr Pagett ?

– Fort bien, je vous remercie... J'attends impatiemment de pouvoir me remettre au travail avec sir Eustache.

– Mr Pagett, lui dis-je, il y a une chose que je désire vous demander. J'espère que ma question ne vous offensera pas. Mais énormément de choses — et bien plus que vous ne pouvez l'imaginer — en dépendent. Je désire savoir ce que vous faisiez à Marlow le 8 janvier dernier.

Il sursauta de plus belle :

– Vraiment, miss Beddingfeld... Je... Vraiment...

– Vous vous trouviez à Marlow, n'est-ce pas ?

– Je... Effectivement, pour des raisons personnelles, je me trouvais dans ces parages.

– Ne voulez-vous pas me confier vos raisons ?

– Sir Eustache ne vous les a pas déjà apprises ?

– Sir Eustache ? Il est au courant ?

– J'en suis presque sûr. J'espère qu'il ne m'a pas reconnu, mais certaines allusions et remarques qu'il a laissées tomber m'ont donné la triste certitude du contraire. Quoi qu'il en soit, je compte bien décharger ma conscience à cet égard en lui présentant ma démission. C'est un homme étrange, miss Beddingfeld, doué d'un sens de l'humour bizarre. Il semble s'amuser à me laisser sur des charbons ardents. Et pourtant, je croirais volontiers qu'il sait tout, depuis le début. Et peut-être même depuis des années.

J'espérais pouvoir tôt ou tard comprendre de quoi parlait Pagett, qui poursuivit :

– Certes, un homme jouissant de la situation de sir Eustache ne saurait se mettre à ma place. J'ai eu tort, j'en conviens, mais la tromperie ne semblait pas bien grave. De son côté, il aurait pu aborder franchement les choses, plutôt que de m'accabler d'allusions incessantes.

Sur un coup de sifflet, les voyageurs commencèrent à regagner leurs compartiments.

– Effectivement, Mr Pagett, intervins-je, je partage votre opinion, concernant sir Eustache. *Mais pourquoi êtes-vous allé à Marlow ?*

– J'ai eu tort, certes, mais c'était bien naturel, vu les circonstances... oui, bien naturel, tout de même, vu les circonstances.

– Mais quelles circonstances ? m'écriai-je, excédée.

Pour la première fois, Pagett parut s'apercevoir que je lui posais une question. Et sa pensée se détacha des travers de sir Eustache et de ses propres justifications pour se reporter sur moi.

– Je vous demande pardon, miss Beddingfeld, me

dit-il avec raideur, mais je ne vois pas en quoi tout ceci vous concerne.

Il venait de remonter dans le train, et me parlait maintenant penché à la portière. Désespérée, je me demandais que faire avec un homme pareil.

– Bien sûr, si vous avez lieu d'en avoir honte… lançai-je avec mépris.

Je venais de trouver son point faible. Pagett se raidit et piqua un fard.

– Honte ? Je ne vous comprends pas.

– Alors dites-moi tout !

En trois phrases, il m'eut tout dit. Et je sus enfin quel était le secret de Pagett ! Rien de ce que j'avais pu imaginer.

Je revins à pas lents à mon hôtel, où m'attendait un télégramme. Je le déchirai vivement. Il renfermait des instructions précises et détaillées : je devais me rendre à Johannesburg, ou plus exactement à la gare précédente, où je trouverais une voiture. Ce télégramme était signé Harry et non pas Andy.

Je me carrai dans un fauteuil et m'abîmai dans de profondes réflexions.

Extraits du journal intime
de sir Eustache Pedler

Johannesburg, le 7 mars

Pagett vient d'arriver. Bien entendu, il a une peur bleue, et m'a aussitôt suggéré de rallier Pretoria. Mais quand je lui ai annoncé avec douceur et fermeté que nous allions rester ici même, il a viré de bord. Que n'avait-il apporté des armes dans ses bagages, lui qui avait défendu à lui seul, durant la Grande Guerre, un pont... Un vague pont de chemin de fer perdu en pleine campagne, sans doute...

J'ai abrégé ses confidences en le priant de déballer la machine à écrire. J'espérais que, comme d'ordinaire, elle serait détraquée et que je pourrais ainsi envoyer Pagett la faire réparer, ce qui m'aurait débarrassé de lui. Mais c'était compter sans ses ressources.

– J'ai déjà déballé toutes les caisses, sir Eustache. La machine est en parfait état.

– Que voulez-vous dire par « toutes les caisses » ?

– Les deux petites caisses également.

– Quel zèle excessif, Pagett ! Vous n'aviez pas à toucher à ces deux petites caisses, qui appartiennent à Mrs Blair.

Pagett a paru contrarié. Il a horreur de commettre un impair.

– Vous allez donc les remballer proprement. Après quoi, vous pourrez sortir faire un tour en ville. Mettez cette occasion à profit, car demain, Johannesburg ne sera peut-être plus qu'un monceau de ruines.

J'espérais être débarrassé de sa présence pour toute la matinée au moins.

– Il y a une chose dont j'aimerais vous entretenir, quand vous en aurez le temps, sir Eustache.

– Pas maintenant, me suis-je empressé de lui répondre. Pour l'instant, je n'ai pas une minute de libre. A propos, lui ai-je lancé comme il se retirait, que contenaient donc les caisses de Mrs Blair ?

– Des peaux de bêtes, et deux espèces de bonnets de... de fourrure, si je ne me trompe pas.

– Ah oui ! Elle les a achetés en cours de route. Ce sont bel et bien des bonnets — enfin, si on veut — et je ne suis guère surpris que vous ayez du mal à les identifier. Je crois bien qu'elle compte en arborer un aux courses d'Ascott. Et à part cela ?

– Des rouleaux de pellicule, et des papiers, en quantité industrielle...

– Ça ne m'étonne pas, affirmai-je. Mrs Blair est le genre de femme qui achète toujours par douzaine.

– Je crois que c'était tout, sir Eustache, à l'exception de quelques bricoles, écharpe, gants, etc.

– Si vous n'étiez pas si obtus, Pagett, vous vous seriez aperçu aussitôt que ces affaires ne pouvaient être les miennes.

– J'ai cru qu'elles pouvaient appartenir à miss Pettigrew.

– A propos... Qu'est-ce qui vous a pris d'aller me dénicher une secrétaire aussi louche ?

Sur ce, je lui ai rapporté le contre-interrogatoire qu'elle m'avait valu. Je l'ai aussitôt regretté lorsque j'ai vu s'allumer dans son œil une lueur qui m'est familière. Je me suis empressé de changer de sujet, mais il était déjà trop tard. Pagett était sur le sentier de la guerre.

Il s'est lancé dans une histoire interminable et totalement dépourvue d'intérêt, qui se serait déroulée à bord du *Kilmorden*. Il s'agissait d'un rouleau de pellicule et d'un pari. Un rouleau de pellicule aurait été jeté en pleine nuit à travers le hublot d'une cabine, par un steward qui aurait pu faire preuve de plus de discernement ! J'exècre les plaisanteries d'un goût douteux. Je l'ai dit à Pagett, qui du coup m'a de nouveau raconté toute l'histoire. Et comme il raconte fort mal, j'ai mis un temps fou à comprendre de quoi il retournait en l'occurrence.

Je n'ai pas vu Pagett avant le déjeuner du lendemain, où il est arrivé tout bouillant d'excitation, tel un chien de meute flairant une bonne piste. J'ai horreur de ce genre de chien. J'ai fini par comprendre qu'il aurait vu Rayburn.

– Quoi ? m'écriai-je stupéfait.

Effectivement, il aurait vu un passant ressemblant fort à Rayburn traverser la rue, et lui aurait emboîté le pas.

– Et à qui croyez-vous que je l'ai vu parler ? A miss Pettigrew !

– Quoi ?

– Mais oui, sir Eustache. Et ce n'est pas tout. Je me suis renseigné sur elle...

– Un instant. Qu'est devenu Rayburn ?

– Miss Pettigrew et lui sont entrés dans cette fameuse boutique de curiosités...

Là, je n'ai pu réprimer un cri. Du coup, Pagett s'est tu.

– Ce n'est rien, ai-je dit. Continuez.

– J'ai attendu dehors pendant une éternité, mais ils ne sont pas ressortis. Alors, j'ai fini par y entrer moi-même. Sir Eustache, la boutique en question était déserte ! Sans doute a-t-elle une autre issue.

Je le regardais fixement.

– Comme je vous le disais, je suis alors revenu à l'hôtel, afin de me renseigner sur miss Pettigrew.

Là, Pagett a baissé le ton et s'est mis à souffler comme un phoque, ainsi qu'à chaque fois qu'il me fait des confidences.

– Sir Eustache, m'a-t-il soufflé, la nuit dernière, un homme a été vu sortant de sa chambre.

– Et moi qui croyais cette demoiselle si respectable ! me suis-je exclamé.

Mais, négligeant ma remarque, Pagett a poursuivi :

– Je suis monté dans sa chambre, et je l'ai fouillée. Et que croyez-vous que j'y ai découvert ?

J'ai secoué la tête pour lui signifier que je n'en avais pas la moindre idée.

– Ceci !

Et sur ce mot, Pagett m'a tendu un rasoir et du savon à barbe.

– Qu'est-ce qu'une femme, selon vous, peut bien faire avec ça ?

Je ne pense pas que Pagett lise les publicités des magazines féminins. Moi si. Et tout en me refusant à discuter avec lui de cette question, je répugnais à voir dans la seule présence de ce rasoir une preuve irréfutable du sexe de miss Pettigrew. Pagett est si désespérément vieux jeu ! Je n'aurais pas été surpris qu'il exhibe un porte-cigarettes à l'appui de sa théorie. Cependant, même Pagett a ses limites.

– Vous n'êtes pas convaincu, sir Eustache ? Eh bien, que direz-vous de ceci ?

J'examinai l'objet qu'il brandissait triomphalement.

– Cela m'a tout l'air de cheveux, remarquai-je non sans dégoût.

– Ce sont des cheveux ! Et je crois même que c'est ce que l'on appelle un postiche.

– Tiens donc ! fis-je.

– Eh bien, à présent, êtes-vous convaincu que cette demoiselle Pettigrew est un homme ?

– Ma foi, mon cher Pagett, je crois bien que oui. J'aurais d'ailleurs dû m'en douter, rien qu'à voir ses pieds.

– Alors, tout est dit là-dessus. Et maintenant, sir Eustache, je désirerais vous entretenir de mes affaires personnelles. Si j'en juge d'après vos perpétuelles allusions à mon voyage en Italie, vous m'avez déjà démasqué.

Pagett s'apprêtait enfin à me dévoiler le mystère de son séjour à Florence !

– Mon cher, vous pouvez tout me dire, fis-je sur un ton bienveillant. C'est bien préférable.

– Merci, sir Eustache.

– C'est le mari ? Quels raseurs, ces maris ! Toujours là quand on ne les attend pas.

– Je ne vous suis pas, sir Eustache. Le mari de qui ?

– Mais le mari de la dame !

– Quelle dame ?

– Enfin bon sang, Pagett ! La dame que vous avez retrouvée à Florence ! Car c'était forcément une dame. Ne me dites pas que vous vous êtes contenté de dévaliser une église ou de trucider un Italien dont la tête ne vous revenait pas.

– J'ai de la peine à vous comprendre, sir Eustache. Vous plaisantez, sans doute ?

– Je sais me montrer drôle à l'occasion, pour peu que je m'en donne la peine, mais je vous assure que, pour l'heure, je ne plaisante nullement.

– J'espérais qu'à la distance où je me trouvais, vous ne m'auriez pas reconnu, sir Eustache.

– Mais reconnu où ?

– A Marlow, sir Eustache.

– A Marlow ? Mais que diable faisiez-vous à Marlow ?

– Je croyais que vous aviez compris que…

– Plus vous parlez et moins je comprends. Reprenez donc votre histoire depuis le début : vous êtes allé à Florence et…

– Ainsi, vous ne saviez donc pas… et vous ne m'aviez pas reconnu !

– Pour autant que je puisse en juger, vous venez de vous trahir inutilement, par excès de scrupules ! Mais je serais mieux à même d'en juger quand j'aurai entendu toute l'histoire. Respirez un bon coup et reprenez tout depuis le début : vous êtes allé à Florence et…

– Mais justement : je ne suis pas allé à Florence !

– Eh bien, où êtes-vous allé, en ce cas ?

– Je suis rentré chez moi… à Marlow.

– Et pourquoi diable vouliez-vous aller à Marlow ?

– Je voulais voir ma femme, qui est de santé délicate et qui attendait justement...

– Votre femme ? Mais je ne vous savais pas marié !

– Effectivement, sir Eustache, et c'est pourquoi je vous l'apprends aujourd'hui. Je vous ai trompé à cet égard.

– Depuis quand êtes-vous marié ?

– Plus de huit ans. J'étais marié depuis six mois quand je suis devenu votre secrétaire. Mais comme je tenais à cette situation et qu'un secrétaire à demeure est censé être célibataire, j'ai préféré garder mon mariage secret.

– J'en ai le souffle coupé. Mais où était donc votre femme pendant toutes ces années ?

– Dans un petit pavillon au bord de la rivière, tout près du Moulin, à Marlow.

– Seigneur ! balbutiai-je. Et vous avez des enfants ?

– Quatre, sir Eustache.

Je considérai Pagett avec stupeur. Depuis tout ce temps, j'aurais dû me douter qu'un homme comme Pagett ne pouvait dissimuler de secret inavouable. Sa respectabilité m'avait toujours empoisonné l'existence. Voilà bien le genre de secret que pouvait avoir Pagett : une femme et quatre marmots.

– Auriez-vous confié ce secret à quelqu'un d'autre ? ai-je fini par lui demander, après l'avoir dévisagé avec un sentiment proche de la fascination.

– Seulement à miss Beddingfeld, qui se trouvait à la gare de Kimberley.

Sous mon regard, Pagett commençait à se sentir mal à l'aise.

– J'espère, sir Eustache, que vous n'êtes pas sérieusement contrarié ?

– Mon brave, ai-je répondu, laissez-moi vous dire que vous avez tout fichu par terre.

Et là-dessus je sortis, passablement irrité.

Comme je passais devant la fameuse boutique de curiosités, je ne pus résister à l'envie d'y entrer. Le patron vint m'accueillir avec une certaine obséquiosité, en se frottant les mains.

– Que désirez-vous voir ? Des fourrures ? Des objets insolites ?

– Je désirerais quelque chose qui sorte de l'ordinaire, dis-je, pour une occasion particulière. Voulez-vous me montrer ce que vous avez ?

– Voulez-vous passer dans l'arrière-boutique ? J'ai quelques articles qui vous intéresseront sûrement.

C'est là que j'ai commis une gaffe. Et dire que je me croyais futé. J'ai franchi avec lui les portes battantes.

32

Suite des aventures d'Anne

Suzanne m'a donné bien du fil à retordre. Elle a discuté, supplié, pleuré même pour m'empêcher de suivre mon plan. Mais j'ai fini par l'emporter. Elle a promis d'exécuter mes instructions à la lettre et m'a accompagnée jusqu'à la gare.

Le lendemain matin de bonne heure, j'arrivais à destination. Un petit Hollandais à la barbe noire, que je n'avais encore jamais vu, m'attendait avec une voiture. Comme j'entendais de bizarres explosions dans le lointain, je lui demandai ce que c'était. « Des fusils », me répondit-il laconiquement. On se battait dans Johannesburg !

Je crus comprendre que notre objectif se trouvait dans les faubourgs de la ville. Nous faisions des tours et des détours, et les détonations se rapprochaient à chaque instant. C'était très excitant. Nous avons fini par nous arrêter devant un immeuble délabré. Un boy kafir nous ouvrit la porte. Mon guide me fit signe d'entrer. J'hésitai, plantée dans le vestibule crasseux. L'homme me précéda et m'ouvrit une autre porte.

– La jeune dame qui veut voir Mr Harry Rayburn, annonça-t-il en riant.

J'entrai. La pièce était chichement meublée et empestait le tabac bon marché. Un homme écrivait derrière un bureau. Il leva les yeux et haussa les sourcils.

– Tiens, tiens ! s'écria-t-il. Ne serait-ce pas miss Beddingfeld ?

– Je dois voir double, dis-je. Est-ce Mr Chichester ou miss Pettigrew ? Vous ressemblez extraordinairement aux deux.

– Les deux sont en disponibilité, pour le moment. J'ai quitté mes jupons — et ma tenue de clergyman. Voulez-vous vous asseoir ?

J'acceptai tranquillement un siège.

– Il semblerait, dis-je, que je me sois trompée d'adresse.

– De votre point de vue, je crains que oui. Vraiment, miss Beddingfeld, tomber une seconde fois dans le piège !

– Ce n'est pas très malin de ma part, reconnus-je humblement.

Mon attitude parut l'intriguer :

– Vous ne me paraissez pas très inquiète, fit-il remarquer sèchement.

– Si je donnais dans le mélodrame, cela vous impressionnerait ? lui demandai-je.

– Sûrement pas.

– Ma grand-tante Jane avait coutume de dire qu'une vraie dame n'est jamais ni démontée ni surprise, quoi qu'il arrive, murmurai-je d'un ton rêveur. Je m'efforce de vivre selon ses préceptes.

L'opinion de Mr Chichester-Pettigrew était si clairement écrite sur son visage que je m'empressai de poursuivre.

– Vous avez l'art de vous déguiser, lui accordai-je généreusement. Je ne vous ai pas reconnu en miss Pettigrew — pas même quand, de saisissement, vous avez cassé votre crayon, en me voyant monter dans le train, en gare au Cap.

Il tapa sur son bureau avec le crayon qu'il tenait maintenant à la main.

– Tout cela est très bien, mais il serait temps de passer aux affaires sérieuses. Vous devinez peut-être pourquoi, miss Beddingfeld, nous avions besoin de votre présence ici ?

– Vous m'excuserez, mais je ne traite jamais avec les subalternes.

J'avais lu cette phrase, ou quelque chose d'approchant, dans un prospectus de prêt à intérêt, et j'en étais plutôt contente. Elle produisit un effet remarquable sur Mr Chichester-Pettigrew. Il ouvrit la bouche et la referma aussitôt. Je lui décochai mon plus beau sourire.

– Une maxime de mon grand-oncle George, ajoutai-je... Le mari de ma grand-tante Jane, celle que vous savez. Il fabriquait des boules pour les lits de cuivre.

On ne s'était sans doute encore jamais moqué de Mr Chichester-Pettigrew. Cela ne lui plut pas du tout.

– Vous feriez mieux de changer de ton, ma petite demoiselle.

Je ne répondis pas, je bâillai — le genre de délicat petit bâillement qui dissimule un horrible ennui...

– Bon sang ! commença-t-il. Vous...

Je l'interrompis.

– Je puis vous assurer qu'il est inutile de crier. Nous ne faisons que perdre notre temps. Je n'ai pas l'intention de discuter avec un subalterne. Vous gagnerez du temps et vous éviterez bien des ennuis en m'emmenant directement à sir Eustache Pedler.

– A...

Il semblait abasourdi.

– Oui, dis-je. A sir Eustache Pedler.

– Je... Je... Excusez-moi...

Il bondit dehors comme un lapin. J'en profitai pour ouvrir mon sac et me repoudrer le nez. Je rectifiai aussi l'inclinaison de mon chapeau. Puis je m'armai de patience pour attendre le retour de mon ennemi.

Il revint, d'humeur plus calme.

– Si vous voulez bien me suivre, miss Beddingfeld ?

Je le suivis jusqu'au haut de l'escalier. Il frappa à une porte ; un vif « Entrez ! » nous parvint de l'intérieur. Il ouvrit la porte et me fit signe de passer.

Sir Eustache Pedler sauta sur ses pieds pour m'accueillir, aimable et souriant.

– Eh bien, miss Anne ! fit-il en me serrant chaleureusement la main. Je suis enchanté de vous voir ! Venez, asseyez-vous. Pas trop fatiguée du voyage ? Parfait !

Toujours souriant, il s'assit en face de moi. Il était si parfaitement naturel que j'en fus décontenancée.

– Vous avez eu raison d'insister pour avoir affaire directement à moi, poursuivit-il. Minks est un imbécile — un remarquable acteur, mais un imbécile. C'est Minks que vous avez vu au rez-de-chaussée.

– Ah bon ? dis-je, d'une voix éteinte.

– Et maintenant, venons-en aux faits, déclara sir Eustache avec entrain. Depuis quand savez-vous que je suis le « Colonel » ?

– Depuis que Mr Pagett m'a dit qu'il vous a vu à Marlow, alors qu'on vous croyait à Cannes.

Sir Eustache hocha la tête avec regret.

– Oui, j'ai dit à cet imbécile qu'il avait tout fichu par terre. Il n'a pas compris, bien sûr. Tout ce qui le préoccupait, c'était de savoir si je l'avais reconnu, lui. Pas un instant, il ne s'était demandé ce que, moi, je faisais là. Ce n'est vraiment pas de chance ! Tout était si bien organisé ! Je l'avais expédié à Florence et j'avais annoncé à mon hôtel que j'allais passer un jour ou deux à Nice. Lorsque le meurtre a été découvert, j'étais déjà de retour à Cannes, et personne ne pouvait imaginer que j'avais quitté la Riviera.

Il parlait avec un naturel parfait, sans la moindre affectation. Je dus me pincer pour me convaincre que tout cela était bien réel, que l'homme qui se trouvait devant moi était bel et bien le redoutable malfaiteur surnommé le « Colonel ». Je repassai en esprit les événements.

– Alors, c'est vous qui avez tenté de me faire passer par-dessus bord sur le *Kilmorden* ? dis-je lentement. C'est vous que Pagett avait suivi sur le pont cette nuit-là ?

Il haussa les épaules.

– Je vous en demande vraiment pardon, ma chère enfant. J'ai toujours eu beaucoup de sympathie pour vous, mais vous étiez si encombrante ! Je n'allais tout de même pas laisser une gamine réduire tous mes plans à néant !

– Je crois que le plan que vous avez adopté aux Chutes était le plus intelligent, dis-je, en m'efforçant de considérer les événements avec détachement. J'aurais été prête à jurer que vous étiez à l'hôtel quand je suis sortie ! On dit généralement que voir, c'est croire. Mais parfois, il suffit de croire pour voir !

– Oui, le rôle de miss Pettigrew est un des plus grands succès de Minks. Mais, par ailleurs, il imite ma voix à la perfection.

– Il y a une chose que j'aimerais savoir.

– Quoi donc ?

– Comment avez-vous pu inciter Pagett à l'embaucher ?

– Oh ! c'est tout simple. Elle a attendu Pagett à l'entrée de la Bourse du travail ou de la chambre des

Mines, enfin là où il est allé ; elle lui a raconté que j'avais téléphoné de façon urgente et qu'elle avait été sélectionnée par le service en question. Pagett a tout avalé, le pauvre agneau.

– Vous faites preuve de beaucoup de franchise, dis-je en l'observant.

– Je n'ai aucune raison de ne pas être franc.

Cela ne me plut pas. Je m'empressai de l'interpréter à ma manière.

– Vous avez brûlé vos vaisseaux. Vous croyez donc au succès de la révolution ?

– Pour une aussi intelligente jeune femme, cette remarque l'est bien peu. Non, ma chère enfant, je ne crois pas à la révolution. Je lui donne encore deux jours pour finir ignominieusement en eau de boudin.

– Elle ne fait pas partie de vos succès, alors ? dis-je méchamment.

– Comme toutes les femmes, vous ne comprenez rien aux affaires. Je m'étais engagé à fournir des armes et des explosifs — au prix fort —, à fomenter des troubles, et à compromettre à fond certaines personnes. J'ai rempli mon contrat avec succès. J'ai même pris un soin particulier à cette affaire, car c'est mon dernier contrat. J'ai l'intention de me retirer. Quant à brûler mes vaisseaux, comme vous dites, je ne vois pas ce que vous entendez par là. Je ne suis ni un chef rebelle, ni rien de ce genre. Je suis un distingué touriste britannique, qui a la malchance de s'aventurer dans une certaine boutique de curiosités, et de voir plus de choses qu'il n'aurait dû, si bien qu'il a été kidnappé. Demain, ou après-demain, selon les circonstances, on me retrouvera ligoté quelque part, dans un état pitoyable, affamé et terrorisé.

– Ah ! fis-je lentement. Et moi ?

– C'est la question, dit doucement sir Eustache. Et vous ? Je vous tiens — je ne voudrais pas remuer le couteau dans la plaie, mais je vous tiens bien. Tout le problème est là : que vais-je faire de vous ? La façon la plus simple, et ajouterais-je, la plus agréable pour moi, de me débarrasser de vous, serait encore de vous épouser. Comme vous le savez, une femme ne peut témoigner contre son époux, et j'aimerais bien avoir une jolie petite femme pour me tenir la main et me regarder avec des yeux humides — oh ! ne me foudroyez pas comme ça ! vous me faites peur. Je vois que mon projet ne vous séduit pas ?

– Pas du tout.

– Dommage ! soupira sir Eustache. Mais je ne suis pas le méchant Arnolphe. L'ennui habituel, je suppose ? Vous en aimez un autre, comme on dit dans les livres ?

– J'en aime un autre.

– Je m'en doutais — au début, j'ai cru que c'était ce grand dadais prétentieux de Race, mais je suppose que c'est le jeune héros qui vous a repêchée dans les Chutes, cette nuit-là ? Les femmes n'ont pas de goût. Aucun de ces deux-là ne possède la moitié de ma cervelle. On a trop tendance à me sous-estimer.

Je pense qu'il avait raison. J'avais beau savoir quel genre d'homme il était et devait être, je n'arrivais pas à m'en pénétrer. Il avait tenté à plus d'une reprise de me tuer, il avait effectivement tué une autre femme, il était coupable d'innombrables méfaits dont j'ignorais tout, et pourtant j'étais incapable de le juger sur ses actes. Je ne voyais en lui que notre drôle et sympathique compagnon de voyage. Je ne pouvais même pas avoir peur de lui, et pourtant je savais qu'il me tuerait de sang-froid si cela lui était nécessaire. Je ne peux guère le comparer qu'au *Long John Silver* de Stevenson. Ce devait être un homme du même genre.

– Ma foi, me déclara cet extraordinaire personnage en se renfonçant dans son fauteuil, je déplore que l'idée de devenir lady Pedler ne vous tente pas. Les autres solutions sont plutôt brutales.

Une sensation déplaisante me parcourut la colonne vertébrale. Bien sûr, je savais que j'avais pris un gros risque, mais il m'avait semblé que le jeu en valait la chandelle. Les choses allaient-elles tourner comme je l'avais prévu, oui ou non ?

– Mais là où le bât blesse, poursuivit sir Eustache, c'est que j'ai un faible pour vous. Je n'ai pas envie d'en venir aux extrêmes. Racontez-moi l'histoire depuis le début et nous verrons ce qu'il est possible de faire. Mais attention, pas de roman ! Je veux la vérité.

Je n'aurais pas commis cette erreur. J'avais trop de respect pour la perspicacité de sir Eustache. L'heure était venue de dire la vérité, toute la vérité et rien que la vérité. Je lui racontai toute l'histoire, sans rien omettre, jusqu'au moment où Harry était venu à ma rescousse. Quand j'eus terminé, il hocha la tête.

– Vous êtes une jeune personne avisée. Vous n'avez rien gardé pour vous. D'ailleurs, laissez-moi vous dire que si vous aviez tenté de le faire, je m'en serais vite aperçu. Bien des gens pourtant ne vous croiraient pas, ils douteraient surtout du début de votre histoire. Mais moi, je vous crois. Vous êtes bien le genre de fille à vous lancer comme ça — sur l'instant et avec le plus léger des prétextes. Vous avez eu une chance folle, bien sûr, mais tôt ou tard, l'amateur finit par se heurter au professionnel, et le résultat n'est que trop prévisible. Je suis le professionnel. J'ai commencé très jeune. Tout bien considéré, j'y voyais le moyen de faire fortune rapidement. J'ai toujours su concevoir et mettre au point des plans ingénieux, et je n'ai jamais commis l'erreur de vouloir les exécuter moi-même. Faire appel à des spécialistes, telle était ma devise. La seule fois où j'ai failli à cette règle, cela m'a valu bien des ennuis, mais je ne pouvais me fier à personne. Nadine en savait trop. Je suis plutôt facile à vivre, compréhensif et débonnaire... tant qu'on ne contrarie pas mes plans. Nadine est venue me contrarier et me menacer alors que j'accédais à l'apogée d'une brillante carrière. Nadine morte, et les diamants en ma possession, je n'avais plus rien à craindre. Je me dis à présent que j'ai gâché toute cette affaire. Cet imbécile de Pagett, avec sa femme et sa marmaille ! C'est ma faute, cela titillait mon sens de l'humour d'employer ce garçon à la tête d'empoisonneur du *Cinquecento* et à l'âme victorienne. Une règle pour vous, ma chère Anne : ne vous laissez jamais mener par votre sens de l'humour. Il y a des années que je sentais la nécessité de me débarrasser de Pagett, mais il était si zélé et si consciencieux que je ne trouvais honnêtement pas d'excuse pour le renvoyer. J'ai laissé aller les choses.

» Mais nous nous écartons de notre sujet : que faire de vous ? C'est la question. Votre récit était d'une admirable clarté, mais une chose m'échappe encore. Où se trouvent les diamants à présent ?

– C'est Harry Rayburn qui les a, répondis-je sans le quitter des yeux.

Il ne se départit pas de sa sardonique bonne humeur.

– Hum ! il me faut ces diamants.

– Je ne vois pas très bien comment, répliquai-je.

– Vraiment ? Moi, si. Je ne voudrais pas me montrer déplaisant, mais songez que, dans ces faubourgs, une jeune femme morte ou mourante n'étonnera personne. Il y a au rez-de-chaussée un homme qui accomplit très proprement ce genre de besognes. Comme vous êtes une jeune femme raisonnable, voici ce que je vous propose : vous allez vous asseoir et écrire à Harry Rayburn de venir vous retrouver avec les diamants et...

– Je ne ferai rien de pareil !

– N'interrompez pas vos aînés ! Je vous propose un marché : les diamants en échange de votre vie. Et ne vous méprenez pas là-dessus : votre vie est entre mes mains.

– Et Harry ?

– J'ai le cœur trop sensible pour séparer deux amoureux. Il pourra repartir libre lui aussi... à condition bien sûr qu'aucun de vous deux ne s'immisce dans mes affaires à l'avenir.

– Et qu'est-ce qui me garantit que vous tiendrez parole ?

– Mais rien, ma chère enfant ! Vous devez me faire confiance et espérer que tout se passera bien. Evidemment, si vous êtes d'humeur héroïque et si vous préférez l'anéantissement, c'est une autre histoire.

C'était ce que j'attendais. Je pris soin de ne pas mordre trop vite à l'hameçon. Je cédai peu à peu à ses menaces et à ses arguments et finis par écrire sous sa dictée :

Cher Harry,

J'entrevois une chance d'établir définitivement votre innocence. Suivez donc mes instructions à la lettre. Passez à la boutique de curiosités d'Agrasato. Demandez à voir quelque chose « sortant de l'ordinaire » pour une « occasion particulière ». L'homme vous priera alors de le « suivre dans l'arrière-boutique ». Suivez-le. Vous trouverez un messager qui vous mènera jusqu'à moi. Faites exactement ce qu'il vous dira. N'oubliez pas d'apporter les diamants. Pas un mot à qui que ce soit.

Sir Eustache marqua un temps.

– Je laisse à votre fantaisie la touche personnelle, déclara-t-il. Mais attention : pas d'erreur !

– « A vous pour toujours, Anne » devrait suffire, dis-je.

Je l'ajoutai. Sir Eustache prit la lettre et la relut.

– Cela me semble correct, dit-il. Et maintenant, l'adresse.

Je la lui donnai. C'était celle d'une petite boutique qui servait de boîte aux lettres contre rétribution. Il agita la sonnette posée sur la table. Chichester-Pettigrew, alias Minks, répondit à l'appel.

– Faites porter cette lettre immédiatement — par le chemin habituel.

– Bien, Colonel.

Minks regarda le nom qui figurait sur l'enveloppe. Sir Eustache l'observait attentivement.

– Un ami à vous, non ?

– A moi ? fit l'autre en sursautant.

– Vous avez eu hier une longue conversation avec lui hier à Johannesburg.

– J'ai effectivement été accosté par un homme qui m'a posé des questions sur vous et le colonel Race. Je lui ai donné de faux renseignements.

– Parfait, mon ami, parfait, fit sir Eustache sur un ton enjoué. Je me suis trompé.

Comme Chichester-Pettigrew quittait la pièce, je lui jetai un coup d'œil. Il était mortellement pâle, terrifié. Dès qu'il fut sorti, sir Eustache décrocha le téléphone intérieur.

– C'est vous, Schwart ? Surveillez Minks. Il ne doit pas quitter la maison sans ordres.

Il reposa le téléphone et fronça les sourcils en tambourinant du bout des doigts sur la table.

– Puis-je vous poser quelques questions, sir Eustache ? demandai-je après quelques instants de silence.

– Certainement. Quel sang-froid vous avez, Anne ! Vous êtes capable de vous intéresser à ce qui se passe, là où la plupart des femmes seraient en train de renifler et de se tordre les mains.

– Pourquoi avez-vous embauché Harry comme secrétaire au lieu de le livrer à la police ?

– Parce que je voulais ces maudits diamants ! Ce petit démon de Nadine jouait Harry contre moi. Elle me menaçait de les lui revendre si je ne lui en donnais pas le prix qu'elle voulait. C'est là que j'ai commis une autre faute. J'ai pensé qu'elle les aurait sur elle ce jour-là. Mais elle était bien trop maligne pour ça. Carton, son mari,

548

étant mort aussi, j'ignorais où les diamants pouvaient se trouver. Sur ces entrefaites, j'ai réussi à mettre la main sur la copie d'un télégramme envoyé à Nadine par quelqu'un qui se trouvait à bord du *Kilmorden*, soit Carton, soit Rayburn, j'ignorais lequel des deux. C'était un double du morceau de papier que vous aviez ramassé, « Dix-sept, un, vingt-deux ». J'ai pensé qu'il s'agissait d'un rendez-vous avec Rayburn, et quand j'ai vu qu'il tentait désespérément d'embarquer sur le *Kilmorden*, j'ai été convaincu d'avoir raison. C'est pourquoi j'ai fait mine de tomber dans le panneau et je l'ai laissé venir. Je l'ai surveillé de près dans l'espoir d'en apprendre davantage. Puis j'ai découvert que Minks essayait de faire cavalier seul et se mêlait de mes affaires. Je l'en ai rapidement dissuadé et il y a renoncé. J'ai été contrarié de ne pouvoir obtenir la cabine 17, et je n'arrivais pas à saisir le rôle que vous jouiez dans cette affaire. Etiez-vous ou non l'innocente jeune fille que vous paraissiez ? Cette nuit-là, quand Rayburn a voulu se rendre au rendez-vous fixé, j'ai ordonné à Minks de l'intercepter. Evidemment, Minks a raté son coup.

– Mais pourquoi ce télégramme portait-il « dix-sept » au lieu de « soixante et onze » ?

– J'ai réfléchi à ce problème. Carton a dû remettre son texte au télégraphiste pour qu'il le reporte sur une formule, et il n'a pas pris la peine de relire la copie. Le télégraphiste a dû faire la même erreur que nous, lire 17 1 22, au lieu de 1 71 22. Ce que j'ignore en revanche, c'est comment Minks est arrivé à s'intéresser à la cabine 17. Pur instinct, sans doute.

– Et le message au général Smuts ? Qui a pu le falsi-
fier ?

– Ma chère Anne ! Vous n'imaginez tout de même
pas que j'allais voir divulguer tous mes plans, sans rien
tenter pour les sauver. Avec un homme recherché pour
meurtre en guise de secrétaire, je n'ai pas hésité à substituer des feuilles vierges au document. Personne
n'aurait songé à soupçonner ce pauvre vieux Pedler.

– Et le colonel Race ?

– Cela a été un choc. Quand Pagett m'a appris qu'il
appartenait aux Services secrets, j'ai eu un frisson dans
le dos. Je me suis rappelé qu'il avait tourné autour de
Nadine, à Paris, pendant la guerre, et j'ai été pris de
l'horrible soupçon qu'il en avait après moi. Je n'aime pas
la façon dont il ne m'a plus quitté depuis. C'est un de
ces hommes forts et taciturnes dont on ne sait jamais ce
qu'ils vous réservent.

Le téléphone sonna. Sir Eustache décrocha, écouta et
dit :

– Très bien, je vais le voir. (Puis, s'adressant à moi :)
Les affaires, miss Anne ! Venez, je vais vous montrer
votre chambre.

Il me fit entrer dans un petit appartement. Un Kafir
m'apporta ma valise, et après m'avoir priée de réclamer
tout ce que je voulais, sir Eustache se retira, image
même de l'hôte courtois. Un broc d'eau chaude était
posé sur la cuvette et je me mis à déballer mes affaires.
Je sentis quelque chose de dur et d'inhabituel dans mon
sac de toilette, qui m'étonna. Je l'ouvris et y jetai un
coup d'œil.

A ma stupeur, j'en sortis un petit revolver à crosse de nacre. Il n'y était pas quand j'avais quitté Kimberley. Je l'examinai avec précaution. Il était chargé.

Le sentir dans ma main me réconforta. Cela pouvait être très utile dans une maison comme celle-là. Malheureusement, la mode n'a pas prévu le port des armes à feu. Je finis donc par le glisser avec précaution dans ma jarretière. Il faisait une énorme bosse sous ma jupe. Je craignais à tout moment que le coup ne parte et ne m'arrache le pied, mais je n'avais pas d'autre endroit où le mettre.

33

Sir Eustache ne me fit pas venir avant la fin de l'après-midi. On m'avait servi du thé vers 11 heures, ensuite un déjeuner substantiel, et je me sentais d'attaque pour un nouvel affrontement.

Sir Eustache était seul. Il marchait de long en large, agité et l'œil brillant. Il exultait visiblement. Son attitude envers moi s'était sensiblement modifiée.

– J'ai des nouvelles à vous apprendre. Votre amoureux est en chemin. Il sera là dans quelques minutes. Ne vous réjouissez pas trop vite, j'ai encore autre chose à vous dire. Vous avez tenté de me tromper, ce matin. Je vous avais prévenue que vous feriez bien de vous en tenir à la vérité et, jusqu'à un certain point, vous m'avez obéi. Mais après, vous êtes sortie du droit chemin. Vous avez essayé de me faire avaler que les diamants étaient en la possession de Harry Rayburn. Sur le moment, j'ai fait semblant de vous croire, car cela me simplifiait la tâche, celle qui consistait à attirer Harry Rayburn ici. Seulement, ma chère Anne, les diamants sont en ma possession depuis que j'ai quitté les Chutes — même si je ne l'ai découvert qu'hier.

– Vous le savez donc ! m'écriai-je.

– Cela vous intéressera peut-être d'apprendre que c'est Pagett qui m'a dévoilé le pot aux roses. Il a tenu absolument à m'ennuyer avec une histoire sans queue ni tête de pari et de rouleau de pellicule... Je n'ai pas mis longtemps à faire le rapprochement avec Mrs Blair, sa méfiance envers le colonel Race, son agitation, son insistance à me confier ses souvenirs. Par excès de zèle, ce brave Pagett avait d'ailleurs déjà déballé les caisses. Avant de quitter l'hôtel, j'ai simplement transféré tous les rouleaux de pellicule dans ma propre poche. Ils sont ici, dans le coin. Je n'ai pas encore eu le temps de les examiner, mais j'en ai remarqué un qui pèse plus lourd que les autres, qui fait entendre un cliquetis quand on l'agite et qui, de toute évidence, a été fermé avec de la Seccotine, ce qui m'obligera à employer un ouvre-boîte. Le cas est clair, non ? Vous voyez, je vous tiens tous les deux à présent... Dommage que vous n'ayez pas été tentée par l'idée de devenir lady Pedler...

Je le fixai sans mot dire.

Soudain, j'entendis des pas dans l'escalier, la porte s'ouvrit violemment et deux hommes traînèrent Harry

Rayburn dans la pièce. Sir Eustache me jeta un regard triomphant.

– Selon mes prévisions, déclara-t-il doucement. Vous les amateurs, vous essayez de jouer au plus fin avec des professionnels.

– Qu'est-ce que cela signifie ? s'écria Harry d'une voix rauque.

– Cela signifie que vous venez de pénétrer dans mon antichambre, dit l'araignée à la mouche, plaisanta sir Eustache. Décidément, mon cher Rayburn, vous jouez de malchance !

– Vous m'avez écrit que je ne risquais rien, Anne ?

– Ne lui en tenez pas rigueur, mon garçon. Ce message a été écrit sous ma dictée, et bien à contrecœur. Elle aurait mieux fait de s'en abstenir, mais je ne lui ai pas dit ça sur le moment. Suivant ses instructions, vous vous êtes rendu à la boutique de curiosités et on vous a conduit — par le passage secret qui part de l'arrière-boutique — droit dans les bras de vos ennemis.

Harry me regarda. Ayant compris son regard, je me rapprochai de sir Eustache.

– Oui, déclara ce dernier, décidément vous jouez de malchance. C'est notre... voyons voir... notre troisième rencontre, non ?

– Tout juste, répondit Harry. C'est notre troisième rencontre. Deux fois, vous avez eu le dessus... Vous n'avez jamais entendu dire que, la troisième fois, la chance tourne ? Mon tour est venu... Tenez-le en respect, Anne.

J'étais prête. En un éclair, je tirai le revolver de ma jarretière et le braquai sur la tête de sir Eustache. Les deux hommes qui encadraient Harry voulurent bondir, mais il les arrêta :

– Un pas de plus, et il est mort. S'ils approchent, Anne, n'hésitez pas à tirer.

– Je n'hésiterai pas, répliquai-je gaiement. J'ai plutôt peur de tirer sans le vouloir.

Je crois que sir Eustache partageait ma terreur. Il tremblait comme de la gelée.

– Restez où vous êtes, intima-t-il aux deux hommes qui obéirent aussitôt.

– Ordonnez-leur de quitter la pièce, dit Harry.

Sur l'ordre de sir Eustache, les deux hommes sortirent l'un derrière l'autre. Harry ferma la porte à clé.

– A présent, nous allons pouvoir parler, déclara-t-il sur un ton menaçant.

Il vint me prendre le revolver des mains. Avec un soupir de soulagement, sir Eustache s'essuya le front.

– Je ne suis pas en forme, c'est honteux. Je dois avoir le cœur fragile. Je suis content de voir ce revolver entre des mains compétentes. Je ne faisais pas confiance à miss Anne. Et maintenant, mon jeune ami, comme vous dites, nous allons pouvoir parler. Je dois admettre que vous m'avez pris de vitesse. D'où diable tirez-vous ce revolver, je me le demande. On a fouillé les bagages de la fille quand elle est arrivée. D'où sort-il ? Il y a une minute encore, vous ne l'aviez pas.

– Si, je l'avais, répliquai-je. Il était dans ma jarretière.

– Ah ! je connais bien mal les femmes, déplora sir Eustache. J'aurais dû les étudier d'un peu plus près. Je me demande si Pagett s'en serait douté, lui.

Harry tambourina sur la table.

– Ne jouez pas les imbéciles ! N'étaient vos cheveux gris, je vous expédierais par la fenêtre. Espèce de crapule ! D'ailleurs, cheveux gris ou pas, je...

Harry fit un pas en avant et sir Eustache se replia prudemment derrière la table.

– Les jeunes sont toujours si violents, dit-il d'un air réprobateur. Incapables d'utiliser leur cervelle, ils ne font confiance qu'à leurs muscles. Discutons raisonnablement. Pour l'instant, vous avez le dessus. Mais cet état de choses ne durera pas. La maison est pleine d'hommes à ma solde. Vous serez vite écrasés sous le nombre. Vous l'avez emporté provisoirement tout à fait par hasard.

– Ah oui ? fit Harry, railleur.

Intrigué, sir Eustache le dévisagea.

– Ah oui ? répéta Harry. Asseyez-vous, sir Eustache, et écoutez donc ce que j'ai à vous dire. (Et le gardant en joue, il poursuivit :) Cette fois-ci, les cartes sont contre vous. Pour commencer, écoutez *ça*.

Ça, c'était des coups sourds venant du rez-de-chaussée. On frappait à la porte. Des cris, des jurons et enfin des détonations retentirent. Sir Eustache pâlit.

– Qu'est-ce que c'est ?

– Race et ses hommes. Vous ignoriez, n'est-ce pas, sir Eustache, qu'Anne et moi étions convenus de chiffrer nos messages ? Je devais signer mes télégrammes du nom d'Andy et elle barrer au moins une fois le mot « et » dans ses lettres. Anne savait que votre télégramme était un faux. C'est en pleine connaissance de cause qu'elle s'est jetée dans votre piège, en espérant vous prendre à votre propre jeu. Avant de quitter Kimberley, elle a envoyé deux télégrammes, un à Race, un à moi. Depuis, nous sommes restés en communication constante avec Mrs Blair. La lettre que vous avez dictée à Anne était exactement ce que j'espérais. Race et moi pensions déjà qu'il existait un passage secret pour sortir de la boutique, et Race a découvert où il se trouvait.

On entendit un son aigu, déchirant, et une violente explosion secoua la pièce.

– Ils bombardent le quartier. Il faut que je vous sorte d'ici, Anne.

Une vive lumière jaillit. La maison d'en face était en feu. Sir Eustache s'était levé et marchait de long en large. Harry le tenait toujours en joue.

– Vous voyez, sir Eustache, le jeu est fini. C'est vous-même qui nous avez gentiment indiqué où vous étiez. Les hommes de Race surveillaient la sortie du passage secret. En dépit des précautions que vous avez prises, ils ont réussi à me suivre jusqu'ici.

Sir Eustache se retourna brusquement.

– Très intelligent. Très bien joué. Cependant, j'ai encore un mot à dire. J'ai perdu la partie, mais vous aussi. Vous ne parviendrez jamais à me faire endosser le meurtre de Nadine. J'étais à Marlow ce jour-là, c'est tout ce que vous avez contre moi. Personne ne peut rien prouver, pas même que je connaissais cette femme. En revanche, vous, vous la connaissiez, vous aviez des raisons de la tuer et votre passé jouera contre vous. N'oubliez pas que vous êtes un voleur. Et il y a une chose que vous ignorez peut-être : *J'ai les diamants*. Et voilà ce que j'en fais !

D'un mouvement vif, il s'accroupit, balança le bras dans un tintement de verre brisé. Quelque chose traversa la fenêtre et disparut dans les flammes, de l'autre côté de la rue.

– Envolé le dernier espoir de vous disculper du vol de Kimberley ! Et maintenant, nous pouvons discuter. Je vous propose un marché. Vous me tenez. Race trouvera tout ce qu'il lui faut dans cette maison. Si je peux m'échapper, j'ai encore une chance. Si je reste, je suis perdu, mais vous aussi, jeune homme. Il y a une lucarne ouvrant sur les toits dans la pièce à côté. Donnez-moi deux minutes d'avance, et tout ira bien. J'ai déjà pris quelques dispositions. Vous me laissez partir, vous me laissez une petite avance et je vous remets des aveux signés disant que j'ai tué Nadine.

– Oui, Harry ! m'écriai-je. Oui, oui, oui !

Harry tourna vers moi un visage grave :

– Non, Anne ! Mille fois non ! Vous ne savez pas ce que vous dites.

– Mais si ! Cela arrange tout.

– Non, je ne pourrais jamais plus regarder Race en face. Je vais courir ma chance, mais que je sois pendu si je laisse échapper ce vieux renard. Ce ne serait pas bien, Anne. Je ne le ferai pas.

Sir Eustache eut un petit rire. Il acceptait sa défaite sans aucune émotion.

– Parfait, parfait, dit-il. Il semble que vous ayez trouvé votre maître, Anne. Mais je puis vous assurer, à tous les deux, que la droiture n'est pas toujours récompensée.

On entendit un bruit de bois cassé et des pas dans l'escalier. Harry tira le verrou. Le colonel Race pénétra le premier dans la pièce. En nous voyant, son visage s'éclaira :

– Vous êtes saine et sauve, Anne ! Je redoutais... (Il se tourna vers sir Eustache :) Il y a longtemps que je vous traque, Pedler. Enfin je vous tiens !

– Mais c'est à croire que tout le monde est devenu fou, déclara sir Eustache avec désinvolture. Ces jeunes gens me tenaient sous la menace d'un revolver en m'accusant des plus effroyables méfaits. Je ne comprends rien à tout ça.

– Vraiment ? Cela signifie que j'ai trouvé le « Colonel ». Cela signifie que le 8 janvier dernier, vous ne vous trouviez pas à Cannes, mais à Marlow. Cela signifie que lorsque votre âme damnée, la trop fameuse Nadine, s'est retournée contre vous, vous avez décidé de vous en débarrasser — et que nous allons enfin pouvoir vous mettre ce crime sur le dos.

– Oui ? Et de qui tenez-vous ces intéressantes informations ? D'un homme recherché par la police ? Son témoignage aura beaucoup de valeur !

– Nous en avons d'autres. Quelqu'un d'autre savait que Nadine devait vous retrouver au Moulin.

Sir Eustache parut surpris. Sur un geste du colonel Race, Arthur Minks, alias le révérend Chichester, alias miss Pettigrew, s'avança. Pâle et nerveux, il déclara cependant clairement :

– J'ai vu Nadine à Paris, la veille de son départ pour l'Angleterre. A l'époque, je me faisais passer pour un comte russe. Elle m'a confié son projet. Je l'ai mise en garde, sachant à quel genre d'homme elle allait s'attaquer, mais elle n'en a fait qu'à sa tête. Un télégramme traînait sur sa coiffeuse. Je l'ai lu. Après coup, j'ai songé à m'approprier les diamants. A Johannesburg, j'ai été accosté par Mr Rayburn. Il m'a persuadé de rallier son camp.

Sir Eustache le regardait. Il ne dit rien, mais Minks parut se décomposer.

– Les rats quittent toujours le navire en détresse, commenta sir Eustache. Je n'aime pas les rats ! Tôt ou tard, je détruis la vermine.

– Il y a une chose que je tiens à vous faire remarquer, dis-je. Le rouleau que vous avez jeté par la fenêtre ne contenait pas les diamants, mais de vulgaires cailloux. Les diamants sont en sécurité. En fait, ils sont dans le ventre de la grande girafe : Suzanne l'a évidé, y a mis les diamants enveloppés dans du coton hydrophile pour qu'ils ne fassent pas de bruit, et l'a refermé.

Sir Eustache me fixa longuement. Sa réplique fut digne de lui :

– J'ai toujours exécré cette maudite girafe. L'instinct, sans doute.

34

Il ne nous fut pas possible de regagner Johannesburg le soir même. Le bombardement s'était intensifié et, à présent que les rebelles occupaient une bonne partie des faubourgs, nous étions plus ou moins encerclés.

Nous trouvâmes refuge dans une ferme, à une trentaine de kilomètres de Johannesburg, en plein veldt. Je tombais de fatigue. Après deux jours d'angoisse et de surexcitation, je me sentais molle comme une chiffe.

Sans oser encore y croire, je ne cessais de me répéter que tous nos ennuis étaient finis. Nous étions réunis, Harry et moi, et nous ne nous séparerions jamais plus. Et pourtant, je sentais une barrière entre nous — une contrainte de sa part dont la raison m'échappait.

Sir Eustache avait été emmené, sous bonne garde, dans la direction opposée. Avant de partir, il nous avait adressé un petit salut désinvolte.

Le lendemain matin, je sortis de bonne heure sur le *stoep* et contemplai le veldt en direction de Johannesburg. Je voyais les grands terrils briller sous le pâle soleil du matin, et j'entendais l'écho assourdi de la canonnade. La révolution n'était pas terminée.

La fermière vint me prévenir que le petit déjeuner était prêt. C'était une brave femme, pour laquelle j'avais déjà beaucoup de sympathie. Elle m'apprit que Harry était parti à l'aube et n'était toujours pas revenu. Une fois de plus, j'éprouvai un sentiment de malaise. Quelle était cette ombre entre nous dont je n'étais que trop consciente ?

Après le petit déjeuner, je revins sur le *stoep* avec un livre, mais je fus incapable de lire. J'étais tellement absorbée dans mes pensées que je ne vis même pas le colonel Race approcher et descendre de cheval.

– Bonjour, Anne !

– Oh ! dis-je en rougissant. C'est vous ?

– Oui. Puis-je m'asseoir ?

Il tira une chaise près de la mienne. C'était la première fois que nous nous retrouvions en tête à tête, depuis notre excursion au Matoppos. J'éprouvais encore cette fascination mêlée d'inquiétude qu'il m'inspirait toujours.

– Quelles sont les nouvelles ? demandai-je.

– Smuts arrivera demain à Johannesburg. Je leur donne encore trois jours et le soulèvement sera définitivement écrasé. En attendant, les combats continuent.

– J'aimerais qu'on soit sûr que ce sont les bons qui se font tuer. Je veux dire par là ceux qui voulaient la bagarre — pas les innocents qui ont le malheur d'habiter les quartiers où on se bat.

– Je vous comprends, Anne. C'est l'injustice de la guerre ! Mais j'ai d'autres nouvelles pour vous.

– Ah oui ?

– Un aveu d'incompétence de ma part. Pedler a réussi à s'échapper.

– Quoi ?

– Oui. Et personne ne sait comment il s'est débrouillé. On l'avait bouclé pour la nuit dans le grenier d'une des fermes des environs reprises par l'armée. Mais au matin, le grenier était vide... et l'oiseau envolé.

Sans que je puisse l'avouer, cela me faisait plutôt plaisir. Jamais jusqu'à ce jour, je n'ai pu me défendre d'une certaine faiblesse pour sir Eustache. Je n'aurais pas dû, mais c'est comme ça : je l'admirais. C'était peut-être une effroyable crapule, mais aussi une joyeuse crapule. Et, depuis, je n'ai jamais rencontré personne qui soit — et de loin — aussi amusant.

Bien entendu, je ne dis rien de tout ça. Le colonel Race ne risquait pas de partager mes sentiments. Il voulait que sir Eustache soit traduit devant la justice. A la réflexion, son évasion n'avait rien de bien surprenant. Il devait avoir d'innombrables espions et complices aux alentours de Johannesburg. Et quoi qu'en puisse penser le colonel Race, je doutais fort qu'on le reprenne jamais. Il avait sûrement mis sur pied plusieurs plans de replis possibles. Il nous l'avait laissé entendre.

Je déclarai ce qu'il est convenu de déclarer dans ce genre de circonstances. Mais je n'y mis guère de conviction. Et notre conversation ne tarda pas à languir. Subitement, le colonel Race s'enquit de Harry. Je lui appris qu'il était parti dès l'aube, avant même que je ne l'aie vu.

– Vous avez bien saisi, Anne, qu'il est désormais parfaitement disculpé ? Restent quelques formalités, quelques paperasses, mais la culpabilité de sir Eustache ne fait plus de doute. Rien ne vous sépare plus.

Il avait dit cela sans me regarder, d'une voix sourde et étranglée.

– J'ai parfaitement saisi, lui répondis-je avec gratitude.

– Rien ne s'oppose non plus à ce qu'il reprenne son nom.

– Non, bien sûr que non.

– Vous connaissez son vrai nom ?

Cette question me surprit.

– Bien sûr ! C'est Harry Lucas.

Il resta un instant silencieux, ce qui me frappa.

– Anne, vous souvenez-vous du jour où, en revenant du Matoppos, je vous ai dit que je savais ce qu'il me restait à faire ?

– Bien sûr que je m'en souviens !

– Eh bien, je pense pouvoir dire honnêtement que je l'ai fait. L'homme que vous aimez est aujourd'hui lavé de tout soupçon.

– C'est ce que vous vouliez dire par là ?

– Evidemment !

Je baissai la tête, honteuse de m'être défiée du colonel Race. Il reprit, d'une voix songeuse :

– Quand j'avais vingt ans, je suis tombé amoureux d'une jeune fille qui m'a envoyé sur les roses. Après ça, je n'ai plus songé qu'à mon travail. Ma carrière a tout signifié pour moi. Mais du jour où je vous ai rencontrée, Anne, tout cela m'a paru sans intérêt. Malheureusement, la jeunesse attire la jeunesse... Enfin, il me reste mon travail...

Je restai silencieuse. J'imagine qu'on ne peut aimer profondément deux hommes à la fois. Et pourtant, c'est un peu ce que j'éprouvais en cet instant, sous l'empire du magnétisme de cet homme. Soudain, je relevai les yeux sur lui.

– Je crois que vous irez loin, lui déclarai-je. Je crois

que vous avez devant vous une grande carrière. Vous deviendrez l'un des grands hommes de ce monde.

En prononçant ces mots, j'eus le sentiment de prophétiser.

– Oui, mais je serai seul.

– Comme tous les gens qui font de grandes choses.

– Vous croyez ?

– J'en suis sûre.

Il prit ma main, et me souffla :

– J'aurais préféré... l'autre éventualité.

A cet instant, Harry apparut de derrière la maison. Le colonel Race se leva.

– Bonjour... Lucas, dit-il.

Pour Dieu sait quelle raison, Harry rougit comme une pivoine.

– Hé oui, lui lançai-je, il faut qu'on vous appelle par votre vrai nom, désormais.

Mais Harry fixait toujours Race.

– Vous savez donc, colonel ! articula-t-il enfin.

– Je n'oublie jamais un visage. Je vous avais vu, quand vous étiez tout enfant.

– Mais de quoi parlez-vous donc ? leur demandai-je, perplexe, en les dévisageant alternativement.

On aurait dit que leurs volontés se dressaient l'une contre l'autre. Ce fut Race qui l'emporta. Et Harry détourna les yeux.

– Vous avez sans doute raison, colonel. Apprenez-lui mon vrai nom.

– Anne, ce garçon n'est pas Harry Lucas, qui a été tué pendant la guerre. Son nom est John Harold Eardsley.

564

35

Sur ces derniers mots, le colonel Race avait tourné les talons et s'était éloigné. Je le suivis du regard. La voix de Harry me ramena à la réalité.

– Pardonne-moi, Anne, dis-moi que tu me pardonnes.

Il me prit la main, mais, presque machinalement, je la lui retirai.

– Pourquoi m'avoir trompée ?

– Je ne savais pas si tu pourrais comprendre. Et puis, la puissance et la fascination que peut exercer la fortune, tout cela me faisait peur. Je voulais que tu m'aimes pour moi-même, pour ce que j'étais, sans plus.

– Tu veux dire que tu n'avais pas confiance en moi ?

– Tu peux formuler les choses comme ça, si tu veux, mais ce n'est pas tout à fait exact. J'étais devenu aigri, soupçonneux, prêt à voir le mal partout. C'était merveilleux d'être enfin aimé pour moi-même, comme tu le faisais.

– Je vois, fis-je lentement.

Je me remémorai toute l'histoire. Pour la première fois, je relevais certains détails que j'avais négligés jusqu'alors. N'avait-il pas toujours eu cet aplomb que confère l'argent ? N'avait-il pas eu les moyens de racheter les diamants à Nadine ? Et puis, il y avait ce détachement avec lequel il m'avait conté les aventures de deux amis. Ainsi, en parlant de son « ami », ne désignait-il pas Eardsley, mais Lucas... Lucas, cet homme si doux, qui avait voué à Nadine un amour si profond.

– Comment cela est-il arrivé ?

– Nous voulions tous les deux mourir. Et un soir, nous avons échangé nos plaques, pour que cela nous porte bonheur ! Et Lucas a été tué le lendemain, volatilisé par un obus.

Un frisson me parcourut.

– Mais pourquoi ne pas me l'avoir avoué depuis ? Ce matin encore ? Après tout ce temps, tu doutais toujours de moi ?

– Anne, je craignais de tout gâcher. Je voulais te ramener dans l'île. A quoi bon l'argent ? Le bonheur ne s'achète pas ! Nous avons été heureux là-bas. Je t'assure que j'ai peur de retrouver le monde, qui a déjà failli causer une fois ma perte.

– Et sir Eustache, il connaissait ta véritable identité ?

– Bien sûr !

– Et Carton ?

– Non, pas lui. Un soir, il nous avait vus, Lucas et moi, avec Nadine, à Kimberley, mais il ignorait qui était qui. Quand j'ai prétendu être Lucas, il m'a cru, et Nadine a été abusée par son télégramme. Elle n'avait jamais redouté Lucas, garçon tranquille, renfermé. Mais moi, j'ai toujours eu un fichu caractère, et, si elle m'avait cru ressuscité d'entre les morts, elle aurait été terrifiée.

– Harry, à supposer que le colonel Race ne m'ait rien dit, que comptais-tu faire ?

– Ne rien te dire, et continuer à me faire passer pour Lucas.

– Et les millions de ton père ?

– Ils seraient revenus à Race, qui en aurait fait

566

meilleur usage que moi. Anne, à quoi songes-tu ? Tu fronces les sourcils.

– Je me dis, murmurai-je lentement, que je souhaiterais presque que le colonel Race ne t'ait pas obligé à parler.

– Non, il a eu raison. Je te devais la vérité. (Puis il ajouta soudain :) Tu sais, Anne, je suis jaloux de Race. Il t'aime, lui aussi, et c'est quelqu'un de bien plus remarquable que je ne le serai jamais.

Je ne pus m'empêcher de rire :

– Harry, cher idiot. C'est toi que je veux — et c'est tout ce qui compte !

Sitôt que possible, nous regagnâmes Le Cap, où Suzanne nous attendait sur le quai. Après quoi, nous ouvrîmes ensemble le ventre de la grande girafe. Quand le soulèvement fut jugulé, le colonel Race nous rejoignit à son tour, et proposa que nous nous installions tous dans la grande villa de Muizenberg, qui avait appartenu à sir Laurence Eardsley.

C'est là que nous établîmes nos plans. J'allais regagner l'Angleterre avec Suzanne, et mon mariage serait célébré à Londres, en grandes pompes. Et mon trousseau viendrait de Paris ! Suzanne s'amusa comme une folle à régler tous ces détails. Moi aussi. Pourtant, l'avenir me semblait irréel. Et parfois, sans savoir pourquoi, je me sentais oppressée.

C'était la nuit précédant notre embarquement. Je n'arrivais pas à fermer l'œil. Je me sentais triste, sans pouvoir dire pourquoi. Je détestais l'idée de quitter l'Afrique. Quand j'y reviendrais, retrouverais-je le même pays ? Est-ce que ce serait la même chose ?

Un coup autoritaire frappé au volet me fit sursauter. Je me levai d'un bond. Harry était dehors, sur le *stoep*.

– Habille-toi, Anne, et sors. J'ai quelque chose à te dire.

Je me vêtis sommairement et sortis dans l'air embaumé d'une nuit veloutée. Harry m'entraîna à l'écart de la maison, loin des oreilles indiscrètes. Dans son visage pâle et déterminé, ses yeux flamboyaient.

– Anne, tu te rappelles m'avoir expliqué une fois qu'une femme fait volontiers ce qu'elle déteste le plus, du moment que c'est pour l'homme qu'elle aime ?

– Oui, répondis-je, me demandant ce qui allait suivre.

Il me prit dans ses bras :

– Anne, pars avec moi, ce soir, sur l'heure. Retournons en Rhodésie, retournons dans notre île. Toutes ces simagrées m'ennuient. Je ne peux plus t'attendre.

J'échappai un instant à son étreinte.

– Et mes robes de Paris ? dis-je sur un ton faussement larmoyant.

Aujourd'hui encore, Harry ne sait jamais quand je parle sérieusement et quand je plaisante.

– Au diable, tes toilettes de Paris ! Tu crois que j'aie envie de te couvrir de toilettes ? J'ai plutôt envie de te les arracher, je t'assure ! Et je ne vais pas te laisser partir, tu m'entends ? Tu es ma femme. Si je te laisse partir, je risque encore de te perdre. Alors, viens avec moi, ce soir, sur l'heure, et au diable les autres !

Il me serra contre lui, m'étouffant de baisers :

– Je ne peux plus vivre sans toi, Anne ! Je ne peux plus. Je hais toute cette fortune. Laissons-la à Race. Allez, viens !

– Et ma brosse à dents ? soufflai-je.

– Tu t'en achèteras une autre. Je sais que je suis cinglé, mais, bon Dieu, *viens* !

Et il partit à grands pas. Moi, je le suivis, aussi docilement que la femme Barotsi que j'avais vue aux Chutes — à cela près que je ne trimbalais pas de poêle à frire sur ma tête. Mais il filait si vite que j'avais du mal à le suivre.

– Harry, soufflai-je enfin, est-ce que nous allons rallier la Rhodésie à pied ?

Il se retourna soudain, et avec un grand rire, me serra dans ses bras.

– Je suis fou, ma douce, je le sais. Mais je t'aime tant !

– Nous sommes aussi fous l'un que l'autre. Et tu sais, Harry : tu ne m'as jamais demandé mon avis sur la question, mais je ne sacrifie rien ! Rien du tout ! Je n'avais qu'une envie : te suivre.

36

Deux ans ont passé. Nous vivons toujours sur notre île. Devant mes yeux, sur notre table de bois grossièrement équarri, se trouve une lettre de Suzanne.

Chers petits sauvages... Chers amoureux égarés,

La tournure des événements ne m'a pas étonnée — pas le moins du monde. Déjà, du temps où nous parlions chiffons toutes deux, je savais que Paris et sa mode n'avaient au fond guère d'attraits pour vous. Je savais qu'un jour vous vous évanouiriez dans la nature pour vous marier à la mode des bohémiens. Mais vous êtes un couple de toqués ! C'est ridicule de renoncer à cette fortune ! Le colonel Race voulait vous en dissuader, mais je l'ai convaincu de laisser faire le temps. Race gérera la fortune de Harry mieux que personne. Car, après tout, les lunes de miel n'ont qu'un temps, je puis le dire d'autant plus librement qu'à cette distance Anne ne risque pas de se jeter sur moi comme un chat sauvage. Quand vous aurez épuisé les charmes de la passion en pleine nature, vous vous mettrez un beau jour à rêver d'un hôtel particulier à Park Lane, de fourrures somptueuses, de toilettes chic, de voitures puissantes, de landaus dernier cri, de bonnes françaises et de nounous nordiques ! Mais si, mais si !

Passez tout de même une merveilleuse lune de miel, aussi longue que possible, chers toqués, et pensez parfois à moi, qui m'amollis dans les délices de Capoue.

Votre amie sincère,
Suzanne Blair

PS : Voici, en guise de cadeau de noces, un jeu complet de poêles à frire, et une énorme terrine de foie gras, pour que vous ne m'oubliiez pas.

Il y a aussi une autre lettre que je relis de temps à autre. Elle m'est parvenue bien après la première, avec un gros colis, apparemment postés en Bolivie.

Ma chère Anne Beddingfeld,
Je ne puis résister à l'envie de vous écrire, moins pour le plaisir que j'en retirerai moi-même que pour celui que

vous éprouverez à recevoir de mes nouvelles. Il faut croire que notre ami Race n'était pas si habile qu'il se le figurait !

J'ai décidé de faire de vous mon agent littéraire, et je vous envoie donc mon Journal intime. Il ne contient rien de nature à intéresser Race et ses acolytes, mais j'imagine que certains passages pourront vous amuser. Faites-en l'usage qu'il vous plaira. Je vous suggère de proposer au Daily Budget un article intitulé : Les criminels que j'ai connus, à la seule condition de m'en réserver la vedette.

Je suis certain qu'à l'heure actuelle, vous n'êtes d'ailleurs plus la petite Anne Beddingfeld que j'ai connue, mais lady Eardsley, roulant carrosse dans Park Lane. Je tiens seulement à vous dire que je ne vous en veux nullement. Certes, il est dur à mon âge de repartir de zéro, mais, entre nous, je vous dirai que j'avais eu la prudence de mettre quelque argent de côté pour faire face à l'adversité. Je m'en suis fort bien trouvé et j'ai d'ores et déjà remonté un petit réseau. A ce propos, si vous croisez jamais l'étrange ami que vous avez en la personne d'Arthur Minks, dites-lui simplement que je ne l'ai pas oublié. Cela ne manquera pas de produire son petit effet.

Je crois dans l'ensemble avoir fait preuve d'une magnanimité toute chrétienne, même envers Pagett. J'ai d'ailleurs appris que celui-ci, ou plutôt son épouse, aurait récemment mis au monde un sixième enfant. L'Angleterre sera bientôt peuplée de ses rejetons. Je lui ai fait parvenir une timbale d'argent et lui ai proposé d'être le parrain du bambin. Je vois d'ici ce pauvre

Pagett s'empresser d'aller porter timbale et lettre à Scot-
land Yard, sans l'ombre d'un sourire !

Soyez bénie, vous et vos beaux yeux. Nul doute qu'un
jour, vous mesurerez l'erreur que vous avez commise en
vous refusant à m'épouser.

Bien à vous,
Eustache Pedler

Harry était furieux. C'est la seule question que nous n'envisagions pas du même œil. Pour lui, sir Eustache resterait l'homme qui a tenté de m'assassiner et qu'il juge responsable de la mort de son ami. Ces diverses tentatives de meurtre sur ma personne m'ont toujours laissée perplexe : elles jurent avec la personnalité de sir Eustache. Je suis certaine que, au fond, il éprouvait pour moi une affection sincère.

Dans ce cas, pourquoi a-t-il donc tenté de m'assassi-ner à deux reprises ? Harry, lui, décrète : « parce que c'est une effroyable crapule », et semble estimer que, cela dit, tout est dit. Mais Suzanne voit plus loin ; j'en ai discuté avec elle et elle attribue ces tentatives à « une sorte d'angoisse existentielle ». Il faut dire que Suzanne est à présent très versée en psychanalyse. Elle m'a fait remarquer que tous les faits et gestes de sir Eustache trahissaient une aspiration à la sécurité et au confort, et surtout une farouche volonté de se préserver en toute occasion. Le meurtre de Nadine aurait ainsi levé chez lui certaines inhibitions. Ses actes ne traduiraient donc pas ses sentiments réels pour moi, mais bien la volonté de se mettre à l'abri du danger. J'incline à croire que Suzanne a raison. Quant à Nadine, c'était à mon sens une femme qui méritait bien son châtiment. Les hommes font des tas de choses plus ou moins répréhensibles pour s'enrichir, mais les femmes ne devraient pas faire semblant d'être amoureuses par pure cupidité.

Je pardonne volontiers à sir Eustache, mais jamais je ne pardonnerai à Nadine. Jamais ! jamais ! jamais !

Il y a quelques jours, je déballais des boîtes de conserve enveloppées dans un vieil exemplaire du *Daily Budget,* quand mon regard fut arrêté par ce titre : *L'Homme au complet marron.* Tout cela semble déjà si loin ! Evidemment, il y a déjà fort longtemps que j'ai rompu avec le *Daily Budget,* dont je me suis lassée la première. *Mon mariage romanesque* avait fait la une du journal.

Mon fils gigote au soleil. Il est le moins vêtu possible — ce qui est la tenue idéale pour l'Afrique — bronzé comme ce n'est pas permis : digne héritier de l'Homme au complet marron, en quelque sorte. Il ne cesse de farfouiller dans la terre : sans doute a-t-il aussi hérité de la passion grand-paternelle pour la boue du pléistocène. A sa naissance, j'ai reçu un télégramme de Suzanne :

Félicitations et tendresses au dernier arrivant sur l'île des toqués. Est-il dolichocéphale ou brachycéphale ?

Je n'allais tout de même pas supporter ça de Suzanne ! Economique, concise et précise, ma réponse tint en un seul mot :

Platycéphale !